厚生統計要覧

平 成 30 年 度

人口・世帯

保 健 衛 生

社 会 福 祉

老人保健福祉

社 会 保 険

社会保障等

付　　録

厚生労働省政策統括官
（統計・情報政策、政策評価担当）編
一般財団法人　厚生労働統計協会

厚生統計要覧

平 成 30 年 度

| 人口・世帯 |
| 保 健 衛 生 |
| 社 会 福 祉 |
| 老人保健福祉 |
| 社 会 保 険 |
| 社会保障等 |
| 付　　　録 |

厚生労働省政策統括官
（統計・情報政策、政策評価担当）編
一般財団法人　厚生労働統計協会

ま　え　が　き

　この厚生統計要覧は、厚生労働省において作成される厚生関係の諸統計を中心とし、これに各省庁及び民間において作成された人口や世帯等の主要な統計を加えて総合的に取りまとめたものです。

　この要覧は、厚生行政に関連のある各種の統計を手軽なものにという要望にこたえ、昭和45年に創刊されて以来毎年刊行しています。

　編集に当たっては、できるかぎり最近までの数値を取り入れるとともに、単に集計結果の数値にとどめず、必要に応じて増減率、格差等分析に必要な数値も併掲し、利用者の方々の便宜を図ることに努めました。なお、国際比較を可能にするため主要各国の関係統計も併せて掲載しました。

　関係各位の御意見もいただきながら、本書をより利用価値の高いものにしたいと思いますので、今後とも御協力を賜るようお願いします。

　　平成31年３月

　　　　厚生労働省政策統括官（統計・情報政策、政策評価担当）

凡　　　例

利用上の注意

1　「年」というのは暦年で、「年度」というのは会計年度のことである。

2　「指定都市、中核市」というのは、地方自治法（昭和22年法律第67号）第252
条の19第1項、第252条の22にそれぞれ規定するところのものである。

3　四捨五入した数などを用いている統計表では、細分した項目の数の合計が、必
ずしも総数に一致するとは限らない。

4　統計表に使用している記号（表章記号）は、次のとおりである。

(1)　計数のない場合　　　　　　　　　　　　　　　　　　　　　—

(2)　統計項目があり得ない場合　　　　　　　　　　　　　　　　・

(3)　計数不明又は計数を表章することが不適切な場合　　　　　　…

(4)　比率が微少（0.05未満、0.005未満）の場合　　　0.0, 0.00

(5)　推計数が表章単位の2分の1未満の場合　　　　　　　　　　0

(6)　負数の場合　　　　　　　　　　　　　　　　　　　　　　△

(7)　概数又は暫定数　　　　　　　　　　　　　　　　　　　　p

5　本書刊行後、統計データに訂正等があった場合には、厚生労働省
ホームページ上に掲載している「厚生統計要覧」
【http://www.mhlw.go.jp/toukei/youran/index-kousei.html】にて修正後の統
計表を掲載する。

平成30年度　厚生統計要覧

目　　次

まえがき
凡　　例

第1編　人口・世帯

第1章　人　口

第1−1表　国勢調査人口・面積及び人口密度，市郡×年次別‥‥‥‥‥‥‥‥‥‥‥‥‥‥‥‥　17

第1−2表　総人口・日本人人口，性×年次別‥‥‥‥‥‥‥‥‥‥‥‥‥‥‥‥‥‥‥‥‥‥‥‥　17

第1−3表　総人口・人口増減数，年次別‥‥‥‥‥‥‥‥‥‥‥‥‥‥‥‥‥‥‥‥‥‥‥‥‥‥　17

第1−1図　我が国の人口ピラミッド‥‥‥‥‥‥‥‥‥‥‥‥‥‥‥‥‥‥‥‥‥‥‥‥‥‥‥‥　18

第1−2図　年齢3区分別人口の推移（中位推計）‥‥‥‥‥‥‥‥‥‥‥‥‥‥‥‥‥‥‥‥‥‥　18

第1−4表　総人口・将来推計人口・構成割合，年齢3区分×年次別‥‥‥‥‥‥‥‥‥‥‥‥‥‥　19

第1−5表　総人口・日本人人口，性×都道府県別‥‥‥‥‥‥‥‥‥‥‥‥‥‥‥‥‥‥‥‥‥‥　20

第1−6表　総人口・日本人人口，性×年齢階級別‥‥‥‥‥‥‥‥‥‥‥‥‥‥‥‥‥‥‥‥‥‥　21

第1−7表　総人口・構成割合，年齢3区分×都道府県別‥‥‥‥‥‥‥‥‥‥‥‥‥‥‥‥‥‥‥　22

第1−8表　推計人口の年齢構造に関する指標，年次別‥‥‥‥‥‥‥‥‥‥‥‥‥‥‥‥‥‥‥‥　23

第1−9表　諸外国の年央人口・人口増加率・面積・人口密度‥‥‥‥‥‥‥‥‥‥‥‥‥‥‥‥‥　23

第1−10表　老年人口割合の国際比較（2050）‥‥‥‥‥‥‥‥‥‥‥‥‥‥‥‥‥‥‥‥‥‥‥‥　24

第1−11表　就業者数，年次×産業・職業別‥‥‥‥‥‥‥‥‥‥‥‥‥‥‥‥‥‥‥‥‥‥‥‥‥　25

第2章　人口動態

第1−12表　人口動態総覧（実数・率），年次別‥‥‥‥‥‥‥‥‥‥‥‥‥‥‥‥‥‥‥‥‥‥‥　26

第1−13表　人口動態総覧（実数），都道府県−21大都市（再掲）別‥‥‥‥‥‥‥‥‥‥‥‥‥‥　28

第1−14表　人口動態総覧（率），都道府県−21大都市（再掲）別‥‥‥‥‥‥‥‥‥‥‥‥‥‥‥　30

第1−15表　就業状態別出生率・死亡率・婚姻率，都道府県−21大都市（再掲）別‥‥‥‥‥‥‥‥　32

第1−16表　悪性新生物，心疾患及び脳血管疾患による死亡数，職業別・産業別‥‥‥‥‥‥‥‥‥　33

第1−17表　出生数・出生率・構成割合，年次×母の年齢階級別‥‥‥‥‥‥‥‥‥‥‥‥‥‥‥‥　34

第1−18表　出生数・構成割合，年次×出生順位別‥‥‥‥‥‥‥‥‥‥‥‥‥‥‥‥‥‥‥‥‥‥　34

第1−19表　父母の平均年齢，出生順位×年次別‥‥‥‥‥‥‥‥‥‥‥‥‥‥‥‥‥‥‥‥‥‥‥　35

第1−20表　合計特殊出生率，年次別‥‥‥‥‥‥‥‥‥‥‥‥‥‥‥‥‥‥‥‥‥‥‥‥‥‥‥‥　35

第1−21表	諸外国の出生率，年次別	36
第1−22表	諸外国の合計特殊出生率	36
第1−23表	死産数，妊娠期間×自然−人工×年次別	37
第1−24表	諸外国の周産期死亡率（出生千対），年次別	37
第1−25表	死亡数・構成割合，死亡場所×年次別	38
第1−26表	死亡数・死亡率（人口10万対），性×死因簡単分類別	39
第1−27表	死亡数・死亡率（人口10万対），性・年次×年齢階級別	42
第1−28表	性・年齢階級別にみた死因順位（第5位まで）	44
第1−29表	死亡率（人口10万対），死因年次推移分類・性別	46
第1−30表	年齢調整死亡率（人口10万対），死因年次推移分類・性別	48
第1−31表	悪性新生物の死亡数・死亡率（人口10万対），性×主な部位別	50
第1−32表	不慮の事故の種類別死亡数・死亡率（人口10万対），年次別	51
第1−33表	諸外国の死亡率（人口10万対），性・主な死因別	52
第1−34表	乳児死亡数・乳児死亡率（出生10万対），生存期間×乳児死因簡単分類別	54
第1−35表	諸外国の乳児死亡率（出生千対），年次別	55
第1−36表	婚姻件数，年次×初婚・再婚の組合せ別	56
第1−37表	婚姻件数，年次×夫妻の国籍別	56
第1−38表	初婚件数・初婚率，年次×年齢階級別	57
第1−39表	平均初婚年齢，年次別	58
第1−40表	離婚件数，婚姻期間×年次別；平均同居期間，年次別	59
第1−41表	離婚件数，親権を行わなければならない子の数×年次別	60
第1−42表	離婚件数，年次×夫妻の国籍別	60
第1−43表	平均余命，年次×性・特定年齢別	61
第1−44表	平均寿命，性×年次・都道府県別	62
第1−45表	平均寿命の国際比較	63
第1−3図	主な国の平均寿命の年次推移	64

第3章 世帯

第1−46表	世帯数・構成割合，世帯構造×年次別	65
第1−47表	世帯数・構成割合，世帯種×年次別	65
第1−48表	世帯数・構成割合，年次×世帯業態別	66
第1−49表	世帯数・構成割合，世帯人員×年次別；平均世帯人員，年次別	67
第1−50表	世帯数・構成割合，世帯類型×年次別	67

第1−51表	世帯数, 世帯構造×世帯業態別	68
第1−52表	世帯数, 世帯構造×世帯主の年齢階級別	69
第1−53表	世帯人員数, 配偶者の有無×性・年齢階級別	70
第1−54表	1世帯当たり・世帯人員1人当たり平均所得金額, 年次×所得五分位階級別	71
第1−55表	1世帯当たり・世帯人員1人当たり平均所得金額, 年次×世帯主の年齢階級別	71
第1−56表	1世帯当たり平均所得金額, 年次×世帯構造・世帯類型・世帯業態別	72
第1−57表	1世帯当たり平均所得金額・構成割合, 年次×所得の種類別	73
第1−58表	世帯数の累積度数分布・相対度数分布, 年次×所得金額階級別	74
第1−59表	世帯数の累積度数分布・相対度数分布, 各種世帯×所得金額階級別	75
第1−60表	世帯数の構成割合, 生活意識×年次別	75
第1−61表	全世帯の月平均1世帯当たり家計収支状況（二人以上の世帯・農林漁家世帯を含む）, 年間収入五分位階級別	76
第1−62表	勤労者世帯の月平均1世帯当たり家計収支状況（二人以上の世帯・農林漁家世帯を含む）, 年間収入五分位階級別	78
第1−63表	世帯数の将来推計, 家族類型別	81
第1−64表	一般世帯数・平均世帯人員の将来推計, 都道府県別	82
第1−65表	1世帯当たり平均構成人員（日本人）, 年次×都道府県別	83

第2編　保健衛生

第1章　保健

第2−1表	1人1日当たり栄養素等の摂取量の平均値, 年次別	87
第2−2表	1人1日当たり食品群別摂取量の平均値, 年次別	87
第2−3表	飲酒・喫煙・運動習慣の状況, 年次別	88
第2−4表	血圧の状況, 性・年齢階級別	89
第2−5表	肥満の状況（BMI）, 年齢階級×性別	89
第2−6表	身長・体重の平均値, 性・年次×年齢別	90
第2−7表	就学児童等の身体発育状況, 年齢×年度別	91
第2−8表	栄養士・調理師の免許交付数, 年度別	92
第2−9表	給食施設数, 施設の種類×栄養士の有無×年度別	92
第2−10表	新規HIV感染者およびAIDS患者報告数, 国籍×感染経路−性−感染地別	93
第2−11表	平成29（2017）年末におけるHIV感染者・AIDS患者の累計, 国籍・性×感染経路別	93
第2−12表	感染症の発生状況, 性×種類別	94

第2−13表　新登録結核患者数・罹患率，病型×年齢階級別 ························· 96

第2−14表　新登録結核患者罹患率，年次×年齢階級別 ···························· 96

第2−15表　結核死亡数・死亡率（人口10万対），年次別 ·························· 97

第2−16表　不妊手術件数，年次×年齢階級別 ··································· 98

第2−17表　人工妊娠中絶件数・実施率，年次×年齢階級別 ························· 98

第2−18表　妊産婦死亡数・死亡率（出産10万対），死因別 ························· 99

第2−19表　諸外国の妊産婦死亡率，年次別 ····································· 99

第2−20表　保健所の主な活動状況 ·· 100

第2−21表　保健所の常勤職員，職種別 ··· 103

第2−22表　特定医療費（指定難病）受給者証所持者数，対象疾患別 ················ 104

第2−23表　原爆被爆者健康手帳等の交付状況，都道府県別 ······················· 107

第2章　医療

第2−24表　医療法人数，年次別 ·· 108

第2−25表　医療法人数，都道府県別 ··· 108

第2−26表　医療施設数・人口10万対施設数，年次×施設の種類別 ················· 109

第2−27表　病床数・人口10万対病床数，年次×病床の種類別 ····················· 110

第2−28表　医療施設数・構成割合，開設者×病床規模別 ························· 111

第2−29表　医療施設数・人口10万対施設数，施設の種類×都道府県別 ·············· 112

第2−30表　病床数・人口10万対病床数，施設の種類×都道府県別 ················· 113

第2−31表　病院数，病院の種類×開設者・病床規模別 ··························· 114

第2−32表　病院の病床数，病床−病院の種類×開設者・病床規模別 ················ 116

第2−33表　一般病院数（重複計上），診療科目別 ······························· 118

第2−34表　一般診療所数・歯科診療所数（重複計上），診療科目別 ················ 119

第2−35表　病院数，病院の種類×都道府県−指定都市・特別区−中核市（再掲）別 ······ 120

第2−36表　病院の従事者数，1病院当たり・100床当たり・病院の種類×職種別 ········ 122

第2−37表　病院の在院患者延数，病床の種類×年次別 ··························· 124

第2−38表　病院の新入院患者数，病床の種類×年次別 ··························· 124

第2−39表　病院の退院患者数，病床の種類×年次別 ···························· 125

第2−40表　病院の外来患者延数，病床の種類×年次別 ··························· 125

第2−41表　病院の1日平均在院患者数，病床の種類×年次別 ······················ 126

第2−42表　病院の病床利用率，病床の種類×年次別 ···························· 126

第2−43表　病院の平均在院日数，病床の種類×年次別 ··························· 126

第2－44表　病院の病床利用率・平均在院日数，病床の種類×都道府県－指定都市・特別区－
中核市（再掲）別 ･････････････････････････････････ 127

第2－45表　医師・歯科医師・薬剤師数及び平均年齢，施設・業務の種類・性・年齢階級別 ･･････ 130

第2－46表　医療施設に従事する医師数・歯科医師数，診療科別 ･･････････････････････ 132

第2－47表　人口10万対医療施設従事医師・歯科医師数及び薬局・医療施設従事薬剤師数，
従業地による都道府県－指定都市・特別区（再掲）別 ･･･････････････････････ 133

第2－48表　就業医療関係者数・人口10万対，都道府県（従業地）別 ･････････････････ 134

第2－49表　就業医療関係者数，年次×職種別 ･･･････････････････････････････････ 136

第2－50表　就業保健師・助産師・看護師・准看護師数，年次×就業場所別 ･･･････････････ 137

第2－51表　有訴者数・通院者数・日常生活に影響のある者数，性・年齢階級別 ･･･････････ 138

第2－52表　有訴者の総症状数，性・年齢階級×症状別 ･･･････････････････････････ 139

第2－53表　通院者の総傷病数，性・年齢階級×傷病別 ･･･････････････････････････ 140

第2－54表　6歳以上の者の構成割合，健康状態，性・年齢階級別 ･･･････････････････ 141

第2－55表　6歳以上の者の構成割合，健康意識，性・年齢階級別 ･･･････････････････ 142

第2－56表　20歳以上の者の構成割合，過去1年間の健診等の受診状況別 ･･････････････ 143

第2－57表　推計患者数，入院－外来・施設の種類×年次別 ･･･････････････････････ 145

第2－58表　推計患者数・構成割合，入院－外来の種別×施設の種別別 ･･･････････････ 145

第2－59表　推計患者数・受療率（人口10万対），入院－外来・年次×性・年齢階級別 ･･･････ 146

第2－60表　推計患者数，入院－外来・施設の種類×傷病分類別 ･･･････････････････ 147

第2－61表　推計患者数（施設所在地），入院－外来・施設の種類×都道府県別 ･･･････････ 148

第2－62表　受療率（人口10万対），入院－外来・性×年齢階級別 ･･････････････････ 149

第2－63表　受療率（人口10万対），入院－外来・性×傷病分類別 ･･････････････････ 150

第2－64表　退院患者平均在院日数，性×傷病分類別 ･･･････････････････････････ 151

第2－65表　総患者数，性×傷病分類別 ･･････････････････････････････････････ 152

第2－66表　外来患者の構成割合，病院の種類×診察までの待ち時間別 ･･･････････････ 153

第2－67表　外来患者の構成割合，病院の種類×診察時間別 ･･･････････････････････ 153

第2－68表　患者の構成割合，外来－入院・満足度全項目別 ･･･････････････････････ 154

第3章　生活環境

第2－69表　食中毒事件数・患者数・死者数，病因物質・原因施設別 ･･･････････････････ 155

第2－70表　食中毒事件数・患者数・死者数，原因食品別 ･･････････････････････････ 156

第2－71表　食中毒事件数・患者数・死者数，年次別 ･･･････････････････････････････ 156

第2－72表　水道普及率・給水人口，都道府県別 ･･･････････････････････････････ 157

第2-73表　ごみ処理とし尿処理の状況，年度別······················158

第2-74表　墓地・火葬場・納骨堂数，都道府県－指定都市－中核市（再掲）別··············160

第2-75表　食品関係営業施設数の状況，営業の種類別·····················162

第2-76表　食品衛生管理者数，資格－業種別·························163

第2-77表　食品衛生管理者数，資格×都道府県－指定都市－中核市（再掲）別·········164

第2-78表　生活衛生関係営業施設数・客室数・従業者数，年度×施設の種類別··········166

第2-79表　生活衛生関係営業施設数，施設の種類×都道府県－指定都市－中核市（再掲）別····167

第2-80表　環境衛生・食品衛生関係職員数，年度別······················169

第2-81表　環境衛生・食品衛生関係職員数，職名×都道府県－指定都市－中核市（再掲）別····170

第4章　薬事

第2-82表　医薬品等営業許可・登録・届出施設数，営業の種類別················172

第2-83表　薬局数・無薬局町村数，都道府県別·······················173

第2-84表　薬事監視員数・監視状況，年次別························174

第2-85表　毒物劇物監視員数・監視状況，年次別······················174

第2-86表　麻薬中毒者の状況，年次別··························175

第2-87表　献血者数，受入施設×年次別··························175

第2-88表　献血量の状況，年次別····························176

第2-89表　医薬品製造所数・生産金額，従業者規模別（月平均）···············176

第2-90表　医薬品生産金額・構成割合，薬効大分類別····················177

第2-91表　医薬品輸出・輸入金額・指数，年次×州別····················178

第2-92表　医薬品輸出・輸入金額，年次×主要国別·····················179

第2-93表　医療機器生産金額・構成割合，年次×大分類別··················179

第2-94表　医療機器輸出・輸入金額・指数，年次×州別···················180

第2-95表　医薬部外品生産金額・構成割合，年次×薬効分類別·················181

第2-96表　衛生材料の生産金額・構成割合，年次×品目別··················181

第3編　社会福祉

第1章　生活保護

第3-1表　被保護人員・一般人口の構成割合・被保護人員の保護率，年齢階級×年次別········185

第3-2表　被保護世帯数・一般世帯数の構成割合，世帯人員×年次別；平均世帯人員，年次別···185

第3-3表　現に保護を受けた世帯数・一般世帯数の構成割合，世帯保護率，世帯類型×年次別···185

第3-4表　被保護実世帯数，保護の種類×年度別······················186

第3－5表　被保護実人員・保護率，保護の種類×年度別 ･････････････････････････････ 186

第3－6表　現に保護を受けた世帯数，世帯の労働力類型－世帯類型×年度別 ･･････････････ 187

第3－7表　保護開始・廃止世帯数及び人員数，年度別 ･････････････････････････････････ 187

第3－8表　被保護実世帯数・実人員・保護率，都道府県－指定都市－中核市（別掲）別 ･･･････ 188

第3－9表　保護開始世帯数・保護廃止世帯数，保護開始・保護廃止の理由別×年度別 ･･･････ 190

第3－10表　医療扶助人員，年度×入院－入院外・単給－併給・精神病－その他別 ･････････ 191

第3－11表　日本の国籍を有しない被保護実世帯数・実人員，年度別 ･････････････････････ 191

第2章　児童福祉・母子福祉

第3－12表　世帯数・構成割合；平均児童数，児童の有無×年次別 ･･･････････････････････ 192

第3－13表　平均所得金額－平均世帯人員－平均有業人員，児童の有－児童数－無別 ･･･････ 192

第3－14表　児童相談所の受付・対応件数；福祉事務所の児童福祉関係処理件数，年度別 ･････ 192

第3－15表　児童相談所における対応件数（虐待相談），年度別 ･････････････････････････ 193

第3－16表　里親数・委託児童数，年度別 ･･･ 194

第3－17表　保育所等数・定員・在所児童数・在所率・就学前児童人口千対定員及び在所児数，

　　　　　　公営－私営×年次別 ･･･ 194

第3－18表　保育所等数，公営－私営×開所時刻・閉所時刻・開所時間別 ･･････････････････ 195

第3－19表　認可外保育施設の施設数・利用児童数・保育従事者数，種類別 ･･･････････････ 195

第3－20表　児童扶養手当受給者数，受給対象児童数・世帯類型別 ･･･････････････････････ 196

第3－21表　特別児童扶養手当受給者数・支給対象障害児数，年度別 ･････････････････････ 196

第3－22表　身体障害児童・未熟児・結核児童の認定・決定件数，年度別 ･････････････････ 197

第3－23表　児童手当支給状況，年度別 ･･･ 198

第3章　障害者福祉

第3－24表　障害者（児）関係施設の状況，年次別 ･･････････････････････････････････････ 199

第3－25表　身体障害者の更生援護状況，年度別 ･････････････････････････････････････ 200

第3－26表　身体障害者手帳交付台帳登載数，障害の種類×年度別 ･･･････････････････････ 200

第3－27表　身体障害者・児及び難病患者等の補装具費の支給（購入・修理件数），

　　　　　　補装具の種類別 ･･･ 201

第3－28表　身体障害児・者（在宅）の全国推計数，障害の種類×年齢階級別 ･･･････････････ 202

第3－29表　身体障害児・者（在宅）の全国推計数，性・障害等級×年齢階級別 ･････････････ 203

第3－30表　知的障害者の更生援護状況，年度別 ･････････････････････････････････････ 203

第3－31表　療育手帳交付台帳登載数，障害の程度×年度別 ･････････････････････････････ 204

第3－32表　知的障害児・者（在宅）の全国推計数，性・障害の程度×年齢階級別・・・・・・・・・・・・・・204

第4章　その他の福祉

第3－33表　社会福祉施設等の施設数・定員・在所者数・従事者数，施設の種類別・・・・・・・・・・・・・・・・206

第3－34表　社会福祉施設等の施設数・定員・在所者数・在所率・従事者数，年次別・・・・・・・・・・・・208

第3－35表　社会福祉施設等の従事者数，施設の種類×職種別・・・・・・・・・・・・・・・・・・・・・・・・・・・・・・・・210

第3－36表　社会福祉法人数，法人の種類×年度別・・・211

第3－37表　消費生活協同組合数・組合員数，年度別・・・・・・・・・・・・・・・・・・・・・・・・・・・・・・・・・・・・・・211

第3－38表　婦人相談所・婦人相談員の受付件数・処理済実人員等，年度別・・・・・・・・・・・・・・・・・・211

第3－39表　社会福祉士数・介護福祉士数，年度別・・・212

第3－40表　民生（児童）委員の定数・現在数，年度別・・・・・・・・・・・・・・・・・・・・・・・・・・・・・・・・・・・212

第3－41表　民生（児童）委員の相談・支援等の取扱件数，年度別・・・・・・・・・・・・・・・・・・・・・・・・・213

第3－42表　共同募金額，年次推移・分野別配分状況・・・・・・・・・・・・・・・・・・・・・・・・・・・・・・・・・・・・・・214

第4編　老人保健福祉

第1章　老人保健・医療

第4－1表　介護保険施設の施設数の構成割合，開設主体別・・・・・・・・・・・・・・・・・・・・・・・・・・・・・・・217

第4－2表　介護保険施設の施設数の構成割合，定員（病床数）規模別・・・・・・・・・・・・・・・・・・・・・217

第4－3表　介護保険施設の在所者の構成割合，要介護度，年次別・・・・・・・・・・・・・・・・・・・・・・・・・218

第4－4表　介護保険施設の室数の構成割合，室定員別・・・・・・・・・・・・・・・・・・・・・・・・・・・・・・・・・・・・218

第4－5表　介護保険施設の1施設当たり常勤換算従事者数，職種別・・・・・・・・・・・・・・・・・・・・・・・219

第4－6表　介護サービス事業所数の構成割合，開設（経営）主体別・・・・・・・・・・・・・・・・・・・・・・・220

第4－7表　介護予防サービス・介護サービス事業所の利用者の構成割合，

要介護（要支援）度別・・・221

第4－8表　介護予防サービス・介護サービスの種類別にみた9月中の利用者1人当たり

利用回（日）数・・222

第4－9表　訪問看護ステーションの利用者1人当たり訪問回数、1事業所当たり利用者数、

1事業所当たり延利用者数，要介護（要支援）度別・・・・・・・・・・・・・・・・・・・・・・・・・・・223

第4－10表　居宅サービス事業所の1事業所当たり常勤換算従事者数，職種別・・・・・・・・・・・・・・・224

第4－11表　同居している主な介護者と要介護者等の構成割合，性・年齢階級別・・・・・・・・・・・・・225

第4－12表　同居している主な介護者数の構成割合，介護時間×要介護者等の要介護度別・・・・・・・・225

第4－13表　介護を要する者の構成割合，介護者の組合せ×介護内容別・・・・・・・・・・・・・・・・・・・・・226

第4－14表　介護を要する者の構成割合，世帯構造×居宅サービスの利用状況（複数回答）別・・・・226

第4-15表 健康増進事業，事業の種類×都道府県－指定都市・特別区－中核市－
その他政令市（再掲）別‥‥‥‥‥‥‥‥‥‥‥‥‥‥‥‥‥‥‥‥‥‥ 228

第4-16表 健康増進事業の実施状況，年度別‥‥‥‥‥‥‥‥‥‥‥‥‥‥‥‥‥‥‥ 232

第4-17表 後期高齢者医療制度被保険者数，年度別‥‥‥‥‥‥‥‥‥‥‥‥‥‥‥‥ 233

第4-18表 後期高齢者医療費の状況，診療種別×年度別‥‥‥‥‥‥‥‥‥‥‥‥‥‥ 234

第4-19表 1人当たり後期高齢者医療費の状況，年度別‥‥‥‥‥‥‥‥‥‥‥‥‥‥ 236

第4-20表 後期高齢者医療費（入院・入院外・歯科）の状況，年度別‥‥‥‥‥‥‥‥ 237

第4-1図 1人当たり後期高齢者医療費の状況，都道府県別‥‥‥‥‥‥‥‥‥‥‥‥ 238

第4-21表 受給者数の状況，介護予防サービスの種類別‥‥‥‥‥‥‥‥‥‥‥‥‥‥ 239

第4-22表 受給者数の状況，介護サービスの種類別‥‥‥‥‥‥‥‥‥‥‥‥‥‥‥‥ 240

第4-23表 受給者数，要支援状態区分・介護予防サービス種類別‥‥‥‥‥‥‥‥‥‥ 241

第4-24表 受給者数，要介護状態区分・介護サービス種類別‥‥‥‥‥‥‥‥‥‥‥‥ 242

第4-25表 受給者1人当たり費用額，介護予防サービス種類・都道府県別‥‥‥‥‥‥ 244

第4-26表 受給者1人当たり費用額，介護サービス種類・都道府県別‥‥‥‥‥‥‥‥ 246

第4-27表 受給者数，要介護（要支援）状態区分・性・年齢階級別‥‥‥‥‥‥‥‥‥ 248

第2章 老人福祉

第4-28表 高齢者世帯数－指数，年次別‥‥‥‥‥‥‥‥‥‥‥‥‥‥‥‥‥‥‥‥‥ 249

第4-29表 高齢者世帯の1世帯当たり平均所得金額，所得の種類×年次別‥‥‥‥‥‥ 249

第4-30表 公的年金・恩給を受給している高齢者世帯数の構成割合，公的年金・
恩給の総所得に占める割合×年次別‥‥‥‥‥‥‥‥‥‥‥‥‥‥‥‥‥‥ 249

第4-31表 65歳以上の者のいる世帯数，年次×世帯構造別‥‥‥‥‥‥‥‥‥‥‥‥‥ 250

第4-32表 65歳以上の者のいる世帯の1世帯当たり平均所得金額，所得の種類×世帯構造別‥‥‥ 250

第4-33表 65歳以上の者の数，家族形態×年次別‥‥‥‥‥‥‥‥‥‥‥‥‥‥‥‥‥ 251

第4-34表 65歳以上の単独世帯の者数，年次別‥‥‥‥‥‥‥‥‥‥‥‥‥‥‥‥‥‥ 251

第4-35表 老人クラブ数・会員数，年度別‥‥‥‥‥‥‥‥‥‥‥‥‥‥‥‥‥‥‥‥ 251

第4-36表 100歳以上の高齢者数，年次別‥‥‥‥‥‥‥‥‥‥‥‥‥‥‥‥‥‥‥‥ 252

第5編 社会保険

第1章 医療保険

第5-1表 医療保険適用者数，年度×制度区分別‥‥‥‥‥‥‥‥‥‥‥‥‥‥‥‥‥ 255

第5-2表 被用者保険被保険者1人当たり平均標準報酬月額，制度区分別‥‥‥‥‥‥ 255

第5－3表	全国健康保険協会管掌健康保険（一般被保険者）の事業所数・被保険者数・ 被扶養者数・平均標準報酬月額，年度別	256
第5－4表	全国健康保険協会管掌健康保険（法第3条第2項被保険者）の有効被保険者手帳 所有者数・平均賃金日額等の状況，年度別	256
第5－5表	全国健康保険協会管掌健康保険（一般被保険者）の給付件数・日数・ 給付費・医療費，被保険者－被扶養者・給付の種類別	257
第5－6表	全国健康保険協会管掌健康保険（法第3条第2項被保険者）の給付件数・日数・ 給付費・医療費，被保険者－被扶養者・給付の種類別	259
第5－7表	組合管掌健康保険の保険者数・適用事業所数・被保険者数・被扶養者数・ 平均標準報酬月額，年度別	261
第5－8表	船員保険の船舶所有者数・被保険者数・被扶養者数・平均標準報酬月額，年度別	261
第5－9表	組合管掌健康保険の給付件数・日数・給付費・医療費，被保険者－被扶養者・ 給付の種類別	262
第5－10表	船員保険疾病部門の給付件数・日数・給付費・医療費，被保険者－被扶養者・ 給付の種類別	264
第5－11表	国家公務員等共済組合（各省各庁組合）短期部門の件数・日数・金額， 給付の種類別	266
第5－12表	地方公務員等共済組合短期部門の件数・日数・金額，給付の種類別	268
第5－13表	私立学校教職員共済組合短期部門の件数・日数・金額，給付の種類別	270
第5－14表	国民健康保険の保険者数・世帯数・被保険者数，年度×市町村－ 国民健康保険組合別	271
第5－15表	国民健康保険の給付件数・金額，年度×給付の種類別	271
第5－16表	1件当たり点数・1日当たり点数，年次×医科（入院－入院外）－歯科・ 診療行為別	272
第5－17表	1件当たり点数・1日当たり点数・1件当たり日数，医科（入院－入院外）－ 歯科×一般医療－後期医療×年齢階級×診療行為別	273
第5－18表	1日当たり点数，医科（入院－入院外）－歯科×一般医療－後期医療×傷病分類別	274
第5－19表	医科・薬局調剤（医科分）の薬剤料の比率，年次×入院－入院外	275
第5－20表	医科（入院－入院外）・歯科・薬局調剤別の薬剤料の比率，一般医療－後期医療・ 病院－診療所	276
第5－21表	1件当たり点数・受付1回当たり点数・1件当たり受付回数，年次・調剤行為別	277
第5－22表	薬剤点数の構成割合，入院－院内処方－院外処方・薬効分類別	278

第5－23表　国民医療費・人口一人当たり国民医療費・対国内総生産及び対国民所得比率，
　　　　　年次別 ·· 279

第5－24表　国民医療費，年次×制度区分別 ··· 280

第5－25表　国民医療費及び構成割合，財源×年次別 ··· 281

第5－26表　国民医療費及び構成割合，年次×診療種類別 ·· 282

第5－27表　国民医療費，年次×年齢階級別 ··· 283

第5－28表　国民医療費・人口一人当たり国民医療費，診療種類・都道府県別 ···················· 284

第5－29表　医科診療医療費，入院－入院外・年齢階級×傷病分類別 ································· 286

第2章　年金保険

第5－30表　公的年金適用者数，年度×制度区分別 ··· 288

第5－31表　公的年金受給者数・年金額，制度区分別 ··· 288

第5－32表　厚生年金保険の適用事業所数・被保険者数・平均標準報酬月額，年度別 ············· 289

第5－33表　厚生年金保険の年金受給権者数・年金額，年金の種類×年度別 ························ 289

第5－34表　国家公務員共済組合（各省各庁組合）の年金受給権者数・年金額，
　　　　　年度×年金の種類別 ·· 290

第5－35表　地方公務員等共済組合の年金受給権者数・年金額，年度×年金の種類別 ·············· 291

第5－36表　私立学校教職員共済組合の年金受給権者数・年金額，年度×年金の種類別 ············ 292

第5－37表　国民年金（基礎年金）の受給権者数・年金額，年度×年金の種類別 ··················· 293

第3章　その他の社会保険

第5－38表　雇用保険の適用事業所数・被保険者数，産業分類別 ····································· 294

第5－39表　雇用保険の一般求職者給付の支給状況，年度別 ··· 294

第5－40表　労働者災害補償保険の適用事業場数・適用労働者数・新規受給者数・
　　　　　葬祭料受給者数・障害補償給付受給者数，業種別 ··· 295

第5－41表　労働者災害補償保険の保険給付額，年度×給付の種類別 ································· 295

第6編　社会保障等

第6－1表　社会保障給付費と対国民所得比，部門×年度別 ·· 299

第6－2表　社会保障給付費・国内総生産・国民所得の対前年度伸び率，部門×年度別 ············ 300

第6－3表　社会保障給付費・構成割合，年度×制度の種類別 ·· 301

第6－4表　社会保障給付費・構成割合，年度×機能別 ··· 302

第6－5表　1人当たり社会保障給付費と1人当たり国内総生産及び1人当たり国民所得，
　　　　　年度別 ··· 303

第6－6表　高齢者関係給付費，年度別 ··· 304

第6－7表　児童・家族関係給付費，年度別 ··· 305

第6－8表　平成28年度社会保障給付費収支表 ··· 306

第6－9表　社会保障財源，項目別 ··· 312

第6－10表　社会支出の国際比較（2015年度） ··· 312

第6－11表　一般政府から家計への移転（社会保障関係），年度×制度の種類別 ···················· 313

第6－12表　社会保障に対する負担，年度×制度の種類別 ··· 314

第6－13表　ＯＥＣＤ諸国の1人当たり国内総生産（名目ＧＤＰ），年次別 ······················ 315

第6－14表　社会保障関係予算，年度別 ··· 316

第6－15表　人口指標の国際比較 ··· 317

付　　　録

Ⅰ　厚生労働省の組織 ··· 324

Ⅱ　主な厚生統計調査一覧 ··· 326

Ⅲ　厚生統計に用いる主な比率及び用語の解説 ··· 328

人口・世帯

第 1 編
人 口 ・ 世 帯

人　口　17

第1章　人　口

第1－1表　国勢調査人口・面積及び人口密度，市郡×年次別

各年10月1日現在

年　次	人　口	人　口		人口密度 （1km²当たり）	面積（km²）
		市　部	郡　部		
大正9年　(1920)	55 963 053	10 096 758	45 866 295	147	381 808.04
14　(1925)	59 736 822	12 896 850	46 839 972	156	381 810.06
昭和5年　(1930)	64 450 005	15 444 300	49 005 705	169	382 264.91
10　(1935)	69 254 148	22 666 307	46 587 841	181	382 545.42
15　(1940)	73 114 308	27 577 539	45 536 769	191	382 545.42
20　(1945) 1)	71 998 104	20 022 333	51 975 771	195	377 298.15
22　(1947) 1)	78 101 473	25 857 739	52 243 734	212	377 298.15
25　(1950)	84 114 574	31 365 523	52 749 051	226	377 099.08
30　(1955)	90 076 594	50 532 410	39 544 184	242	377 151.09
35　(1960) 2)	94 301 623	59 677 885	34 622 465	253	377 151.09
40　(1965)	99 209 137	67 356 158	31 852 979	267	377 267.18
45　(1970)	104 665 171	75 428 660	29 236 511	281	377 308.69
50　(1975)	111 939 643	84 967 269	26 972 374	300	377 534.99
55　(1980)	117 060 396	89 187 409	27 872 987	314	377 708.09
60　(1985)	121 048 923	92 889 236	28 159 687	325	377 801.14
平成2年　(1990)	123 611 167	95 643 521	27 967 646	332	377 737.11
7　(1995)	125 570 246	98 009 107	27 561 139	337	377 829.41
12　(2000)	126 925 843	99 865 289	27 060 554	340	377 873.06
17　(2005)	127 767 994	110 264 324	17 503 670	343	377 914.78
22　(2010)	128 057 352	116 156 631	11 900 721	343	377 950.10
27　(2015)	127 094 745	116 137 232	10 957 513	341	377 970.75

資料：総務省統計局「平成27年国勢調査報告」
注：昭和20年は，11月1日人口調査，その他の年次は10月1日国勢調査である。なお，大正9年から昭和15年の面
　積には，旧東京府小笠原島の南鳥島及び沖縄県島尻郡の鳥島の面積は含まれていない。
　1）沖縄県は調査されなかったため，含まれていない。
　2）長野県西筑摩郡山口村と岐阜県中津川市の間の境界紛争地域の人口（73人）及び岡山県児島湾干拓第7区
　　の人口（1,200人）は，全国に含まれているが，市部又は郡部には含まれていない。

第1－2表　総人口・日本人人口，性×年次別

各年10月1日現在

年　次	総人口（単位：千人）			人口性比 （女性100人に対する男性の数）	日本人人口（単位：千人）		
	総　数	男	女		総　数	男	女
平成2年　(1990)	123 611	60 697	62 914	96.5	122 721	60 249	62 472
12　(2000)	126 926	62 111	64 815	95.8	125 387	61 342	64 045
17　(2005)	127 768	62 349	65 419	95.3	125 730	61 331	64 400
22　(2010)	128 057	62 328	65 730	94.8	125 359	61 028	64 331
27　(2015)	127 095	61 842	65 253	94.8	124 284	60 495	63 788
28　(2016)	126 933	61 766	65 167	94.8	125 020	60 867	64 153
29　(2017)	126 706	61 655	65 051	94.8	124 648	60 676	63 973

資料：総務省統計局「国勢調査報告」，「人口推計」

第1－3表　総人口・人口増減数，年次別

（単位：千人）

年　次	各　年 10月1日 現　在 総人口	人　口　増　減（前年10月～当年9月）							補　間 補正数
		総　数	自　然　動　態			社　会　動　態			
			出生児数	死亡者数	自然増減	入国者数	出国者数	社会増減	
平成24年　(2012)	127 593	△ 242	1 047	1 248	△ 201	2 757	2 836	△ 79	39
25　(2013)	127 414	△ 179	1 045	1 277	△ 232	2 796	2 782	14	39
26　(2014)	127 237	△ 177	1 022	1 274	△ 252	2 911	2 874	36	39
27　(2015)	127 095 2)	△ 142	1 025	1 301	△ 275	3 080	2 985	94	39
28　(2016)	126 933	△ 162	1 004	1 300	△ 296	3 361	3 228	134	－
29　(2017)	126 706	△ 227	965	1 343	△ 377	3 615	3 464	151	－

資料：総務省統計局「人口推計」
注：1）千人未満は四捨五入しているため，合計の数値と内訳の計は必ずしも一致しない。
　　2）国勢調査人口

18 人口

第1−1図　我が国の人口ピラミッド

平成29年10月1日現在

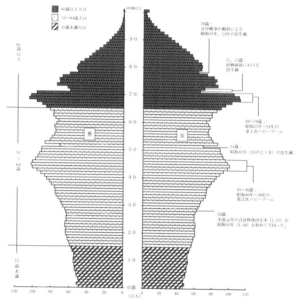

資料：総務省統計局「人口推計（平成29年10月1日現在）」

第1−2図　年齢3区分別人口の推移（中位推計）

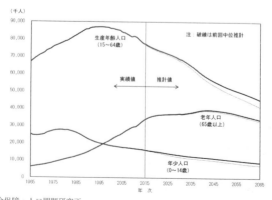

資料：国立社会保障・人口問題研究所
　　　「日本の将来推計人口，平成29年推計」の中位推計による。

人 口 19

第1-4表 総人口・将来推計人口・構成割合,
年齢3区分×年次別

年　　次	人　　口 (単位:千人)				構　成　割　合 (%)			
	総　　数	0～14歳	15～64歳	65歳以上	総　　数	0～14歳	15～64歳	65歳以上
大正9年 (1920)	55 963	20 416	32 605	2 941	100.0	36.5	58.3	5.3
14　 (1925)	59 737	21 924	34 792	3 021	100.0	36.7	58.2	5.1
昭和5年 (1930)	64 450	23 579	37 807	3 064	100.0	36.6	58.7	4.8
10　 (1935)	69 254	25 545	40 484	3 225	100.0	36.9	58.5	4.7
25　 (1950)	84 115	29 786	50 168	4 155	100.0	35.4	59.6	4.9
30　 (1955)	90 077	30 123	55 167	4 786	100.0	33.4	61.2	5.3
35　 (1960)	94 302	28 434	60 469	5 398	100.0	30.2	64.1	5.7
40　 (1965)	99 209	25 529	67 444	6 236	100.0	25.7	68.0	6.3
45　 (1970)	104 665	25 153	72 119	7 393	100.0	24.0	68.9	7.1
50　 (1975)	111 940	27 221	75 807	8 865	100.0	24.3	67.7	7.9
55　 (1980)	117 060	27 507	78 835	10 647	100.0	23.5	67.4	9.1
60　 (1985)	121 049	26 033	82 506	12 468	100.0	21.5	68.2	10.3
平成2 (1990)	123 611	22 486	85 904	14 895	100.0	18.2	69.7	12.1
7　 (1995)	125 570	20 014	87 165	18 261	100.0	16.0	69.5	14.6
12　 (2000)	126 926	18 472	86 220	22 005	100.0	14.6	68.1	17.4
17　 (2005)	127 768	17 521	84 092	25 672	100.0	13.8	66.1	20.2
22　 (2010)	128 057	16 803	81 032	29 246	100.0	13.2	63.8	23.0
27　 (2015)	127 095	15 887	76 289	33 465	100.0	12.6	60.7	26.6
28　 (2016)	126 933	15 780	76 562	34 591	100.0	12.4	60.3	27.3
29　 (2017)	126 706	15 592	75 962	35 152	100.0	12.3	60.0	27.7
	将　　来　　推　　計　　人　　口							
2025	122 544	14 073	71 701	36 771	100.0	11.5	58.5	30.0
2030	119 125	13 212	68 754	37 160	100.0	11.1	57.7	31.2
2035	115 216	12 457	64 942	37 817	100.0	10.8	56.4	32.8
2040	110 919	11 936	59 777	39 206	100.0	10.8	53.9	35.3
2045	106 421	11 384	55 845	39 192	100.0	10.7	52.5	36.8
2050	101 923	10 767	52 750	38 406	100.0	10.6	51.8	37.7
2055	97 441	10 123	50 276	37 042	100.0	10.4	51.6	38.0
2060	92 840	9 508	47 928	35 403	100.0	10.2	51.6	38.1
2065	88 077	8 975	45 291	33 810	100.0	10.2	51.4	38.4

資料:総務省統計局「人口推計」「国勢調査報告」,国立社会保障・人口問題研究所「日本の将来推計人口,平成29
　　年推計」の中位推計値
注:1) 大正9年から平成22年及び27年は国勢調査による実績値である。
　　2) 昭和50年以降の総数には年齢不詳を含む。

20　人　　口

第1－5表　総人口・日本人人口，性×都道府県別

（単位：千人）

平成29年（2017）10月1日現在

都道府県	総　人　口				日　本　人　人　口			
	総　数	男	女	人口性比 （女性100人に対 する男性の数）	総　数	男	女	人口性比 （女性100人に対 する男性の数）
全　　　国	126 706	61 655	65 051	94.8	124 648	60 676	63 973	94.8
北　海　道	5 320	2 506	2 814	89.1	5 292	2 494	2 797	89.2
青　　　森	1 278	600	678	88.6	1 274	599	675	88.7
岩　　　手	1 255	604	651	92.9	1 249	602	647	93.1
宮　　　城	2 323	1 136	1 188	95.6	2 305	1 127	1 178	95.7
秋　　　田	996	468	528	88.6	992	467	526	88.8
山　　　形	1 102	531	571	92.9	1 095	529	567	93.3
福　　　島	1 882	932	951	98.0	1 871	927	944	98.2
茨　　　城	2 892	1 442	1 450	99.5	2 847	1 420	1 427	99.5
栃　　　木	1 957	974	983	99.0	1 930	962	968	99.3
群　　　馬	1 960	968	992	97.6	1 913	945	969	97.5
埼　　　玉	7 310	3 648	3 662	99.6	7 174	3 582	3 592	99.7
千　　　葉	6 246	3 103	3 143	98.7	6 141	3 056	3 084	99.1
東　　　京	13 724	6 760	6 964	97.1	13 273	6 538	6 735	97.1
神　奈　川	9 159	4 569	4 590	99.5	8 989	4 486	4 502	99.6
新　　　潟	2 267	1 098	1 169	94.0	2 253	1 093	1 160	94.2
富　　　山	1 056	511	544	93.9	1 043	505	537	94.1
石　　　川	1 147	556	591	94.1	1 136	550	586	94.0
福　　　井	779	378	401	94.4	767	373	394	94.7
山　　　梨	823	403	421	95.8	811	398	414	96.1
長　　　野	2 076	1 012	1 064	95.1	2 047	999	1 047	95.4
岐　　　阜	2 008	973	1 035	94.0	1 970	956	1 014	94.2
静　　　岡	3 675	1 810	1 866	97.0	3 605	1 776	1 828	97.2
愛　　　知	7 525	3 764	3 761	100.1	7 328	3 668	3 659	100.2
三　　　重	1 800	877	923	95.0	1 763	859	904	95.0
滋　　　賀	1 413	697	716	97.4	1 390	686	705	97.3
京　　　都	2 599	1 242	1 357	91.6	2 551	1 219	1 331	91.6
大　　　阪	8 823	4 241	4 583	92.5	8 657	4 162	4 495	92.6
兵　　　庫	5 503	2 624	2 879	91.1	5 417	2 583	2 834	91.1
奈　　　良	1 348	635	712	89.2	1 338	631	707	89.2
和　歌　山	945	444	501	88.8	939	442	497	89.0
鳥　　　取	565	270	295	91.5	561	269	293	91.8
島　　　根	685	330	355	92.8	678	326	351	92.9
岡　　　山	1 907	916	991	92.4	1 888	907	980	92.5
広　　　島	2 829	1 372	1 457	94.2	2 789	1 352	1 438	94.0
山　　　口	1 383	655	727	90.1	1 369	649	720	90.1
徳　　　島	743	354	389	91.0	739	353	386	91.3
香　　　川	967	469	499	94.0	959	464	494	93.9
愛　　　媛	1 364	645	719	89.6	1 354	640	714	89.5
高　　　知	714	336	377	89.1	710	334	376	88.9
福　　　岡	5 107	2 415	2 692	89.7	5 051	2 386	2 665	89.5
佐　　　賀	824	389	434	89.6	819	387	431	89.7
長　　　崎	1 354	636	718	88.6	1 346	632	714	88.6
熊　　　本	1 765	833	933	89.3	1 754	828	926	89.5
大　　　分	1 152	546	607	89.9	1 142	541	601	90.0
宮　　　崎	1 089	512	577	88.8	1 083	510	573	89.0
鹿　児　島	1 626	763	863	88.5	1 617	761	856	88.9
沖　　　縄	1 443	709	734	96.7	1 429	702	728	96.4

資料：総務省統計局「人口推計（平成29年10月1日現在）」

人　口　21

第1－6表　総人口・日本人人口，性×年齢階級別

（単位：千人）　　　　　　　　　　　　　　　　　　　　　　平成29年（2017）10月1日現在

年齢階級	総　人　口				日　本　人　人　口			
	総　数	男	女	人口性比 （女性100人に対 する男性の数）	総　数	男	女	人口性比 （女性100人に対 する男性の数）
総　　数	126 706	61 655	65 051	94.8	124 648	60 676	63 973	94.8
0～4歳	4 909	2 513	2 396	104.9	4 836	2 475	2 361	104.8
5～9	5 251	2 690	2 561	105.0	5 191	2 659	2 532	105.0
10～14	5 432	2 781	2 651	104.9	5 382	2 756	2 627	104.9
15～19	5 995	3 079	2 916	105.6	5 898	3 030	2 867	105.7
20～24	6 228	3 205	3 023	106.0	5 920	3 039	2 882	105.4
25～29	6 291	3 222	3 069	105.0	5 999	3 063	2 936	104.3
30～34	7 112	3 616	3 496	103.4	6 882	3 503	3 379	103.7
35～39	7 884	3 996	3 888	102.8	7 683	3 907	3 776	103.5
40～44	9 443	4 784	4 658	102.7	9 280	4 716	4 564	103.3
45～49	9 457	4 777	4 680	102.1	9 299	4 716	4 583	102.9
50～54	8 156	4 098	4 058	101.0	8 030	4 048	3 982	101.7
55～59	7 592	3 786	3 806	99.5	7 503	3 749	3 754	99.9
60～64	7 804	3 847	3 958	97.2	7 737	3 818	3 919	97.4
65～69	9 921	4 798	5 123	93.7	9 868	4 773	5 095	93.7
70～74	7 749	3 629	4 120	88.1	7 712	3 611	4 100	88.1
75～79	6 738	3 009	3 730	80.7	6 712	2 997	3 714	80.7
80～84	5 293	2 157	3 137	68.8	5 277	2 150	3 127	68.8
85歳以上	5 450	1 669	3 781	44.1	5 438	1 665	3 773	44.1
うち90歳以上	2 055	496	1 559	31.8	2 051	495	1 556	31.8
（再　掲）								
0～14歳	15 592	7 984	7 608	104.9	15 410	7 890	7 520	104.9
15～64	75 962	38 410	37 552	102.3	74 231	37 588	36 643	102.6
65歳以上	35 152	15 261	19 891	76.7	35 007	15 197	19 810	76.7
うち75歳以上	17 482	6 835	10 647	64.2	17 427	6 813	10 614	64.2

資料：総務省統計局「人口推計（平成29年10月1日現在）」

22　人　口

第１－７表　総人口・構成割合，年齢３区分×都道府県別

平成29年（2017）10月１日現在

都道府県	総 人 口（単位：千人）				構 成 割 合（%）			
	総　数	0～14歳	15～64歳	65歳以上	総　数	0～14歳	15～64歳	65歳以上
全　　国	126 706	15 592	75 962	35 152	100.0	12.3	60.0	27.7
北　海　道	5 320	588	3 099	1 632	100.0	11.1	58.3	30.7
青　　森	1 278	141	731	407	100.0	11.0	57.2	31.8
岩　　手	1 255	144	711	400	100.0	11.5	56.7	31.9
宮　　城	2 323	280	1 412	631	100.0	12.1	60.8	27.2
秋　　田	996	101	541	354	100.0	10.1	54.3	35.6
山　　形	1 102	130	617	355	100.0	11.8	56.0	32.2
福　　島	1 882	220	1 093	569	100.0	11.7	58.1	30.2
茨　　城	2 892	355	1 719	819	100.0	12.3	59.4	28.3
栃　　木	1 957	245	1 176	536	100.0	12.5	60.1	27.4
群　　馬	1 960	241	1 151	567	100.0	12.3	58.7	28.9
埼　　玉	7 310	899	4 510	1 900	100.0	12.3	61.7	26.0
千　　葉	6 246	755	3 799	1 692	100.0	12.1	60.8	27.1
東　　京	13 724	1 542	9 021	3 160	100.0	11.2	65.7	23.0
神　奈　川	9 159	1 122	5 763	2 274	100.0	12.3	62.9	24.8
新　　潟	2 267	265	1 292	709	100.0	11.7	57.0	31.3
富　　山	1 056	124	598	334	100.0	11.8	56.6	31.6
石　　川	1 147	145	671	331	100.0	12.6	58.5	28.8
福　　井	779	101	446	232	100.0	12.9	57.3	29.8
山　　梨	823	99	479	245	100.0	12.0	58.2	29.8
長　　野	2 076	260	1 169	647	100.0	12.5	56.3	31.1
岐　　阜	2 008	258	1 161	589	100.0	12.9	57.8	29.3
静　　岡	3 675	464	2 143	1 069	100.0	12.6	58.3	29.1
愛　　知	7 525	1 010	4 663	1 852	100.0	13.4	62.0	24.6
三　　重	1 800	226	1 051	522	100.0	12.6	58.4	29.0
滋　　賀	1 413	200	856	357	100.0	14.1	60.6	25.3
京　　都	2 599	308	1 548	743	100.0	11.9	59.6	28.6
大　　阪	8 823	1 069	5 356	2 399	100.0	12.1	60.7	27.2
兵　　庫	5 503	692	3 252	1 558	100.0	12.6	59.1	28.3
奈　　良	1 348	163	776	408	100.0	12.1	57.6	30.3
和　歌　山	945	112	529	304	100.0	11.8	55.9	32.2
鳥　　取	565	72	318	175	100.0	12.7	56.3	31.0
島　　根	685	85	370	230	100.0	12.4	54.1	33.6
岡　　山	1 907	243	1 097	567	100.0	12.8	57.5	29.7
広　　島	2 829	368	1 652	809	100.0	13.0	58.4	28.6
山　　口	1 383	164	757	462	100.0	11.9	54.7	33.4
徳　　島	743	85	418	241	100.0	11.4	56.2	32.4
香　　川	967	120	546	301	100.0	12.4	56.5	31.1
愛　　媛	1 364	164	762	437	100.0	12.1	55.9	32.1
高　　知	714	80	389	244	100.0	11.3	54.5	34.2
福　　岡	5 107	675	3 048	1 384	100.0	13.2	59.7	27.1
佐　　賀	824	113	471	240	100.0	13.7	57.1	29.2
長　　崎	1 354	173	757	424	100.0	12.8	55.9	31.3
熊　　本	1 765	237	998	531	100.0	13.4	56.5	30.1
大　　分	1 152	143	642	367	100.0	12.4	55.8	31.8
宮　　崎	1 089	146	604	338	100.0	13.4	55.8	31.0
鹿　児　島	1 626	217	907	501	100.0	13.4	55.8	30.8
沖　　縄	1 443	247	893	303	100.0	17.1	61.9	21.0

資料：総務省統計局「人口推計（平成29年10月１日現在）」

人　口　23

第1−8表　推計人口の年齢構造に関する指標，年次別

年　次	平　均年　齢（歳）	中位数年　齢（歳）	生産年齢人口を15〜64歳とした場合				生産年齢人口を20〜69歳とした場合			
			従属人口指数（％）			老年化指数（％）	従属人口指数（％）			老年化指数（％）
			総　数	年少人口	老年人口		総　数	年少人口	老年人口	
平成27年(2015)	46.4	46.7	64.5	20.6	43.8	212.4	78.4	30.9	47.5	153.9
2020	47.8	48.7	69.2	20.4	48.9	240.1	83.2	30.3	52.9	174.7
2025	49.0	50.8	70.9	19.6	51.3	261.3	84.7	29.3	55.4	189.3
2030	50.0	52.4	73.3	19.2	54.0	281.3	87.0	28.6	58.3	203.6
2035	50.7	53.4	77.4	19.2	58.2	303.6	91.5	28.6	62.9	219.4
2040	51.4	54.2	85.6	20.0	65.6	328.5	100.1	29.4	70.7	240.7
2045	51.9	54.4	90.6	20.4	70.2	344.3	106.0	30.1	75.9	251.9
2050	52.3	54.7	93.2	20.4	72.8	356.7	109.2	30.3	78.8	259.7
2055	52.8	55.2	93.8	20.1	73.7	365.9	109.8	30.0	79.7	265.5
2060	53.2	55.6	93.7	19.8	73.9	372.5	109.5	29.6	79.9	269.7
2065	53.3	55.7	94.5	19.8	74.6	376.7	110.2	29.5	80.7	273.2

資料：国立社会保障・人口問題研究所「日本の将来推計人口（平成29年推計）」の中位推計値
注：各年10月1日現在の総人口（日本における外国人を含む）。平成27（2015）年は，総務省統計局『平成27年国勢調査　年齢・国籍不詳をあん分した人口（参考表）』による。

第1−9表　諸外国の年央人口・人口増加率・面積・人口密度

国　名	年央人口（1,000人）			年平均人口増加率(％)2010〜2015年	面積（km²）2015年	人口密度（1km²当たり）2015年
	2000年	2010年	2015年			
日　　　　本	126 926	128 057	127 095	△ 0.15	377 971	341
ナイジェリア	115 224	159 619	…	…	923 768	…
カ　ナ　ダ	30 689	34 005	35 849	1.06	9 984 670	4
アメリカ合衆国	282 193	309 347	321 419	0.77	9 833 517	33
イ　ン　ド	1 016 210	1 182 105	…	…	3 287 263	…
韓　　　　国	47 008	49 410	50 617	0.48	100 284	505
フ ラ ン ス	59 049	62 918	64 395	0.47	551 500	117
ド　イ　ツ	82 188	81 757	81 198	△ 0.14	357 376	227
イ タ リ ア	56 942	59 277	60 796	0.51	302 073	201
ロ シ ア	146 597	142 849	…	…	17 098 246	…
イ ギ リ ス	58 886	62 759	64 875	0.67	242 495	268
オーストラリア	19 153	22 032	23 778	1.54	7 692 024	3

資料：UN, Demographic Yearbook 2015年版
　　　国立社会保障・人口問題研究所「人口統計資料集2018年版」
注：日本は総務省統計局『国勢調査報告』による10月1日現在の人口および面積。

第1−10表 老年人口割合の国際比較 (2050)

国 名	割合 (%)	国 名	割合 (%)	国 名	割合 (%)
日 本	37.68	デ ン マ ー ク	24.43	ノ ル ウ ェ ー	23.56
カ ナ ダ	25.93	フ ラ ン ス	26.73	ポ ル ト ガ ル	35.59
アメリカ合衆国	22.11	ド イ ツ	30.69	ス ウ ェ ー デ ン	24.37
オ ー ス ト リ ア	30.57	ギ リ シ ャ	35.45	ス イ ス	28.71
ベ ル ギ ー	26.57	イ タ リ ア	34.62	イ ギ リ ス	25.45
ブ ル ガ リ ア	28.69	オ ラ ン ダ	27.67	オーストラリア	22.50

資料：国立社会保障・人口問題研究所「人口統計資料集2018年版」

人　口　25

第 1 －11表　就業者数，年次×産業・職業別

a ）産業別
（単位：万人）　　　　　　　　　　　　　　　　　　　　　　　　　　　　　　　　　　　　　（各年平均）

産業区分	平成24年 (2012)	平成25年 (2013)	平成26年 (2014)	平成27年 (2015)	平成28年 (2016)	平成29年 (2017)
総数	6 280	6 326	6 371	6 401	6 465	6 530
農業	216	210	202	202	197	195
林業	8	8	8	7	6	6
漁業	16	16	21	20	20	20
鉱業，採石業，砂利採取業	3	3	3	3	3	3
建設業	503	500	507	502	495	498
製造業	1 033	1 041	1 043	1 039	1 045	1 052
電気・ガス・熱供給・水道業	32	31	29	29	30	29
情報通信業	188	192	204	209	208	213
運輸業，郵便業	340	341	337	336	339	340
卸売業，小売業	1 044	1 060	1 062	1 058	1 063	1 075
金融業，保険業	164	165	155	154	163	168
不動産業，物品賃貸業	112	111	113	121	124	125
学術研究，専門・技術サービス業	205	207	212	215	221	230
宿泊業，飲食サービス業	376	385	386	384	391	391
生活関連サービス業，娯楽業	239	242	238	230	234	234
教育，学習支援業	295	300	301	304	308	315
医療，福祉	708	738	760	788	811	814
複合サービス事業	47	55	57	59	62	57
サービス業(他に分類されないもの)	462	402	399	409	415	429
公務(他に分類されるものを除く)	224	229	235	231	231	229

b ）職業別
（単位：万人）　　　　　　　　　　　　　　　　　　　　　　　　　　　　　　　　　　　　　（各年平均）

職業区分	平成24年 (2012)	平成25年 (2013)	平成26年 (2014)	平成27年 (2015)	平成28年 (2016)	平成29年 (2017)
総数	6 280	6 326	6 371	6 401	6 465	6 530
管理的職業従事者	154	143	142	145	147	144
専門的・技術的職業従事者	1 012	1 007	1 028	1 059	1 085	1 111
事務従事者	1 216	1 239	1 248	1 262	1 282	1 295
販売従事者	877	862	857	856	855	862
サービス職業従事者	759	781	790	789	805	808
保安職業従事者	123	126	127	126	127	124
農林漁業従事者	237	229	225	223	217	217
生産工程従事者	903	902	904	887	880	889
輸送・機械運転従事者	223	224	223	218	218	219
建設・採掘従事者	302	303	305	299	299	302
運搬・清掃・包装等従事者	415	428	433	447	458	464

資料：総務省統計局「労働力調査年報」
注：推定値の千位で四捨五入してあるため，また，総数に分類不能又は不詳の数を含むため総数と内訳の合計とは
　　必ずしも一致しない。

第2章 人 口 動 態

第1－12表　人口動態総覧

年　　　　次 [1]	出 生 数	死 亡 数	再　　掲		自然増減数
			乳児死亡数	新生児死亡数	
昭和25年　(1950)	2 337 507	904 876	140 515	64 142	1 432 631
30　　(1955)	1 730 692	693 523	68 801	38 646	1 037 169
35　　(1960)	1 606 041	706 599	49 293	27 362	899 442
40　　(1965)	1 823 697	700 438	33 742	21 260	1 123 259
45　　(1970)	1 934 239	712 962	25 412	16 742	1 221 277
50　　(1975)	1 901 440	702 275	19 103	12 912	1 199 165
55　　(1980)	1 576 889	722 801	11 841	7 796	854 088
60　　(1985)	1 431 577	752 283	7 899	4 910	679 294
平成2年　(1990)	1 221 585	820 305	5 616	3 179	401 280
7　　(1995)	1 187 064	922 139	5 054	2 615	264 925
12　　(2000)	1 190 547	961 653	3 830	2 106	228 894
17　　(2005)	1 062 530	1 083 796	2 958	1 510	△　21 266
22　　(2010)	1 071 304	1 197 012	2 450	1 167	△ 125 708
25　　(2013)	1 029 816	1 268 436	2 185	1 026	△ 238 620
26　　(2014)	1 003 539	1 273 004	2 080	952	△ 269 465
27　　(2015)	1 005 677	1 290 444	1 916	902	△ 284 767
28　　(2016)	976 978	1 307 748	1 928	874	△ 330 770
29　　(2017)	946 065	1 340 397	1 761	832	△ 394 332

年　　　　次 [1]	出 生 率 （人口千対）	死 亡 率 （人口千対）	乳児死亡率 （出生千対）	新生児死亡率 （出生千対）	自然増減率 （人口千対）
昭和25年　(1950)	28.1	10.9	60.1	27.4	17.2
30　　(1955)	19.4	7.8	39.8	22.3	11.6
35　　(1960)	17.2	7.6	30.7	17.0	9.6
40　　(1965)	18.6	7.1	18.5	11.7	11.4
45　　(1970)	18.8	6.9	13.1	8.7	11.8
50　　(1975)	17.1	6.3	10.0	6.8	10.8
55　　(1980)	13.6	6.2	7.5	4.9	7.3
60　　(1985)	11.9	6.3	5.5	3.4	5.6
平成2年　(1990)	10.0	6.7	4.6	2.6	3.3
7　　(1995)	9.6	7.4	4.3	2.2	2.1
12　　(2000)	9.5	7.7	3.2	1.8	1.8
17　　(2005)	8.4	8.6	2.8	1.4	△ 0.2
22　　(2010)	8.5	9.5	2.3	1.1	△ 1.0
25　　(2013)	8.2	10.1	2.1	1.0	△ 1.9
26　　(2014)	8.0	10.1	2.1	0.9	△ 2.1
27　　(2015)	8.0	10.3	1.9	0.9	△ 2.3
28　　(2016)	8.0	10.5	1.9	0.9	△ 2.6
29　　(2017)	7.6	10.8	1.9	0.9	△ 3.2

資料：政策統括官（統計・情報政策、政策評価担当）「平成29年人口動態統計」
注：1）昭和25～45年には沖縄県を含まない。
　　2）出生数に死産数を加えたものである。
　　3）出生数に妊娠満22週以後の死産数を加えたものである。

人口動態　27

（実数・率），年次別

死産数			周産期死亡数			婚姻件数	離婚件数
総　数	自然死産	人工死産	総　数	妊娠満22週以後の死産数	早期新生児死　亡　数		
216 974	106 594	110 380	…		…	35 184	715 081	83 689
183 265	85 159	98 106	…		…	22 621	714 861	75 267
179 281	93 424	85 857	…		…	17 040	866 115	69 410
161 617	94 476	67 141	…		…	14 949	954 852	77 195
135 095	84 073	51 022	…		…	12 810	1 029 405	95 937
101 862	67 643	34 219	…		…	10 245	941 628	119 135
77 446	47 651	29 795	32 422	26 268	6 154	774 702	141 689
69 009	33 114	35 895	22 379	18 642	3 737	735 850	166 640
53 892	23 383	30 509	13 704	11 367	2 337	722 138	157 608
39 403	18 262	21 141	8 412	6 580	1 832	791 888	199 016
38 393	16 200	22 193	6 881	5 362	1 519	798 138	264 246
31 818	13 502	18 316	5 149	4 058	1 091	714 265	261 917
26 560	12 245	14 315	4 515	3 637	878	700 214	251 378
24 102	10 938	13 164	3 862	3 110	752	660 613	231 383
23 524	10 905	12 619	3 750	3 039	711	643 749	222 107
22 617	10 862	11 755	3 728	3 063	665	635 156	226 215
20 934	10 067	10 867	3 516	2 840	676	620 531	216 798
20 358	9 738	10 620	3 308	2 683	625	606 866	212 262

死産率（出産2)千対）	自然死産率（千対）	人工死産率（千対）	周産期死亡率（出産3)千対）	妊娠満22週以後の死産率（出産3)千対）	早期新生児死亡率（出生千対）	婚姻率（人口千対）	離婚率（人口千対）
84.9	41.7	43.2	…		15.1	8.6	1.01
95.8	44.5	51.3	…		13.1	8.0	0.84
100.4	52.3	48.1	…		10.6	9.3	0.74
81.4	47.6	33.8	…		8.2	9.7	0.79
65.3	40.6	24.7	…		6.6	10.0	0.93
50.8	33.8	17.1	…		5.4	8.5	1.07
46.8	28.8	18.0	20.2	16.4	3.9	6.7	1.22
46.0	22.1	23.9	15.4	12.9	2.6	6.1	1.39
42.3	18.3	23.9	11.1	9.2	1.9	5.9	1.28
32.1	14.9	17.2	7.0	5.5	1.5	6.4	1.60
31.2	13.2	18.1	5.8	4.5	1.3	6.4	2.10
29.1	12.3	16.7	4.8	3.8	1.0	5.7	2.08
24.2	11.2	13.0	4.2	3.4	0.8	5.5	1.99
22.9	10.4	12.5	3.7	3.0	0.7	5.3	1.84
22.9	10.6	12.3	3.7	3.0	0.7	5.1	1.77
22.0	10.6	11.4	3.7	3.0	0.7	5.1	1.81
21.0	10.1	10.9	3.6	2.9	0.7	5.0	1.73
21.1	10.1	11.0	3.5	2.8	0.7	4.9	1.70

28　人口動態

第1−13表　人口動態総覧（実数），

都道府県[1] 21大都市	出生数			死亡数			（再掲） 乳児死亡数	新生児死亡数
	総数	男	女	総数	男	女		
全国	946 065	484 449	461 616	1 340 397	690 683	649 714	1 761	832
北海道	34 040	17 503	16 537	62 417	31 995	30 422	65	33
青森	8 035	4 104	3 931	17 575	8 868	8 707	18	13
岩手	8 175	4 132	4 043	17 232	8 658	8 574	22	10
宮城	16 648	8 593	8 055	23 876	12 230	11 646	33	15
秋田	5 396	2 730	2 666	15 425	7 513	7 912	18	12
山形	7 259	3 729	3 530	15 331	7 438	7 893	12	9
福島	13 217	6 761	6 456	24 778	12 555	12 223	22	9
茨城	20 431	10 572	9 859	32 260	17 021	15 239	44	20
栃木	14 029	7 251	6 778	21 829	11 183	10 646	26	12
群馬	13 279	6 836	6 443	22 585	11 727	10 858	33	17
埼玉	53 069	27 008	26 061	65 764	35 789	29 975	94	36
千葉	44 054	22 647	21 407	59 009	31 977	27 032	89	40
東京	108 990	55 818	53 172	116 451	61 471	54 980	169	86
神奈川	68 131	34 788	33 343	80 352	43 285	37 067	157	80
新潟	14 967	7 708	7 259	29 323	14 650	14 673	24	12
富山	7 178	3 725	3 453	13 161	6 543	6 618	9	3
石川	8 696	4 432	4 264	12 727	6 317	6 410	16	7
福井	5 856	2 966	2 890	9 347	4 672	4 675	11	5
山梨	5 705	2 861	2 844	9 678	4 903	4 775	11	6
長野	14 519	7 432	7 087	25 665	12 760	12 905	16	12
岐阜	14 039	7 138	6 901	22 964	11 781	11 183	29	13
静岡	26 261	13 474	12 787	41 078	21 193	19 885	47	13
愛知	62 436	31 994	30 442	67 177	35 929	31 248	98	43
三重	12 663	6 490	6 173	20 531	10 468	10 063	18	10
滋賀	11 598	6 012	5 586	13 082	6 662	6 420	25	10
京都	18 521	9 476	9 045	26 430	13 288	13 142	27	11
大阪	66 602	34 131	32 471	87 082	46 436	40 646	127	55
兵庫	41 605	21 275	20 330	56 584	29 109	27 475	57	26
奈良	8 965	4 583	4 382	14 486	7 344	7 142	23	12
和歌山	6 464	3 350	3 114	12 772	6 339	6 433	12	5
鳥取	4 310	2 210	2 100	7 536	3 695	3 841	6	4
島根	5 109	2 619	2 490	9 694	4 596	5 098	9	4
岡山	14 910	7 634	7 276	21 604	10 764	10 840	23	10
広島	22 150	11 354	10 796	30 795	15 450	15 345	41	20
山口	9 455	4 836	4 619	18 712	9 293	9 419	34	15
徳島	5 182	2 675	2 507	10 207	5 040	5 167	10	4
香川	7 387	3 785	3 602	11 894	5 967	5 927	18	8
愛媛	9 569	4 879	4 690	18 148	9 014	9 134	12	7
高知	4 837	2 457	2 380	10 150	4 920	5 230	10	4
福岡	43 438	22 138	21 300	52 530	26 332	26 198	78	39
佐賀	6 743	3 513	3 230	9 974	4 809	5 165	11	5
長崎	10 558	5 488	5 070	17 515	8 471	9 044	25	12
熊本	14 657	7 449	7 208	21 588	10 308	11 280	24	15
大分	8 658	4 446	4 212	14 398	7 084	7 314	19	8
宮崎	8 797	4 526	4 271	13 749	6 834	6 915	10	3
鹿児島	13 209	6 727	6 482	21 833	10 651	11 182	35	14
沖縄	16 217	8 170	8 047	11 945	6 415	5 530	41	22
外国	51	24	27	122	76	46	1	1
不詳	・	・	・	1 032	860	172	2	2
（再掲）								
東京都区部	78 444	40 051	38 393	78 278	41 397	36 881	119	58
札幌市	13 821	7 204	6 617	18 668	9 534	9 134	25	14
仙台市	8 635	4 518	4 117	8 763	4 574	4 189	16	8
さいたま市	10 520	5 315	5 205	10 451	5 628	4 823	13	5
千葉市	6 654	3 396	3 258	8 642	4 785	3 857	12	5
横浜市	27 763	14 167	13 596	32 385	17 519	14 866	62	31
川崎市	13 778	7 072	6 706	10 997	5 941	5 056	28	13
相模原市	5 045	2 527	2 518	6 073	3 383	2 690	13	5
新潟市	5 724	2 972	2 752	8 649	4 386	4 263	8	3
静岡市	4 885	2 556	2 329	7 999	4 054	3 945	5	2
浜松市	6 244	3 202	3 042	8 138	4 247	3 891	5	2
名古屋市	19 120	9 822	9 298	21 638	11 396	10 242	33	13
京都市	10 374	5 327	5 047	14 340	7 193	7 147	13	6
大阪市	21 457	10 975	10 482	28 411	15 406	13 005	46	17
堺市	6 366	3 341	3 025	8 325	4 438	3 887	10	4
神戸市	11 302	5 756	5 546	15 361	7 753	7 608	9	
岡山市	6 156	3 128	3 028	6 569	3 327	3 242	7	4
広島市	10 165	5 246	4 919	10 462	5 374	5 088	19	9
北九州市	7 349	3 768	3 581	11 171	5 659	5 512	14	7
福岡市	14 382	7 351	7 031	12 101	6 152	5 949	25	14
熊本市	6 746	3 407	3 339	6 957	3 348	3 609	12	9

資料：政策統括官（統計・情報政策、政策評価担当）　「平成29年人口動態統計」
注：1）都道府県の表章は，出生は子の住所，死亡は死亡者の住所，死産は母の住所，婚姻は夫の住所，離婚は別

郡道府県－21大都市（再掲）別

平成29年（2017）

自然増減数	死産数			周産期死亡数			婚姻件数	離婚件数
	総数	自然死産	人工死産	総数	妊娠満22週以後の死産数	早期新生児死亡数		
△394 332	20 358	9 738	10 620	3 308	2 683	625	606 866	212 262
△28 377	990	430	560	149	123	26	23 960	10 147
△9 540	173	81	92	32	21	11	5 122	2 092
△9 057	162	66	96	23	16	7	4 775	1 860
△7 228	357	175	182	60	49	11	10 646	3 734
△10 029	108	64	44	22	13	9	3 311	1 366
△8 072	159	90	69	34	29	5	4 311	1 454
△11 561	296	156	140	52	48	4	8 075	3 200
△11 829	443	208	235	70	56	14	12 790	4 694
△7 800	329	148	181	41	34	7	8 787	3 215
△9 306	280	137	143	55	43	12	8 329	3 154
△12 695	1 213	598	615	178	154	24	33 728	12 161
△14 955	997	536	461	168	137	31	28 680	10 359
△7 461	2 298	1 095	1 203	373	303	70	84 991	23 055
△12 221	1 365	673	692	259	192	67	46 274	15 370
△14 356	291	145	146	51	43	8	8 916	2 902
△5 983	134	76	58	22	19	3	4 360	1 393
△4 031	163	94	69	32	27	5	5 169	1 540
△3 491	107	59	48	17	15	2	3 381	1 083
△3 973	126	52	74	24	19	5	3 610	1 373
△11 146	291	152	139	52	43	9	8 978	3 212
△8 925	254	128	126	54	46	8	8 392	2 963
△14 817	477	243	234	85	76	9	16 573	5 983
△4 741	1 172	568	604	199	162	37	40 072	12 471
△7 868	268	128	140	45	36	9	7 937	2 784
△1 484	190	86	104	37	28	9	6 587	2 204
△7 909	355	170	185	48	39	9	11 875	4 104
△20 480	1 415	597	818	196	157	39	45 463	16 931
△14 979	813	402	411	120	102	18	25 480	9 113
△5 521	211	104	107	42	33	9	5 492	2 055
△6 308	150	55	95	22	19	3	4 040	1 714
△3 226	90	47	43	11	7	4	2 414	894
△4 585	110	51	59	13	9	4	2 662	1 035
△6 694	317	151	166	55	49	6	8 832	3 241
△8 645	461	229	232	77	66	11	13 177	4 603
△9 257	181	101	80	38	29	9	5 681	2 194
△5 025	97	45	52	18	16	2	2 985	1 169
△4 507	153	70	83	21	15	6	4 317	1 684
△8 579	249	99	150	49	44	5	5 645	2 316
△5 313	101	46	55	18	14	4	2 869	1 271
△9 092	1 073	470	603	163	134	29	25 887	9 606
△3 231	150	74	76	22	17	5	3 639	1 285
△6 957	252	105	147	34	26	8	5 831	2 089
△6 931	382	179	203	60	46	14	7 883	2 859
△5 740	196	86	110	33	27	6	5 022	1 943
△4 952	209	104	105	22	20	2	4 688	2 132
△8 624	311	158	153	46	34	12	7 146	2 771
4 272	428	202	226	62	46	16	8 084	3 484
△ 71	7	2	5	2	1	1	·	·
·	4	3	1	2	1	1	·	·
166	1 720	828	892	277	230	47	65 944	16 399
△4 847	402	178	224	58	45	13	10 134	4 003
△ 128	186	93	93	37	31	6	5 904	1 763
69	219	111	108	36	33	3	6 804	1 971
△1 988	151	86	65	27	23	4	4 222	1 564
△4 622	563	277	286	104	78	26	18 656	6 228
2 781	242	121	121	49	39	10	10 115	2 504
△1 028	115	59	56	21	17	4	3 301	1 256
△2 925	110	61	49	23	21	2	3 509	1 081
△3 114	102	54	48	13	12	1	3 107	1 113
△1 894	101	60	41	20	19	1	3 789	1 247
△2 518	351	159	192	53	44	9	13 580	4 224
△3 966	198	81	117	25	21	4	7 279	2 354
△6 954	509	207	302	61	50	11	17 771	5 887
△1 959	107	51	56	14	10	4	3 997	1 603
△4 059	212	88	124	30	30	–	7 263	2 766
△ 413	148	55	93	19	16	3	3 773	1 271
△ 297	195	95	100	25	22	3	6 219	2 021
△3 822	200	77	123	27	21	6	4 581	1 794
2 281	335	167	168	51	41	10	9 706	2 967
△ 211	160	74	86	29	20	9	3 775	1 201

する前の住所による。

第1−14表　人口動態総覧（率），

都道府県[1] 21大都市	出生率 （人口千対）	死亡率 （人口千対）	乳児死亡率 （出生千対）	新生児死亡率 （出生千対）	自然増減率 （人口千対）	死産率 （出…
全国[2]	7.6	10.8	1.9	0.9	△ 3.2	21.
北海道	6.4	11.8	1.9	1.0	△ 5.4	28.
青森	6.3	13.8	2.2	1.6	△ 7.5	21.
岩手	6.5	13.8	2.7	1.2	△ 7.3	19.
宮城	7.2	10.4	2.0	0.9	△ 3.1	21.
秋田	5.4	15.5	3.3	2.2	△ 10.1	19.
山形	6.6	14.0	1.7	1.2	△ 7.4	21.
福島	7.1	13.2	1.7	0.7	△ 6.2	21.
茨城	7.2	11.3	2.2	1.0	△ 4.2	21.
栃木	7.3	11.3	1.9	0.9	△ 4.0	22.
群馬	6.9	11.8	2.5	1.3	△ 4.9	22.
埼玉	7.4	9.2	1.8	0.7	△ 1.8	22.
千葉	7.2	9.6	2.0	0.9	△ 2.4	22.
東京	8.2	8.8	1.6	0.8	△ 0.6	20.
神奈川	7.6	8.9	2.3	1.2	△ 1.4	20.
新潟	6.6	13.0	1.6	0.8	△ 6.4	19.
富山	6.9	12.6	1.3	0.4	△ 5.7	18.
石川	7.7	11.2	1.8	0.8	△ 3.5	18.
福井	7.6	12.2	1.9	0.9	△ 4.6	21.
山梨	7.0	11.9	1.9	1.1	△ 4.9	21.
長野	7.1	12.5	1.1	0.8	△ 5.4	19.
岐阜	7.1	11.7	2.1	0.9	△ 4.5	17.
静岡	7.3	11.4	1.8	0.5	△ 4.1	18.
愛知	8.5	9.2	1.6	0.7	△ 0.6	18.
三重	7.2	11.6	1.4	0.8	△ 4.5	19.
滋賀	8.3	9.4	2.2	0.9	△ 1.1	16.
京都	7.3	10.4	1.5	0.6	△ 3.1	18.
大阪	7.7	10.1	1.9	0.8	△ 2.4	21.
兵庫	7.7	10.4	1.4	0.6	△ 2.8	20.
奈良	6.7	10.8	2.6	1.3	△ 4.1	23.
和歌山	6.9	13.6	1.9	0.8	△ 6.7	22.
鳥取	7.7	13.4	1.4	0.9	△ 5.8	20.
島根	7.5	14.3	1.8	0.8	△ 6.8	21.
岡山	7.9	11.4	1.5	0.7	△ 3.5	20.
広島	7.9	11.0	1.9	0.9	△ 3.1	20.
山口	6.9	13.7	3.6	1.6	△ 6.8	18.
徳島	7.0	13.8	1.9	0.8	△ 6.8	20.
香川	7.7	12.4	2.4	1.1	△ 4.7	20.
愛媛	7.1	13.4	1.3	0.7	△ 6.3	20.
高知	6.8	14.3	2.1	0.8	△ 7.5	25.
福岡	8.6	10.4	1.8	0.9	△ 1.8	24.
佐賀	8.2	12.2	1.6	0.7	△ 3.9	21.
長崎	7.8	13.0	2.4	1.1	△ 5.2	23.
熊本	8.4	12.3	1.6	1.0	△ 4.0	23.
大分	7.6	12.6	2.2	0.9	△ 5.0	23.
宮崎	8.1	12.7	1.1	0.3	△ 4.6	23.
鹿児島	8.2	13.5	2.6	1.1	△ 5.3	25.
沖縄	11.3	8.4	2.5	1.4	3.0	25.
（再掲）21大都市						
東京都区部	8.3	8.3	1.5	0.7	0.0	21.
札幌市	7.0	9.5	1.8	1.0	△ 2.5	28.
仙台市	8.0	8.0	1.9	0.9	0.1	21.
さいたま市	8.2	8.1	1.2	0.5	0.1	20.
千葉市	6.8	8.9	1.8	0.8	△ 2.0	22.
横浜市	7.4	8.7	2.2	1.1	△ 1.2	19.
川崎市	9.2	7.3	2.0	0.9	1.8	17.
相模原市	7.0	8.4	2.6	1.0	△ 1.4	22.
新潟市	7.1	10.8	1.4	0.5	△ 3.6	18.
静岡市	7.0	11.4	1.0	0.4	△ 4.5	20.
浜松市	7.8	10.2	0.8	0.3	△ 2.4	15.
名古屋市	8.3	9.4	1.7	0.7	△ 1.1	18.
京都市	7.0	9.7	1.3	0.5	△ 2.7	18.
大阪市	7.9	10.5	2.1	0.8	△ 2.6	18.
堺市	7.6	10.0	1.6	0.6	△ 2.3	16.
神戸市	7.4	10.0	0.8	–	△ 2.6	23.
岡山市	8.5	9.1	1.1	0.9	△ 0.6	23.
広島市	8.5	8.7	1.9	0.9	△ 0.2	18.
北九州市	7.7	11.7	1.9	1.0	△ 4.0	26.
福岡市	9.2	7.7	1.1	1.0	1.5	20.
熊本市	9.1	9.4	1.8	1.3	△ 0.3	23.

資料：政策統括官（統計・情報政策、政策評価担当）「平成29年人口動態統計」

注：1）都道府県の表章は，出生は子の住所，死亡は死亡者の住所，死産は母の住所，婚姻は夫の住所，離婚は別居する
　　2）全国には住所が外国・不詳を含む。
　　3）出生数に死産数を加えたものである。
　　4）出生数に妊娠満22週以後の死産数を加えたものである。
　　5）合計特殊出生率とは，15歳から49歳までの女性の年齢別出生率を合計したもので，1人の女性が仮にその年次の
　　　合計特殊出生率の算出には，全国値には各歳別の女性の日本人人口，都道府県値は5歳階級別の女性の日本人人口

府道府県－21大都市（再掲）別

平成29年（2017）

自然死産率 （産3) 千対）	人工死産率 （千対）	周産期 死亡率 （出産4) 千対）	妊娠満22週 以後の死産率 （千対）	早期新生児 死亡率 （出生千対）	婚姻率 （人口千対）	離婚率 （人口千対）	合計特殊 出生率5)
10.1	11.0	3.5	2.8	0.7	4.9	1.70	1.43
12.3	16.0	4.4	3.6	0.8	4.5	1.92	1.29
9.9	11.2	4.0	2.6	1.4	4.0	1.64	1.43
7.9	11.5	2.8	2.0	0.9	3.8	1.49	1.47
10.3	10.7	3.6	2.9	0.7	4.6	1.62	1.31
11.6	8.0	4.1	2.4	1.7	3.3	1.38	1.35
12.1	9.3	4.7	4.0	0.7	3.9	1.33	1.45
11.5	10.4	3.9	3.6	0.3	4.3	1.71	1.57
10.0	11.3	3.4	2.7	0.7	4.5	1.65	1.48
10.3	12.6	2.9	2.4	0.5	4.6	1.67	1.45
10.1	10.5	4.1	3.2	0.9	4.4	1.65	1.47
11.0	11.3	3.3	2.9	0.5	4.7	1.70	1.36
11.9	10.2	3.8	3.1	0.7	4.7	1.69	1.34
9.8	10.8	3.4	2.8	0.6	6.4	1.74	1.21
9.7	10.0	3.8	2.8	1.0	5.1	1.71	1.34
9.5	9.6	3.4	2.9	0.5	4.0	1.29	1.41
10.4	7.9	3.1	2.6	0.4	4.2	1.34	1.55
10.6	7.8	3.7	3.1	0.6	4.6	1.36	1.54
9.9	8.0	2.9	2.6	0.3	4.4	1.41	1.62
8.9	12.7	4.2	3.3	0.9	4.5	1.69	1.50
10.3	9.4	3.6	3.0	0.6	4.4	1.57	1.56
9.0	8.8	3.8	3.3	0.6	4.3	1.50	1.51
9.1	8.8	3.2	2.9	0.3	4.6	1.66	1.52
8.9	9.5	3.2	2.6	0.6	5.5	1.70	1.54
9.9	10.8	3.5	2.8	0.7	4.5	1.58	1.49
7.3	8.8	3.2	2.4	0.8	4.7	1.59	1.54
9.0	9.8	2.6	2.1	0.5	4.7	1.61	1.31
8.8	12.0	2.9	2.4	0.6	5.3	1.96	1.35
9.5	9.7	2.9	2.4	0.4	4.7	1.68	1.47
11.3	11.7	4.7	3.7	1.0	4.1	1.54	1.33
8.3	14.4	3.4	2.9	0.5	4.3	1.83	1.52
10.7	9.8	2.5	1.6	0.9	4.3	1.59	1.66
9.8	11.3	2.5	1.8	0.8	3.9	1.53	1.72
9.9	10.9	3.7	3.3	0.4	4.7	1.72	1.54
10.1	10.3	3.5	3.0	0.5	4.7	1.65	1.56
10.5	8.3	4.0	3.1	1.0	4.1	1.60	1.57
8.5	9.9	3.5	3.1	0.4	4.0	1.58	1.51
9.3	11.0	2.8	2.0	0.8	4.5	1.76	1.65
10.1	15.3	5.1	4.6	0.5	4.2	1.71	1.54
9.3	11.1	3.7	2.9	0.8	4.0	1.79	1.56
10.6	13.5	3.7	3.1	0.7	5.1	1.90	1.51
10.7	11.0	3.3	2.5	0.7	4.4	1.57	1.64
9.7	13.6	3.2	2.5	0.8	4.3	1.55	1.70
11.9	13.5	4.1	3.1	1.0	4.5	1.63	1.67
9.7	12.4	3.8	3.1	0.7	4.4	1.70	1.62
11.5	11.7	2.5	2.3	0.2	4.3	1.97	1.73
11.7	11.3	3.5	2.6	0.9	4.4	1.71	1.69
12.1	13.6	3.8	2.8	1.0	5.7	2.44	1.94
10.3	11.1	3.5	2.9	0.6	7.0	1.73	...
12.5	15.7	4.2	3.2	0.9	5.2	2.04	...
10.5	10.5	4.3	3.6	0.7	5.4	1.62	...
10.3	10.1	3.4	3.1	0.3	5.3	1.53	...
12.6	9.6	4.0	3.4	0.6	4.3	1.60	...
9.8	10.1	3.7	2.8	0.9	5.0	1.67	...
8.6	8.6	3.5	2.8	0.7	6.7	1.66	...
11.4	10.9	4.1	3.4	0.8	4.6	1.74	...
10.5	8.4	4.0	3.7	0.3	4.4	1.34	...
10.8	9.6	2.7	2.5	0.2	4.4	1.59	...
9.5	6.5	3.2	3.0	0.2	4.8	1.57	...
8.2	9.9	2.8	2.3	0.5	5.9	1.83	...
7.7	11.1	2.4	2.0	0.4	4.9	1.60	...
9.4	13.7	2.8	2.3	0.5	6.6	2.17	...
7.9	8.7	2.2	1.6	0.6	4.8	1.92	...
7.6	10.8	2.6	2.6	–	4.7	1.81	...
8.7	14.8	3.1	2.6	0.5	5.2	1.76	...
9.2	9.7	2.5	2.2	0.3	5.2	1.69	...
10.2	16.3	3.7	2.8	0.8	4.8	1.89	...
11.3	11.4	3.5	2.8	0.7	6.2	1.89	...
10.7	12.5	4.3	3.0	1.3	5.1	1.62	...

住所による。

別出生率で一生の間に生むとしたときの子ども数に相当する。
用いた。

32　人口動態

第1－15表　就業状態別出生率・死亡率・婚姻率，都道府県－21大都市（再掲）別

平成27年度　(FY2015)

都道府県[1] 21大都市	出　生　率　（人口千対）				死　亡　率　（人口千対）				婚　姻　率　（人口千対）			
	父（嫡出生率）		母		男		女		夫		妻	
	有職	無職	有職	無職	有職	無職	有職	無職	有職	無職	有職	無職
全　　　　国[2]	28.3	0.7	16.7	19.6	2.5	33.2	1.2	19.9	17.9	1.2	18.9	4.
北　海　道	24.4	0.7	11.1	17.3	2.5	36.5	1.2	20.4	17.0	1.2	16.8	3.
青　　　森	24.3	0.6	15.5	13.2	4.0	39.1	1.7	24.3	15.4	0.9	15.0	3.
岩　　　手	23.2	0.6	16.2	13.4	4.3	38.2	1.8	25.3	13.7	0.7	14.6	3.
宮　　　城	27.4	0.7	17.3	18.2	2.3	33.4	0.9	19.6	17.3	1.0	18.8	4.
秋　　　田	21.4	0.4	16.2	9.0	4.5	41.7	1.6	27.3	13.2	0.6	13.6	2.
山　　　形	22.9	0.4	17.9	11.0	3.5	37.3	1.3	26.2	13.8	0.6	14.5	2.
福　　　島	25.0	0.5	17.3	16.2	3.0	38.6	1.4	25.0	16.0	0.9	17.3	4.
茨　　　城	25.4	0.5	15.5	19.0	3.0	33.7	1.3	21.1	16.0	0.9	17.6	4.
栃　　　木	25.0	0.5	15.2	19.4	2.6	32.4	1.2	20.3	15.3	1.0	16.9	4.
群　　　馬	24.5	0.6	14.4	18.2	3.0	33.4	1.3	21.5	15.1	0.8	16.0	4.
埼　　　玉	25.7	0.6	14.9	20.5	1.8	27.6	0.9	14.7	16.0	0.9	18.0	4.
千　　　葉	26.3	0.6	15.7	19.6	2.3	30.0	1.4	16.6	16.8	1.1	18.6	4.
東　　　京	33.3	0.9	23.4	21.9	2.5	34.8	1.5	18.9	25.9	1.6	28.8	5.
神　奈　川	27.6	0.6	17.2	20.8	1.6	29.7	1.0	15.3	18.0	1.1	20.7	4.
新　　　潟	23.9	0.5	16.9	13.4	2.8	36.1	1.3	20.9	14.3	0.7	14.6	2.
富　　　山	24.5	0.3	17.8	13.1	1.9	32.4	0.7	20.2	14.7	0.6	15.4	3.
石　　　川	27.7	0.6	18.9	16.4	2.6	35.4	1.0	23.9	15.8	0.8	16.3	3.
福　　　井	27.7	0.5	19.9	15.9	2.8	38.4	0.9	26.5	15.8	0.6	16.0	3.
山　　　梨	25.0	0.6	16.5	14.6	3.8	35.1	1.6	23.7	15.8	0.8	16.7	3.
長　　　野	25.4	0.5	13.4	20.2	4.1	35.7	1.9	24.4	15.5	0.8	16.1	3.
岐　　　阜	26.4	0.5	12.9	21.2	2.8	36.6	1.1	22.5	15.2	0.9	15.5	4.
静　　　岡	25.7	0.4	14.4	20.1	2.7	34.1	1.3	21.0	15.9	1.0	17.0	4.
愛　　　知	30.1	0.6	16.4	26.6	2.4	32.3	1.3	18.3	18.9	1.1	20.8	5.
三　　　重	27.3	0.6	14.9	20.3	3.1	36.7	1.3	22.9	17.0	1.0	17.3	4.
滋　　　賀	30.9	0.7	17.8	23.7	2.2	29.8	0.8	18.5	16.8	1.0	17.8	4.
京　　　都	28.2	0.9	15.9	18.8	2.9	31.3	1.5	19.4	18.0	1.3	18.0	4.
大　　　阪	29.5	1.1	15.2	21.0	1.7	29.2	0.9	17.3	19.2	1.7	19.1	5.
兵　　　庫	30.3	0.8	15.5	20.1	2.2	30.2	1.0	17.4	18.1	1.2	19.3	4.
奈　　　良	27.5	0.7	14.1	16.4	2.2	27.5	1.1	16.3	15.6	1.2	15.8	4.
和　歌　山	26.8	0.7	12.7	18.1	3.4	39.1	1.3	24.2	15.8	1.4	15.1	4.
鳥　　　取	26.4	0.6	19.5	13.0	4.2	36.7	2.0	25.9	15.9	0.9	15.8	3.
島　　　根	27.8	0.6	21.7	12.6	3.0	38.1	1.4	27.4	14.4	0.8	14.8	3.
岡　　　山	29.4	0.9	17.5	18.7	2.5	35.2	1.1	21.8	17.7	1.2	17.9	4.
広　　　島	29.5	0.7	16.0	21.1	1.7	33.4	0.8	20.7	17.3	1.1	17.5	4.
山　　　口	26.4	0.6	13.8	16.9	2.7	36.9	1.2	23.4	15.4	1.0	15.3	3.
徳　　　島	24.8	0.6	16.1	13.6	3.6	33.5	1.5	23.4	15.5	1.0	15.6	3.
香　　　川	29.3	0.8	17.9	18.4	3.2	37.1	1.2	23.3	18.3	1.0	18.6	4.
愛　　　媛	23.6	0.8	11.6	17.3	2.9	36.1	1.2	23.0	15.1	1.0	14.7	3.
高　　　知	27.1	0.9	17.9	13.2	3.7	40.0	1.8	28.1	17.0	1.4	15.8	3.
福　　　岡	34.2	1.1	17.6	22.4	1.9	32.4	0.9	19.6	20.9	1.4	19.9	5.
佐　　　賀	30.1	0.6	18.5	18.2	2.9	35.7	1.1	24.8	15.8	1.0	15.1	3.
長　　　崎	29.6	0.6	17.5	16.4	3.4	37.8	1.3	24.6	16.5	1.1	15.6	4.
熊　　　本	32.8	0.9	19.5	18.6	2.5	36.5	1.2	24.3	17.6	1.1	16.3	4.
大　　　分	29.0	0.8	15.8	18.0	2.4	34.8	1.0	22.2	16.9	1.1	16.8	4.
宮　　　崎	31.6	0.8	18.7	18.2	3.2	37.4	1.5	24.9	17.7	1.2	16.4	4.
鹿　児　島	32.6	0.8	16.4	20.6	3.0	38.9	1.3	26.0	17.7	1.2	16.5	4.
沖　　　縄	47.9	2.1	31.3	31.4	2.2	27.6	0.9	17.9	24.8	2.4	24.1	7.
（再　掲）												
東京都の区部	35.8	1.0	25.5	23.9	2.8	38.1	1.6	20.1	30.0	1.9	32.8	6.
札　幌　市	27.0	1.0	12.5	18.6	1.8	31.4	0.7	16.8	19.7	1.8	19.3	4.
仙　台　市	31.7	0.8	18.6	21.3	1.4	28.5	0.7	15.7	20.9	1.3	22.5	4.
さいたま市	28.0	0.7	17.7	20.6	1.4	23.1	0.9	11.4	17.8	0.8	20.8	4.
千　葉　市	27.8	0.6	16.2	20.3	1.7	30.3	0.9	16.4	17.6	1.3	18.9	5.
横　浜　市	28.6	0.6	18.3	20.9	1.3	30.4	0.8	15.8	18.0	1.1	20.9	4.
川　崎　市	28.4	0.6	20.7	23.0	1.0	23.6	0.6	10.8	21.6	1.1	25.5	4.
相模原市	28.0	0.5	16.3	24.2	2.3	29.7	1.3	15.7	17.1	1.1	18.8	4.
新　潟　市	26.6	0.5	18.1	14.6	1.7	28.9	0.9	19.0	14.8	0.8	15.2	3.
静　岡　市	25.8	0.5	15.3	17.1	2.3	33.4	1.1	21.4	15.4	1.1	16.8	4.
浜　松　市	27.5	0.5	16.9	20.4	2.3	33.4	1.3	20.1	16.1	1.0	17.6	4.
名古屋市	30.9	0.8	17.3	25.3	2.7	35.9	1.5	20.1	20.4	1.7	22.9	6.
京　都　市	29.5	1.2	16.3	19.7	2.3	31.7	1.8	20.1	20.9	1.8	20.1	5.
大　阪　市	31.0	1.8	15.8	24.8	2.4	35.6	0.4	14.7	24.9	2.5	24.0	7.
堺　　　市	30.3	1.1	15.4	21.4	1.1	27.6	0.4	14.7	18.9	1.4	18.0	4.
神　戸　市	30.7	1.0	15.9	19.4	1.5	30.4	0.9	17.0	19.3	1.4	19.0	4.
岡　山　市	31.1	0.9	18.8	20.8	1.9	29.2	0.9	17.7	19.5	1.5	19.5	5.
広　島　市	32.5	0.9	19.0	21.7	1.2	31.8	0.3	17.9	18.5	1.0	18.9	4.
北九州市	32.0	0.8	15.5	19.9	1.5	37.3	0.6	18.4	20.5	1.5	19.5	5.
福　岡　市	37.8	1.7	20.7	22.7	1.6	28.2	0.9	16.1	25.5	2.3	23.9	7.
熊　本　市	36.1	1.1	20.7	22.1	1.6	32.7	1.0	20.5	20.6	1.5	19.0	5.

資料：政策統括官（統計・情報政策、政策評価担当）　「平成27年度　人口動態職業・産業別統計」
注：1）都道府県別の表章は、出生は子の住所、死亡は死亡者の住所、婚姻は夫の住所による。
　　2）全国には住所が外国・不詳を含む。

人口動態　33

第1－16表　悪性新生物，心疾患及び脳血管疾患による死亡数，職業別・産業別

平成27年度（FY2015）

職　業　・　産　業	男				女			
	全死因	悪性新生物	心疾患(高血圧性を除く)	脳血管疾患	全死因	悪性新生物	心疾患(高血圧性を除く)	脳血管疾患
《職業別》								
総　　　　　　　　数	664 204	220 077	91 360	53 126	619 502	151 183	102 935	57 553
就業者総数（有職）	81 022	31 904	11 457	6 350	30 441	11 706	3 985	2 980
A　管　理　職	7 939	3 536	1 045	563	2 285	894	304	198
B　専門・技術職	10 542	4 377	1 443	786	3 559	1 601	388	310
C　事　務　職	3 534	1 480	427	292	2 357	1 196	221	231
D　販　売　職	8 023	3 191	1 136	616	3 299	1 256	437	311
E　サービス職	9 098	3 474	1 304	716	5 260	2 100	675	583
F　保　安　職	1 253	389	218	111	240	88	29	24
G　農林漁業職	15 136	5 608	2 141	1 180	5 099	1 562	787	522
H　生産工程職	6 152	2 407	861	520	1 683	629	220	194
I　輸送・機械運転職	3 357	1 294	579	263	643	265	87	62
J　建設・採掘職	6 703	2 734	909	549	1 124	459	140	89
K　運搬・清掃・包装等職	1 816	623	349	180	541	166	91	72
L　職　業　不　詳	7 469	2 791	1 045	574	4 351	1 490	606	384
無　　　　　　　　職	525 996	168 967	71 587	42 432	543 865	127 053	91 812	50 568
不　　　　　　　　詳	57 186	19 206	8 316	4 344	45 196	12 424	7 138	4 005
《産業別》								
総　　　　　　　　数	664 204	220 077	91 360	53 126	619 502	151 183	102 935	57 553
就業者総数（有職）	81 022	31 904	11 457	6 350	30 441	11 706	3 985	2 980
第　1　次　産　業	16 066	5 967	2 254	1 260	5 523	1 711	836	565
A　農　業，林　業	14 813	5 461	2 088	1 170	5 200	1 578	799	545
B　漁　　　　　業	1 253	506	166	90	323	133	37	20
第　2　次　産　業	18 391	7 555	2 479	1 448	4 782	1 940	598	490
C　鉱業,採石業,砂利採取業	459	201	65	21	157	71	15	19
D　建　　設　　業	8 877	3 729	1 200	722	1 774	750	219	174
E　製　　造　　業	9 055	3 625	1 214	705	2 851	1 119	364	297
第　3　次　産　業	36 364	14 429	5 319	2 880	14 781	6 102	1 824	1 465
F　電気・ガス・熱供給・水道業	1 366	542	186	87	329	135	42	21
G　情　報　通　信　業	1 831	676	270	153	542	224	56	47
H　運　輸　業，郵便業	4 296	1 669	742	355	868	372	105	82
I　卸売業,小売業	7 160	2 936	1 007	556	3 089	1 239	424	286
J　金融業,保険業	1 150	504	135	86	469	245	47	34
K　不動産業,物品賃貸業	2 820	1 034	382	238	1 575	461	264	144
L　学術研究,専門・技術サービス業	2 224	993	289	154	656	323	63	53
M　宿泊業,飲食サービス業	3 195	1 246	430	249	1 711	695	195	202
N　生活関連サービス業,娯楽業	2 115	839	302	164	1 296	540	155	149
O　教育,学習支援業	1 033	447	150	82	624	304	58	65
P　医　療，福　祉	2 784	1 079	416	210	1 919	900	171	203
Q　複合サービス事業	339	138	51	27	128	54	12	11
R　その他のサービス業	4 482	1 698	754	420	1 172	414	190	140
S　公　　　　　務	1 569	628	205	99	403	196	42	28
T　産　業　不　詳	10 201	3 953	1 405	762	5 355	1 953	727	460
無　　　　　　　　職	525 996	168 967	71 587	42 432	543 865	127 053	91 812	50 568
不　　　　　　　　詳	57 186	19 206	8 316	4 344	45 196	12 424	7 138	4 005

資料：政策統括官（統計・情報政策、政策評価担当）　「平成27年度　人口動態職業・産業別統計」

第1－17表　出生数・出生率・構成割合[1]，年次×母の年齢階級別

母の年齢	昭和60年 (1985)	平成7年 (1995)	平成12年 (2000)	平成17年 (2005)	平成22年 (2010)	平成27年 (2015)	平成29年 (2017)
			出	生	数		
総　　数	1 431 577	1 187 064	1 190 547	1 062 530	1 071 304	1 005 677	946 065
～14歳	23	37	43	42	51	39	37
15～19	17 854	16 075	19 729	16 531	13 495	11 890	9 861
20～24	247 341	193 514	161 361	128 135	110 956	84 461	79 264
25～29	682 885	492 714	470 833	339 328	306 910	262 256	240 933
30～34	381 466	371 773	396 901	404 700	384 385	364 870	345 419
35～39	93 501	100 053	126 409	153 440	220 101	228 302	216 938
40～44	8 224	12 472	14 848	19 750	34 609	52 558	52 101
45～49	244	414	396	564	773	1 256	1 450
50歳以上	1	－	6	34	19	52	62
不　　　詳	38	12	21	6	5	2	1
			構　成　割　合 （単位：%）				
総　　数	100.0	100.0	100.0	100.0	100.0	100.0	100.0
～19歳	1.2	1.4	1.7	1.6	1.3	1.2	1.0
20～24	17.3	16.3	13.6	12.1	10.4	8.4	8.4
25～29	47.7	41.5	39.5	31.9	28.6	26.1	25.5
30～34	26.6	31.3	33.3	38.1	35.9	36.3	36.5
35～39	6.5	8.4	10.6	14.4	20.5	22.7	22.9
40～44	0.6	1.1	1.2	1.9	3.2	5.2	5.5
45歳以上	0.0	0.0	0.0	0.1	0.1	0.1	0.2
			出　生　率 （女性人口千対）				
15～19歳	4.1	3.9	5.4	5.2	4.6	4.1	3.4
20～24	61.7	40.4	39.9	36.6	36.1	29.4	27.5
25～29	178.4	116.1	99.5	85.3	87.4	85.1	82.1
30～34	84.9	94.5	93.5	85.6	95.3	103.3	102.2
35～39	17.7	26.2	32.1	36.1	46.2	56.4	57.4
40～44	1.8	2.8	3.9	5.0	8.1	11.0	11.4
45～49	0.1	0.1	0.1	0.1	0.2	0.3	0.3

資料：政策統括官（統計・情報政策、政策評価担当）「平成29年人口動態統計」
注：1）年齢不詳を除く出生数に対する構成割合である。

第1－18表　出生数・構成割合，年次×出生順位[1]別

出生順位	昭和60年 (1985)	平成7年 (1995)	平成12年 (2000)	平成17年 (2005)	平成22年 (2010)	平成27年 (2015)	平成29年 (2017)
			出	生	数		
総　　数	1 431 577	1 187 064	1 190 547	1 062 530	1 071 304	1 005 677	946 065
第1子	602 005	567 530	583 220	512 412	509 736	478 082	439 257
第2子	562 920	428 394	434 964	399 307	390 212	363 225	348 833
第3子以上	266 652	191 140	172 363	150 811	171 356	164 370	157 975
			構　成　割　合 （単位：%）				
総　　数	100.0	100.0	100.0	100.0	100.0	100.0	100.0
第1子	42.1	47.8	49.0	48.2	47.6	47.5	46.4
第2子	39.3	36.1	36.5	37.6	36.4	36.1	36.9
第3子以上	18.6	16.1	14.5	14.2	16.0	16.3	16.7

資料：政策統括官（統計・情報政策、政策評価担当）「平成29年人口動態統計」
注：1）出生順位とは、同じ母親がこれまでに生んだ出生子の総数について数えた順序である。

人口動態　35

第 1 －19表　父母の平均年齢，出生順位[1]×年次別

年　　次	父　の　平　均　年　齢　（歳）				母　の　平　均　年　齢　（歳）			
	総　数	第 1 子	第 2 子	第 3 子	総　数	第 1 子	第 2 子	第 3 子
昭和60年 （1985）	31.4	29.6	32.0	34.2	28.6	26.7	29.1	31.4
平成 7 年 （1995）	31.7	30.0	32.4	34.8	29.1	27.5	29.8	32.0
12 （2000）	31.8	30.2	32.6	34.7	29.6	28.0	30.4	32.3
17 （2005）	32.3	31.1	32.9	34.6	30.4	29.1	31.0	32.6
22 （2010）	33.1	32.0	33.7	35.0	31.2	29.9	31.8	33.2
27 （2015）	33.8	32.7	34.4	35.4	31.8	30.7	32.5	33.5
29 （2017）	34.0	32.8	34.6	35.5	32.0	30.7	32.6	33.7

資料：政策統括官（統計・情報政策、政策評価担当）「平成29年人口動態統計」
注 : 1 ）出生順位とは，同じ母親がこれまでに生んだ出生子の総数について数えた順序である。

第 1 －20表　合計特殊出生率，年次別

年　　次	合計特殊出生率	年　　次	合計特殊出生率
昭和22年（1947）	4.54	昭和60年（1985）	1.76
23 （1948）	4.40	61 （1986）	1.72
24 （1949）	4.32	62 （1987）	1.69
		63 （1988）	1.66
25 （1950）	3.65	平成元年（1989）	1.57
26 （1951）	3.26		
27 （1952）	2.98	2 （1990）	1.54
28 （1953）	2.69	3 （1991）	1.53
29 （1954）	2.48	4 （1992）	1.50
		5 （1993）	1.46
30 （1955）	2.37	6 （1994）	1.50
31 （1956）	2.22		
32 （1957）	2.04	7 （1995）	1.42
33 （1958）	2.11	8 （1996）	1.43
34 （1959）	2.04	9 （1997）	1.39
		10 （1998）	1.38
35 （1960）	2.00	11 （1999）	1.34
36 （1961）	1.96		
37 （1962）	1.98	12 （2000）	1.36
38 （1963）	2.00	13 （2001）	1.33
39 （1964）	2.05	14 （2002）	1.32
		15 （2003）	1.29
40 （1965）	2.14	16 （2004）	1.29
41 （1966）	1.58		
42 （1967）	2.23	17 （2005）	1.26
43 （1968）	2.13	18 （2006）	1.32
44 （1969）	2.13	19 （2007）	1.34
		20 （2008）	1.37
45 （1970）	2.13	21 （2009）	1.37
46 （1971）	2.16		
47 （1972）	2.14	22 （2010）	1.39
48 （1973）	2.14	23 （2011）	1.39
49 （1974）	2.05	24 （2012）	1.41
		25 （2013）	1.43
50 （1975）	1.91	26 （2014）	1.42
51 （1976）	1.85		
52 （1977）	1.80	27 （2015）	1.45
53 （1978）	1.79	28 （2016）	1.44
54 （1979）	1.77	29 （2017）	1.43
55 （1980）	1.75		
56 （1981）	1.74		
57 （1982）	1.77		
58 （1983）	1.80		
59 （1984）	1.81		

資料：政策統括官（統計・情報政策、政策評価担当）「平成29年人口動態統計」

36　人口動態

第1－21表　諸外国の出生率，年次別

(人口千対)

国　　名	平成25年 (2013)	平成26年 (2014)	平成27年 (2015)	平成28年 (2016)	平成29年 (2017)
日　　　　本	8.2	8.0	8.0	7.8	7.6
エ ジ プ ト	31.0	31.3	30.2	28.6	26.9
カ ナ ダ	10.8	10.8	10.7	10.6	10.3
アメリカ合衆国	12.4	12.5	12.4	…	…
アルゼンチン	17.9	18.2	17.9	16.7	…
イ ン ド	21.4	21.0	20.8	20.4	…
スリランカ	17.8	16.8	16.0	15.6	15.2
オーストリア	9.4	9.6	9.8	10.0	10.0
チェコ共和国	10.2	10.4	10.5	10.7	10.8
デンマーク	10.0	10.1	10.3	10.8	10.7
フ ラ ン ス	12.2	12.2	11.8	11.5	p 11.3
ド イ ツ	8.5	8.8	9.0	9.6	p 9.5
ハンガリー	9.0	9.5	9.4	9.7	9.7
アイルランド	14.9	14.4	13.9	13.4	12.9
イ タ リ ア	8.5	8.3	8.0	7.8	7.6
オ ラ ン ダ	10.2	10.4	10.1	10.1	p 9.9
ノルウェー	11.6	11.5	11.3	11.3	10.7
ポーランド	9.7	9.9	9.7	10.1	10.6
ロ シ ア	13.2	…	…	…	…
ス ペ イ ン	9.1	9.2	9.0	8.8	p 8.4
スウェーデン	11.8	11.9	11.7	11.8	p 11.5
ス イ ス	10.2	10.4	10.5	10.5	10.8
イ ギ リ ス	12.1	12.0	11.9	11.8	p 11.4
オーストラリア	13.3	12.8	12.8	12.8	…
ニュージーランド	13.2	12.7	13.3	12.7	12.4

　資料：UN "Demographic Yearbook 2017"
　　　　日本　政策統括官（統計・情報政策，政策評価担当）「人口動態統計」
　注：pは暫定値

第1－22表　諸外国の合計特殊出生率

国　　　名		合計特殊 出 生 率	国　　　名		合計特殊 出 生 率
日　　　　本	(2016)	1.44	ハンガリー	(2015)	1.45
ホ ン コ ン	(2016)	1.21	イ タ リ ア	(2015)	1.35
韓　　　　国	(2016)	1.17	オ ラ ン ダ	(2015)	1.66
カ ナ ダ	(2014)	1.58	ノルウェー	(2015)	1.72
アメリカ合衆国	(2015)	1.84	ス ペ イ ン	(2015)	1.33
ベ ル ギ ー	(2015)	1.70	スウェーデン	(2015)	1.85
デンマーク	(2015)	1.71	ス イ ス	(2015)	1.54
フ ラ ン ス	(2012)	2.00	イ ギ リ ス	(2015)	1.80
ド イ ツ	(2015)	1.50	オーストラリア	(2014)	1.80

　資料：UN, Demographic Yearbook 日本は国立社会保障・人口問題研究所『人口問題研究』

人口動態　37

第1−23表　死産数，妊娠期間×自然−人工×年次別

年　　次	総　　数	満12週〜15週	16〜19	20〜23	24〜27	28〜31	32〜35	36〜39	40週〜
				総		数			
平成2年　(1990)	53 892	19 665	16 455	11 252	1 827	1 337	1 248	1 530	549
12　　(2000)	38 393	14 968	12 236	6 863	1 276	820	873	1 051	299
17　　(2005)	31 818	12 974	10 073	5 489	879	587	674	882	258
22　　(2010)	26 560	10 430	8 420	4 663	857	533	612	819	223
27　　(2015)	22 617	8 187	7 461	4 416	721	483	521	664	162
29　　(2017)	20 358	7 255	6 807	4 002	673	428	447	609	132
			自	然	死	産			
平成2年　(1990)	23 383	5 831	6 111	4 988	1 792	1 317	1 240	1 527	548
12　　(2000)	16 200	4 068	4 615	3 213	1 260	815	872	1 051	299
17　　(2005)	13 502	3 886	3 852	2 487	874	587	674	882	258
22　　(2010)	12 245	3 698	3 509	2 006	845	531	611	819	223
27　　(2015)	10 862	3 290	3 253	1 766	721	483	521	664	162
29　　(2017)	9 738	3 049	2 930	1 465	673	428	447	609	132
			人	工	死	産			
平成2年　(1990)	30 509	13 834	10 344	6 264	35	20	8	3	1
12　　(2000)	22 193	10 900	7 621	3 650	16	5	1	−	−
17　　(2005)	18 316	9 088	6 221	3 002	5	−	−	−	−
22　　(2010)	14 315	6 732	4 911	2 657	12	2	1	−	−
27　　(2015)	11 755	4 897	4 208	2 650	−	−	−	−	−
29　　(2017)	10 620	4 206	3 877	2 537	−	−	−	−	−

資料：政策統括官（統計・情報政策，政策評価担当）「平成29年人口動態統計」
注：死産は，妊娠満12週以後の死児の出産をいう。妊娠期間の総数には週数不詳を含む。

第1−24表　諸外国の周産期死亡率[1]（出生千対），年次別

(単位：出生千対)

国　　名	昭和45年 (1970)	昭和55年 (1980)	平成2年 (1990)	平成12年 (2000)	平成22年 (2010)	平成27年 (2015)	平成29年　(2017)		
							周産期死亡率	妊娠満28週以後死産比	早期新生児死亡率
日　　　本	21.7	11.7	5.7	3.8	2.9	2.5	2.4	1.7	0.7
カ ナ ダ	22.0	10.9	7.7	6.2 '06)	6.1	5.8 '15)	5.8	2.8	3.0
アメリカ合衆国	27.8	14.2	9.3	7.1 '09)	6.3	6.0 '15)	6.0	2.9	3.2
デ ン マ ー ク	18.0	9.0	8.3 '01)	6.8	6.4 '14)	6.8 '16)	6.1	3.8	2.3
フ ラ ン ス	20.7	13.0	8.3 '99)	6.6	11.8 '10)	11.8 '10)	11.8	10.2	1.6
ド イ ツ[2]	26.7	11.6	6.0 '99)	6.2 '07)	5.5	5.6 '15)	5.6	3.8	1.8
ハ ン ガ リ ー	34.5	23.1	14.3	10.1	6.9	6.1 '16)	5.8	4.3	1.5
イ タ リ ア	31.7	17.4	10.4 '97)	6.8	4.3 '13)	3.8 '13)	3.8	2.5	1.4
オ ラ ン ダ	18.8	11.1	9.7 '98)	7.9 '09)	5.7	4.7 '16)	4.8	2.9	2.0
ス ペ イ ン	'75) 21.1	14.6	7.6 '99)	5.2	4.3 '15)	4.3 '15)	4.3	3.1	1.2
ス ウ ェ ー デ ン	16.5	8.7	6.5 '02)	5.3	4.8	5.0 '16)	4.7	3.5	1.1
イ ギ リ ス[3]	23.8	13.4	8.2	8.2 '09)	7.6	6.5 '16)	6.6	4.4	2.2
オーストラリア	21.5	13.5	8.5	6.0 '08)	6.7	5.7 '16)	2.9	1.1	1.9
ニュージーランド	19.8	11.8	7.2	5.8 '09)	4.9	4.1	4.3	2.4	1.9

資料：WHO "World Health Statistics Annual"
　　　UN "Demographic Yearbook"
　　　日本　政策統括官（統計・情報政策，政策評価担当）「平成29年人口動態統計」
注：pは暫定値である。
　1）国際比較のため，妊娠満28週以後の死産数と早期新生児死亡数を加えたものの出生千対の率を用いている。
　2）1990年までは，旧西ドイツの数値である。
　3）1980年までは，イングランド・ウェールズの数値である。

38　人口動態

第1－25表　死亡数・構成割合，死亡場所×年次別

年　　次	総　数	病　院	診療所	介護老人保健施設	助産所	老　人[1]ホーム	自　宅	その他
				死　　　　亡　　　　数				
昭和26年（1951）	838 998	75 944	21 511	・	261	・	691 901	49 381
30（1955）	693 523	85 086	21 646	・	402	・	533 098	53 291
35（1960）	706 599	128 306	25 941	・	791	・	499 406	52 155
40（1965）	700 438	172 091	27 477	・	774	・	455 081	45 015
45（1970）	712 962	234 915	31 949	・	428	・	403 870	41 800
50（1975）	702 275	293 352	34 556	・	193	・	334 980	39 194
55（1980）	722 801	376 838	35 102	・	30	・	274 966	35 865
60（1985）	752 283	473 691	32 353	・	10	・	212 763	33 466
平成 2 年（1990）	820 305	587 438	27 968	351	2	・	177 657	26 889
7（1995）	922 139	682 943	27 555	2 080	2	14 256	168 756	26 547
12（2000）	961 653	751 581	27 087	4 818	2	17 807	133 534	26 824
17（2005）	1 083 796	864 338	28 581	7 346	3	23 278	132 702	27 548
22（2010）	1 197 012	931 905	28 869	15 651	1	42 099	150 783	27 704
23（2011）	1 253 066	954 745	29 203	18 393	1	49 991	156 491	44 242
24（2012）	1 256 359	958 991	29 066	21 544	－	58 264	161 242	27 252
25（2013）	1 268 436	958 755	27 942	24 069	－	66 919	163 049	27 702
26（2014）	1 273 004	956 913	26 574	26 037	2	73 338	162 599	27 541
27（2015）	1 290 444	962 597	25 482	29 127	－	81 680	163 973	27 585
28（2016）	1 307 748	965 779	24 861	30 713	1	90 067	169 400	26 927
29（2017）	1 340 397	978 260	24 144	33 105	－	99 910	177 473	27 505
				構　　成　　割　　合（単位：％）				
昭和26年（1951）	100.0	9.1	2.6	・	0.0	・	82.5	5.9
30（1955）	100.0	12.3	3.1	・	0.1	・	76.9	7.7
35（1960）	100.0	18.2	3.7	・	0.1	・	70.7	7.4
40（1965）	100.0	24.6	3.9	・	0.1	・	65.0	6.4
45（1970）	100.0	32.9	4.5	・	0.1	・	56.6	5.9
50（1975）	100.0	41.8	4.9	・	0.0	・	47.7	5.6
55（1980）	100.0	52.1	4.9	・	0.0	・	38.0	5.0
60（1985）	100.0	63.0	4.3	・	0.0	・	28.3	4.4
平成 2 年（1990）	100.0	71.6	3.4	0.0	0.0	・	21.7	3.3
7（1995）	100.0	74.1	3.0	0.2	0.0	1.5	18.3	2.9
12（2000）	100.0	78.2	2.8	0.5	0.0	1.9	13.9	2.8
17（2005）	100.0	79.8	2.6	0.7	0.0	2.1	12.2	2.5
22（2010）	100.0	77.9	2.4	1.3	0.0	3.5	12.6	2.3
23（2011）	100.0	76.2	2.3	1.5	0.0	4.0	12.5	3.5
24（2012）	100.0	76.3	2.3	1.7	－	4.6	12.8	2.2
25（2013）	100.0	75.6	2.2	1.9	－	5.3	12.9	2.2
26（2014）	100.0	75.2	2.1	2.0	0.0	5.8	12.8	2.2
27（2015）	100.0	74.6	2.0	2.3	－	6.3	12.7	2.1
28（2016）	100.0	73.9	1.9	2.3	0.0	6.9	13.0	2.1
29（2017）	100.0	73.0	1.8	2.5	－	7.5	13.2	2.1

資料：政策統括官（統計・情報政策、政策評価担当）「平成29年人口動態統計」
注：1）平成2年までは老人ホームでの死亡は、自宅又はその他に含まれる。

人口動態　39

第1−26表　死亡数・死亡率（人口10万対），性×死因簡単分類別

(2−1)

死因簡単分類コード[1]	死因[1]	平成　29　年					
		死亡数			死亡率		
		総数	男	女	総数	男	女
	総数	1 340 397	690 683	649 714	1 075.3	1 138.3	1 015.6
01000	感染症及び寄生虫症	24 759	12 020	12 739	19.9	19.8	19.9
01100	腸管感染症	2 358	1 012	1 346	1.9	1.7	2.1
01200	結核	2 306	1 423	883	1.9	2.3	1.4
01201	呼吸器結核	2 002	1 294	708	1.6	2.1	1.1
01202	その他の結核	304	129	175	0.2	0.2	0.3
01300	敗血症	10 213	4 854	5 359	8.2	8.0	8.4
01400	ウイルス性肝炎	3 743	1 718	2 025	3.0	2.8	3.2
01401	B型ウイルス性肝炎	419	267	152	0.3	0.4	0.2
01402	C型ウイルス性肝炎	3 100	1 329	1 771	2.5	2.2	2.8
01403	その他のウイルス性肝炎	224	122	102	0.2	0.2	0.2
01500	ヒト免疫不全ウイルス［HIV］病	38	37	1	0.0	0.1	0.0
01600	その他の感染症及び寄生虫症	6 101	2 976	3 125	4.9	4.9	4.9
02000	新生物<腫瘍>	386 354	227 353	159 001	310.0	374.7	248.5
02100	悪性新生物<腫瘍>	373 334	220 398	152 936	299.5	363.2	239.1
02101	口唇，口腔及び咽頭の悪性新生物<腫瘍>	7 454	5 328	2 126	6.0	8.8	3.3
02102	食道の悪性新生物<腫瘍>	11 568	9 580	1 988	9.3	15.8	3.1
02103	胃の悪性新生物<腫瘍>	45 226	29 745	15 481	36.3	49.0	24.2
02104	結腸の悪性新生物<腫瘍>	35 349	17 564	17 785	28.4	28.9	27.8
02105	直腸S状結腸移行部及び直腸の悪性新生物<腫瘍>	15 332	9 770	5 562	12.3	16.1	8.7
02106	肝及び肝内胆管の悪性新生物<腫瘍>	27 114	17 822	9 292	21.8	29.4	14.5
02107	胆のう及びその他の胆道の悪性新生物<腫瘍>	18 179	9 237	8 942	14.6	15.2	14.0
02108	膵の悪性新生物<腫瘍>	34 224	17 401	16 823	27.5	28.7	26.3
02109	喉頭の悪性新生物<腫瘍>	879	808	71	0.7	1.3	0.1
02110	気管，気管支及び肺の悪性新生物<腫瘍>	74 120	53 002	21 118	59.5	87.4	33.0
02111	皮膚の悪性新生物<腫瘍>	1 583	797	786	1.3	1.3	1.2
02112	乳房の悪性新生物<腫瘍>	14 384	99	14 285	11.5	0.2	22.3
02113	子宮の悪性新生物<腫瘍>[2]	6 611	・	6 611	10.3	・	10.3
02114	卵巣の悪性新生物<腫瘍>[2]	4 745	・	4 745	7.4	・	7.4
02115	前立腺の悪性新生物<腫瘍>[3]	12 013	12 013	・	19.8	19.8	・
02116	膀胱の悪性新生物<腫瘍>	8 780	6 026	2 754	7.0	9.9	4.3
02117	中枢神経系の悪性新生物<腫瘍>	2 691	1 498	1 193	2.2	2.5	1.9
02118	悪性リンパ腫	12 535	7 033	5 502	10.1	11.6	8.6
02119	白血病	8 570	5 215	3 355	6.9	8.6	5.2
02120	その他のリンパ組織，造血組織及び関連組織の悪性新生物<腫瘍>	4 492	2 356	2 136	3.6	3.9	3.3
02121	その他の悪性新生物<腫瘍>	27 485	15 104	12 381	22.1	24.9	19.4
02200	その他の新生物<腫瘍>	13 020	6 955	6 065	10.4	11.5	9.5
02201	中枢神経系のその他の新生物<腫瘍>	2 709	1 279	1 430	2.2	2.1	2.2
02202	中枢神経系を除くその他の新生物<腫瘍>	10 311	5 676	4 635	8.3	9.4	7.2
03000	血液及び造血器の疾患並びに免疫機構の障害	4 370	1 884	2 486	3.5	3.1	3.9
03100	貧血	2 153	832	1 321	1.7	1.4	2.1
03200	その他の血液及び造血器の疾患並びに免疫機構の障害	2 217	1 052	1 165	1.8	1.7	1.8
04000	内分泌，栄養及び代謝疾患	22 384	11 502	10 882	18.0	19.0	17.0
04100	糖尿病	13 969	7 730	6 239	11.2	12.7	9.8
04200	その他の内分泌，栄養及び代謝疾患	8 415	3 772	4 643	6.8	6.2	7.3

資料：政策統括官（統計・情報政策，政策評価担当）「平成29年人口動態統計」
注：1）死因簡単分類コード及び死因は，「ICD−10（2013年版）」（平成29年適用）によるものである。
　　2）率については，女性人口10万対である。
　　3）率については，男性人口10万対である。

40　人口動態

第 1 −26表 （続）

（2−2）

死因 簡単分類 コード[1]	死　因[1]	平　成　29　年					
		死　亡　数			死　亡　率		
		総　数	男	女	総　数	男	女
05000	精神及び行動の障害	21 483	7 977	13 506	17.2	13.1	21.1
05100	血管性及び詳細不明の認知症	19 546	6 995	12 551	15.7	11.5	19.6
05200	その他の精神及び行動の障害	1 937	982	955	1.6	1.6	1.5
06000	神経系の疾患	45 024	21 168	23 856	36.1	34.9	37.3
06100	髄　膜　炎	311	180	131	0.2	0.3	0.2
06200	脊髄性筋萎縮症及び関連症候群	2 543	1 505	1 038	2.0	2.5	1.6
06300	パーキンソン病	10 123	5 112	5 011	8.1	8.4	7.8
06400	アルツハイマー病	17 238	6 061	11 177	13.8	10.0	17.5
06500	その他の神経系の疾患	14 809	8 310	6 499	11.9	13.7	10.2
07000	眼及び付属器の疾患	7	3	4	0.0	0.0	0.0
08000	耳及び乳様突起の疾患	20	8	12	0.0	0.0	0.0
09000	循環器系の疾患	350 966	166 545	184 421	281.6	274.5	288.3
09100	高血圧性疾患	9 567	3 915	5 652	7.7	6.5	8.8
09101	高血圧性心疾患及び心腎疾患	5 680	2 238	3 442	4.6	3.7	5.4
09102	その他の高血圧性疾患	3 887	1 677	2 210	3.1	2.8	3.5
09200	心疾患（高血圧性を除く）	204 837	96 319	108 518	164.3	158.7	169.6
09201	慢性リウマチ性心疾患	2 296	775	1 521	1.8	1.3	2.4
09202	急性心筋梗塞	34 950	19 975	14 975	28.0	32.9	23.4
09203	その他の虚血性心疾患	34 907	20 500	14 407	28.0	33.8	22.5
09204	慢性非リウマチ性心内膜疾患	11 889	3 817	8 072	9.5	6.3	12.6
09205	心　筋　症	4 024	2 282	1 742	3.2	3.8	2.7
09206	不整脈及び伝導障害	30 148	14 521	15 627	24.2	23.9	24.4
09207	心　不　全	80 817	31 300	49 517	64.8	51.6	77.4
09208	その他の心疾患	5 806	3 149	2 657	4.7	5.2	4.2
09300	脳血管疾患	109 880	53 188	56 692	88.2	87.7	88.6
09301	くも膜下出血	12 307	4 535	7 772	9.9	7.5	12.1
09302	脳内出血	32 654	17 881	14 773	26.2	29.5	23.1
09303	脳　梗　塞	62 122	29 494	32 628	49.8	48.6	51.0
09304	その他の脳血管疾患	2 797	1 278	1 519	2.2	2.1	2.4
09400	大動脈瘤及び解離	19 126	9 723	9 403	15.3	16.0	14.7
09500	その他の循環器系の疾患	7 556	3 400	4 156	6.1	5.6	6.5
10000	呼吸器系の疾患	189 601	110 890	78 711	152.1	182.8	123.0
10100	インフルエンザ	2 569	1 202	1 367	2.1	2.0	2.1
10200	肺　　炎	96 841	53 134	43 707	77.7	87.6	68.3
10300	急性気管支炎	419	160	259	0.3	0.3	0.4
10400	慢性閉塞性肺疾患	18 523	15 266	3 257	14.9	25.2	5.1
10500	喘　　息	1 794	641	1 153	1.4	1.1	1.8
10600	その他の呼吸器系の疾患	69 455	40 487	28 968	55.7	66.7	45.3
10601	誤嚥性肺炎	35 788	20 091	15 697	28.7	33.1	24.5
10602	間質性肺疾患	18 549	12 025	6 524	14.9	19.8	10.2
10603	その他の呼吸器系の疾患（10601及び10602を除く）	15 118	8 371	6 747	12.1	13.8	10.5
11000	消化器系の疾患	51 269	26 861	24 408	41.1	44.3	38.2
11100	胃潰瘍及び十二指腸潰瘍	2 513	1 403	1 110	2.0	2.3	1.7
11200	ヘルニア及び腸閉塞	7 087	3 232	3 855	5.7	5.3	6.0
11300	肝　疾　患	17 018	10 980	6 038	13.7	18.1	9.4
11301	肝硬変（アルコール性を除く）	8 283	4 474	3 809	6.6	7.4	6.0
11302	その他の肝疾患	8 735	6 506	2 229	7.0	10.7	3.5
11400	その他の消化器系の疾患	24 651	11 246	13 405	19.8	18.5	21.0

人口動態　41

死亡数・死亡率（人口10万対），性×死因簡単分類別

死因[1] 簡単分類 コード	死　因[1]	平　成　29　年					
		死　亡　数			死　亡　率		
		総数	男	女	総数	男	女
12000	皮膚及び皮下組織の疾患	2 440	916	1 524	2.0	1.5	2.4
13000	筋骨格系及び結合組織の疾患	8 337	3 284	5 053	6.7	5.4	7.9
14000	腎尿路生殖器系の疾患	37 997	17 338	20 659	30.5	28.6	32.3
14100	糸球体疾患及び腎尿細管間質性疾患	4 613	1 744	2 869	3.7	2.9	4.5
14200	腎　不　全	25 134	12 569	12 565	20.2	20.7	19.6
14201	・急性腎不全	2 620	1 176	1 444	2.1	1.9	2.3
14202	慢性腎臓病	18 010	9 223	8 787	14.4	15.2	13.7
14203	詳細不明の腎不全	4 504	2 170	2 334	3.6	3.6	3.6
14300	その他の腎尿路生殖器系の疾患	8 250	3 025	5 225	6.6	5.0	8.2
15000	妊娠，分娩及び産じょく[2]	36	・	36	0.1	・	0.1
16000	周産期に発生した病態	486	271	215	0.4	0.4	0.3
16100	妊娠期間及び胎児発育に関連する障害	59	29	30	0.0	0.0	0.0
16200	出産外傷	5	5	–	0.0	0.0	–
16300	周産期に特異的な呼吸障害及び心血管障害	244	137	107	0.2	0.2	0.2
16400	周産期に特異的な感染症	46	27	19	0.0	0.0	0.0
16500	胎児及び新生児の出血性障害及び血液障害	64	31	33	0.1	0.1	0.1
16600	その他の周産期に発生した病態	68	42	26	0.1	0.1	0.1
17000	先天奇形，変形及び染色体異常	2 128	1 006	1 122	1.7	1.7	1.8
17100	神経系の先天奇形	98	57	41	0.1	0.1	0.1
17200	循環器系の先天奇形	881	395	486	0.7	0.7	0.8
17201	心臓の先天奇形	592	283	309	0.5	0.5	0.5
17202	その他の循環器系の先天奇形	289	112	177	0.2	0.2	0.3
17300	消化器系の先天奇形	105	54	51	0.1	0.1	0.1
17400	その他の先天奇形及び変形	572	297	275	0.5	0.5	0.4
17500	染色体異常，他に分類されないもの	472	203	269	0.4	0.3	0.4
18000	症状，徴候及び異常臨床所見・異常検査所見で他に分類されないもの	124 159	39 653	84 506	99.6	65.4	132.1
18100	老　衰	101 396	25 807	75 589	81.3	42.5	118.2
18200	乳幼児突然死症候群	77	52	25	0.1	0.1	0.0
18300	その他の症状，徴候及び異常臨床所見・異常検査所見で他に分類されないもの	22 686	13 794	8 892	18.2	22.7	13.9
20000	傷病及び死亡の外因	68 577	42 004	26 573	55.0	69.2	41.5
20100	不慮の事故	40 329	23 091	17 238	32.4	38.1	26.9
20101	交通事故	5 004	3 392	1 612	4.0	5.6	2.5
20102	転倒・転落・墜落	9 673	5 303	4 370	7.8	8.7	6.8
20103	不慮の溺死及び溺水	8 163	4 253	3 910	6.5	7.0	6.1
20104	不慮の窒息	9 193	4 681	4 512	7.4	7.7	7.1
20105	煙，火及び火炎への曝露	963	591	372	0.8	1.0	0.6
20106	有害物質による不慮の中毒及び有害物質への曝露	598	375	223	0.5	0.6	0.3
20107	その他の不慮の事故	6 735	4 496	2 239	5.4	7.4	3.5
20200	自　殺	20 465	14 333	6 132	16.4	23.6	9.6
20300	他　殺	288	159	129	0.2	0.3	0.2
20400	その他の外因	7 495	4 421	3 074	6.0	7.3	4.8
22000	特殊目的用コード	–	–	–	–	–	–
22100	重症急性呼吸器症候群［ＳＡＲＳ］	–	–	–	–	–	–
22200	その他の特殊目的用コード	–	–	–	–	–	–

資料：政策統括官（統計・情報政策、政策評価担当）「平成29年人口動態統計」

42　人口動態

第1－27表　死亡数・死亡率（人口10万対），

年齢階級	総　　　　　数							
	平成2年 (1990)	平成12年 (2000)	平成17年 (2005)	平成22年 (2010)	平成27年 (2015)	平成29年 (2017)	平成2年 (1990)	平成12年 (2000)
				死			亡	
総　　数	820 305	961 653	1 083 796	1 197 012	1 290 444	1 340 397	443 718	525 903
0～4歳	7 983	5 269	4 102	3 382	2 692	2 454	4 532	2 933
5～9	1 377	738	655	480	452	351	844	438
10～14	1 242	744	590	553	470	437	760	493
15～19	4 353	2 397	1 802	1 422	1 220	1 161	3 204	1 721
20～24	4 795	4 035	3 370	2 753	2 101	2 024	3 466	2 875
25～29	4 277	4 817	4 170	3 437	2 616	2 276	2 916	3 271
30～34	5 038	5 596	5 952	4 837	3 549	3 254	3 264	3 749
35～39	8 551	7 046	7 469	7 555	5 402	4 749	5 449	4 621
40～44	15 311	10 479	10 238	10 162	9 770	8 817	9 769	6 840
45～49	21 728	19 736	15 754	14 532	13 540	14 019	14 218	13 141
50～54	30 258	35 843	28 964	22 014	19 717	19 060	20 161	24 103
55～59	47 541	45 992	49 579	39 326	28 735	27 527	32 925	31 848
60～64	62 728	60 680	62 258	66 096	52 217	44 904	42 742	42 214
65～69	69 931	89 058	80 829	83 087	88 287	92 433	42 664	60 962
70～74	89 813	116 528	120 825	110 248	114 323	109 141	51 737	76 413
75～79	127 523	131 000	159 362	163 088	153 465	155 804	69 320	73 947
80～84	139 549	147 060	174 185	211 257	222 455	226 168	67 916	73 533
85～89	111 120	148 980	165 385	207 287	256 258	270 070	45 623	62 730
90～94	52 814	90 913	127 573	151 959	197 174	223 386	17 914	30 830
95～99	12 355	29 230	50 503	75 386	90 723	104 089	3 547	7 642
100～	1 569	4 789	9 578	17 513	24 823	27 804	367	975
				死			亡	
総　　数	668.4	765.6	858.8	947.1	1 029.7	1 075.3	736.5	855.3
0～4歳	123.4	89.9	73.9	64.4	54.5	50.7	136.6	97.7
5～9	18.5	12.3	11.1	8.6	8.6	6.8	22.2	14.3
10～14	14.6	11.4	9.8	9.4	8.4	8.1	17.4	14.8
15～19	43.7	32.2	27.6	23.6	20.4	19.7	62.7	45.2
20～24	55.0	48.6	46.9	43.7	35.7	34.2	78.1	67.6
25～29	53.6	50.0	51.5	48.0	41.6	37.9	72.3	66.8
30～34	65.3	65.0	62.0	58.9	49.4	47.3	83.9	85.9
35～39	95.6	88.3	86.9	78.0	65.6	61.8	121.1	114.5
40～44	144.2	136.0	128.5	117.5	100.9	95.0	183.2	176.2
45～49	241.7	223.1	205.9	182.4	157.1	150.8	317.9	296.2
50～54	375.0	344.9	331.3	289.3	249.3	237.4	505.2	464.7
55～59	616.3	528.7	484.9	454.3	382.1	366.9	870.7	745.0
60～64	931.3	786.9	730.1	657.4	615.1	580.4	1 321.5	1 128.7
65～69	1 373.7	1 255.8	1 088.9	1 009.5	909.2	936.7	1 948.7	1 818.3
70～74	2 357.4	1 978.4	1 821.1	1 577.8	1 474.8	1 415.3	3 323.7	2 865.5
75～79	4 230.4	3 164.6	3 029.1	2 730.8	2 424.6	2 321.4	5 793.4	4 561.5
80～84	7 618.5	5 635.6	5 109.4	4 841.7	4 438.4	4 285.8	10 010.3	8 052.4
85～89	13 341.6	9 735.1	8 947.0	8 473.8	8 138.1	7 971.7	16 535.9	13 163.8
90～94[1]	23 067.3	17 836.3	15 167.7	14 806.4	14 502.5	14 147.3	26 796.0	22 373.4
95～99	…	…	23 894.8	25 328.5	25 148.0	25 764.6	…	…
100～	…	…	37 771.1	39 892.0	40 201.1	41 498.5	…	…

資料：政策統括官（統計・情報政策、政策評価担当）「平成29年人口動態統計」
注：総数には年齢不詳を含む。
　　1）死亡率については，平成12年までの90～94歳は，90歳以上の数値である。

性・年次×年齢階級別

男				女					
平成17年 (2005)	平成22年 (2010)	平成27年 (2015)	平成29年 (2017)	平成2年 (1990)	平成12年 (2000)	平成17年 (2005)	平成22年 (2010)	平成27年 (2015)	平成29年 (2017)
数									
584 970	633 700	666 707	690 683	376 587	435 750	498 826	563 312	623 737	649 714
2 291	1 873	1 473	1 296	3 451	2 336	1 811	1 509	1 219	1 158
409	261	253	209	533	300	246	219	199	142
361	350	267	276	482	251	229	203	203	161
1 220	941	836	810	1 149	676	582	481	384	351
2 303	1 962	1 515	1 468	1 329	1 160	1 067	791	586	556
2 887	2 412	1 786	1 547	1 361	1 546	1 283	1 025	830	729
3 915	3 177	2 325	2 154	1 774	1 847	2 037	1 660	1 224	1 100
4 915	4 867	3 455	3 074	3 102	2 425	2 554	2 688	1 947	1 675
6 806	6 629	6 214	5 503	5 542	3 639	3 432	3 533	3 556	3 314
10 577	9 566	8 656	8 942	7 510	6 595	5 177	4 966	4 884	5 077
19 546	14 638	12 838	12 345	10 097	11 740	9 418	7 376	6 879	6 715
34 233	27 134	19 460	18 506	14 616	14 144	15 346	12 192	9 275	9 021
43 403	46 155	36 141	31 103	19 986	18 466	18 855	19 941	16 076	13 801
55 261	57 468	61 424	64 245	27 267	28 096	25 568	25 619	26 863	28 188
80 198	73 470	76 916	74 272	38 076	40 115	40 627	36 778	37 407	34 869
99 338	102 673	96 964	99 591	58 203	57 053	60 024	60 415	56 501	56 213
89 502	119 801	126 762	129 904	71 633	73 527	84 683	91 456	95 693	96 264
70 110	89 905	120 810	129 775	65 497	86 250	95 275	117 382	135 448	140 295
42 590	49 199	64 596	78 355	34 900	60 083	84 983	102 760	132 578	145 031
12 825	17 849	19 914	22 846	8 808	21 588	37 678	57 537	70 809	81 243
1 736	2 880	3 743	4 087	1 202	3 814	7 842	14 653	21 080	23 717
率		（人口10万対）							
949.4	1 029.2	1 092.6	1 138.3	602.8	679.5	772.3	869.2	970.1	1 015.6
80.6	69.6	58.3	52.4	109.5	81.7	66.9	58.8	50.5	49.1
13.5	9.2	9.4	7.9	14.7	10.3	8.6	8.1	7.7	5.6
11.8	11.6	9.4	10.0	11.6	7.9	7.8	7.1	7.5	6.1
36.4	30.4	27.2	26.7	23.6	18.7	18.4	16.4	13.2	12.2
62.4	60.8	50.3	48.3	31.0	28.7	30.5	25.7	20.4	19.3
70.1	66.2	55.6	50.5	34.5	32.7	32.2	29.2	26.9	24.8
80.5	76.0	63.7	61.5	46.4	43.5	43.1	41.2	34.7	32.6
113.1	98.8	82.4	78.7	69.8	61.5	60.2	56.5	48.1	44.4
169.3	151.3	126.2	116.7	104.9	95.2	86.9	82.8	74.6	72.6
275.6	238.2	198.3	189.6	166.2	149.6	135.8	125.7	114.8	110.8
448.1	384.5	322.4	305.0	247.6	225.6	214.9	194.1	175.2	168.6
675.9	631.5	519.0	493.6	371.7	319.7	297.4	279.7	246.0	240.3
1 046.2	934.9	864.3	814.7	570.8	464.9	430.7	389.6	373.2	352.1
1 559.7	1 460.9	1 307.1	1 346.0	939.7	751.5	659.0	596.3	536.1	553.2
2 637.3	2 270.9	2 131.4	2 056.6	1 689.8	1 244.5	1 130.4	980.2	902.9	850.4
4 401.7	3 959.4	3 454.8	3 322.6	3 201.6	2 265.4	1 998.0	1 787.9	1 603.9	1 513.4
7 328.5	7 046.3	6 307.1	6 040.9	6 211.4	4 334.5	3 870.6	3 434.2	3 187.4	3 078.7
12 638.9	12 030.9	11 340.4	11 085.8	11 759.2	8 184.7	7 364.1	6 909.3	6 500.8	6 327.5
20 215.3	20 252.2	19 239.9	18 835.3	21 606.0	16 310.0	13 480.3	13 117.6	12 949.0	12 470.4
30 937.2	31 876.6	31 376.4	32 637.1	…	…	22 176.4	23 811.1	23 818.2	24 324.3
46 157.9	48 813.8	44 767.4	45 411.1	…	…	36 310.6	38 518.0	39 486.0	40 198.3

第1−28表　性・年齢階級別にみた

死亡数，死亡率（人口10万対）　　　−男−

年齢階級	第1位 死因	死亡数 死亡率	第2位 死因	死亡数 死亡率	第3位 死因	死亡数 死亡率	第4位 死因	死亡数 死亡率	第5位 死因	死亡数 死亡率
総数	悪性新生物<腫瘍>	220 398 / 363.2	心疾患	96 319 / 158.7	脳血管疾患	53 188 / 87.7	肺炎	53 134 / 87.6	老衰	25 807 / 42.5
0歳²⁾	先天奇形，変形及び染色体異常	306 / 63.2	周産期に特異的な呼吸障害等	132 / 27.2	乳幼児突然死症候群	45 / 9.3	不慮の事故	38 / 7.8	胎児及び新生児の出血性障害等	31 / 6.4
1～4	先天奇形，変形及び染色体異常	82 / 4.1	不慮の事故	40 / 2.0	悪性新生物<腫瘍>	32 / 1.6	心疾患	16 / 0.8	肺炎	14 / 0.7
5～9	不慮の事故	43 / 1.6	悪性新生物<腫瘍>	41 / 1.5	先天奇形，変形及び染色体異常	27 / 1.0	その他の新生物<腫瘍> 心疾患	9 / 0.3		
10～14	自殺	59 / 2.1	悪性新生物<腫瘍>	57 / 2.1	不慮の事故	35 / 1.3	先天奇形，変形及び染色体異常	24 / 0.9	心疾患	14 / 0.5
15～19	自殺	337 / 11.1	不慮の事故	187 / 6.2	悪性新生物<腫瘍>	70 / 2.3	心疾患	36 / 1.2	先天奇形，変形及び染色体異常	15 / 0.5
20～24	自殺	773 / 25.4	不慮の事故	272 / 9.0	悪性新生物<腫瘍>	113 / 3.7	心疾患	67 / 2.2	先天奇形，変形及び染色体異常	17 / 0.6
25～29	自殺	754 / 24.6	不慮の事故	225 / 7.3	悪性新生物<腫瘍>	135 / 4.4	心疾患	99 / 3.2	脳血管疾患	32 / 1.0
30～34	自殺	944 / 27.0	悪性新生物<腫瘍>	258 / 7.4	不慮の事故	204 / 5.8	心疾患	183 / 5.2	脳血管疾患	85 / 2.4
35～39	自殺	1 033 / 26.4	悪性新生物<腫瘍>	469 / 12.0	心疾患	333 / 8.5	不慮の事故	283 / 7.2	脳血管疾患	204 / 5.2
40～44	自殺	1 202 / 25.5	悪性新生物<腫瘍>	1 082 / 22.9	心疾患	768 / 16.3	脳血管疾患	537 / 11.4	不慮の事故	424 / 9.0
45～49	悪性新生物<腫瘍>	2 094 / 44.4	心疾患	1 421 / 30.1	自殺	1 378 / 29.2	脳血管疾患	903 / 19.1	不慮の事故	566 / 12.0
50～54	悪性新生物<腫瘍>	3 613 / 89.3	心疾患	1 932 / 47.7	自殺	1 317 / 32.5	脳血管疾患	1 129 / 27.9	肝疾患	772 / 19.1
55～59	悪性新生物<腫瘍>	6 873 / 183.3	心疾患	2 746 / 73.2	脳血管疾患	1 448 / 38.6	自殺	1 206 / 32.2	肝疾患	1 009 / 26.9
60～64	悪性新生物<腫瘍>	13 526 / 354.3	心疾患	4 296 / 112.5	脳血管疾患	2 217 / 58.1	肝疾患	1 207 / 31.6	不慮の事故	1 128 / 29.5
65～69	悪性新生物<腫瘍>	29 527 / 618.6	心疾患	8 318 / 174.3	脳血管疾患	4 390 / 92.0	肺炎	2 064 / 43.2	不慮の事故	1 951 / 40.9
70～74	悪性新生物<腫瘍>	33 439 / 925.9	心疾患	9 134 / 252.9	脳血管疾患	5 131 / 142.1	肺炎	3 355 / 92.9	不慮の事故	2 268 / 62.8
75～79	悪性新生物<腫瘍>	38 750 / 1 292.8	心疾患	12 842 / 428.4	脳血管疾患	7 821 / 260.9	肺炎	6 325 / 211.0	不慮の事故	2 934 / 97.9
80～84	悪性新生物<腫瘍>	41 410 / 1 925.7	心疾患	17 529 / 815.2	肺炎	11 199 / 520.8	脳血管疾患	10 765 / 500.6	誤嚥性肺炎	4 137 / 192.4
85～89	悪性新生物<腫瘍>	31 877 / 2 723.0	心疾患	19 223 / 1 642.1	肺炎	14 412 / 1 231.1	脳血管疾患	10 605 / 905.9	老衰	7 163 / 611.9
90～94	悪性新生物<腫瘍>	13 955 / 3 354.6	心疾患	12 699 / 3 052.6	肺炎	10 363 / 2 491.1	老衰	8 141 / 1 957.0	脳血管疾患	6 118 / 1 470.7
95～99	老衰	3 980 / 5 685.7	心疾患	3 906 / 5 580.0	肺炎	3 329 / 4 755.7	悪性新生物<腫瘍>	2 762 / 3 945.7	脳血管疾患	1 555 / 2 221.4
100～	老衰	1 240 / 13 777.8	心疾患	711 / 7 900.0	肺炎	582 / 6 466.7	悪性新生物<腫瘍>	295 / 3 277.8	誤嚥性肺炎	236 / 2 622.2

資料：政策統括官（統計・情報政策、政策評価担当）「平成29年人口動態統計」
注：1）乳児（0歳）の死因については乳児死因順位に用いる分類を使用している。
　　　死因順位は死亡数の多いものから定めた。又，死亡数が同数の場合は，同一順位に死因名を列記し，次位を空欄とした。
　　　死因名は以下のように略称した。
　　　心疾患←心疾患（高血圧性を除く）
　　　周産期に特異的な呼吸障害等←周産期に特異的な呼吸障害及び心血管障害
　　　胎児及び新生児の出血性障害等←胎児及び新生児の出血性障害及び血液障害
　　2）0歳の死亡率は出生10万対の率である。

人口動態　45

死因順位¹⁾ （第5位まで）

死亡数，死亡率（人口10万対）　　　　　　　　　－女－　　　　　　　　　平成29年 (2017)

年齢階級	第1位 死因	死亡数 死亡率	第2位 死因	死亡数 死亡率	第3位 死因	死亡数 死亡率	第4位 死因	死亡数 死亡率	第5位 死因	死亡数 死亡率
総数	悪性新生物<腫瘍>	152 936 239.1	心疾患	108 518 169.6	老衰	75 589 118.2	脳血管疾患	56 692 88.6	肺炎	43 707 68.3
0歳²⁾	先天奇形，変形及び染色体異常	329 71.3	周産期に特異的な呼吸障害等	104 22.5	不慮の事故	39 8.4	胎児及び新生児の出血性障害等	33 7.1	妊娠期間等に関連する障害	29 6.3
1～4	先天奇形，変形及び染色体異常	96 5.1	不慮の事故	30 1.6	悪性新生物<腫瘍>	28 1.5	心疾患	17 0.9	肺炎	11 0.6
5～9	悪性新生物<腫瘍>	34 1.8	先天奇形，変形及び染色体異常	24 0.9	不慮の事故	17 0.7	その他の新生物<腫瘍>　脳血管疾患，肺炎　間質性肺疾患	7 0.3		3 0.1
10～14	悪性新生物<腫瘍>	42 1.6	自殺	41 1.6	不慮の事故	16 0.6	先天奇形，変形及び染色体異常	13 0.5	心疾患	6 0.2
15～19	自殺	123 4.3	悪性新生物<腫瘍>	55 1.9	不慮の事故	45 1.6	心疾患	25 0.9	先天奇形，変形及び染色体異常	8 0.3
20～24	自殺	281 9.8	不慮の事故	63 2.2	悪性新生物<腫瘍>	61 2.1	心疾患	24 0.8	脳血管疾患	8 0.3
25～29	自殺	295 10.0	悪性新生物<腫瘍>	134 4.6	不慮の事故	63 2.1	心疾患	32 1.1	脳血管疾患	20 0.7
30～34	悪性新生物<腫瘍>	358 10.6	自殺	336 9.9	不慮の事故	58 1.7	心疾患	54 1.6	脳血管疾患	42 1.2
35～39	悪性新生物<腫瘍>	676 17.9	自殺	333 8.8	心疾患	96 2.5	脳血管疾患	73 1.9	不慮の事故	72 1.9
40～44	悪性新生物<腫瘍>	1 567 34.3	自殺	426 9.3	脳血管疾患	254 5.6	心疾患	223 4.9	不慮の事故	140 3.1
45～49	悪性新生物<腫瘍>	2 670 58.3	自殺	494 10.8	脳血管疾患	400 8.7	心疾患	348 7.6	肝疾患	156 3.4
50～54	悪性新生物<腫瘍>	3 654 91.8	脳血管疾患	546 13.7	自殺	513 12.9	心疾患	461 11.6	不慮の事故	203 5.1
55～59	悪性新生物<腫瘍>	5 338 142.2	心疾患	631 16.8	脳血管疾患	574 15.3	自殺	437 11.6	不慮の事故	252 6.7
60～64	悪性新生物<腫瘍>	7 712 196.8	心疾患	1 128 28.8	脳血管疾患	930 23.7	自殺	409 10.4	不慮の事故	401 10.2
65～69	悪性新生物<腫瘍>	14 923 292.9	心疾患	2 732 53.6	脳血管疾患	1 859 36.5	不慮の事故	781 15.3	自殺	544 10.7
70～74	悪性新生物<腫瘍>	15 907 387.9	心疾患	4 115 100.4	脳血管疾患	2 458 59.9	不慮の事故	1 110 27.1	肺炎	1 002 24.4
75～79	悪性新生物<腫瘍>	20 270 545.7	心疾患	7 978 214.8	脳血管疾患	4 589 123.6	肺炎	2 484 66.9	不慮の事故	1 962 52.8
80～84	悪性新生物<腫瘍>	26 337 842.3	心疾患	15 910 508.8	脳血管疾患	8 996 287.7	肺炎	5 854 187.2	老衰	4 637 148.3
85～89	悪性新生物<腫瘍>	27 001 1 217.6	心疾患	26 153 1 179.5	老衰	14 001 631.5	脳血管疾患	13 643 615.3	肺炎	10 877 490.6
90～94	心疾患	28 572 2 456.7	老衰	25 173 2 164.5	悪性新生物<腫瘍>	18 709 1 608.7	脳血管疾患	13 662 1 174.7	肺炎	12 823 1 102.6
95～99	老衰	20 915 6 262.0	心疾患	15 858 4 747.9	肺炎	7 559 2 263.2	脳血管疾患	7 029 2 104.5	悪性新生物<腫瘍>	6 484 1 941.3
100～	老衰	9 458 16 030.5	心疾患	4 126 6 993.2	肺炎	2 041 3 459.3	脳血管疾患	1 596 2 705.1	悪性新生物<腫瘍>	962 1 630.5

46　人口動態

第1－29表　死亡率

（単位：人口10万対）

分類[1]	死因[1]・性	昭和35年(1960)	昭和40年(1965)	昭和45年(1970)	昭和50年(1975)	昭和55年(1980)	昭和60年(1985)	平成2年(1990)	平成7年(1995)
	総数　男	822.9	785.0	766.6	690.4	682.9	690.6	736.5	822.9
	女	692.2	643.1	619.0	574.0	561.8	562.7	602.8	664.0
Hi01	結核　男	43.1	30.6	21.6	13.5	8.2	5.8	4.6	3.7
	女	25.6	15.2	9.5	5.6	2.9	2.0	1.5	1.4
Hi02	悪性新生物＜腫瘍＞　男	110.9	122.1	132.6	140.6	163.5	187.4	216.4	262.0
	女	90.2	95.2	100.7	105.2	115.5	125.9	139.3	163.1
Hi03	糖尿病　男	3.2	5.1	7.4	8.0	7.1	7.3	7.5	11.7
	女	3.6	5.3	7.4	8.2	7.5	8.0	8.0	11.2
Hi04	高血圧性疾患　男	16.0	19.0	16.6	15.9	11.6	8.5	5.6	5.0
	女	16.3	19.6	18.8	19.7	15.7	12.6	9.4	8.2
Hi05	心疾患(高血圧性を除く)　男	75.8	80.5	90.9	92.1	112.1	121.5	135.7	114.4
	女	70.8	73.6	82.7	86.4	100.5	113.2	134.0	109.6
Hi06	脳血管疾患　男	172.1	192.2	191.5	164.3	142.7	110.6	95.6	114.2
	女	149.6	160.0	160.7	149.4	136.4	113.9	103.0	121.4
Hi07	肺炎　男	43.9	33.1	29.7	29.9	32.6	43.2	64.1	69.6
	女	36.6	27.8	24.6	24.9	24.4	31.9	47.4	58.7
Hi08	慢性気管支炎及び肺気腫　男	3.4	3.8	5.2	5.4	6.2	8.4	9.4	13.2
	女	2.4	2.4	2.6	2.5	2.6	3.2	3.5	4.7
Hi09	喘息　男	14.7	13.7	10.9	7.5	6.8	6.4	5.7	6.7
	女	9.4	8.4	6.8	5.0	4.2	4.2	4.1	5.1
Hi10	胃潰瘍及び十二指腸潰瘍　男	16.7	13.2	10.7	8.2	5.9	4.1	3.2	3.7
	女	7.2	5.6	4.9	4.2	3.7	3.4	2.7	3.1
Hi11	肝疾患　男	17.5	17.8	21.8	22.8	23.3	23.0	22.0	19.0
	女	11.3	10.2	11.5	10.0	9.5	10.1	10.3	8.6
Hi12	腎不全　男	…	…	…	…	6.3	9.8	12.7	12.8
	女	…	…	…	…	5.8	9.3	12.7	13.2
Hi13	老衰　男	44.8	36.3	26.8	18.8	19.7	16.4	13.4	11.0
	女	70.7	63.1	48.9	34.7	35.4	29.6	25.8	23.4
Hi14	不慮の事故　男	64.9	63.6	65.4	45.4	37.0	36.1	36.8	46.3
	女	19.3	19.0	20.4	15.6	13.6	13.5	15.9	27.0
Hi15	(再掲) 交通事故　男	30.9	32.1	36.8	22.8	17.7	18.3	19.1	17.7
	女	7.5	8.0	10.4	6.6	5.4	5.8	7.0	6.9
Hi16	自殺　男	25.1	17.3	17.3	21.5	22.3	26.0	20.4	23.4
	女	18.2	12.2	13.3	14.6	13.1	13.1	12.4	11.3

資料：政策統括官（統計・情報政策、政策評価担当）「平成29年人口動態統計」
注：1）分類及び死因は「ICD-10（2013年版）」（平成29年適用）によるものである。

（人口10万対），死因年次推移分類・性別

平成12年 (2000)	平成17年 (2005)	平成21年 (2009)	平成22年 (2010)	平成23年 (2011)	平成24年 (2012)	平成25年 (2013)	平成26年 (2014)	平成27年 (2015)	平成28年 (2016)	平成29年 (2017)
855.3	949.4	992.9	1 029.2	1 068.4	1 068.9	1 076.5	1 081.8	1 092.6	1 108.5	1 138.3
679.5	772.3	826.3	869.2	921.6	929.7	945.1	951.5	970.1	986.7	1 015.6
3.1	2.6	2.2	2.2	2.2	2.1	2.0	2.0	1.9	1.9	2.3
1.2	1.1	1.2	1.2	1.3	1.3	1.3	1.3	1.2	1.2	1.4
291.3	319.1	336.4	343.4	346.9	350.8	354.6	357.8	359.7	361.1	363.2
181.4	200.3	213.6	219.2	222.7	225.7	229.2	232.5	234.6	238.8	239.1
10.6	11.6	12.1	12.4	12.6	12.5	11.9	11.9	11.7	11.9	12.7
9.1	10.0	10.2	10.5	10.7	10.6	10.1	9.9	9.6	9.7	9.8
3.5	3.5	3.7	4.1	4.3	4.5	4.3	4.3	4.3	4.5	6.5
6.1	5.7	6.1	6.5	6.8	7.0	7.0	6.7	6.4	6.4	8.8
117.3	136.3	139.5	144.2	148.6	151.6	149.5	151.2	151.0	153.5	158.7
116.3	138.0	147.6	155.2	160.1	163.8	163.2	162.5	161.7	163.0	169.6
102.7	103.3	96.7	97.7	97.0	95.6	92.7	90.1	87.8	86.6	87.7
108.2	107.1	97.8	97.6	99.3	97.4	95.5	92.0	90.8	88.2	88.6
76.0	93.0	97.6	103.2	108.4	108.2	108.5	106.1	107.5	107.8	87.6
62.7	77.3	80.8	85.4	89.8	89.0	87.7	85.2	86.1	83.6	68.3
13.4	13.8	12.5	12.5	12.2	11.7	11.0	10.4	9.7	9.2	12.2
4.1	3.8	3.5	3.4	3.3	3.2	2.9	2.6	2.5	2.4	2.6
3.7	2.5	1.5	1.5	1.4	1.3	1.1	1.0	0.9	0.9	1.1
3.4	2.5	1.9	1.8	1.9	1.7	1.6	1.5	1.5	1.4	1.8
3.5	3.1	2.9	3.0	2.8	2.8	2.6	2.6	2.5	2.5	2.3
2.7	2.5	2.2	2.2	2.1	2.2	1.9	1.8	1.8	1.8	1.7
18.0	17.9	17.1	17.2	17.3	17.0	16.9	16.4	16.4	16.6	18.1
7.8	8.4	8.5	8.6	8.9	8.6	8.6	8.8	8.8	8.8	9.4
13.1	15.4	17.5	17.9	18.9	19.3	19.6	19.6	19.5	20.1	20.7
14.4	17.1	18.7	19.6	20.0	20.5	20.3	19.9	19.7	19.3	19.6
9.8	10.8	15.2	17.5	20.4	24.0	27.5	30.0	34.2	37.9	42.5
23.7	30.5	45.5	53.3	61.4	71.1	82.0	88.6	99.4	108.7	118.2
40.9	39.9	36.8	38.9	52.9	38.7	37.7	37.0	36.3	36.3	38.1
22.3	23.6	23.5	25.9	41.6	26.8	25.6	25.6	25.2	25.3	26.9
14.8	11.4	8.2	7.9	7.4	7.0	6.7	6.4	6.4	6.0	5.6
5.9	4.7	3.6	3.6	3.3	3.3	3.0	2.8	2.7	2.5	2.5
35.2	36.1	36.2	34.2	32.4	30.1	29.7	27.6	26.6	24.1	23.6
13.4	12.9	13.2	13.2	13.9	12.3	12.3	11.7	10.8	9.9	9.6

48 人口動態

第1-30表 年齢調整死亡率1)

（単位：人口10万対）

分類2)	死因2)・性	昭和35年(1960)	昭和40年(1965)	昭和45年(1970)	昭和50年(1975)	昭和55年(1980)	昭和60年(1985)	平成2年(1990)	平成7年(1995)
	総数　　男	1 476.1	1 369.9	1 234.6	1 036.5	923.5	812.9	747.9	719.6
	女	1 042.3	931.5	823.3	685.1	579.8	482.9	423.0	384.7
Hi01	結核　　男	64.5	46.9	32.3	19.6	10.8	6.8	4.6	3.2
	女	32.2	19.3	11.7	6.5	3.0	1.8	1.1	0.9
Hi02	悪性新生物＜腫瘍＞　男	188.2	195.6	199.2	198.9	210.9	214.8	215.6	226.1
	女	132.0	130.3	126.9	121.1	118.8	113.1	107.7	108.3
Hi03	糖尿病　男	5.6	8.4	11.5	11.7	9.4	8.5	7.5	10.1
	女	5.2	7.4	9.5	9.6	7.7	7.0	5.7	6.6
Hi04	高血圧性疾患　男	34.6	39.0	31.7	28.2	18.0	10.8	5.9	4.3
	女	27.3	30.7	26.8	24.8	16.3	10.2	5.8	3.9
Hi05	心疾患(高血圧性を除く)　男	153.3	156.0	161.7	150.0	158.0	146.9	139.1	99.7
	女	111.9	111.1	114.5	106.3	103.9	94.6	88.5	58.4
Hi06	脳血管疾患　男	341.1	361.0	333.8	265.0	202.0	134.0	97.9	99.3
	女	242.7	243.8	222.6	183.0	140.9	95.3	68.6	64.0
Hi07	肺炎　　男	68.3	57.0	50.5	49.3	48.5	54.4	67.1	60.6
	女	45.7	36.3	32.2	30.0	25.2	26.2	30.1	28.5
Hi08	慢性気管支炎及び肺気腫　男	7.8	8.1	9.8	9.3	9.2	10.5	9.9	11.6
	女	4.0	3.8	3.6	3.1	2.7	2.7	2.3	2.4
Hi09	喘息　　男	31.1	26.5	18.9	12.2	9.7	7.7	5.8	5.9
	女	15.2	12.6	9.2	6.0	4.3	3.6	3.0	3.0
Hi10	胃潰瘍及び十二指腸潰瘍　男	30.2	22.9	17.3	12.4	8.1	4.9	3.3	3.2
	女	11.4	8.5	6.8	5.2	3.8	2.8	1.7	1.6
Hi11	肝疾患　男	30.7	28.8	32.0	30.7	28.5	25.0	21.2	16.4
	女	16.9	14.2	14.7	11.7	9.8	9.1	7.9	5.6
Hi12	腎不全　男	…	…	…	…	8.5	11.9	13.1	11.1
	女	…	…	…	…	6.0	7.9	8.6	6.9
Hi13	老衰　　男	148.8	110.9	72.8	43.2	35.8	22.8	14.4	9.3
	女	136.4	109.3	76.5	46.2	37.4	23.0	14.5	9.4
Hi14	不慮の事故　男	74.9	73.7	74.1	51.2	41.4	38.4	36.5	42.3
	女	22.7	22.8	23.3	17.0	13.9	12.5	12.9	18.8
Hi15	(再掲)交通事故　男	35.5	35.9	40.4	25.0	19.2	19.0	18.6	16.5
	女	8.8	9.4	11.7	7.0	5.5	5.6	6.1	5.5
Hi16	自殺　　男	30.0	21.8	20.6	24.1	24.3	26.9	20.0	21.3
	女	20.6	14.4	14.7	15.6	13.4	12.5	10.8	9.3

資料：政策統括官（統計・情報政策、政策評価担当）「平成29年人口動態統計」
注：1）年齢調整死亡率の基準人口は、昭和60年のモデル人口である。
　　2）分類及び死因は「ICD-10（2013年版）」（平成29年適用）によるものである。

（人口10万対），死因年次推移分類・性別

平成12年 (2000)	平成17年 (2005)	平成21年 (2009)	平成22年 (2010)	平成23年 (2011)	平成24年 (2012)	平成25年 (2013)	平成26年 (2014)	平成27年 (2015)	平成28年 (2016)	平成29年 (2017)
634.2	593.2	541.0	544.3	547.6	524.1	510.3	496.7	486.0	477.2	471.4
323.9	298.6	272.5	274.9	286.4	270.6	265.4	259.7	255.0	251.3	247.3
2.2	1.5	1.1	1.0	1.0	0.9	0.8	0.8	0.7	0.7	0.8
0.5	0.4	0.4	0.3	0.3	0.3	0.3	0.3	0.2	0.2	0.2
214.0	197.7	183.3	182.4	179.4	175.7	172.5	168.9	165.3	161.7	157.5
103.5	97.3	92.2	92.2	91.8	90.3	89.7	89.4	87.7	87.3	85.0
7.8	7.3	6.7	6.7	6.7	6.4	5.9	5.7	5.5	5.4	5.7
4.4	3.9	3.3	3.3	3.2	3.1	2.8	2.7	2.5	2.4	2.4
2.5	2.0	1.9	2.0	2.0	2.0	1.9	1.8	1.7	1.8	2.5
2.2	1.6	1.4	1.4	1.4	1.4	1.3	1.2	1.1	1.1	1.5
85.8	83.7	74.2	74.2	73.9	72.4	69.1	67.7	65.4	64.5	63.7
48.5	45.3	39.6	39.7	39.5	38.7	37.0	35.5	34.2	33.1	32.7
74.2	61.9	50.4	49.5	47.3	44.8	42.0	39.8	37.8	36.2	35.5
45.7	36.1	28.1	26.9	26.3	24.6	23.3	21.9	21.0	20.0	19.4
53.1	51.8	44.8	46.0	46.1	43.7	41.8	39.3	38.3	36.9	28.0
23.3	21.6	18.6	18.9	19.2	18.1	17.3	16.3	15.8	15.0	11.2
9.5	7.7	5.8	5.6	5.1	4.7	4.3	3.9	3.5	3.2	4.0
1.6	1.2	0.9	0.8	0.8	0.7	0.6	0.6	0.6	0.5	0.5
2.8	1.6	0.8	0.8	0.7	0.6	0.5	0.4	0.4	0.4	0.4
1.6	0.9	0.6	0.5	0.5	0.5	0.4	0.4	0.4	0.3	0.4
2.6	1.9	1.6	1.6	1.5	1.4	1.3	1.2	1.1	1.1	1.0
1.1	0.8	0.6	0.6	0.6	0.6	0.5	0.4	0.4	0.4	0.4
14.0	12.6	11.3	11.2	11.0	10.7	10.4	9.9	9.8	9.7	10.3
4.4	4.2	3.8	3.8	3.7	3.5	3.5	3.5	3.5	3.5	3.5
9.2	8.8	8.4	8.3	8.4	8.2	7.9	7.6	7.3	7.2	7.1
5.7	5.3	4.7	4.8	4.7	4.6	4.4	4.1	4.0	3.7	3.7
6.3	5.6	6.2	6.9	7.5	8.3	9.0	9.2	10.1	10.5	11.2
6.8	6.6	7.9	8.9	9.7	10.8	11.9	12.3	13.4	14.0	14.6
33.6	28.9	23.5	24.2	33.0	22.3	21.1	20.3	19.3	18.6	18.4
12.6	11.3	9.6	10.0	19.3	9.4	8.9	8.5	8.0	7.7	7.7
13.2	9.7	6.5	6.3	6.0	5.5	5.2	4.9	4.8	4.5	4.1
4.4	3.2	2.1	2.2	2.0	1.9	1.7	1.5	1.5	1.4	1.3
30.7	31.6	31.5	29.8	28.3	26.4	25.9	24.2	23.0	21.1	20.8
10.7	10.7	11.1	10.9	11.8	10.2	10.1	9.7	8.9	8.2	8.0

50　人口動態

第1-31表　悪性新生物の死亡数・死亡率（人口10万対），性×主な部位別

死因簡単分類[1]	死因[1]	男				女			
		平成26年 (2014)	平成27年 (2015)	平成28年 (2016)	平成29年 (2017)	平成26年 (2014)	平成27年 (2015)	平成28年 (2016)	平成29年 (2017)
		死　亡　数							
02100	悪性新生物＜腫瘍＞	218 397	219 508	219 785	220 398	149 706	150 838	153 201	152 936
02101	口唇，口腔及び咽頭	5 268	5 258	5 396	5 328	2 147	2 122	2 279	2 126
02102	食道	9 629	9 774	9 533	9 580	1 947	1 965	1 950	1 988
02103	胃	31 483	30 809	29 854	29 745	16 420	15 870	15 677	15 481
02104	結腸	16 478	17 063	17 116	17 564	16 819	17 275	17 405	17 785
02105	直腸S状結腸移行部及び直腸	9 699	9 755	9 910	9 770	5 489	5 606	5 668	5 562
02106	肝及び肝内胆管	19 208	19 008	18 510	17 822	10 335	9 881	10 018	9 292
02107	胆のう及びその他の胆道	9 052	9 066	8 970	9 237	9 065	9 086	8 995	8 942
02108	膵	16 411	16 186	17 060	17 401	15 305	15 680	16 415	16 823
02109	喉頭	908	899	856	808	70	72	88	71
02110	気管，気管支及び肺	52 505	53 208	52 430	53 002	20 891	21 170	21 408	21 118
02111	皮膚	797	745	754	797	860	760	799	786
02112	乳房	83	121	117	99	13 240	13 584	14 015	14 285
02113	子宮	・	・	・	・	6 429	6 429	6 345	6 611
02114	卵巣	・	・	・	・	4 840	4 676	4 758	4 745
02115	前立腺	11 507	11 326	11 803	12 013	・	・	・	・
02116	膀胱	5 308	5 582	5 792	6 026	2 452	2 548	2 640	2 754
02117	中枢神経系	1 344	1 406	1 483	1 498	982	1 039	1 167	1 193
02118	悪性リンパ腫	6 427	6 656	6 883	7 033	5 053	5 173	5 442	5 502
02119	白血病	4 896	5 104	5 398	5 215	3 300	3 527	3 403	3 355
02120	その他のリンパ組織，造血組織及び関連組織	2 233	2 044	2 240	2 356	2 004	2 130	2 203	2 136
（再掲） 02104, 02105	大腸[2]	26 177	26 818	27 026	27 334	22 308	22 881	23 073	23 347
		死　亡　率　(人口10万対)							
02100	悪性新生物＜腫瘍＞	357.8	359.7	361.1	363.2	232.5	234.6	238.8	239.1
02101	口唇，口腔及び咽頭	8.6	8.6	8.9	8.8	3.3	3.3	3.6	3.3
02102	食道	15.8	16.0	15.7	15.8	3.0	3.1	3.0	3.1
02103	胃	51.6	50.5	49.0	49.0	25.5	24.7	24.4	24.2
02104	結腸	27.0	28.0	28.1	28.9	26.1	26.9	27.1	27.8
02105	直腸S状結腸移行部及び直腸	15.9	16.0	16.3	16.1	8.5	8.7	8.8	8.7
02106	肝及び肝内胆管	31.5	31.1	30.4	29.4	16.1	15.4	15.6	14.5
02107	胆のう及びその他の胆道	14.8	14.9	14.7	15.2	14.1	14.1	14.0	14.0
02108	膵	26.9	26.5	28.0	28.7	23.8	24.4	25.6	26.3
02109	喉頭	1.5	1.5	1.4	1.3	0.1	0.1	0.1	0.1
02110	気管，気管支及び肺	86.0	87.2	86.1	87.4	32.4	32.9	33.4	33.0
02111	皮膚	1.3	1.2	1.2	1.3	1.3	1.2	1.2	1.2
02112	乳房	0.1	0.2	0.2	0.2	20.6	21.1	21.8	22.3
02113	子宮	・	・	・	・	10.0	10.0	9.9	10.3
02114	卵巣	・	・	・	・	7.5	7.3	7.4	7.4
02115	前立腺	18.9	18.6	19.4	19.8	・	・	・	・
02116	膀胱	8.7	9.1	9.5	9.9	3.8	4.0	4.1	4.3
02117	中枢神経系	2.2	2.3	2.4	2.5	1.5	1.6	1.8	1.9
02118	悪性リンパ腫	10.5	10.9	11.3	11.6	8.0	8.0	8.5	8.6
02119	白血病	8.0	8.4	8.9	8.6	5.1	5.5	5.3	5.2
02120	その他のリンパ組織，造血組織及び関連組織	3.7	3.3	3.7	3.9	3.1	3.3	3.4	3.3
（再掲） 02104, 02105	大腸[2]	42.9	43.9	44.4	45.0	34.6	35.6	36.0	36.5

資料：政策統括官（統計・情報政策、政策評価担当）「平成29年人口動態統計」
注：1）死因簡単分類及び死因は「ICD-10（2013年版）」（平成29年適用）によるものである。
　　2）「結腸」と「直腸S状結腸移行部及び直腸」を示す。

人口動態　51

第1−32表　不慮の事故の種類別死亡数・死亡率（人口10万対），年次別

死因基本分類[2]	死因[2]	死亡数				死亡率（人口10万対）			
		平成26年(2014)	平成27年(2015)	平成28年(2016)	平成29年(2017)	平成26年(2014)	平成27年(2015)	平成28年(2016)	平成29年(2017)
V01-X59	総数	39 029	38 306	38 306	40 329	31.1	30.6	30.6	32.4
V01-V98	交通事故	5 717	5 646	5 278	5 004	4.6	4.5	4.2	4.0
W00-W17	転倒・転落・墜落	7 946	7 992	8 030	9 673	6.3	6.4	6.4	7.8
W01	スリップ，つまずき及びよろめきによる同一平面上での転倒	5 516	5 636	5 788	7 475	4.4	4.5	4.6	6.0
W10	階段及びステップからの転落及びその上での転倒	696	694	695	621	0.6	0.6	0.6	0.5
W13	建物又は建造物からの転落	526	486	509	442	0.4	0.4	0.4	0.4
W17	その他の転落	646	627	541	607	0.5	0.5	0.4	0.5
W20-W49[3]	生物によらない機械的な力への曝露	512	490	493	488	0.4	0.4	0.4	0.4
W20	投げられ,投げ出され又は落下する物体による打撲	146	170	155	142	0.1	0.1	0.1	0.1
W50-W64	生物による機械的な力への曝露	14	6	15	7	0.0	0.0	0.0	0.0
W65-W74	不慮の溺死及び溺水	7 508	7 484	7 705	8 163	6.0	6.0	6.2	6.5
W65-W66	浴槽内での及び浴槽への転落による溺死及び溺水	5 362	5 293	5 673	6 091	4.3	4.2	4.5	4.9
W69-W70	自然の水域内での及び自然の水域への転落による溺死及び溺水	944	965	862	835	0.8	0.8	0.7	0.7
W75-W84	その他の不慮の窒息	9 806	9 356	9 485	9 193	7.8	7.5	7.6	7.4
W78	胃内容物の誤えん	1 564	1 533	1 429	1 465	1.2	1.2	1.1	1.2
W79	気道閉塞を生じた食物の誤えん	4 874	4 686	4 870	4 739	3.9	3.7	3.9	3.8
W80	気道閉塞を生じたその他の物体の誤えん	855	739	817	2 475	0.7	0.6	0.7	2.0
W84	詳細不明の窒息	2 253	2 166	2 170	339	1.8	1.7	1.7	0.3
W85-W99	電流,放射線並びに極端な気温及び気圧への曝露	45	44	48	75	0.0	0.0	0.0	0.1
X00-X09	煙，火及び火炎への曝露	1 086	940	891	963	0.9	0.8	0.7	0.8
X00	建物又は建造物内の管理されていない火への曝露	832	752	711	698	0.7	0.6	0.6	0.6
X10-X19	熱及び高温物質との接触	110	96	93	77	0.1	0.1	0.1	0.1
X20-X29	有毒動植物との接触	20	29	23	16	0.0	0.0	0.0	0.0
X30-X39	自然の力への曝露	1 900	1 970	1 809	2 076	1.5	1.6	1.4	1.7
X30	自然の過度の高温への曝露	529	968	621	635	0.4	0.8	0.5	0.5
X31	自然の過度の低温への曝露	1 216	977	1 093	1 371	1.0	0.8	0.9	1.1
X34	地震による受傷者	–	–	51	–	–	–	0.0	–
X40-X49	有害物質による不慮の中毒及び有害物質への曝露	677	612	565	598	0.5	0.5	0.5	0.5
X50-X57	無理ながんばり，旅行及び欠乏状態	29	22	22	25	0.0	0.0	0.0	0.0
X58-X59	その他及び詳細不明の要因への不慮の曝露	3 659	3 619	3 849	3 971	2.9	2.9	3.1	3.2
(再掲)[1]									
V01-V98	交通事故	5 717	5 646	5 278	5 004	100.0	100.0	100.0	100.0
V01-V06,V09	歩行者	2 048	2 059	1 871	1 872	35.8	36.5	35.4	37.4
V10-V19	自転車乗員	773	748	706	664	13.5	13.2	13.4	13.3
V20-V29	オートバイ乗員	803	765	765	672	14.0	13.5	14.5	13.4
V30-V39	オート三輪車乗員	1	3	1	1	0.0	0.1	0.0	0.0
V40-V49	乗用車乗員	1 303	1 289	1 179	1 105	22.8	22.8	22.3	22.1
V50-V59	軽トラック乗員又はバン乗員	151	127	154	128	2.6	2.2	2.9	2.6
V60-V69	大型輸送車両乗員	73	87	68	73	1.3	1.5	1.3	1.5
V70-V79	バス乗員	7	4	21	3	0.1	0.1	0.4	0.1
V80-V89	その他の陸上交通事故	431	444	385	351	7.5	7.9	7.3	7.0
V90-V94	水上交通事故	121	100	110	96	2.1	1.8	2.1	1.9
V95-V97	航空及び宇宙交通事故	6	20	18	39	0.1	0.4	0.3	0.8
V98	その他及び詳細不明								

資料：政策統括官（統計・情報政策、政策評価担当）「平成29年人口動態統計」
注：1）交通事故（再掲）の率は種類別構成比である。
　　2）死因基本分類及び死因は「ICD-10（2013年版）」（平成29年適用）によるものである。
　　3）平成29年から「ICD-10（2013年版）」（平成29年適用）により，「W20-W49」には「W46 皮下注射針との接触」が追加された。

52　人口動態

第1－33表　諸外国の死亡率（人口10万対），

（単位：人口10万対）

ICD-10 死因簡単分類コード	死　　因	日　本 2017	アメリカ 2016	韓　国 2016	シンガポール 2016
男	総　　　　　　　数	1 138.3	860.3	597.5	532.2
02100	悪 性 新 生 物 ＜ 腫 瘍 ＞	363.2	193.3	188.8	161.7
09200	心 疾 患（高血圧性を除く）	158.7	193.1	57.1	111.0
09300	脳 血 管 疾 患	87.7	36.5	44.2	31.4
10200	肺　　　　　　　炎	87.6	14.5	33.6	96.9
20100	不 慮 の 事 故	38.1	63.8	33.3	11.2
20200	自　　　　　　　殺	23.6	21.3	36.2	11.0
	そ　　　の　　　他	379.4	337.9	204.2	109.1
女	総　　　　　　　数	1 015.6	843.0	501.5	428.5
02100	悪 性 新 生 物 ＜ 腫 瘍 ＞	239.1	177.8	117.2	124.5
09200	心 疾 患（高血圧性を除く）	169.6	170.3	59.9	68.7
09300	脳 血 管 疾 患	88.6	51.9	47.4	32.3
10200	肺　　　　　　　炎	68.3	15.7	30.8	93.6
20100	不 慮 の 事 故	26.9	36.1	16.3	3.9
20200	自　　　　　　　殺	9.6	6.4	15.0	6.2
	そ　　　の　　　他	413.4	384.8	214.8	99.2

資料：WHO Mortality Database
　　　日本　政策統括官（統計・情報政策、政策評価担当）「平成29年人口動態統計」
注：死因簡単分類の「悪性新生物＜腫瘍＞」，「心疾患（高血圧性を除く）」及び「不慮の事故」では，使用して
　いるコードの範囲が日本のみ異なっている。

人口動態　53

性・主な死因別

フランス 2014	ド イ ツ 2015	イタリア 2015	オランダ 2016	ロ シ ア 2013	スウェーデン 2016	イギリス 2015
882.0	1 118.9	1 042.8	854.6	1 436.2	894.7	912.6
289.8	306.0	321.8	290.6	231.3	238.2	273.4
136.5	282.9	212.1	143.0	458.7	215.8	168.6
40.3	58.2	82.6	46.5	180.2	54.4	51.6
16.5	25.4	18.6	17.6	39.1	18.7	44.6
42.2	30.3	34.2	31.9	163.5	38.4	30.8
21.4	18.4	10.5	15.1	35.8	15.7	11.6
335.3	397.7	362.9	309.9	327.8	313.5	332.0
818.4	1 145.9	1 083.6	894.9	1 190.6	941.0	938.6
200.1	249.1	241.5	241.6	175.2	215.6	233.4
135.5	304.6	229.5	149.2	423.8	211.1	133.5
55.1	80.9	119.8	65.0	247.6	68.7	71.5
17.3	24.0	19.7	19.1	16.0	17.9	54.5
34.3	25.5	28.6	34.7	43.5	26.2	21.3
6.7	6.5	2.8	7.2	6.5	7.1	3.6
369.4	455.3	441.8	378.1	278.1	394.4	420.9

54　人口動態

第1−34表　乳児死亡数・乳児死亡率（出生10万対），生存期間×乳児死因簡単分類別

平成29年（2017）

乳児死因簡単分類コード[1]	死因[1]	乳児死亡数			乳児死亡率（出生10万対）		
		総数	4週未満	4週以上1年未満	総数	4週未満	4週以上1年未満
	総数	1 761	832	929	186.1	87.9	98.2
Ba01	腸管感染症	7	-	7	0.7	-	0.7
Ba02	敗血症[2]	19	9	10	2.0	1.0	1.1
Ba03	麻疹	-	-	-	-	-	-
Ba04	ウイルス性肝炎	-	-	-	-	-	-
Ba05	その他の感染症及び寄生虫症	12	-	12	1.3	-	1.3
Ba06	悪性新生物＜腫瘍＞	17	2	15	1.8	0.2	1.6
Ba07	白血病	7	2	5	0.7	0.2	0.5
Ba08	その他の悪性新生物＜腫瘍＞	10	-	10	1.1	-	1.1
Ba09	その他の新生物＜腫瘍＞	8	6	2	0.8	0.6	0.2
Ba10	栄養失調（症）及びその他の栄養欠乏症	1	-	1	0.1	-	0.1
Ba11	代謝障害	16	5	11	1.7	0.5	1.2
Ba12	髄膜炎	5	2	3	0.5	0.2	0.3
Ba13	脊髄性筋萎縮症及び関連症候群	3	-	3	0.3	-	0.3
Ba14	脳性麻痺	1	-	1	0.1	-	0.1
Ba15	心疾患（高血圧性を除く）	27	4	23	2.9	0.4	2.4
Ba16	脳血管疾患	-	-	-	-	-	-
Ba17	インフルエンザ	2	-	2	0.2	-	0.2
Ba18	肺炎	18	3	15	1.9	0.3	1.6
Ba19	喘息	-	-	-	-	-	-
Ba20	ヘルニア及び腸閉塞	7	-	7	0.7	-	0.7
Ba21	肝疾患	10	2	8	1.1	0.2	0.8
Ba22	腎不全	4	2	2	0.4	0.2	0.2
Ba23	周産期に発生した病態	468	412	56	49.5	43.5	5.9
Ba24	妊娠期間及び胎児発育に関連する障害	58	48	10	6.1	5.1	1.1
Ba25	出産外傷	5	5	-	0.5	0.5	-
Ba26	出生時仮死	69	66	3	7.3	7.0	0.3
Ba27	新生児の呼吸窮＜促＞迫	22	22	-	2.3	2.3	-
Ba28	周産期に発生した肺出血	6	6	-	0.6	0.6	-
Ba29	周産期に発生した心血管障害	43	38	5	4.5	4.0	0.5
Ba30	その他の周産期に特異的な呼吸障害及び心血管障害	96	80	16	10.1	8.5	1.7
Ba31	新生児の細菌性敗血症	32	32	-	3.4	3.4	-
Ba32	その他の周産期に特異的な感染症	13	12	1	1.4	1.3	0.1
Ba33	胎児及び新生児の出血性障害及び血液疾患	64	60	4	6.8	6.3	0.4
Ba34	その他の周産期に発生した病態	60	43	17	6.3	4.5	1.8
Ba35	先天奇形，変形及び染色体異常	635	333	302	67.1	35.2	31.9
Ba36	神経系の先天奇形	33	29	4	3.5	3.1	0.4
Ba37	心臓の先天奇形	149	53	96	15.7	5.6	10.1
Ba38	その他の循環器系の先天奇形	64	30	34	6.8	3.2	3.6
Ba39	呼吸器系の先天奇形	45	34	11	4.8	3.6	1.2
Ba40	消化器系の先天奇形	17	7	10	1.8	0.7	1.1
Ba41	筋骨格系の先天奇形及び変形	50	42	8	5.3	4.4	0.8
Ba42	その他の先天奇形及び変形	52	45	7	5.5	4.8	0.7
Ba43	染色体異常，他に分類されないもの	225	93	132	23.8	9.8	14.0
Ba44	乳幼児突然死症候群	69	3	66	7.3	0.3	7.0
Ba45	その他のすべての疾患	320	40	280	33.8	4.2	29.6
Ba46	不慮の外傷	77	3	74	8.1	0.3	7.8
Ba47	交通事故	9	-	9	1.0	-	1.0
Ba48	転倒・転落・墜落	1	-	1	0.1	-	0.1
Ba49	不慮の溺死及び溺水	6	-	6	0.6	-	0.6
Ba50	胃内容物の誤えん及び気道閉塞を生じた食物等の誤えん＜吸引＞	21	-	21	2.2	-	2.2
Ba51	その他の不慮の窒息	34	3	31	3.6	0.3	3.3
Ba52	煙，火及び火炎への曝露	-	-	-	-	-	-
Ba53	有害物質による不慮の中毒及び有害物質への曝露	-	-	-	-	-	-
Ba54	その他の不慮の事故	6	-	6	0.6	-	0.6
Ba55	他殺	9	5	4	1.0	0.5	0.4
Ba56	他	26	1	25	2.7	0.1	2.6

資料：政策統括官（統計・情報政策，政策評価担当）「平成29年人口動態統計」

注：1）乳児死因簡単分類コード及び死因は「ICD-10（2013年版）」（平成29年適用）によるものである。

　　2）「敗血症」には，「新生児の細菌性敗血症」を含まない。

人口動態　55

第1−35表　諸外国の乳児死亡率（出生千対），年次別

(単位：出生千対)

国　名	昭和45年 (1970)	昭和55年 (1980)	平成2年 (1990)	平成12年 (2000)	平成22年 (2010)	平成27年 (2015)	平成29年 (2017)
日　　本	13.1	7.5	4.6	3.2	2.3	1.9	1.9
エ　ジ　プ　ト	116.3	76.0	37.8	31.5	14.0	15.7	15.1
カ　ナ　ダ	18.8	10.4	6.8	5.3	'08) 5.1	4.5	'16) 4.5
アメリカ合衆国	20.0	12.6	9.2	6.9	6.1	5.9	'15) 5.9
アルゼンチン	58.2	33.2	25.6	16.6	11.9	9.7	'16) 9.7
イ　ン　ド	…	…	80.0	68.0	47.0	37.0	'16) 34.0
オーストリア	25.9	14.3	7.8	4.8	3.9	3.1	'16) 3.1
チェコ共和国	22.1	18.4	10.8	4.1	2.7	2.5	'16) 2.8
デ　ン　マ　ー　ク	14.2	8.4	7.5	5.3	3.4	3.7	'16) 3.1
フ　ラ　ン　ス	18.2	10.0	7.3	4.4	3.5	3.5	'16) 3.5
ド　イ　ツ1)	23.6	12.6	7.1	4.4	3.4	3.3	'16) 3.4
ハ　ン　ガ　リ　ー	35.9	23.1	14.8	9.2	5.3	4.2	3.5
アイルランド	19.5	11.2	8.2	6.2	3.6	3.4	2.8
イ　タ　リ　ア	29.5	14.3	8.6	4.5	3.2	2.9	'16) 3.0
オ　ラ　ン　ダ	12.7	8.6	7.1	5.1	3.8	3.3	'16) 3.5
ノ　ル　ウ　ェ　ー	12.7	8.1	6.9	3.8	2.8	2.3	'16) 2.2
ポ　ー　ラ　ン　ド	33.2	21.3	19.4	8.1	5.0	4.0	'16) 4.0
ロ　シ　ア2)	24.4	…	17.6	15.2	7.5 '12)	8.6	'12) 8.6
ス　ペ　イ　ン	27.9	12.4	7.6	4.4	3.2	2.7	'16) 2.7
スウェーデン	11.0	6.9	6.0	3.4	2.5	2.5	'16) 2.5
ス　イ　ス	15.1	9.1	6.8	4.9	3.8	3.9	'16) 3.6
イ　ギ　リ　ス3)	18.1	12.0	7.9	5.6	4.3	3.9	'16) 3.8
セ　ル　ビ　ア4)	55.5	12.1	22.8	13.3	6.7	5.3	'16) 5.4
オーストラリア	17.9	31.6	8.2	5.2	4.1	3.2	'16) 3.1
ニュージーランド	16.7	10.7	8.3	6.1	5.1	4.1	3.8

　資料：UN "Demographic Yearbook"
　　　　日本　政策統括官（統計・情報政策、政策評価担当）「平成29年人口動態統計」
　注：pは暫定値である。
　　　1）1985年までは，旧西ドイツの数値である。
　　　2）1985年までは，ソ連の数値である。
　　　3）1980年までは，イングランド・ウェールズの数値である。
　　　4）1985年までは，旧ユーゴスラビアである。2005年まではセルビア・モンテネグロである。

56　人口動態

第1−36表　婚姻件数，年次×初婚・再婚の組合せ別

初婚・再婚	昭和60年 (1985)	平成7年 (1995)	平成12年 (2000)	平成17年 (2005)	平成22年 (2010)	平成27年 (2015)	平成29年 (2017)
総　　　　　数	735 850	791 888	798 138	714 265	700 214	635 156	606 866
夫　　初　　婚	646 241	687 167	678 174	584 076	570 571	510 243	488 681
再　　婚	89 609	104 721	119 964	130 189	129 643	124 913	118 185
妻　　初　　婚	656 609	700 158	691 507	599 691	586 712	528 563	505 652
再　　婚	79 241	91 730	106 631	114 574	113 502	106 593	101 214
組　　合　　せ							
夫妻とも初婚	613 387	646 536	630 235	533 498	520 955	464 975	445 623
夫初婚・妻再婚	32 854	40 631	47 939	50 578	49 616	45 268	43 058
夫再婚・妻初婚	43 222	53 622	61 272	66 193	65 757	63 588	60 029
夫妻とも再婚	46 387	51 099	58 692	63 996	63 886	61 325	58 156
（再掲）							
一方または，両方が再婚	122 463	145 352	167 903	180 767	179 259	170 181	161 243

資料：政策統括官（統計・情報政策、政策評価担当）「平成29年人口動態統計」

第1−37表　婚姻件数，年次×夫妻の国籍別

国　　籍	昭和60年 (1985)	平成7年 (1995)	平成12年 (2000)	平成17年 (2005)	平成22年 (2010)	平成27年 (2015)	平成29年 (2017)
総　　　　数	735 850	791 888	798 138	714 265	700 214	635 156	606 866
夫妻とも日本	723 669	764 161	761 875	672 784	670 007	614 180	585 409
夫妻の一方が外国	12 181	27 727	36 263	41 481	30 207	20 976	21 457
夫日本・妻外国	7 738	20 787	28 326	33 116	22 843	14 809	14 795
妻日本・夫外国	4 443	6 940	7 937	8 365	7 364	6 167	6 662
夫日本・妻外国	7 738	20 787	28 326	33 116	22 843	14 809	14 795
妻の国籍							
韓国・朝鮮	3 622	4 521	6 214	6 066	3 664	2 268	1 836
中　　国	1 766	5 174	9 884	11 644	10 162	5 730	5 121
フィリピン	…	7 188	7 519	10 242	5 212	3 070	3 629
タ　　イ	…	1 915	2 137	1 637	1 096	938	974
米　　国	254	198	202	177	223	199	235
英　　国	…	82	76	59	51	44	58
ブラジル	…	579	357	311	247	277	291
ペ ル ー	…	140	145	121	90	83	98
その他の国	2 096	990	1 792	2 859	2 098	2 200	2 553
妻日本・夫外国	4 443	6 940	7 937	8 365	7 364	6 167	6 662
夫の国籍							
韓国・朝鮮	2 525	2 842	2 509	2 087	1 982	1 566	1 690
中　　国	380	769	878	1 015	910	748	812
フィリピン	…	52	109	187	138	167	216
タ　　イ	…	19	67	60	38	36	40
米　　国	876	1 303	1 483	1 551	1 329	1 127	1 072
英　　国	…	213	249	343	316	235	222
ブラジル	…	162	279	261	270	344	325
ペ ル ー	…	66	124	123	100	115	131
その他の国	662	1 514	2 239	2 738	2 281	1 829	2 154

資料：政策統括官（統計・情報政策、政策評価担当）「平成29年人口動態統計」
注：フィリピン，タイ，英国，ブラジル，ペルーについては平成4年から調査しており，平成3年までは「その他の国」に含まれる。

第 1 －38表　初婚件数・初婚率，年次×年齢階級別

年齢階級	昭和60年 (1985)	平成 7 年 (1995)	平成12年 (2000)	平成17年 (2005)	平成22年 (2010)	平成27年 (2015)	平成29年 (2017)
	初　　婚　　件　　数						
夫							
総　　数	601 673	635 178	614 968	515 916	484 406	418 519	391 701
～19歳	6 577	8 693	10 745	6 789	5 354	5 177	4 479
20～24	126 761	136 347	117 347	79 730	66 150	50 966	50 093
25～29	288 236	287 105	284 162	208 908	184 590	154 906	145 988
30～34	138 164	140 354	135 078	143 700	131 091	109 701	100 207
35～39	34 783	42 848	44 912	50 031	64 349	57 061	51 205
40～44	5 317	13 516	13 490	15 976	21 055	26 759	24 884
45～49	1 229	4 777	5 789	6 026	7 114	8 796	9 467
50～	597	1 520	3 439	4 754	4 703	5 153	5 377
不　　詳	9	18	6	2	－	－	1
妻							
総　　数	610 389	647 004	626 764	529 391	497 638	432 511	404 177
～19歳	21 602	19 271	21 480	15 434	11 435	9 396	8 061
20～24	280 044	233 964	175 387	119 549	98 522	74 912	72 615
25～29	249 554	299 855	308 790	238 978	212 011	179 042	168 656
30～34	41 628	72 600	92 933	115 380	114 823	101 813	92 582
35～39	11 907	14 676	20 926	30 728	46 289	46 302	41 141
40～44	2 998	3 679	4 351	6 407	10 742	15 358	14 840
45～49	1 302	1 661	1 387	1 724	2 430	3 813	4 241
50～	1 313	1 294	1 509	1 189	1 386	1 874	2 040
不　　詳	1	4	1	2	－	1	1
	初　　婚　　率 （男 性 人 口 千 対）						
夫							
～19歳	1.44	2.00	2.82	2.02	1.73	1.68	1.48
20～24	30.39	27.38	27.58	21.61	20.49	16.91	16.48
25～29	73.45	65.70	58.06	50.72	50.67	48.25	47.66
30～34	30.42	34.79	30.94	29.53	31.36	30.03	28.61
35～39	6.45	11.02	11.13	11.51	13.06	13.61	13.11
40～44	1.18	3.02	3.47	3.97	4.81	5.44	5.28
45～49	0.30	0.90	1.31	1.57	1.77	2.01	2.01
	（女 性 人 口 千 対）						
妻							
～19歳	4.95	4.65	5.93	4.87	3.90	3.24	2.81
20～24	69.91	48.89	43.35	34.12	32.02	26.11	25.20
25～29	65.19	70.64	65.26	60.06	60.37	58.08	57.45
30～34	9.27	18.45	21.90	24.41	28.46	28.83	27.40
35～39	2.25	3.84	5.31	7.24	9.72	11.44	10.89
40～44	0.66	0.83	1.14	1.62	2.52	3.22	3.25
45～49	0.31	0.32	0.31	0.45	0.62	0.90	0.93

資料：政策統括官（統計・情報政策、政策評価担当）　「平成29年人口動態統計」
注：各年に同居し届け出たものについての集計である。

58　人口動態

第1－39表　平均初婚年齢，年次別

年次	夫	妻	年次	夫	妻	年次	夫	妻
明治41年(1908)	26.8	22.9	昭和25年(1950)	25.9	23.0	平成2年(1990)	28.4	25.9
42　(1909)	26.9	22.9	26　(1951)	25.9	23.1	3　(1991)	28.4	25.9
			27　(1952)	26.1	23.3	4　(1992)	28.4	26.0
43　(1910)	27.0	23.0	28　(1953)	26.2	23.4	5　(1993)	28.4	26.1
44　(1911)	26.9	22.9	29　(1954)	26.4	23.6	6　(1994)	28.5	26.2
大正元年(1912)	27.0	22.9				7　(1995)	28.5	26.3
2　(1913)	27.0	22.9	30　(1955)	26.6	23.8	8　(1996)	28.5	26.4
3　(1914)	27.1	23.0	31　(1956)	26.8	23.9	9　(1997)	28.5	26.6
			32　(1957)	26.9	24.0	10　(1998)	28.6	26.7
4　(1915)	27.4	23.2	33　(1958)	27.0	24.2	11　(1999)	28.7	26.8
5　(1916)	27.1	23.0	34　(1959)	27.1	24.3			
6　(1917)	27.2	23.1				12　(2000)	28.8	27.0
7　(1918)	27.3	23.2	35　(1960)	27.2	24.4	13　(2001)	29.0	27.2
8　(1919)	27.4	23.3	36　(1961)	27.3	24.5	14　(2002)	29.1	27.4
			37　(1962)	27.3	24.5	15　(2003)	29.4	27.6
9　(1920)	27.4	23.2	38　(1963)	27.3	24.5	16　(2004)	29.6	27.8
10　(1921)	27.1	23.0	39　(1964)	27.3	24.4			
11　(1922)	27.1	23.0				17　(2005)	29.8	28.0
12　(1923)	27.0	23.0	40　(1965)	27.2	24.5	18　(2006)	30.0	28.2
13　(1924)	27.1	23.1	41　(1966)	27.3	24.5	19　(2007)	30.1	28.3
			42　(1967)	27.2	24.5	20　(2008)	30.2	28.5
14　(1925)	27.1	23.1	43　(1968)	27.2	24.4	21　(2009)	30.4	28.6
昭和元年(1926)	27.1	23.1	44　(1969)	27.1	24.3			
2　(1927)	27.2	23.1				22　(2010)	30.5	28.8
3　(1928)	27.3	23.1	45　(1970)	26.9	24.2	23　(2011)	30.7	29.0
4　(1929)	27.4	23.2	46　(1971)	26.8	24.2	24　(2012)	30.8	29.2
			47　(1972)	26.7	24.2	25　(2013)	30.9	29.3
5　(1930)	27.3	23.2	48　(1973)	26.7	24.3	26　(2014)	31.1	29.4
6　(1931)	27.3	23.3	49　(1974)	26.8	24.5			
7　(1932)	27.4	23.1				27　(2015)	31.1	29.4
8　(1933)	27.6	23.6	50　(1975)	27.0	24.7	28　(2016)	31.1	29.4
9　(1934)	27.7	23.7	51　(1976)	27.2	24.9	29　(2017)	31.1	29.4
			52　(1977)	27.4	25.0			
10　(1935)	27.8	23.8	53　(1978)	27.6	25.1			
11　(1936)	27.9	23.9	54　(1979)	27.7	25.2			
12　(1937)	28.1	24.2						
13　(1938)	28.4	24.4	55　(1980)	27.8	25.2			
14　(1939)	28.7	24.5	56　(1981)	27.9	25.3			
			57　(1982)	28.0	25.3			
15　(1940)	29.0	24.6	58　(1983)	28.0	25.4			
16　(1941)	28.7	24.3	59　(1984)	28.1	25.4			
17　(1942)	29.8	25.3						
18　(1943)	29.5	25.0	60　(1985)	28.2	25.5			
			61　(1986)	28.3	25.6			
22　(1947)	26.1	22.9	62　(1987)	28.4	25.7			
23　(1948)	26.1	23.0	63　(1988)	28.4	25.8			
24　(1949)	25.9	22.9	平成元年(1989)	28.5	25.8			

資料：政策統括官（統計・情報政策、政策評価担当）「平成29年人口動態統計」

第1－40表　**離婚件数**，婚姻期間×年次別；**平均同居期間**，年次別

年次	総数	5 年 未 満					5～10	10～15	15～20	20～25[1]	25～30	30～35	35年～	不詳	平均同居[2]期間(年)
		1年未満	1～2	2～3	3～4	4～5									
昭和25年 (1950)	83 689	54 014	14 255	15 272	11 661	7 956	4 870	14 871	7 285	3 655	2 925	…	…	…	939	5.3
30 (1955)	75 267	40 493	11 198	9 949	7 575	6 239	5 532	19 879	7 678	3 933	3 231	…	…	…	53	6.3
35 (1960)	69 410	37 433	11 345	9 327	6 844	5 359	4 558	15 313	9 740	3 836	3 037	…	…	…	51	6.5
40 (1965)	77 195	41 965	12 540	9 849	7 777	6 421	5 378	17 326	9 092	5 382	3 355	…	…	…	75	6.5
45 (1970)	95 937	49 489	14 523	11 149	9 193	7 772	6 852	23 299	11 898	5 858	5 072	…	…	…	321	6.8
50 (1975)	119 135	58 336	14 773	13 014	11 731	10 141	8 677	28 597	16 206	8 172	4 050	1 894	566	300	1 014	7.1
55 (1980)	141 689	52 597	12 990	11 430	10 209	9 204	8 764	39 034	24 425	14 089	6 573	2 682	1 164	463	662	8.6
60 (1985)	166 640	56 442	12 656	12 817	11 710	10 434	8 825	35 338	32 310	21 528	12 706	4 827	1 793	1 108	588	10.1
平成2年 (1990)	157 608	59 676	13 066	14 387	12 325	10 452	9 446	33 169	21 988	19 925	12 801	5 767	1 964	1 185	1 133	9.9
7 (1995)	199 016	76 710	14 893	18 081	16 591	14 576	12 569	41 185	25 308	19 153	17 847	8 684	3 506	1 840	4 783	10.0
12 (2000)	264 246	96 212	17 522	21 748	21 093	18 956	16 893	58 204	33 023	24 325	18 701	13 402	5 839	3 882	10 658	10.3
17 (2005)	261 917	90 885	16 558	20 159	19 435	18 144	16 589	57 562	35 093	24 885	18 401	10 747	6 453	4 794	13 097	10.4
22 (2010)	251 378	82 891	15 697	18 796	17 735	16 193	14 470	53 449	34 862	25 618	17 413	10 749	5 729	6 193	14 474	10.9
25 (2013)	231 383	74 034	14 333	16 374	15 423	14 533	13 371	48 422	32 554	23 660	17 045	9 678	5 203	6 106	14 681	11.1
26 (2014)	222 107	70 056	13 499	15 779	14 910	13 489	12 379	46 389	30 839	22 905	16 535	9 382	5 034	5 820	15 147	11.1
27 (2015)	226 215	71 719	13 863	16 272	15 349	13 807	12 428	47 082	31 108	23 941	17 051	10 011	5 315	6 267	13 721	11.3
28 (2016)	216 798	68 011	13 157	15 330	14 499	13 299	11 726	44 391	29 531	22 986	16 857	9 744	5 041	5 959	14 278	11.3
29 (2017)	212 262	66 491	12 895	15 282	14 310	12 783	11 221	42 334	28 223	22 951	17 255	10 129	4 958	5 944	13 977	11.5

資料：政策統括官（統計・情報政策、政策評価担当）「平成29年人口動態統計」
注：1）昭和25～45年の同居期間20～25年は，20年以上の数値である。
　　2）平均同居期間算出の計算式を改め昭和50年から再計算をした。

60　人口動態

第1-41表　離婚件数，親権を行わなければならない子[1] の数×年次別

年　　次	総　　数	子どもなし	子どもあり	1人	2人	3人	4人	5人～
昭和25年(1950)	83 689	35 705	47 984	29 579	10 367	4 380	2 095	1 563
30　(1955)	75 267	29 557	45 710	23 240	12 817	6 018	2 417	1 218
35　(1960)	69 410	28 958	40 452	20 993	11 502	5 391	1 860	706
40　(1965)	77 195	32 232	44 963	24 372	14 068	4 743	1 361	419
45　(1970)	95 937	39 254	56 683	31 374	19 317	4 776	921	295
50　(1975)	119 135	44 467	74 668	38 412	27 984	6 785	1 123	364
55　(1980)	141 689	45 934	95 755	41 829	40 756	10 755	1 841	574
60　(1985)	166 640	52 959	113 681	46 573	49 356	14 796	2 220	736
平成2年(1990)	157 608	58 790	98 818	44 509	40 655	11 473	1 724	457
7　(1995)	199 016	76 949	122 067	58 268	47 171	13 956	2 159	513
12　(2000)	264 246	106 947	157 299	73 405	60 984	19 097	3 103	710
17　(2005)	261 917	107 813	154 104	71 921	60 504	18 194	2 826	659
22　(2010)	251 378	104 258	147 120	67 908	57 783	17 588	3 075	766
25　(2013)	231 383	96 309	135 074	62 500	52 467	16 474	2 879	754
26　(2014)	222 107	92 481	129 626	59 344	50 365	16 214	2 917	786
27　(2015)	226 215	94 049	132 166	60 758	51 065	16 382	3 104	857
28　(2016)	216 798	90 852	125 946	58 009	48 268	15 865	2 980	824
29　(2017)	212 262	88 865	123 397	57 158	47 165	15 173	3 067	834

資料：政策統括官（統計・情報政策、政策評価担当）「平成29年人口動態統計」
注：1）親権を行わなければならない子とは、20歳未満の未婚の子をいう。

第1-42表　離婚件数，年次×夫妻の国籍別

国　　　籍	平成7年(1995)	平成12年(2000)	平成17年(2005)	平成22年(2010)	平成26年(2014)	平成27年(2015)	平成28年(2016)	平成29年(2017)
総　　　　　数	199 016	264 246	261 917	251 378	222 107	226 215	216 798	212 262
夫妻とも日本	191 024	251 879	246 228	232 410	207 972	212 540	203 853	200 603
夫妻の一方が外国	7 992	12 367	15 689	18 968	14 135	13 675	12 945	11 659
夫日本・妻外国	6 153	9 607	12 430	15 258	10 930	10 440	9 782	8 754
妻日本・夫外国	1 839	2 760	3 259	3 710	3 205	3 235	3 163	2 905
夫日本・妻外国	6 153	9 607	12 430	15 258	10 930	10 440	9 782	8 754
妻の国籍								
韓国・朝鮮	2 582	2 555	2 555	2 560	1 619	1 450	1 313	1 174
中　　国	1 486	2 918	4 363	5 762	4 093	3 884	3 602	3 192
フィリピン	1 456	2 816	3 485	4 630	3 245	3 200	2 989	2 712
タ　　イ	315	612	782	743	603	563	525	429
米　　国	53	68	76	74	73	67	58	43
英　　国	25	41	28	23	22	19	17	17
ブラジル	47	92	116	103	101	79	89	106
ペ　ル　ー	15	40	59	59	29	37	39	39
その他の国	174	465	966	1 304	1 145	1 141	1 150	1 042
妻日本・夫外国	1 839	2 760	3 259	3 710	3 205	3 235	3 163	2 905
夫の国籍								
韓国・朝鮮	939	1 113	971	977	791	791	747	628
中　　国	198	369	492	632	582	488	471	467
フィリピン	43	66	86	119	106	127	143	122
タ　　イ	8	19	30	45	37	36	39	27
米　　国	299	385	398	397	356	390	382	352
英　　国	40	58	86	77	60	84	80	68
ブラジル	20	59	81	140	130	142	107	109
ペ　ル　ー	7	41	68	70	62	55	47	56
その他の国	285	650	1 047	1 253	1 081	1 122	1 147	1 076

資料：政策統括官（統計・情報政策、政策評価担当）「平成29年人口動態統計」

人口動態　61

第 1 －43表　平均余命，年次×性・特定年齢別

（単位：年）

年齢	第1回 明治24 ～31年 (1891 ～98)	第8回 昭和22年 (1947)	第9回 昭和25 ～27年 (1950 ～52)	第10回 昭和30年 (1955)	第12回 昭和40年 (1965)	第14回 昭和50年 (1975)	第16回 昭和60年 (1985)	第18回 平成7年 (1995)	第19回 平成12年 (2000)	第20回 平成17年 (2005)	第21回 平成22年 (2010)	第22回 平成27年 (2015)	平成29年 (2017) 簡易 生命表
						男							
歳													
0	42.8	50.06	59.57	63.60	67.74	71.73	74.78	76.38	77.72	78.56	79.55	80.75	81.09
5	50.7	53.61	60.10	62.45	64.57	67.80	70.39	71.87	73.10	73.88	74.82	75.98	76.30
10	47.5	49.49	55.68	57.89	59.80	62.94	65.47	66.94	68.15	68.93	69.85	71.02	71.33
20	39.8	40.89	46.43	48.47	50.18	53.27	55.74	57.16	58.33	59.08	59.99	61.13	61.45
30	33.0	34.23	38.10	39.70	40.90	43.78	46.16	47.55	48.69	49.43	50.33	51.43	51.73
40	25.7	26.88	29.65	30.85	31.73	34.41	36.63	37.96	39.13	39.86	40.73	41.77	42.05
50	18.8	19.44	21.54	22.41	23.00	25.56	27.56	28.75	29.91	30.63	31.42	32.36	32.61
60	12.8	12.83	14.36	14.97	15.20	17.38	19.34	20.28	21.44	22.09	22.75	23.51	23.72
70	8.0	7.93	8.82	9.13	8.99	10.53	12.00	12.97	13.97	14.39	14.96	15.59	15.73
80	4.8	4.62	5.04	5.25	4.81	5.70	6.51	7.13	7.96	8.22	8.42	8.83	8.95
90	2.6	2.56	2.70	2.87	2.56	3.05	3.28	3.58	4.10	4.15	4.19	4.27	4.25
100	1.1	1.23	1.40	1.51	1.34	1.74	1.58	1.92	2.18	2.08	1.98	2.18	1.80
						女							
歳													
0	44.3	53.96	62.97	67.75	72.92	76.89	80.48	82.85	84.60	85.52	86.30	86.99	87.26
5	51.5	57.45	63.28	66.41	69.47	72.78	76.03	78.29	79.95	80.81	81.55	82.20	82.48
10	48.1	53.31	58.82	61.78	64.62	67.87	71.08	73.34	74.98	75.84	76.58	77.23	77.50
20	40.8	44.87	49.58	52.25	54.85	58.04	61.20	63.46	65.08	65.93	66.67	67.31	67.57
30	34.4	37.95	41.20	43.25	45.31	48.35	51.41	53.65	55.26	56.12	56.83	57.45	57.70
40	27.8	30.39	32.77	34.34	35.91	38.76	41.72	43.91	45.52	46.38	47.08	47.67	47.90
50	20.8	22.64	24.47	25.70	26.85	29.46	32.28	34.43	36.01	36.84	37.52	38.07	38.29
60	14.2	15.39	16.81	17.72	18.42	20.68	23.24	25.31	26.85	27.66	28.28	28.77	28.97
70	8.8	9.41	10.34	10.95	11.09	12.78	14.89	16.76	18.19	18.88	19.43	19.85	20.03
80	5.1	5.09	5.64	6.12	5.80	6.76	8.07	9.47	10.60	11.13	11.46	11.71	11.84
90	2.7	2.45	2.72	3.12	2.96	3.39	3.82	4.64	5.29	5.53	5.53	5.60	5.61
100	1.2	1.05	1.22	1.47	1.48	1.89	1.61	2.51	2.72	2.54	2.44	2.50	2.37

資料：政策統括官（統計・情報政策、政策評価担当）　「第22回生命表」「平成29年簡易生命表」

62　人口動態

第1－44表　平均寿命，性×年次・都道府県別

(単位：年)

都道府県	男 昭和60年(1985)	平成2年(1990)	平成7年(1995)	平成12年(2000)	平成17年(2005)	平成22年(2010)	平成27年(2015)	延び(H27-H22)	女 昭和60年(1985)	平成2年(1990)	平成7年(1995)	平成12年(2000)	平成17年(2005)	平成22年(2010)	平成27年(2015)	延び(H27-H22)
全　　国	74.95	76.04	76.70 (76.72)	77.71	78.79	79.59	80.77	1.18	80.75	82.07	83.22 (83.26)	84.62	85.75	86.35	87.01	0.6
北海道	74.50	75.67	76.56	77.55	78.30	79.17	80.28	1.11	80.42	81.92	83.41	84.84	85.78	86.30	86.77	0.4
青森	73.05	74.18	74.71	75.67	76.27	77.28	78.67	1.39	79.90	81.49	82.51	83.69	84.80	85.34	85.93	0.5
岩手	74.27	75.43	76.35	77.09	77.81	78.53	79.86	1.33	80.69	81.93	83.41	84.60	85.49	85.86	86.44	0.5
宮城	75.11	75.49	77.00	77.71	78.60	79.65	80.99	1.34	80.69	82.15	83.32	84.74	85.75	86.39	87.16	0.7
秋田	74.12	75.29	75.92	76.81	77.44	78.22	79.51	1.30	80.29	81.80	83.12	84.32	85.19	85.93	86.38	0.4
山形	74.99	76.37	76.99	77.69	78.54	79.97	80.52	0.54	80.86	82.10	83.23	84.57	85.72	86.28	86.96	0.6
福島	74.38	75.71	76.47	77.18	77.97	78.84	80.12	1.28	80.25	81.95	82.93	84.21	85.45	86.05	86.40	0.3
茨城	74.35	75.67	76.32	77.20	78.35	79.09	80.28	1.19	79.97	81.59	82.87	84.21	85.26	85.83	86.33	0.5
栃木	74.36	75.38	76.12	77.14	78.01	79.06	80.10	1.05	79.98	81.30	82.76	84.04	85.03	85.66	86.24	0.5
群馬	75.11	76.36	76.98	77.86	78.78	79.40	80.61	1.20	80.39	81.90	83.12	84.47	85.47	85.91	86.84	0.9
埼玉	75.20	76.31	76.95	78.05	79.05	79.62	80.82	1.20	80.65	81.75	82.92	84.34	85.29	85.88	86.66	0.7
千葉	75.27	76.46	76.89	78.05	78.95	79.88	80.96	1.08	80.88	82.19	83.19	84.51	85.49	86.20	86.91	0.7
東京	75.60	76.35	76.91	77.98	79.36	79.82	81.07	1.24	81.09	82.09	83.22	84.38	85.70	86.39	87.26	0.8
神奈川	75.59	76.70	77.20	78.24	79.52	80.25	81.32	1.07	81.22	82.35	83.35	84.74	86.03	86.63	87.24	0.6
新潟	74.83	76.49	76.98	77.66	78.75	79.47	80.69	1.22	80.86	82.50	83.66	85.19	86.27	86.96	87.32	0.3
富山	74.81	76.14	77.16	78.03	79.07	79.71	80.61	0.91	80.80	82.35	83.86	85.24	86.32	86.75	87.42	0.6
石川	75.28	76.38	77.16	78.96	79.26	79.71	81.04	1.34	80.89	82.24	83.54	85.18	86.46	86.75	87.28	0.5
福井	75.64	76.84	77.51	78.55	79.47	80.47	81.27	0.79	81.01	82.36	83.63	85.39	86.25	86.94	87.54	0.6
山梨	75.02	76.26	76.82	77.90	78.89	79.54	80.85	1.31	80.94	82.39	83.67	85.21	86.17	86.65	87.22	0.5
長野	75.91	77.14	78.08	78.90	79.84	80.88	81.75	0.87	81.13	82.71	83.89	85.31	86.48	87.18	87.67	0.49
岐阜	75.53	76.72	77.17	78.10	79.00	79.92	81.00	1.08	80.31	81.69	83.00	84.33	85.56	86.26	86.82	0.56
静岡	75.48	76.58	77.22	78.15	79.35	79.95	80.95	1.01	81.37	82.47	83.70	84.95	86.06	86.22	87.10	0.88
愛知	75.44	76.32	76.90	78.01	79.05	79.71	81.10	1.39	80.51	81.63	82.80	84.22	85.40	86.22	86.86	0.63
三重	74.87	76.03	76.76	77.90	78.90	79.68	80.86	1.18	80.61	82.01	83.02	84.49	85.58	86.25	86.99	0.74
滋賀	75.34	76.36	77.13	78.19	79.60	80.58	81.78	1.20	80.63	81.88	83.20	84.92	86.17	86.69	87.57	0.88
京都	75.39	76.39	77.14	78.15	79.34	80.21	81.40	1.19	80.68	82.07	83.44	84.81	85.92	86.65	87.35	0.71
大阪	74.01	75.02	75.90	76.97	78.21	78.99	80.23	1.25	79.84	81.16	82.52	84.01	85.20	85.93	86.73	0.80
兵庫	74.47	75.59	75.54 (76.10)	77.57	78.72	79.59	80.92	1.33	80.40	81.41	81.83 (82.68)	84.34	85.62	86.14	87.07	0.93
奈良	74.87	76.15	77.14	78.36	79.25	80.14	81.36	1.21	80.27	81.89	82.96	84.80	85.84	86.60	87.25	0.65
和歌山	74.19	75.23	76.07	77.01	77.97	79.07	79.94	0.87	80.13	81.70	82.71	84.23	85.34	85.69	86.47	0.78
鳥取	74.40	75.66	76.09	77.39	78.26	79.01	80.17	1.16	81.11	82.33	83.59	84.91	86.27	86.08	87.27	1.19
島根	75.30	76.15	76.90	77.54	78.49	79.51	80.79	1.27	81.60	83.09	84.03	85.30	86.57	87.07	87.64	0.57
岡山	75.28	76.32	77.03	77.80	79.22	79.77	81.03	1.26	81.31	82.70	83.81	85.25	86.49	86.93	87.67	0.74
広島	75.19	76.22	76.77	77.76	79.06	79.41	81.08	1.17	80.94	82.38	83.66	85.09	86.24	86.94	87.33	0.39
山口	74.45	75.74	76.36	77.03	78.11	79.03	80.51	1.48	81.16	82.46	83.61	84.61	85.63	86.07	86.88	0.81
徳島	74.35	75.47	76.21	77.19	78.09	79.44	80.32	0.89	80.56	81.93	83.17	84.49	85.67	86.21	86.66	0.45
香川	75.61	76.69	77.12	77.99	78.91	79.73	80.85	1.12	81.28	82.13	83.47	84.85	85.89	86.34	87.21	0.87
愛媛	74.75	75.82	76.43	77.30	78.25	79.13	80.16	1.03	81.01	82.24	83.28	84.57	85.64	86.54	86.82	0.28
高知	74.04	75.44	76.18	76.85	77.93	78.91	80.26	1.35	80.97	82.44	83.57	84.76	85.88	86.47	87.01	0.54
福岡	74.19	75.24	76.12	77.21	78.35	79.30	80.66	1.36	80.91	82.19	83.44	84.62	85.84	86.48	87.14	0.66
佐賀	74.32	75.45	76.26	76.95	78.31	79.28	80.65	1.38	80.94	82.17	83.43	85.07	86.04	86.58	87.12	0.53
長崎	74.09	75.14	76.15	77.21	78.13	78.88	80.38	1.50	80.81	82.10	83.23	84.81	85.85	86.30	86.97	0.67
熊本	75.24	76.27	77.31	78.29	79.22	80.29	81.22	0.93	81.47	82.85	84.39	85.30	86.54	86.98	87.49	0.52
大分	74.82	75.98	76.35	77.91	78.99	80.06	81.08	1.01	80.58	82.08	83.61	84.69	86.06	86.91	87.31	0.39
宮崎	74.39	75.45	76.53	77.42	78.62	79.70	80.34	0.64	80.84	82.30	83.66	85.09	86.11	86.61	87.12	0.51
鹿児島	74.09	75.39	76.13	76.98	77.91	79.21	80.02	0.81	80.34	82.10	83.36	84.68	85.70	86.28	86.78	0.50
沖縄	76.34	76.67	77.22	77.64	78.64	79.40	80.27	0.87	83.70	84.47	85.08	86.01	86.88	87.02	87.44	0.42

資料：政策統括官（統計・情報政策，政策評価担当）「平成27年都道府県別生命表」

注：1）（　）内の数値は，阪神・淡路大震災の影響を除去した場合の数値である。
　　2）都道府県別生命表は，国勢調査実施年のみ作成。

人口動態　63

第1-45表　平均寿命の国際比較

(単位：年)

国 名			作成基礎期間	男	女	(参考)人口(万人)
日　本		(Japan)	2017*	81.09	87.26	12 465
アフリカ(AFRICA)	アルジェリア	(Algeria)	2016	77.1	78.2	4 084
	エジプト	(Egypt)	2017*	70.8	73.6	9 102
	南アフリカ	(South Africa)	2014	59.1	63.1	5 591
	チュニジア	(Tunisia)	2016*	74.5	78.1	1 130
北アメリカ(NORTH AMERICA)	カ　ナ　ダ	(Canada)	2013-2015*	79.8	83.9	3 629
	コスタリカ	(Costa Rica)	2015	77.37	82.42	489
	キ ュ ー バ	(Cuba)	2011-2013	76.50	80.45	1 124
	メ キ シ コ	(Mexico)	2015	72.3	77.7	12 227
	アメリカ合衆国	(United States of America)	2015*	76.3	81.2	32 313
南アメリカ(SOUTH AMERICA)	アルゼンチン	(Argentina)	2008-2010	72.08	78.81	4 359
	ブ ラ ジ ル	(Brazil)	2016*	72.2	79.4	20 608
	チ　　　リ	(Chile)	2014	76.75	82.46	1 819
	コロンビア	(Colombia)	2010-2015	72.07	78.54	4 875
	ペ ル ー	(Peru)	2010-2015	71.54	76.84	3 149
アジア(ASIA)	バングラデシュ	(Bangladesh)	2016	70.3	72.9	16 080
	中　国	(China)	2015*	73.64	79.43	137 122
	キプロス	(Cyprus)	2015	79.8	83.5	85
	イ ン ド	(India)	2012-2016*	67.4	70.2	121 337
	イ ラ ン	(Iran)	2011	71.5	74.0	7 969
	イスラエル	(Israel)	2011-2015	80.09	83.79	838
	マレーシア	(Malaysia)	2016*	72.6	77.2	3 166
	パキスタン	(Pakistan)	2007	63.55	67.62	19 171
	カ タ ー ル	(Qatar)	2015	77.51	82.12	262
	韓　国	(Republic of Korea)	2016*	79.3	85.4	5 125
	シンガポール	(Singapore)	2017*	80.7	85.2	561
	タ イ	(Thailand)	2016*	71.8	78.6	6 593
	ト ル コ	(Turkey)	2013-2015	75.3	80.7	7 874
ヨーロッパ(EUROPE)	オーストリア	(Austria)	2017*	79.27	83.89	869
	ベ ル ギ ー	(Belgium)	2016*	78.78	81.26	1 131
	チ ェ コ	(Czech Republic)	2016*	76.22	82.05	1 055
	デンマーク	(Denmark)	2016-2017*	79.0	82.9	572
	フィンランド	(Finland)	2016*	78.4	84.1	551
	フ ラ ン ス	(France)	2017*	79.5	85.3	6 473
	ド イ ツ	(Germany)	2014-2016*	78.31	83.20	8 218
	ギ リ シ ャ	(Greece)	2015	78.14	83.17	1 078
	アイスランド	(Iceland)	2016*	80.7	83.7	33
	イ タ リ ア	(Italy)	2016*	80.562	85.044	6 067
	オ ラ ン ダ	(Netherlands)	2017*	80.1	83.4	1 698
	ノルウェー	(Norway)	2017*	80.91	84.28	524
	ポーランド	(Poland)	2016*	73.94	81.94	3 797
	ロ シ ア	(Russian Federation)	2014*	65.29	76.47	14 351
	ス ペ イ ン	(Spain)	2016*	80.31	85.84	4 645
	スウェーデン	(Sweden)	2017*	80.72	84.10	985
	ス イ ス	(Switzerland)	2016*	81.5	85.3	833
	ウクライナ	(Ukraine)	2013	66.34	76.22	4 259
	イ ギ リ ス	(United Kingdom)	2014-2016*	79.17	82.86	6 538
オセアニア(OCEANIA)	オーストラリア	(Australia)	2014-2016*	80.4	84.6	2 413
	ニュージーランド	(New Zealand)	2014-2016*	79.91	83.40	469

参考：香港(Hong Kong)の平均寿命は2017年*で、男が81.70年、女が87.66年である。（人口734万人）
資料：国連「Demographic Yearbook 2016」。
　　　ただし、＊印は平均寿命が当該政府の資料によるものである。
注：人口は年央推計人口で、2016年の値である（中国、イスラエル、パキスタン、トルコは2015年。ロシアは2013年。インドは2012年）。
　　ただし、日本は平成29年10月1日現在日本人推計人口である。

第1-3図　主な国の平均寿命の年次推移

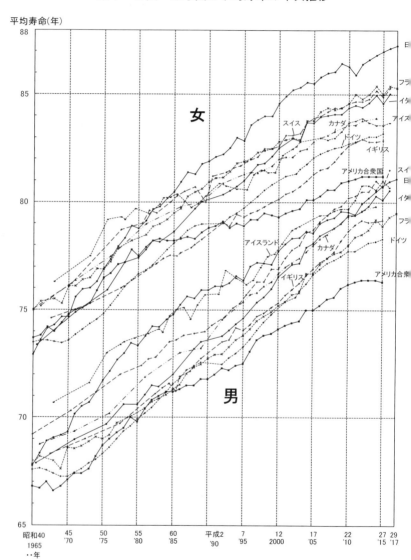

資料：国連「Demographic Yearbook」等
注：1）1971年以前の日本は，沖縄県を除く数値である。
　　2）1990年以前のドイツは，旧西ドイツの数値である。

第3章 世　　帯

第1－46表　世帯数・構成割合，世帯構造×年次別

年　　　次	総　　数	単独世帯	核 家 族世　　帯	夫婦のみの 世 帯	夫婦と未婚の子のみの世帯	ひとり親と未婚の子のみの世帯	三 世 代世　　帯	その他の世帯
	推 計 数（単位：千世帯）							
平成23 (2011)	46 684	11 787	28 281	10 575	14 443	3 263	3 436	3 180
24 (2012)	48 170	12 160	28 993	10 977	14 668	3 348	3 648	3 370
25 (2013)	50 112	13 285	30 163	11 644	14 899	3 621	3 329	3 334
26 (2014)	50 431	13 662	29 870	11 748	14 546	3 576	3 464	3 435
27 (2015)	50 361	13 517	30 316	11 872	14 820	3 624	3 264	3 265
28 (2016)	49 945	13 434	30 234	11 850	14 744	3 640	2 947	3 330
29 (2017)	50 425	13 613	30 632	12 096	14 891	3 645	2 910	3 270
	構 成 割 合（単位：％）							
平成23 (2011)	100.0	25.2	60.6	22.7	30.9	7.0	7.4	6.8
24 (2012)	100.0	25.2	60.2	22.8	30.5	6.9	7.6	7.0
25 (2013)	100.0	26.5	60.2	23.2	29.7	7.2	6.6	6.7
26 (2014)	100.0	27.1	59.2	23.3	28.8	7.1	6.9	6.8
27 (2015)	100.0	26.8	60.2	23.6	29.4	7.2	6.5	6.5
28 (2016)	100.0	26.9	60.5	23.7	29.5	7.3	5.9	6.7
29 (2017)	100.0	27.0	60.7	24.0	29.5	7.2	5.8	6.5

資料：政策統括官（統計・情報政策、政策評価担当）「平成29年国民生活基礎調査」
注：1）平成23年の数値は，岩手県，宮城県及び福島県を除いたものである。
　　2）平成24年の数値は，福島県を除いたものである。
　　3）平成28年の数値は，熊本県を除いたものである。

第1－47表　世帯数・構成割合，世帯種×年次別

年　　　次	総　　数	国保加入世　　帯	被 用 者保　険加入世帯	国保・被用者保険加入世帯	後　期高齢者医療制度加入世帯	国 保・後期高齢者医療制度加入世帯	被用者保険・後期高齢者医療制度加入世帯	国保・被用者保険・後期高齢者医療制度加入世帯	そ の 他の 世 帯
	推 計 数（単位：千世帯）								
平成23 (2011)	46 684	10 372	20 043	4 330	4 291	2 764	2 511	1 093	1 016
24 (2012)	48 170	10 300	20 377	4 447	4 618	3 154	2 741	1 183	1 009
25 (2013)	50 112	10 403	20 769	4 372	5 398	3 107	2 750	1 107	1 003
26 (2014)	50 431	10 448	20 741	4 481	5 506	3 147	3 021	1 237	1 202
27 (2015)	50 361	9 935	21 471	4 282	5 777	3 162	2 870	1 210	1 154
28 (2016)	49 945	9 315	20 995	4 134	6 096	3 082	2 923	1 054	974
29 (2017)	50 425	9 029	22 584	3 968	6 039	3 015	3 071	1 034	1 078
	構 成 割 合（単位：％）								
平成23 (2011)	100.0	22.2	42.9	9.3	9.2	5.9	5.4	2.3	2.2
24 (2012)	100.0	21.4	42.3	9.2	9.6	6.5	5.7	2.5	2.1
25 (2013)	100.0	20.8	41.4	8.7	10.8	6.2	5.5	2.2	2.0
26 (2014)	100.0	20.7	41.1	8.9	10.9	6.2	6.0	2.5	2.4
27 (2015)	100.0	19.7	42.6	8.5	11.5	6.3	5.7	2.4	2.3
28 (2016)	100.0	18.7	42.0	8.3	12.2	6.2	5.9	2.1	2.0
29 (2017)	100.0	17.9	44.8	7.9	12.0	6.0	6.1	2.1	2.1

資料：政策統括官（統計・情報政策、政策評価担当）「平成29年国民生活基礎調査」
注：1）「総数」は，世帯種の「不詳」の世帯を含む。
　　2）平成23年の数値は，岩手県，宮城県及び福島県を除いたものである。
　　3）平成24年の数値は，福島県を除いたものである。
　　4）平成28年の数値は，熊本県を除いたものである。

第 1 −48表　世帯数・構成割合，年次×世帯業態別

世　帯　業　態	平成23年 (2011)	平成24年 (2012)	平成25年 (2013)	平成26年 (2014)	平成27年 (2015)	平成28年 (2016)	平成29年 (2017)
	推　計　数（単位：千世帯）						
総　　　　　　　　　数	46 684	48 170	50 112	50 431	50 361	49 945	50 425
雇　用　者　世　帯	27 508	27 991	28 578	29 447	29 710	28 556	30 317
常　雇　者　世　帯	25 014	25 462	25 933	26 597	27 105	25 925	27 663
会社・団体等の役員の世帯	3 604	3 749	1 871	2 112	2 078	2 177	2 130
一　般　常　雇　者　世　帯	21 409	21 713	24 062	24 485	25 027	23 748	25 533
1月以上1年未満の契約の雇用者世帯	2 150	2 203	2 289	2 480	2 302	2 335	2 314
日々又は1月未満の契約の雇用者世帯	345	326	356	370	302	295	340
自　営　業　者　世　帯	5 164	5 440	5 160	4 989	4 942	4 883	4 638
雇　　人　　あ　　り	1 990	2 071	1 821	1 766	1 674	1 672	1 628
雇　　人　　な　　し	3 175	3 370	3 339	3 223	3 268	3 211	3 010
そ　の　他　の　世　帯	13 133	13 837	14 407	14 756	14 492	14 306	14 037
所得を伴う仕事をしている者のいる世帯	2 844	2 914	2 662	2 990	2 780	2 650	2 722
所得を伴う仕事をしている者のいない世帯	10 289	10 923	11 745	11 766	11 712	11 656	11 314
	構　成　割　合（単位：％）						
総　　　　　　　　　数	100.0	100.0	100.0	100.0	100.0	100.0	100.0
雇　用　者　世　帯	58.9	58.1	57.0	58.4	59.0	57.2	60.1
常　雇　者　世　帯	53.6	52.9	51.8	52.7	53.8	51.9	54.9
会社・団体等の役員の世帯	7.7	7.8	3.7	4.2	4.1	4.4	4.2
一　般　常　雇　者　世　帯	45.9	45.1	48.0	48.6	49.7	47.5	50.6
1月以上1年未満の契約の雇用者世帯	4.6	4.6	4.6	4.9	4.6	4.7	4.6
日々又は1月未満の契約の雇用者世帯	0.7	0.7	0.7	0.7	0.6	0.6	0.7
自　営　業　者　世　帯	11.1	11.3	10.3	9.9	9.8	9.8	9.2
雇　　人　　あ　　り	4.3	4.3	3.6	3.5	3.3	3.3	3.2
雇　　人　　な　　し	6.8	7.0	6.7	6.4	6.5	6.4	6.0
そ　の　他　の　世　帯	28.1	28.7	28.8	29.3	28.8	28.6	27.8
所得を伴う仕事をしている者のいる世帯	6.1	6.0	5.3	5.9	5.5	5.3	5.4
所得を伴う仕事をしている者のいない世帯	22.0	22.7	23.4	23.3	23.3	23.3	22.4

資料：政策統括官（統計・情報政策，政策評価担当）「平成29年国民生活基礎調査」
注：1）「総数」は，世帯業態の「不詳」の世帯を含む。
　　2）平成23年の数値は，岩手県，宮城県及び福島県を除いたものである。
　　3）平成24年の数値は，福島県を除いたものである。
　　4）平成28年の数値は，熊本県を除いたものである。

世　帯　67

第 1 −49表　世帯数・構成割合，世帯人員×年次別 ； 平均世帯人員，年次別

年　　次	総　数	1　人世　帯	2　人世　帯	3　人世　帯	4　人世　帯	5　人世　帯	6人以上の世帯	平　　均世帯人員
	推　　　計　　　数（単位：千世帯）							（単位：人）
平成23 (2011)	46 684	11 787	13 959	9 292	7 422	2 680	1 544	2.58
24 (2012)	48 170	12 160	14 502	9 610	7 580	2 828	1 490	2.57
25 (2013)	50 112	13 285	15 406	10 057	7 301	2 699	1 364	2.51
26 (2014)	50 431	13 662	15 604	9 911	7 275	2 656	1 323	2.49
27 (2015)	50 361	13 517	15 765	9 927	7 242	2 617	1 294	2.49
28 (2016)	49 945	13 434	15 723	10 110	6 953	2 545	1 178	2.47
29 (2017)	50 425	13 613	15 901	9 753	7 420	2 557	1 181	2.47
	構　　成　　割　　合（単位：%）							
平成23 (2011)	100.0	25.2	29.9	19.9	15.9	5.7	3.3	・
24 (2012)	100.0	25.2	30.1	20.0	15.7	5.9	3.1	・
25 (2013)	100.0	26.5	30.7	20.1	14.6	5.4	2.7	・
26 (2014)	100.0	27.1	30.9	19.7	14.4	5.3	2.6	・
27 (2015)	100.0	26.8	31.3	19.7	14.4	5.2	2.6	・
28 (2016)	100.0	26.9	31.5	20.2	13.9	5.1	2.4	・
29 (2017)	100.0	27.0	31.5	19.3	14.7	5.1	2.3	・

資料：政策統括官（統計・情報政策、政策評価担当）「平成29年国民生活基礎調査」
注：1）平成23年の数値は，岩手県，宮城県及び福島県を除いたものである。
　　2）平成24年の数値は，福島県を除いたものである。
　　3）平成28年の数値は，熊本県を除いたものである。

第 1 −50表　世帯数・構成割合，世帯類型×年次別

年　　次	総　　数	高齢者世帯	母子世帯	父子世帯	その他の世帯
	推　　計　　数（単位：千世帯）				
平成23 (2011)	46 684	9 581	759	96	36 248
24 (2012)	48 170	10 241	703	81	37 146
25 (2013)	50 112	11 614	821	91	37 586
26 (2014)	50 431	12 214	732	101	37 384
27 (2015)	50 361	12 714	793	78	36 777
28 (2016)	49 945	13 271	712	91	35 871
29 (2017)	50 425	13 223	767	97	36 338
	構　　成　　割　　合（単位：%）				
平成23 (2011)	100.0	20.5	1.6	0.2	77.6
24 (2012)	100.0	21.3	1.5	0.2	77.1
25 (2013)	100.0	23.2	1.6	0.2	75.0
26 (2014)	100.0	24.2	1.5	0.2	74.1
27 (2015)	100.0	25.2	1.6	0.2	73.0
28 (2016)	100.0	26.6	1.4	0.2	71.8
29 (2017)	100.0	26.2	1.5	0.2	72.1

資料：政策統括官（統計・情報政策、政策評価担当）「平成29年国民生活基礎調査」
注：1）平成23年の数値は，岩手県，宮城県及び福島県を除いたものである。
　　2）平成24年の数値は，福島県を除いたものである。
　　3）平成28年の数値は，熊本県を除いたものである。

68　世　　帯

第1－51表　**世帯数**，世帯構造×世帯業態別

（単位：千世帯）　　　　　　　　　　　　　　　　　　　　　　　　　　　　平成29年（2017）

世　帯　業　態	総　数	単独世帯	核　家　族　世　帯				三世代世　帯	その他の世帯
			総　数	夫婦のみの世帯	夫婦と未婚の子のみの世帯	ひとり親と未婚の子のみの世帯		
総　　　　　　　数	50 425	13 613	30 632	12 096	14 891	3 645	2 910	3 27●
雇　用　者　世　帯	30 317	6 287	20 059	5 370	12 101	2 588	2 056	1 91●
常　雇　者　世　帯	27 663	5 470	18 582	4 672	11 614	2 295	1 924	1 68●
会社・団体等の役員の世帯	2 130	271	1 513	548	884	82	189	15●
一　般　常　雇　者　世　帯	25 533	5 199	17 069	4 124	10 731	2 214	1 734	1 53●
契約期間の定めのない雇用者世帯	21 843	4 320	14 827	3 261	9 740	1 826	1 482	1 21●
契約期間が1年以上の雇用者世帯	3 690	879	2 242	863	991	388	252	31●
1月以上1年未満の契約の雇用者世帯	2 314	692	1 311	606	440	264	112	19●
日々又は1月未満の契約の雇用者世帯	340	125	166	91	47	28	21	2●
自　営　業　者　世　帯	4 638	687	3 010	1 297	1 468	246	506	43●
雇　人　　あ　　り	1 628	172	1 100	423	598	79	206	15●
雇　人　　な　　し	3 010	515	1 911	874	871	166	300	28●
そ　の　他　の　世　帯	14 037	6 101	6 804	4 882	1 186	737	310	82●
所得を伴う仕事をしている者のいる世帯	2 722	295	1 803	639	865	299	263	36●
所得を伴う仕事をしている者のいない世帯	11 314	5 807	5 001	4 243	321	438	47	46●
不　　　　　　　詳	1 433	538	759	548	136	75	38	9●

資料：政策統括官（統計・情報政策、政策評価担当）「平成29年国民生活基礎調査」

世　帯　69

第1−52表　**世帯数**，世帯構造×世帯主の年齢階級別

（単位：千世帯）　　　　　　　　　　　　　　　　　　　　　　　　　　　平成29年（2017）

| 世帯主の年齢階級 | 総　数 | 単独世帯 | 核　家　族　世　帯 | | | | 三世代世帯 | その他の世帯 |
			総　数	夫婦のみの世帯	夫婦と未婚の子のみの世帯	ひとり親と未婚の子のみの世帯		
総　　　数	50 425	13 613	30 632	12 096	14 891	3 645	2 910	3 270
19歳以下	300	293	3	−	3	−	−	3
20〜24歳	1 054	885	112	39	59	14	2	55
25〜29	1 542	796	679	240	390	49	11	57
30〜34	2 247	549	1 618	312	1 161	146	37	43
35〜39	3 092	540	2 369	321	1 817	231	87	96
40〜44	4 063	656	3 109	416	2 296	397	154	143
45〜49	4 300	800	3 046	452	2 152	442	241	213
50〜54	4 184	852	2 788	627	1 717	443	299	246
55〜59	4 249	900	2 558	823	1 373	363	403	388
60〜64	4 538	1 019	2 678	1 273	1 090	315	405	436
65〜69	6 098	1 527	3 639	2 207	1 119	312	447	486
70〜74	4 712	1 250	2 891	1 868	721	302	263	309
75〜79	4 289	1 258	2 551	1 754	548	249	227	253
80歳以上	5 649	2 239	2 551	1 743	433	375	333	527

資料：政策統括官（統計・情報政策、政策評価担当）　「平成29年国民生活基礎調査」
注：年齢階級の「総数」には，世帯主の年齢不詳を含む。

70　世　　帯

第1-53表　世帯人員，配偶者の有無×性・年齢階級別

(単位：千人)　　　　　　　　　　　　　　　　　　　　　　　　　　　　　　　　平成29年（2017）

性 年 齢 階 級	総　　数	配偶者あり	未　婚	死　別	離　別
総　　　　　数	124 741	66 504	43 021	9 456	5 760
19 歳 以 下	22 343	25	22 314	-	4
20 ～ 24 歳	5 284	328	4 925	4	26
25 ～ 29	5 185	1 673	3 424	2	86
30 ～ 34	6 314	3 690	2 397	9	218
35 ～ 39	7 549	5 175	1 994	23	356
40 ～ 44	9 169	6 552	1 969	42	605
45 ～ 49	9 068	6 555	1 771	76	665
50 ～ 54	8 111	6 078	1 162	161	710
55 ～ 59	7 875	6 129	834	267	644
60 ～ 64	8 266	6 437	702	460	667
65 ～ 69	10 586	8 261	680	892	753
70 ～ 74	7 971	5 961	292	1 280	438
75 ～ 79	7 021	4 889	180	1 642	309
80 歳 以 上	9 617	4 599	195	4 567	256
不　　　　　詳	383	151	180	30	21
男	60 184	33 352	22 921	1 880	2 031
19 歳 以 下	11 280	11	11 269	-	-
20 ～ 24 歳	2 612	134	2 468	1	9
25 ～ 29	2 566	722	1 830	-	14
30 ～ 34	3 122	1 656	1 395	2	68
35 ～ 39	3 734	2 454	1 167	13	100
40 ～ 44	4 568	3 141	1 233	10	184
45 ～ 49	4 466	3 184	1 055	16	210
50 ～ 54	3 966	2 953	717	41	254
55 ～ 59	3 873	2 999	561	73	240
60 ～ 64	3 951	3 128	462	87	275
65 ～ 69	5 151	4 184	424	227	316
70 ～ 74	3 695	3 105	142	276	172
75 ～ 79	3 197	2 723	72	289	113
80 歳 以 上	3 841	2 905	39	830	66
不　　　　　詳	163	53	86	14	10
女	64 556	33 152	20 100	7 576	3 729
19 歳 以 下	11 063	14	11 045	-	4
20 ～ 24 歳	2 672	195	2 457	3	17
25 ～ 29	2 619	951	1 594	2	72
30 ～ 34	3 192	2 033	1 002	7	150
35 ～ 39	3 815	2 721	827	10	256
40 ～ 44	4 601	3 411	736	33	422
45 ～ 49	4 602	3 371	716	60	455
50 ～ 54	4 145	3 126	444	120	455
55 ～ 59	4 001	3 130	273	195	404
60 ～ 64	4 314	3 309	240	373	392
65 ～ 69	5 435	4 076	256	665	437
70 ～ 74	4 276	2 856	150	1 004	266
75 ～ 79	3 823	2 166	109	1 353	196
80 歳 以 上	5 776	1 694	155	3 736	190
不　　　　　詳	220	98	95	16	11

資料：政策統括官（統計・情報政策、政策評価担当）「平成29年国民生活基礎調査」

世　帯　71

第1-54表　1世帯当たり・世帯人員1人当たり平均所得金額，年次×所得五分位階級別

(単位：万円)

所得五分位階級	平成22年 (2010)	平成23年 (2011)	平成24年 (2012)	平成25年 (2013)	平成26年 (2014)	平成27年 (2015)	平成28年 (2016)
	1世帯当たり平均所得金額						
総　　　数	538.0	548.2	537.2	528.9	541.9	545.4	560.2
第　　Ⅰ	124.3	122.4	125.3	122.2	125.7	126.0	133.4
第　　Ⅱ	276.4	279.6	276.8	265.0	270.2	271.7	287.3
第　　Ⅲ	431.1	435.0	435.5	418.7	428.9	431.0	445.4
第　　Ⅳ	650.9	654.0	655.8	645.8	658.8	654.4	674.8
第　　Ⅴ	1 207.4	1 249.8	1 192.8	1 192.9	1 225.7	1 243.8	1 260.0
	所　　得　　五　　分　　位　　値						
第Ⅰ五分位値	201	200	201	196	199	200	214
第Ⅱ五分位値	349	354	351	336	339	346	359
第Ⅲ五分位値	525	525	529	515	527	529	545
第Ⅳ五分位値	800	806	802	797	808	800	829
	世帯人員1人当たり平均所得金額						
総　　　数	200.4	208.3	203.7	205.3	211.0	212.2	219.5
第　　Ⅰ	77.7	76.3	76.6	78.2	81.4	78.8	86.6
第　　Ⅱ	124.3	130.6	129.4	127.7	128.9	132.3	138.8
第　　Ⅲ	161.5	162.2	162.2	165.5	167.1	167.1	174.0
第　　Ⅳ	203.3	208.3	207.9	210.0	214.8	210.7	220.0
第　　Ⅴ	323.8	347.8	333.9	327.9	344.0	354.1	357.8

資料：政策統括官（統計・情報政策、政策評価担当）　「国民生活基礎調査」
注：1）所得は，表章年次1年間の所得である。
　　2）平成22年の数値は，岩手県、宮城県及び福島県を除いたものである。
　　3）平成23年の数値は，福島県を除いたものである。
　　4）平成27年の数値は，熊本県を除いたものである。

第1-55表　1世帯当たり・世帯人員1人当たり平均所得金額，年次×世帯主の年齢階級別

(単位：万円)

年齢階級	平成22年 (2010)	平成23年 (2011)	平成24年 (2012)	平成25年 (2013)	平成26年 (2014)	平成27年 (2015)	平成28年 (2016)
	1世帯当たり平均所得金額						
総　　　数	538.0	548.2	537.2	528.9	541.9	545.4	560.2
29歳以下	314.6	314.6	323.7	316.0	365.3	343.5	350.0
30～39歳	515.0	547.8	545.1	564.2	558.9	562.1	594.5
40～49	634.1	669.0	648.9	641.0	686.9	670.7	707.6
50～59	714.1	764.3	720.4	722.2	768.1	743.1	777.6
60～69	544.1	541.0	526.2	532.3	525.8	530.8	558.4
70歳以上	415.1	403.8	406.3	396.0	386.7	405.1	393.8
(再掲)							
65歳以上	440.8	427.2	433.2	423.9	417.9	435.9	427.2
	世帯人員1人当たり平均所得金額						
総　　　数	200.4	208.3	203.7	205.3	211.0	212.2	219.5
29歳以下	161.5	171.6	169.9	177.8	176.4	184.7	207.6
30～39歳	167.4	180.9	173.0	174.8	178.8	177.0	189.3
40～49	190.4	204.4	198.3	203.4	214.1	209.5	216.9
50～59	236.7	254.8	247.1	254.2	262.4	263.8	281.2
60～69	213.7	213.9	212.4	212.2	217.9	217.3	232.3
70歳以上	188.2	188.0	186.8	183.1	183.8	191.6	185.8
(再掲)							
65歳以上	194.4	190.6	193.7	189.6	192.4	199.3	196.6

資料：政策統括官（統計・情報政策、政策評価担当）　「国民生活基礎調査」
注：1）所得は，表章年次1年間の所得である。
　　2）平成22年の数値は，岩手県、宮城県及び福島県を除いたものである。
　　3）平成23年の数値は，福島県を除いたものである。
　　4）平成27年の数値は，熊本県を除いたものである。
　　5）「総数」には，年齢不詳を含む。

72　世　　帯

第1－56表　1世帯当たり平均所得金額，年次×世帯構造・世帯類型・世帯業態別

（単位：万円）

世　帯　構　造　等	平成22年 (2010)	平成23年 (2011)	平成24年 (2012)	平成25年 (2013)	平成26年 (2014)	平成27年 (2015)	平成28年 (2016)
総　　　　　　　　数	538.0	548.2	537.2	528.9	541.9	545.4	560.2
世　帯　構　造　別							
単　　独　　世　　帯	246.5	257.3	257.5	251.3	244.3	255.2	289.5
男　の　単　独　世　帯	308.3	312.0	329.2	316.2	297.1	322.2	360.0
女　の　単　独　世　帯	201.3	217.7	202.9	198.2	204.5	202.4	237.6
核　家　族　世　帯	582.5	608.5	589.3	587.7	608.8	601.7	618.5
夫　婦　の　み　の　世　帯	491.2	501.4	501.6	491.6	505.8	499.0	506.0
夫婦と未婚の子のみの世帯	706.1	738.3	704.6	716.3	742.4	731.1	758.0
ひとり親と未婚の子のみの世帯	369.4	383.8	380.8	379.3	395.0	414.9	422.9
三　　世　　代　　世　　帯	871.0	859.0	846.1	842.0	873.5	877.0	925.5
そ　の　他　の　世　帯	598.3	561.6	579.9	572.9	571.7	638.1	602.1
世　帯　類　型　別							
高　　齢　　者　　世　　帯	307.2	303.6	309.1	300.5	297.3	308.1	318.6
母　　　子　　　世　　　帯	252.3	250.1	243.4	235.2	254.1	270.1	290.5
そ　の　他　の　世　帯	615.6	628.7	618.1	620.9	644.7	644.7	663.5
世　帯　業　態　別							
雇　　用　　者　　世　　帯	646.5	664.2	650.8	650.9	675.5	661.8	682.5
常　　雇　　者　　世　　帯	671.8	688.7	674.9	680.2	701.9	689.0	706.9
1月以上1年未満の契約の雇用者世帯	442.2	424.9	422.1	426.0	435.2	416.2	452.4
日々又は1月未満の契約の雇用者世帯	299.3	363.7	319.7	303.4	300.8	323.8	321.9
自　　営　　業　　者　　世　　帯	548.0	607.3	560.5	574.9	588.4	622.1	632.0
そ　の　他　の　世　帯	310.9	313.8	321.5	305.3	291.7	308.1	306.2

資料：政策統括官（統計・情報政策、政策評価担当）「国民生活基礎調査」
注：1）所得は，表章年次1年間の所得である。
　　2）平成22年の数値は，岩手県，宮城県及び福島県を除いたものである。
　　3）平成23年の数値は，福島県を除いたものである。
　　4）平成27年の数値は，熊本県を除いたものである。
　　5）母子世帯は客体が少ないため，数値の使用には注意を要する。
　　6）世帯類型の「その他の世帯」には「父子世帯」を含む。
　　7）「総数」には，世帯業態不詳を含む。

世　帯　73

第 1 −57表　　1世帯当たり平均所得金額・構成割合, 年次×所得の種類別

所　得　の　種　類	平成22年 (2010)	平成23年 (2011)	平成24年 (2012)	平成25年 (2013)	平成26年 (2014)	平成27年 (2015)	平成28年 (2016)
	1世帯当たり平均所得金額（単位：万円）						
総　　　所　　　得	538.0	548.2	537.2	528.9	541.9	545.4	560.2
雇　用　者　所　得	373.9	382.4	371.5	356.9	377.5	373.2	394.7
事　業　所　得	21.0	21.4	21.3	20.8	22.5	24.9	22.1
農　耕・畜　産　所　得	3.2	5.0	3.3	3.6	3.2	4.6	6.6
家　内　労　働　所　得	0.4	0.7	0.6	0.6	0.5	0.6	0.3
財　産　所　得	16.2	16.3	16.4	15.5	12.9	18.3	13.0
公　的　年　金・恩　給	101.4	100.7	102.7	110.8	106.1	104.4	104.0
雇　用　保　険	1.3	1.2	1.4	1.5	1.2	1.2	1.3
児　童　手　当　等	5.2	5.6	5.1	3.3	3.3	3.4	3.6
その他の社会保障給付金	1.9	1.7	2.1	2.3	2.4	1.7	1.8
仕　　　送　　　り	2.2	2.3	1.7	2.1	1.8	1.3	2.0
企業年金・個人年金等	8.7	8.4	8.8	9.7	8.6	9.0	9.1
そ　の　他　の　所　得	2.6	2.5	2.4	1.7	1.7	2.8	1.6
	構　　　成　　　割　　　合（単位：%）						
総　　　所　　　得	100.0	100.0	100.0	100.0	100.0	100.0	100.0
雇　用　者　所　得	69.5	69.8	69.2	67.5	69.7	68.4	70.5
事　業　所　得	3.9	3.9	4.0	3.9	4.1	4.6	3.9
農　耕・畜　産　所　得	0.6	0.9	0.6	0.7	0.6	0.9	1.2
家　内　労　働　所　得	0.1	0.1	0.1	0.1	0.1	0.1	0.1
財　産　所　得	3.0	3.0	3.1	2.9	2.4	3.4	2.3
公　的　年　金・恩　給	18.8	18.4	19.1	21.0	19.6	19.1	18.6
雇　用　保　険	0.2	0.2	0.3	0.3	0.2	0.2	0.2
児　童　手　当　等	1.0	1.0	0.9	0.6	0.6	0.6	0.6
その他の社会保障給付金	0.4	0.3	0.4	0.4	0.4	0.3	0.3
仕　　　送　　　り	0.4	0.4	0.3	0.4	0.3	0.2	0.3
企業年金・個人年金等	1.6	1.5	1.6	1.8	1.6	1.7	1.6
そ　の　他　の　所　得	0.5	0.5	0.4	0.3	0.3	0.5	0.3

資料：政策統括官（統計・情報政策、政策評価担当）「国民生活基礎調査」
注：1）所得は、表章年次1年間の所得である。
　　2）平成22年の数値は、岩手県、宮城県及び福島県を除いたものである。
　　3）平成23年の数値は、福島県を除いたものである。
　　4）平成26〜27年の「その他の所得」には、「臨時福祉給付金」「子育て世帯臨時特例給付金」を含む。
　　5）平成27年の数値は、熊本県を除いたものである。
　　6）平成28年の「その他の所得」には、「臨時福祉給付金」を含む。

74　世　　帯

第１－58表　世帯数の累積度数分布・相対度数分布，年次×所得金額階級別

所 得 金 額 階 級	累　積　度　数　分　布（%）							相対度数分布(%)
	平成22年(2010)	平成23年(2011)	平成24年(2012)	平成25年(2013)	平成26年(2014)	平成27年(2015)	平成28年(2016)	平成28年(2016)
総　　　　　数	・	・	・	・	・	・	・	100.0
50万円未満	1.3	1.0	1.3	1.2	1.0	1.0	1.0	1.0
50～ 100万円未満	6.5	6.9	6.2	6.6	6.4	6.2	5.6	4.6
100～ 150	13.0	13.2	12.8	13.2	12.9	12.7	11.5	5.9
150～ 200	19.6	19.9	19.4	20.4	20.1	19.6	17.9	6.4
200～ 250	26.4	25.7	26.3	27.5	26.7	26.9	24.8	6.9
250～ 300	32.8	32.3	32.7	34.8	34.0	33.3	31.2	6.5
300～ 350	40.0	39.2	39.6	41.9	41.1	40.3	38.5	7.3
350～ 400	46.4	45.7	45.9	48.2	47.1	46.5	45.0	6.5
400～ 450	52.4	52.0	51.8	53.5	52.0	52.2	50.6	5.6
450～ 500	57.2	57.2	56.9	58.3	56.9	57.0	55.6	5.0
500～ 550	62.2	62.3	61.9	63.1	61.8	61.8	60.3	4.7
550～ 600	66.3	66.4	65.9	66.8	65.7	65.8	64.5	4.2
600～ 650	70.6	70.1	69.8	70.6	69.7	69.8	68.8	4.3
650～ 700	73.9	73.4	73.2	73.7	73.0	73.4	71.9	3.2
700～ 750	77.0	76.5	76.8	77.0	76.3	77.0	75.2	3.3
750～ 800	79.9	79.6	79.7	80.1	79.3	79.7	78.2	2.9
800～ 850	82.5	82.2	82.8	83.0	81.8	82.4	81.1	2.9
850～ 900	84.8	84.4	84.9	85.1	84.0	84.7	83.7	2.7
900～ 950	87.0	86.7	87.0	87.2	86.1	86.8	85.6	1.9
950～1000	88.3	88.4	88.7	88.8	87.8	88.4	87.4	1.7
1000～1100	91.5	91.3	91.7	91.7	90.7	91.1	90.4	3.0
1100～1200	93.5	93.3	93.7	93.8	93.1	93.1	92.6	2.2
1200～1500	96.9	96.7	97.1	97.1	97.0	96.7	96.7	4.1
1500～2000	99.0	98.7	99.0	98.8	99.0	98.7	98.7	2.0
2000万円以上	100.0	100.0	100.0	100.0	100.0	100.0	100.0	1.3
中　央　値（万円）	427	432	432	415	427	427	442	
平均所得金額以下の世帯の割合(%)	61.2	62.3	60.8	61.2	61.2	61.5	61.5	

資料：政策統括官（統計・情報政策、政策評価担当）「国民生活基礎調査」
注：1）所得は、表章年次１年間の所得である。
　　2）平成22年の数値は、岩手県、宮城県及び福島県を除いたものである。
　　3）平成23年の数値は、福島県を除いたものである。
　　4）平成27年の数値は、熊本県を除いたものである。

世　帯　75

第1－59表　世帯数の累積度数分布・相対度数分布，各種世帯×所得金額階級別

平成29年（2017）調査

所 得 金 額 階 級	全世帯		高齢者世帯		児童のいる世帯	
	累積度数分布 （％）	相対度数分布 （％）	累積度数分布 （％）	相対度数分布 （％）	累積度数分布 （％）	相対度数分布 （％）
総　　　　　数	・	100.0	・	100.0	・	100.0
50 万 円 未 満	1.0	1.0	1.8	1.8	－	－
50～ 100万円未満	5.6	4.6	11.7	9.9	1.0	1.0
100～ 150	11.5	5.9	23.1	11.4	2.2	1.2
150～ 200	17.9	6.4	35.2	12.1	4.7	2.5
200～ 250	24.8	6.9	48.0	12.8	7.4	2.7
250～ 300	31.2	6.5	59.2	11.2	10.6	3.2
300～ 350	38.5	7.3	69.9	10.7	14.4	3.8
350～ 400	45.0	6.5	78.2	8.3	19.3	4.9
400～ 450	50.6	5.6	83.7	5.5	25.3	6.0
450～ 500	55.6	5.0	87.6	3.9	31.0	5.7
500～ 600	64.5	8.9	92.1	4.5	43.4	12.4
600～ 700	71.9	7.4	94.5	2.4	55.5	12.1
700～ 800	78.2	6.2	96.2	1.7	65.0	9.5
800～ 900	83.7	5.6	97.3	1.1	75.3	10.3
900～1000	87.4	3.6	98.0	0.7	81.4	6.5
1000 万 円 以 上	100.0	12.6	100.0	2.0	100.0	18.6
1世帯当たり平均 所得金額（万円）	560.2		318.6		739.8	
世帯人員1人当たり 平均所得金額（万円）	219.5		200.6		182.4	
中 央 値（万円）	442		258		648	

資料：政策統括官（統計・情報政策、政策評価担当）「平成29年国民生活基礎調査」
注：所得は，平成28年1年間の所得である。

第1－60表　世帯数の構成割合，生活意識×年次別

（単位：％）

年　　次		総　　数	苦しい			普　　通	ゆとりが ある		
				大変苦しい	やや苦しい			ややゆとり がある	大変ゆとり がある
平成23	（2011）	100.0	61.5	29.1	32.4	34.7	3.9	3.4	0.5
24	（2012）	100.0	60.4	28.6	31.8	35.8	3.8	3.5	0.4
25	（2013）	100.0	59.9	27.7	32.2	35.6	4.5	3.9	0.5
26	（2014）	100.0	62.4	29.7	32.7	34.0	3.6	3.2	0.4
27	（2015）	100.0	60.3	27.4	32.9	35.9	3.7	3.2	0.5
28	（2016）	100.0	56.5	23.4	33.1	38.4	5.1	4.5	0.6
29	（2017）	100.0	55.8	23.8	32.0	39.2	5.0	4.3	0.7

資料：政策統括官（統計・情報政策、政策評価担当）「国民生活基礎調査」
注：1）平成23年の数値は，岩手県，宮城県及び福島県を除いたものである。
　　2）平成24年の数値は，福島県を除いたものである。
　　3）平成28年の数値は，熊本県を除いたものである。

76　世　　帯

第 1 −61表　全世帯の月平均1世帯当たり家計収支状況（二人以上の世帯・農林漁家世帯を含む），年間収入五分位階級別

（2−1）（単位：円）　　　　　　　　　　　　　　　　　　　　　　　　平成29年（2017）

| 項　　　目 | 平　均 | 年　間　収　入　五　分　位　階　級 | | | | |
		Ⅰ	Ⅱ	Ⅲ	Ⅳ	Ⅴ
世帯数分布（抽出率調整）	10 000	2 000	2 000	2 000	2 000	2 000
集　計　世　帯　数	7 708	1 633	1 572	1 547	1 468	1 489
世　帯　人　員（人）	2.98	2.42	2.68	3.02	3.32	3.45
有　業　人　員（人）	1.32	0.61	0.93	1.41	1.71	1.95
世　帯　主　の　年　齢（歳）	59.6	69.4	64.9	56.6	53.0	53.9
消　　費　　支　　出	283 027	190 636	238 839	261 862	307 130	416 671
食　　　　　　　　料	72 866	58 363	66 533	69 547	77 989	91 900
穀　　　　　　類	6 143	5 406	5 945	6 042	6 430	6 891
魚　　介　　類	6 079	6 167	6 401	5 664	5 687	6 478
肉　　　　　類	7 355	5 686	6 582	7 174	8 092	9 239
乳　　卵　　類	3 794	3 260	3 612	3 712	3 910	4 477
野　菜　・　海　藻	8 763	8 247	8 871	8 391	8 631	9 675
果　　　　　物	2 802	2 829	3 058	2 640	2 530	2 956
油　脂　・　調　味　料	3 493	3 008	3 393	3 393	3 633	4 041
菓　　子　　類	5 472	4 205	4 958	5 315	6 155	6 729
調　理　食　品	9 635	8 055	8 910	9 236	10 137	11 835
飲　　　　　料	4 289	3 411	3 846	4 158	4 649	5 382
酒　　　　　類	3 138	2 663	2 807	2 995	3 348	3 878
外　　　　　食	11 902	5 426	8 150	10 828	14 786	20 319
住　　　　　　　　居	16 555	12 632	16 033	16 588	16 591	20 934
家　　賃　　地　　代	7 818	6 595	6 512	8 501	8 685	8 796
設　備　修　繕　・　維　持	8 738	6 037	9 521	8 087	7 906	12 138
光　　熱　　・　　水　　道	21 535	19 359	20 799	21 152	22 120	24 246
電　　　　気　　　　代	10 312	8 939	9 778	10 064	10 752	12 025
ガ　　　　ス　　　　代	4 725	4 438	4 555	4 716	4 789	5 127
他　　の　　光　　熱	1 300	1 602	1 567	1 279	1 012	1 040
上　下　水　道　料	5 199	4 379	4 900	5 093	5 567	6 053
家　具　・　家　事　用　品	10 560	7 387	9 487	9 714	10 925	15 287
家　庭　用　耐　久　財	3 455	2 323	3 371	3 093	3 190	5 297
室　内　装　備　・　装　飾　品	724	469	570	637	696	1 247
寝　　具　　類	717	387	565	634	691	1 309
家　　事　　雑　　貨	2 065	1 304	1 720	1 933	2 428	2 941
家　事　用　消　耗　品	2 756	2 174	2 480	2 701	3 063	3 364
家　事　サ　ー　ビ　ス	843	730	781	717	856	1 129

世　帯　77

第1−61表（続）　全世帯の月平均1世帯当たり家計収支状況（二人以上の
世帯・農林漁家世帯を含む），年間収入五分位階級別

（2−2）（単位：円）　　　　　　　　　　　　　　　　　　　　　平成29年（2017）

項　　　目	平　均	年　間　収　入　五　分　位　階　級				
		I	II	III	IV	V
被 服 及 び 履 物	10 806	5 011	7 317	9 505	12 485	19 711
和　　　　　　　服	200	47	144	101	150	557
洋　　　　　　　服	4 192	1 607	2 502	3 668	4 999	8 184
シャツ・セーター類	2 212	1 081	1 572	1 935	2 494	3 981
下　　着　　類	1 003	663	851	917	1 109	1 474
生 地 ・ 糸 類	131	121	138	129	146	119
他 の 被 服	858	482	641	798	1 000	1 369
履　　物　　類	1 507	721	1 024	1 382	1 754	2 655
被 服 関 連 サ ー ビ ス	703	290	445	574	833	1 372
保　健　医　療	12 873	10 588	12 859	11 901	12 461	16 558
医　薬　品	2 428	2 295	2 698	2 307	2 328	2 513
健康保持用摂取品	1 239	961	1 320	1 226	1 126	1 562
保健医療用品・器具	2 147	1 514	1 950	2 045	2 320	2 908
保 健 医 療 サ ー ビ ス	7 059	5 818	6 891	6 324	6 686	9 575
交　通　・　通　信	39 691	23 855	31 456	36 709	46 094	60 342
交　　　　　通	5 359	2 238	3 563	4 060	6 170	10 765
自 動 車 等 関 係 費	21 062	13 633	17 080	19 186	24 238	31 171
通　　　　　信	13 270	7 984	10 813	13 462	15 686	18 406
教　　　　　育	11 062	1 431	3 391	7 064	13 918	29 504
授　業　料　等	8 253	1 199	2 686	5 401	10 078	21 902
教科書・学習参考教材	184	23	60	160	243	435
補　習　教　育	2 625	209	645	1 503	3 598	7 168
教　養　娯　楽	27 958	16 513	22 609	25 642	30 960	44 067
教 養 娯 楽 用 耐 久 財	1 683	697	1 315	1 405	1 841	3 157
教 養 娯 楽 用 品	6 153	3 836	4 936	5 580	7 208	9 204
書 籍 ・ 他 の 印 刷 物	3 423	3 145	3 372	3 168	3 195	4 233
教 養 娯 楽 サ ー ビ ス	16 700	8 835	12 986	15 489	18 716	27 473
そ の 他 の 消 費 支 出	59 120	35 496	48 355	54 040	63 586	94 122
諸　　雑　　費	23 492	15 535	19 444	22 827	25 494	34 157
こづかい（使途不明）	8 992	3 585	6 689	7 540	10 991	16 156
交　　際　　費	20 998	14 940	20 442	20 107	20 652	28 851
仕　　送　　り　　金	5 637	1 437	1 779	3 565	6 449	14 957
（再掲）教 育 関 係 費	17 260	2 436	5 260	11 236	21 892	45 474
（再掲）教養娯楽関係費	31 986	18 457	25 589	28 993	35 323	51 566
現　物　総　額	5 297	4 540	5 209	5 453	5 307	5 977
食　　　　料	4 055	3 681	4 299	4 073	3 833	4 387
エ ン ゲ ル 係 数（%）	25.7	30.6	27.9	26.6	25.4	22.1
年 間 収 入（万円）	609	254	385	522	705	1 178

資料：総務省統計局「家計調査年報　家計収支編（平成29年（2017年））」

78　世　帯

第1−62表　勤労者世帯の月平均1世帯当たり家計収支状況（二人以上の世帯・農林漁家世帯を含む），年間収入五分位階級別

（3−1）（単位：円）　　　　　　　　　　　　　　　　　　　　　　　　　　　　　平成29年（2017）

項　　　　　目	平　　均	年　間　収　入　五　分　位　階　級				
		I	II	III	IV	V
世帯数分布（抽出率調整）	10 000	2 000	2 000	2 000	2 000	2 000
集　計　世　帯　数	3 823	835	770	730	760	728
世　帯　人　員（人）	3.35	3.08	3.26	3.44	3.46	3.53
有　業　人　員（人）	1.74	1.53	1.63	1.76	1.79	1.98
世帯主の年齢（歳）	49.1	49.4	47.7	48.0	49.7	50.6
受　　　　　取	1 008 859	631 386	771 371	939 317	1 165 872	1 536 350
実　　収　　入	533 820	304 777	396 979	500 064	604 015	863 267
経　常　収　入	525 884	299 882	391 029	490 983	594 907	852 618
勤　め　先　収　入	493 834	258 052	356 777	461 358	567 362	825 622
世　帯　主　収　入	419 435	231 025	313 205	399 406	489 632	663 909
定　期　収　入	349 258	209 850	274 666	334 653	398 196	528 924
臨　時　収　入	3 384	2 405	2 705	2 877	4 380	4 551
賞　　　　与	66 794	18 769	35 834	61 876	87 056	130 434
世帯主の配偶者の収入	65 332	22 396	37 996	55 491	68 164	142 613
他　の　世　帯　員　収　入	9 067	4 632	5 577	6 461	9 566	19 101
事　業　・　内　職　収　入	2 617	904	1 725	1 753	2 239	6 466
家　　賃　　収　　入	892	209	949	257	1 076	1 969
他　の　事　業　収　入	1 413	495	396	1 270	724	4 179
内　　職　　収　　入	313	201	380	226	439	318
農　林　漁　業　収　入	81	0	36	346	26	0
他　の　経　常　収　入	29 351	40 926	32 491	27 526	25 281	20 530
財　　産　　収　　入	782	113	701	742	1 403	952
社　会　保　障　給　付	27 970	40 017	30 918	26 116	23 539	19 260
仕　送　り　金	598	795	872	668	339	317
特　　別　　収　　入	7 937	4 895	5 950	9 082	9 107	10 649
受　　贈　　金	3 708	2 240	2 480	4 483	4 366	4 970
他　の　特　別　収　入	4 229	2 655	3 470	4 598	4 741	5 679
実収入以外の受取（繰入金を除く）	409 364	272 741	313 772	375 343	492 467	592 500
預　貯　金　引　出	344 700	235 584	274 369	325 368	397 975	490 203
保　　険　　金	4 534	3 614	3 512	3 338	5 698	6 509
有　価　証　券　売　却	598	6	119	0	2 043	824
土　地　家　屋　借　入　金	5 568	8 039	970	66	18 763	0
他　の　借　入　金	439	341	115	179	775	783
分　割　払　購　入　借　入　金	4 889	2 750	3 165	4 228	8 729	5 571
一　括　払　購　入　借　入　金	48 076	22 200	31 381	41 906	58 294	86 601
財　　産　　売　　却	333	0	0	0	0	1 664
実収入以外の受取のその他	228	207	141	257	190	344
繰　　入　　金	65 674	53 868	60 619	63 911	69 391	80 583
支　　　　　払	1 008 859	631 386	771 371	939 317	1 165 872	1 536 350
実　　支　　出	412 462	266 862	314 258	381 116	466 697	633 379
消　　費　　支　　出	313 057	224 263	252 371	294 485	352 082	442 086
食　　　　　料	74 584	59 731	65 505	73 945	80 389	93 348
穀　　　　類	6 302	5 514	5 943	6 335	6 659	7 059
魚　　介　　類	4 893	4 321	4 378	4 682	5 232	5 852
肉　　　　類	7 675	6 155	6 953	7 751	8 360	9 158
乳　　卵　　類	3 698	3 005	3 327	3 754	3 890	4 516
野　菜　・　海　藻	7 834	6 492	7 081	7 788	8 339	9 471
果　　　　物	2 155	1 842	1 876	2 047	2 271	2 739

世　帯　79

第 1 −62表(続)　勤労者世帯の月平均 1 世帯当たり家計収支状況（二人以上の世帯・農林漁家世帯を含む），年間収入五分位階級別

(3−2)　(単位：円)　　　　　　　　　　　　　　　　　　　　　　平成29年（2017）

項　　目	平　均	年　間　収　入　五　分　位　階　級				
		I	II	III	IV	V
油脂・調味料	3 429	2 882	3 166	3 466	3 673	3 957
菓　子　類	6 064	5 130	5 530	6 181	6 531	6 947
調　理　食　品	9 780	8 535	8 764	9 721	10 142	11 737
飲　　料	4 544	3 874	4 112	4 507	4 742	5 487
酒　　類	3 033	2 386	2 590	2 933	3 424	3 832
外　　食	15 177	9 596	11 785	14 780	17 127	22 594
住　　居	18 532	20 614	16 418	15 916	17 592	22 122
家　賃　地　代	11 419	15 219	12 259	10 211	9 297	10 109
設備修繕・維持	7 114	5 395	4 159	5 705	8 295	12 014
光　熱・水　道	21 164	19 327	20 044	21 081	22 127	23 243
電　気　代	10 111	8 812	9 381	10 144	10 738	11 482
ガ　ス　代	4 707	4 708	4 537	4 615	4 661	5 013
他　の　光　熱	1 022	1 211	1 132	885	1 034	849
上　下　水　道　料	5 324	4 596	4 994	5 438	5 695	5 899
家具・家事用品	10 980	8 190	9 049	10 659	11 425	15 579
家　庭　用　耐　久　財	3 399	2 397	2 602	3 051	3 509	5 438
室内装備・装飾品	686	427	492	709	735	1 070
寝　具　類	755	459	585	613	752	1 364
家　事　雑　貨	2 384	1 800	2 046	2 398	2 610	3 065
家　事　用　消　耗　品	2 978	2 541	2 762	3 095	3 112	3 379
家　事　サ　ー　ビ　ス	778	566	561	792	707	1 264
被服及び履物	13 184	8 138	9 913	11 938	14 936	20 993
和　　服	299	254	66	93	232	848
洋　　服	5 356	3 096	3 942	4 803	6 122	8 816
シャツ・セーター類	2 513	1 522	1 932	2 301	2 825	3 986
下　着　類	1 102	795	893	1 050	1 282	1 493
生　地・糸　類	129	114	130	131	132	137
他　の　被　服	1 031	726	865	996	1 133	1 438
履　物　類	1 903	1 256	1 488	1 773	2 192	2 806
被服関連サービス	851	375	597	793	1 018	1 470
保　健　医　療	11 506	8 692	9 630	11 028	12 443	15 736
医　薬　品	2 011	1 823	1 791	1 879	2 212	2 353
健康保持用摂取品	886	565	676	834	1 053	1 302
保健医療用品・器具	2 448	1 910	2 142	2 368	2 560	3 258
保健医療サービス	6 161	4 394	5 021	5 947	6 617	8 823
交　通・通　信	49 610	35 720	40 034	47 840	58 278	66 180
交　　通	7 061	3 514	3 962	5 739	8 809	13 281
自　動　車　等　関　係　費	25 764	18 288	20 774	25 333	31 529	32 898
通　　信	16 785	13 918	15 297	16 769	17 940	20 001
教　　育	19 080	6 804	10 604	14 649	25 294	38 047
授　業　料　等	14 048	5 348	8 047	10 697	18 781	27 365
教科書・学習参考教材	324	129	247	241	456	545
補　習　教　育	4 708	1 326	2 310	3 711	6 056	10 136

80 世　　帯

第 1 －62表(続)　勤労者世帯の月平均1世帯当たり家計収支状況（二人以上の世帯・農林漁家世帯を含む），年間収入五分位階級別

(3－3)　(単位：円)

平成29年 (2017)

項　　　　目	平　　均	年　間　収　入　五　分　位　階　級　別				
		I	II	III	IV	V
教　養　娯　楽	30 527	18 277	23 206	27 905	35 993	47 253
教養娯楽用耐久財	2 056	906	1 335	1 774	2 564	3 700
教 養 娯 楽 用 品	6 879	4 741	5 739	6 950	7 714	9 249
書籍・他の印刷物	3 107	2 361	2 534	2 847	3 326	4 469
教養娯楽サービス	18 485	10 268	13 597	16 334	22 389	29 836
その他の消費支出	63 890	38 770	47 969	59 523	73 606	99 584
諸　　雑　　費	24 707	17 551	21 194	23 976	26 051	34 763
こづかい (使途不明)	12 778	6 964	9 101	11 799	17 342	18 681
交　　際　　費	18 179	11 897	14 347	17 340	20 617	26 694
仕　　送　り　金	8 227	2 358	3 326	6 408	9 596	19 445
(再掲) 教育関係費	29 150	10 304	15 950	23 245	37 549	58 703
(再掲) 教養娯楽関係費	34 765	20 592	25 717	31 248	40 695	55 572
非　消　費　支　出	99 405	42 599	61 887	86 631	114 615	191 294
直　　接　　税	42 479	13 798	21 785	33 118	47 590	96 105
勤 労 所 得 税	16 285	2 993	5 934	10 351	17 056	45 089
個 人 住 民 税	18 813	5 654	10 011	15 719	22 241	40 441
他　 の　 税	7 381	5 150	5 841	7 047	8 293	10 575
社 会 保 険 料	56 869	28 759	40 058	53 470	66 961	95 097
他 の 非 消 費 支 出	57	42	44	43	64	92
実支出以外の支払(繰越金を除く)	540 066	316 290	402 595	504 818	639 985	836 645
預　　貯　　金	421 132	252 484	321 287	400 560	474 316	657 015
保　　険　　料	25 111	13 420	19 172	22 701	30 192	40 067
有 価 証 券 購 入	1 439	205	295	554	3 310	2 833
土 地 家 屋 借 金 返 済	36 179	15 343	28 518	37 434	45 551	54 048
他 の 借 金 返 済	2 668	1 398	1 774	2 450	3 197	4 523
分割払購入借入金返済	6 916	4 985	5 479	6 730	9 080	8 305
一括払購入借入金返済	38 380	17 827	24 507	32 332	48 660	68 575
財　産　購　入	7 686	10 222	965	1 596	25 215	433
実支出以外の支払のその他	554	406	597	460	463	846
繰　　越　　金	56 331	48 234	54 518	53 384	59 190	66 326
現　　物　　総　　額	5 071	4 602	4 927	5 028	5 178	5 617
勤　め　先　収　入	689	338	748	780	706	873
現　　物　　総　　額	5 071	4 602	4 927	5 028	5 178	5 617
食　　　　　　　料	3 483	3 305	3 287	3 325	3 646	3 854
可　処　分　所　得	434 415	262 178	335 092	413 434	489 400	671 974
黒　　　　　字	121 358	37 915	82 721	118 949	137 318	229 888
金 融 資 産 純 増	97 850	26 906	62 753	95 109	102 102	202 379
(再掲)可処分所得に対する割合						
平 均 消 費 性 向 (%)	72.1	85.5	75.3	71.2	71.9	65.8
黒　　字　　率 (%)	27.9	14.5	24.7	28.8	28.1	34.2
金融資産純増率 (%)	22.5	10.3	18.7	23.0	20.9	30.1
貯蓄純増(平均貯蓄率) (%)	22.3	10.2	18.7	22.9	20.6	29.8
エ ン ゲ ル 係 数 (%)	23.8	26.6	26.0	25.1	22.8	21.1
年　間　収　入 (万円)	714	357	524	659	818	1 212

資料：総務省統計局「家計調査年報　家計収支編（平成29年(2017年)）」

世　帯　81

第 1 −63表　世帯数の将来推計，家族類型別

（単位：千世帯）

年　　次	総　　数	単　　独	核 家 族世　　帯	夫婦のみ	夫婦と子	ひとり親と　子	そ の 他
			一　般　世　帯　数				
2020年	54 107	19 342	30 254	11 101	14 134	5 020	4 510
2025年	54 116	19 960	30 034	11 203	13 693	5 137	4 123
2030年	53 484	20 254	29 397	11 138	13 118	5 141	3 833
2035年	52 315	20 233	28 499	10 960	12 465	5 074	3 583
2040年	50 757	19 944	27 463	10 715	11 824	4 924	3 350
			一 般 世 帯 の 構 成 割 合 （%）				
2020年	100. 0	35. 7	55. 9	20. 5	26. 1	9. 3	8. 3
2025年	100. 0	36. 9	55. 5	20. 7	25. 3	9. 5	7. 6
2030年	100. 0	37. 9	55. 0	20. 8	24. 5	9. 6	7. 2
2035年	100. 0	38. 7	54. 5	21. 0	23. 8	9. 7	6. 8
2040年	100. 0	39. 3	54. 1	21. 1	23. 3	9. 7	6. 6
			世帯主65歳以上の世帯数				
2020年	20 645	7 025	11 551	6 740	2 990	1 821	2 069
2025年	21 031	7 512	11 582	6 763	2 915	1 904	1 937
2030年	21 257	7 959	11 483	6 693	2 842	1 948	1 816
2035年	21 593	8 418	11 449	6 666	2 811	1 972	1 727
2040年	22 423	8 963	11 752	6 870	2 906	1 976	1 708
			世帯主65歳以上の世帯の構成割合 （%）				
2020年	100. 0	34. 0	56. 0	32. 6	14. 5	8. 8	10. 0
2025年	100. 0	35. 7	55. 1	32. 2	13. 9	9. 1	9. 2
2030年	100. 0	37. 4	54. 0	31. 5	13. 4	9. 2	8. 5
2035年	100. 0	39. 0	53. 0	30. 9	13. 0	9. 1	8. 0
2040年	100. 0	40. 0	52. 4	30. 6	13. 0	8. 8	7. 6
			世帯主75歳以上の世帯数				
2020年	10 424	3 958	5 521	3 279	1 202	1 039	945
2025年	12 247	4 700	6 519	3 881	1 435	1 203	1 029
2030年	12 763	5 045	6 693	3 976	1 454	1 264	1 025
2035年	12 403	5 075	6 371	3 762	1 356	1 253	957
2040年	12 171	5 122	6 153	3 635	1 299	1 220	896
			世帯主75歳以上の世帯の構成割合 （%）				
2020年	100. 0	38. 0	53. 0	31. 5	11. 5	10. 0	9. 1
2025年	100. 0	38. 4	53. 2	31. 7	11. 7	9. 8	8. 4
2030年	100. 0	39. 5	52. 4	31. 2	11. 4	9. 9	8. 0
2035年	100. 0	40. 9	51. 4	30. 3	10. 9	10. 1	7. 7
2040年	100. 0	42. 1	50. 6	29. 9	10. 7	10. 0	7. 4

資料：国立社会保障・人口問題研究所「「日本の世帯数の将来推計（全国推計）」2018（平成30）年推計）」
注：四捨五入のため合計は必ずしも一致しない。

第 1 −64表　一般世帯数・平均世帯人員の将来推計，都道府県別

都道府県	世　帯　数　(1,000世帯)						増　加　率　(%)					平均世帯人員(人)	
	2010年	2015年	2020年	2025年	2030年	2035年	2010↓2015	2015↓2020	2020↓2025	2025↓2030	2030↓2035	2010年	2035年
全　　国	51 842	52 904	53 053	52 439	51 231	49 555	2.0	0.3	△ 1.2	△ 2.3	△ 3.3	2.42	2.20
北 海 道	2 418	2 428	2 392	2 321	2 225	2 103	0.4	△ 1.5	△ 2.9	△ 4.2	△ 5.5	2.21	2.04
青　　森	511	505	492	472	449	423	△ 1.2	△ 2.7	△ 4.0	△ 4.9	△ 5.8	2.61	2.30
岩　　手	483	475	463	446	426	405	△ 1.6	△ 2.5	△ 3.7	△ 4.4	△ 5.0	2.69	2.40
宮　　城	900	911	916	907	891	868	1.2	0.5	△ 0.9	△ 1.8	△ 2.6	2.56	2.32
秋　　田	389	380	365	346	327	306	△ 2.4	△ 3.9	△ 5.1	△ 5.7	△ 6.3	2.71	2.41
山　　形	388	383	374	362	348	334	△ 1.2	△ 2.4	△ 3.3	△ 3.8	△ 4.1	2.94	2.59
福　　島	719	708	711	687	660	630	△ 1.7	0.5	△ 3.3	△ 3.9	△ 4.6	2.76	2.45
茨　　城	1 087	1 103	1 102	1 087	1 061	1 028	1.5	△ 0.1	△ 1.4	△ 2.4	△ 3.1	2.68	2.41
栃　　木	744	755	754	745	728	707	1.5	△ 0.1	△ 1.3	△ 2.2	△ 2.9	2.65	2.38
群　　馬	754	763	760	748	729	704	1.2	△ 0.4	△ 1.6	△ 2.6	△ 3.4	2.61	2.37
埼　　玉	2 837	2 938	2 983	2 977	2 926	2 843	3.6	1.5	△ 0.2	△ 1.7	△ 2.8	2.50	2.26
千　　葉	2 512	2 580	2 604	2 585	2 528	2 444	2.7	1.0	△ 0.7	△ 2.2	△ 3.3	2.44	2.24
東　　京	6 382	6 663	6 789	6 814	6 752	6 614	4.4	1.9	0.4	△ 0.9	△ 2.0	2.03	1.87
神 奈 川	3 830	3 997	4 086	4 106	4 060	3 966	4.4	2.2	0.5	△ 1.1	△ 2.3	2.33	2.12
新　　潟	837	839	828	808	783	755	0.2	△ 1.3	△ 2.4	△ 3.0	△ 3.7	2.77	2.45
富　　山	382	384	380	371	360	346	0.4	△ 1.1	△ 2.2	△ 3.0	△ 3.8	2.79	2.50
石　　川	440	446	445	440	431	417	1.2	△ 0.1	△ 1.2	△ 2.2	△ 3.1	2.58	2.36
福　　井	275	276	273	268	261	252	0.4	△ 1.0	△ 2.0	△ 2.6	△ 3.3	2.86	2.58
山　　梨	327	328	325	318	308	295	0.4	△ 1.0	△ 2.2	△ 3.2	△ 4.1	2.58	2.32
長　　野	793	792	780	761	736	706	△ 0.2	△ 1.5	△ 2.4	△ 3.3	△ 4.1	2.66	2.43
岐　　阜	736	738	730	716	695	672	0.3	△ 1.0	△ 2.0	△ 2.8	△ 3.4	2.78	2.54
静　　岡	1 397	1 412	1 405	1 381	1 345	1 300	1.1	△ 0.5	△ 1.7	△ 2.6	△ 3.4	2.65	2.39
愛　　知	2 930	3 032	3 081	3 088	3 059	3 006	3.5	1.6	0.2	△ 0.9	△ 1.8	2.49	2.29
三　　重	703	709	705	692	674	652	0.9	△ 0.7	△ 1.7	△ 2.6	△ 3.4	2.59	2.36
滋　　賀	517	534	542	545	542	535	3.2	1.6	0.5	△ 0.5	△ 1.2	2.69	2.46
京　　都	1 120	1 145	1 150	1 138	1 110	1 071	2.2	0.4	△ 1.1	△ 2.4	△ 3.5	2.31	2.11
大　　阪	3 823	3 935	3 968	3 928	3 823	3 679	2.9	0.8	△ 1.0	△ 2.7	△ 3.8	2.28	2.07
兵　　庫	2 252	2 303	2 310	2 283	2 229	2 153	2.2	0.3	△ 1.2	△ 2.4	△ 3.4	2.44	2.22
奈　　良	523	527	522	510	492	470	0.8	△ 0.9	△ 2.3	△ 3.5	△ 4.4	2.63	2.40
和 歌 山	393	389	380	366	350	332	△ 0.9	△ 2.4	△ 3.6	△ 4.5	△ 5.3	2.50	2.25
鳥　　取	211	210	205	199	192	183	△ 0.7	△ 2.1	△ 3.1	△ 3.7	△ 4.3	2.71	2.46
島　　根	261	257	250	240	229	218	△ 1.4	△ 2.9	△ 3.8	△ 4.4	△ 5.0	2.66	2.44
岡　　山	753	759	754	741	722	698	0.8	△ 0.6	△ 1.8	△ 2.6	△ 3.3	2.52	2.33
広　　島	1 183	1 202	1 200	1 181	1 148	1 103	1.6	△ 0.2	△ 1.6	△ 2.8	△ 3.8	2.36	2.19
山　　口	596	591	576	555	528	498	△ 0.9	△ 2.5	△ 3.8	△ 4.8	△ 5.6	2.36	2.20
徳　　島	302	299	292	282	270	257	△ 0.8	△ 2.3	△ 3.4	△ 4.3	△ 5.0	2.52	2.28
香　　川	390	391	386	377	364	348	0.3	△ 1.3	△ 2.4	△ 3.4	△ 4.3	2.49	2.27
愛　　媛	590	586	574	555	532	505	△ 0.6	△ 2.1	△ 3.3	△ 4.2	△ 5.1	2.37	2.19
高　　知	321	317	309	296	281	265	△ 1.1	△ 2.8	△ 4.0	△ 4.9	△ 5.9	2.30	2.08
福　　岡	2 107	2 160	2 171	2 152	2 111	2 047	2.5	0.5	△ 0.9	△ 1.9	△ 3.0	2.35	2.15
佐　　賀	294	295	292	286	279	270	0.3	△ 1.0	△ 2.0	△ 2.6	△ 3.2	2.80	2.55
長　　崎	557	553	542	523	501	475	△ 0.7	△ 2.1	△ 3.3	△ 4.2	△ 5.2	2.47	2.25
熊　　本	686	689	681	667	648	626	0.4	△ 1.1	△ 2.1	△ 2.8	△ 3.5	2.57	2.37
大　　分	480	482	475	463	449	431	0.3	△ 1.4	△ 2.4	△ 3.2	△ 4.0	2.41	2.24
宮　　崎	459	461	454	442	427	408	0.3	△ 1.5	△ 2.7	△ 3.4	△ 4.3	2.40	2.23
鹿 児 島	727	724	707	683	655	622	△ 0.4	△ 2.4	△ 3.5	△ 4.1	△ 5.0	2.27	2.14
沖　　縄	519	549	569	581	587	587	5.8	3.6	2.0	1.0	0.1	2.63	2.30

資料：国立社会保障・人口問題研究所「日本の世帯数の将来推計：都道府県別推計2014（平成26年）　4月推計」
注：2010年までは実績値（15歳未満を含む）。四捨五入のため合計は必ずしも一致しない。

世　帯　83

第1−65表　1世帯当たり平均構成人員（日本人），年次×都道府県別

都道府県	1 世 帯 当 た り 平 均 構 成 人 員									
	平成17年(2005)	平成19年(2007)	平成21年(2009)	平成23年(2011)	平成25年(2013)	平成27年(2015)	平成29年(2017)	平成30年(A/B)(2018)	世帯数(B)	人口(A)
全　　国	2.52	2.46	2.40	2.36	2.32	2.28	2.23	2.21	56 613 999	125 209 603
北 海 道	2.21	2.15	2.10	2.06	2.02	1.99	1.95	1.93	2 750 340	5 307 813
青　　森	2.65	2.57	2.50	2.43	2.36	2.31	2.25	2.22	588 220	1 303 668
岩　　手	2.85	2.77	2.71	2.64	2.57	2.51	2.45	2.42	520 807	1 257 779
宮　　城	2.71	2.65	2.59	2.54	2.48	2.43	2.37	2.35	976 755	2 291 981
秋　　田	2.83	2.75	2.68	2.61	2.54	2.48	2.42	2.39	423 903	1 011 297
山　　形	3.13	3.05	2.99	2.93	2.85	2.79	2.72	2.68	410 683	1 100 338
福　　島	2.92	2.84	2.77	2.70	2.63	2.56	2.49	2.46	774 192	1 906 896
茨　　城	2.84	2.77	2.69	2.63	2.56	2.50	2.44	2.41	1 200 492	2 889 169
栃　　木	2.82	2.75	2.68	2.62	2.56	2.51	2.45	2.42	805 143	1 946 895
群　　馬	2.78	2.71	2.64	2.59	2.53	2.48	2.42	2.38	812 666	1 937 076
埼　　玉	2.60	2.53	2.47	2.43	2.38	2.34	2.29	2.27	3 178 275	7 198 829
千　　葉	2.53	2.47	2.41	2.37	2.33	2.29	2.24	2.22	2 777 169	6 155 641
東　　京	2.08	2.04	2.01	2.00	1.98	1.96	1.94	1.93	6 793 833	13 115 844
神 奈 川	2.37	2.32	2.28	2.25	2.22	2.19	2.16	2.14	4 186 841	8 972 770
新　　潟	3.00	2.92	2.85	2.78	2.72	2.66	2.59	2.55	887 052	2 265 730
富　　山	3.00	2.92	2.86	2.79	2.73	2.67	2.61	2.57	408 943	1 052 868
石　　川	2.79	2.71	2.65	2.59	2.53	2.48	2.43	2.40	473 305	1 136 795
福　　井	3.14	3.07	3.00	2.94	2.88	2.83	2.77	2.73	284 603	777 330
山　　梨	2.74	2.67	2.60	2.54	2.48	2.44	2.38	2.35	350 920	823 733
長　　野	2.80	2.73	2.68	2.63	2.57	2.53	2.47	2.45	850 381	2 081 175
岐　　阜	2.97	2.90	2.83	2.76	2.69	2.64	2.57	2.54	789 295	2 005 181
静　　岡	2.77	2.70	2.64	2.59	2.53	2.48	2.42	2.39	1 530 446	3 660 340
愛　　知	2.64	2.57	2.52	2.48	2.44	2.40	2.36	2.33	3 135 416	7 316 520
三　　重	2.73	2.65	2.58	2.52	2.47	2.42	2.37	2.34	763 683	1 786 598
滋　　賀	2.90	2.81	2.75	2.69	2.63	2.58	2.52	2.49	558 509	1 393 088
京　　都	2.42	2.36	2.31	2.26	2.22	2.19	2.15	2.13	1 176 451	2 506 201
大　　阪	2.34	2.29	2.25	2.21	2.17	2.14	2.11	2.09	4 134 707	8 631 175
兵　　庫	2.52	2.46	2.41	2.36	2.32	2.28	2.24	2.22	2 468 124	5 485 652
奈　　良	2.71	2.64	2.57	2.51	2.45	2.41	2.35	2.33	584 206	1 359 935
和 歌 山	2.58	2.51	2.44	2.38	2.33	2.29	2.24	2.21	437 368	968 748
鳥　　取	2.80	2.72	2.66	2.60	2.55	2.50	2.45	2.42	233 689	566 495
島　　根	2.78	2.71	2.65	2.59	2.53	2.48	2.42	2.39	285 536	683 536
岡　　山	2.65	2.57	2.51	2.46	2.41	2.37	2.32	2.30	824 725	1 895 025
広　　島	2.45	2.39	2.35	2.31	2.28	2.25	2.21	2.19	1 277 485	2 800 530
山　　口	2.41	2.35	2.30	2.26	2.22	2.18	2.14	2.12	650 076	1 380 790
徳　　島	2.67	2.58	2.52	2.46	2.40	2.35	2.30	2.27	331 153	751 819
香　　川	2.61	2.55	2.49	2.44	2.39	2.35	2.30	2.28	430 824	981 673
愛　　媛	2.45	2.39	2.34	2.29	2.25	2.21	2.17	2.15	644 630	1 382 748
高　　知	2.35	2.29	2.24	2.19	2.15	2.12	2.08	2.06	349 672	721 032
福　　岡	2.45	2.39	2.34	2.29	2.25	2.21	2.17	2.15	2 350 245	5 059 737
佐　　賀	2.95	2.87	2.80	2.74	2.68	2.63	2.57	2.53	326 852	827 606
長　　崎	2.53	2.46	2.40	2.34	2.30	2.26	2.21	2.18	626 758	1 369 146
熊　　本	2.67	2.60	2.54	2.48	2.43	2.39	2.34	2.32	766 811	1 775 773
大　　分	2.53	2.46	2.40	2.35	2.30	2.27	2.22	2.20	526 986	1 157 282
宮　　崎	2.45	2.38	2.33	2.28	2.23	2.20	2.15	2.13	519 808	1 106 309
鹿 児 島	2.31	2.26	2.21	2.17	2.13	2.10	2.07	2.05	801 769	1 646 915
沖　　縄	2.68	2.60	2.54	2.48	2.43	2.39	2.32	2.30	634 252	1 456 122

資料：総務省自治行政局住民制度課「住民基本台帳に基づく人口、人口動態及び世帯数」
注：平成27年以降は1月1日現在，平成25年以前は3月31日現在。

第 2 編
保 健 衛 生

保健衛生

第1章 保　　健

保　健　87

第2－1表　1人1日当たり栄養素等の摂取量の平均値，年次別

栄　養　素	平成20年 (2008)	平成21年 (2009)	平成22年 (2010)	平成23年 (2011)	平成24年 (2012)	平成25年 (2013)	平成26年 (2014)	平成27年 (2015)	平成28年 (2016)
エ ネ ル ギ ー　kcal	1 867	1 861	1 849	1 840	1 874	1 873	1 863	1 889	1 865
た ん ぱ く 質　g	68.1	67.8	67.3	67.0	68.0	68.9	67.7	69.1	68.5
うち動物性　g	36.1	36.3	36.0	36.4	36.4	37.2	36.3	37.3	37.4
脂　　　　　質　g	52.1	53.6	53.7	54.0	55.0	55.0	55.0	57.0	57.2
うち動物性　g	25.9	27.0	27.1	27.4	28.0	28.1	27.7	28.7	29.1
炭 水 化 物　g	265	260	258	255	260	259	257	258	253
カ ル シ ウ ム[1]　mg	505	505	503	507	499	504	497	517	502
鉄[1]　mg	7.7	7.8	7.4	7.5	7.4	7.4	7.4	7.6	7.4
ビ タ ミ ン A μgRE[2]	597	536	529	532	527	516	514	534	524
ビ タ ミ ン B[1]　mg	0.83	0.83	0.83	0.82	0.88	0.85	0.83	0.86	0.86
ビ タ ミ ン B[2]　mg	1.14	1.14	1.13	1.14	1.17	1.13	1.12	1.17	1.15
ビ タ ミ ン C[1]　mg	100	100	90	94	96	94	94	98	89

資料：健康局「平成28年国民健康・栄養調査」

注：1）平成15～23年は強化食品，補助食品からの栄養素摂取量の調査を行ったが，平成20～23年のカルシウム，
　　　　鉄，ビタミンB[1]・B[2]・Cの値は，「通常の食品」の数値を引用している。

　　2）RE：レチノール当量。平成17年より栄養素等摂取量の算出に使用されている「五訂増補日本食品標準成分
　　　　表」では，レチノール当量の算出式が変更されている。

　　3）平成24年，28年は抽出率等を考慮した全国補正値である。

第2－2表　1人1日当たり食品群別摂取量の平均値，年次別

(単位：グラム)

食　品　名	平成20年 (2008)	平成21年 (2009)	平成22年 (2010)	平成23年 (2011)	平成24年 (2012)	平成25年 (2013)	平成26年 (2014)	平成27年 (2015)	平成28年 (2016)
総　　　　　　　　量	2 038.2	2 070.9	1 994.5	2 027.5	2 018.3	2 019.1	1 996.8	2 205.8	1 999.5
穀 類 総　　　量	448.8	442.2	439.7	433.9	439.7	434.9	435.9	430.7	422.1
米 ・ 加 工 品	341.6	334.6	332.0	323.0	329.1	321.7	325.0	318.3	310.8
小 麦 ・ 加 工 品	97.3	99.4	100.1	103.0	102.4	105.3	101.9	102.6	100.7
その他の穀類・加工品	10.0	8.2	7.6	7.9	8.1	7.9	9.0	9.8	10.6
い　　も　　類	56.9	54.6	53.3	54.1	54.3	52.6	52.9	50.9	53.8
砂 糖 ・ 甘 味 料 類	6.7	6.6	6.7	6.6	6.5	6.4	6.3	6.6	6.5
豆　　　　　　類	56.2	55.6	55.3	51.7	57.9	60.4	59.4	60.3	58.6
種　　実　　類	1.8	1.9	2.1	2.0	2.1	1.9	2.0	2.3	2.5
緑 黄 色 野 菜	93.4	93.4	87.9	86.6	86.8	83.6	88.2	94.4	84.5
そ の 他 の 野 菜	189.4	187.5	180.0	179.8	187.8	187.8	192.2	187.6	181.5
果　　実　　類	116.8	113.0	101.7	105.7	107.0	111.9	105.2	107.6	98.9
き　の　こ　類	15.3	15.6	16.8	14.7	16.1	16.6	15.8	15.7	16.0
藻　　　　　　類	10.0	10.3	11.0	10.4	9.9	10.2	9.6	10.0	10.9
魚　　介　　類	78.5	74.2	72.5	72.7	70.0	72.8	69.4	69.0	65.6
肉　　　　　　類	77.7	82.9	82.5	83.6	88.9	89.6	89.1	91.0	95.5
卵　　　　　　類	33.6	34.3	34.8	34.8	33.9	33.9	34.8	35.5	35.6
乳　　　　　　類	111.2	115.4	117.3	122.7	125.8	125.8	121.0	132.2	131.8
油　　脂　　類	9.5	9.9	10.1	10.1	10.4	10.3	10.5	10.8	10.9
菓　　子　　類	26.8	24.8	25.1	25.2	26.7	26.7	26.4	26.7	26.3
調味嗜好 嗜好飲料類	597.2	641.6	598.5	632.2	603.9	605.0	597.9	788.7	605.1
飲 料 類 調味料・香辛料類	95.3	92.4	87.0	87.5	90.6	88.7	80.3	85.7	93.5
補 助 栄 養 素 ・ 特 定 保 健 用 食 品	13.2	14.5	12.3	13.2	－	－	－	－	－

資料：健康局「平成28年国民健康・栄養調査」

注：1）平成23年までは補助栄養素（顆粒，錠剤，カプセル，ドリンク状の製品〔薬剤も含む〕）及び特定保健用
　　　　食品からの摂取量の調査を行った。

　　2）平成24年，28年は抽出率等を考慮した全国補正値である。

88　保　　健

第2－3表　飲酒・喫煙・運動習慣の状況，年次別

（単位：％）

性・年齢階級	平成20年(2008)	平成21年(2009)	平成22年(2010)	平成23年(2011)	平成24年(2012)	平成25年(2013)	平成26年(2014)	平成27年(2015)	平成28年(2016)
飲　酒　習　慣　の　あ　る　者²⁾									
男　平　均	35.9	36.4	35.4	35.1	34.0	・	34.6	33.8	33.0
20～29歳	19.0	13.4	14.7	15.7	14.2	・	10.0	9.4	10.9
30～39	33.3	32.4	31.0	35.4	30.8	・	27.6	29.5	29.0
40～49	40.7	45.2	40.9	41.4	37.3	・	40.9	36.2	37.9
50～59	47.8	48.7	42.5	49.5	45.3	・	46.2	46.4	46.1
60～69	44.4	43.4	47.3	42.7	44.2	・	44.4	43.2	41.8
70歳以上	24.6	25.0	26.1	21.7	25.0	・	25.6	25.5	23.4
女　平　均	6.4	6.9	6.9	7.7	7.3	・	8.2	7.7	8.6
20～29歳	4.3	4.9	4.3	8.3	3.3	・	2.8	5.1	4.4
30～39	10.3	11.6	11.5	11.9	10.0	・	11.6	8.6	9.2
40～49	10.7	13.2	12.3	11.9	13.0	・	16.0	13.5	15.6
50～59	9.7	8.7	10.1	11.7	10.4	・	12.6	13.5	12.4
60～69	5.0	4.8	4.6	6.6	6.6	・	7.8	7.1	9.9
70歳以上	1.4	1.4	1.7	1.1	2.0	・	2.0	1.5	2.1
喫　煙　習　慣　の　あ　る　者									
男　平　均	36.8	38.2	32.2	32.4	34.1	32.1	32.2	30.1	30.2
20～29歳	41.2	40.1	34.2	39.2	37.6	36.3	36.7	30.6	30.7
30～39	48.6	51.2	42.1	43.9	43.2	44.0	44.3	41.9	42.0
40～49	51.9	49.1	42.4	40.2	43.2	39.5	44.2	37.7	41.1
50～59	41.2	44.0	40.3	37.3	41.0	41.5	36.4	37.2	39.0
60～69	32.6	33.7	27.4	29.3	31.9	33.2	32.5	29.4	28.9
70歳以上	19.1	19.3	15.6	16.6	16.9	14.5	15.1	15.2	12.8
女　平　均	9.1	10.9	8.4	9.7	9.0	8.2	8.5	7.9	8.2
20～29歳	14.3	16.2	12.8	12.8	12.3	12.7	11.7	6.7	6.3
30～39	18.0	17.5	14.2	16.6	11.9	12.0	14.3	11.0	13.7
40～49	13.4	15.2	13.6	16.5	12.7	12.4	12.8	11.7	13.8
50～59	9.5	11.7	10.4	10.2	11.9	11.8	12.3	11.1	12.5
60～69	4.9	7.4	4.5	6.4	8.0	6.4	2.7	8.3	6.3
70歳以上	3.2	4.9	2.0	3.0	2.9	2.4	2.5	2.3	2.3
運　動　習　慣　の　あ　る　者									
男　平　均	33.3	32.2	34.8	35.0	36.1	33.8	31.2	37.8	35.1
20～29歳	22.7	25.4	28.6	23.2	25.9	16.3	18.9	17.1	25.9
30～39	18.5	21.6	24.8	17.0	20.0	13.1	13.1	18.9	18.4
40～49	25.4	23.7	19.4	26.6	20.2	24.1	21.6	21.3	20.3
50～59	28.7	23.3	26.2	24.1	25.7	22.1	20.1	27.8	25.5
60～69	38.3	41.9	42.6	41.9	41.7	37.3	36.1	39.0	36.6
70歳以上	41.9	39.9	45.0	47.7	47.5	49.4	42.6	56.1	49.4
女　平　均	27.5	27.0	28.5	29.2	28.2	27.2	25.1	27.3	27.4
20～29歳	16.5	12.4	10.8	9.5	12.6	16.8	10.1	8.3	9.9
30～39	11.6	15.9	16.8	15.7	12.7	12.9	10.4	14.3	9.8
40～49	18.4	19.0	15.0	21.1	15.9	16.6	13.0	17.6	13.4
50～59	25.0	23.2	30.7	29.9	23.0	20.7	18.6	21.3	25.9
60～69	41.2	41.3	38.4	40.8	37.3	34.9	32.9	35.9	35.9
70歳以上	31.4	30.1	35.7	34.5	34.0	37.2	36.3	37.5	37.4

資料：健康局「平成28年国民健康・栄養調査」
注：1）平成24年，28年は抽出率等を考慮した全国補正値である。
　　2）平成25年は未実施。

保　　健　89

第2－4表　血圧の状況，性・年齢階級別

(単位：%)　　　　　　　　　　　　　　　　　　　　　　　　　　　　　　　　　　平成28年（2016）

性・年齢階級		総数（実数）	至適血圧	正常血圧	正常高値血圧	Ⅰ度高血圧	Ⅱ度高血圧	Ⅲ度高血圧
男	総　数	100.0(4 973)	16.0	18.9	24.1	30.2	8.7	2.1
	20～29歳	100.0(205)	43.8	23.7	20.7	10.0	1.6	0.3
	30～39	100.0(419)	34.2	27.1	25.6	10.7	1.4	0.9
	40～49	100.0(616)	28.2	21.6	18.1	20.9	9.3	1.9
	50～59	100.0(628)	14.2	19.8	19.8	30.7	12.6	2.8
	60～69	100.0(1 396)	10.0	16.7	23.8	37.9	9.3	2.3
	70歳以上	100.0(1 709)	9.6	17.1	27.8	34.0	9.3	2.1
女	総　数	100.0(7 149)	33.9	19.7	18.3	21.9	5.1	1.1
	20～29歳	100.0(294)	79.1	14.7	4.9	0.8	0.3	0.2
	30～39	100.0(716)	75.2	14.3	7.1	2.9	0.5	0.0
	40～49	100.0(976)	58.7	21.6	10.2	8.0	1.1	0.4
	50～59	100.0(1 044)	34.5	22.5	18.1	18.9	4.9	1.1
	60～69	100.0(1 884)	18.1	21.7	23.9	29.2	5.8	1.2
	70歳以上	100.0(2 235)	13.5	18.4	23.6	33.9	9.0	1.7

資料：健康局「平成28年国民健康・栄養調査」
注：数値は2回の測定値の平均値を用いた。なお，1回しか測定できなかった者については，その値を採用した。

第2－5表　肥満の状況（ＢＭＩ），年齢階級×性別

(単位：%)　　　　　　　　　　　　　　　　　　　　　　　　　　　　　　　　　　平成28年（2016）

性・年齢階級		総数（実数）	や　せ	普　通	肥　満	（再掲）	（再掲）
			18.5未満	18.5以上25未満	25以上	25以上30未満	30以上
男	総　数	100.0(8 845)	5.2	64.3	30.5	26.0	4.5
	15～19歳	100.0(376)	24.0	65.4	10.6	7.9	2.8
	20～29	100.0(569)	8.2	66.1	25.7	20.2	5.5
	30～39	100.0(978)	5.2	66.2	28.6	23.0	5.6
	40～49	100.0(1 308)	3.7	61.6	34.6	26.8	7.9
	50～59	100.0(1 226)	3.1	60.5	36.5	31.1	5.3
	60～69	100.0(2 031)	3.2	64.4	32.3	29.2	3.2
	70歳以上	100.0(2 357)	5.1	66.3	28.6	26.0	2.6
女	総　数	100.0(10 716)	11.9	68.2	20.0	16.1	3.8
	15～19歳	100.0(344)	20.7	75.9	3.4	3.4	0.0
	20～29	100.0(616)	20.7	69.8	9.5	6.5	3.0
	30～39	100.0(1 125)	16.8	68.9	14.3	11.6	2.7
	40～49	100.0(1 539)	11.2	70.4	18.3	12.7	5.6
	50～59	100.0(1 576)	10.0	68.8	21.3	17.8	3.5
	60～69	100.0(2 443)	9.0	66.8	24.2	20.0	4.2
	70歳以上	100.0(3 073)	10.4	65.9	23.7	19.8	3.9

資料：健康局「平成28年国民健康・栄養調査」
注：妊婦除外。

第2−6表　身長・体重の平均値，性・年次×年齢別

年　齢	男				女			
	身　長（cm）		体　重（kg）		身　長（cm）		体　重（kg）	
	平成28年 (2016)	平成27年 (2015)	平成28年 (2016)	平成27年 (2015)	平成28年 (2016)	平成27年 (2015)	平成28年 (2016)	平成27年 (2015)
1　歳	79.0	77.8	10.5	10.1	78.3	78.4	9.9	10.0
2	87.9	88.7	12.1	12.5	87.8	87.2	11.9	12.
3	95.1	96.7	14.2	14.3	94.6	96.2	14.1	14.
4	101.3	103.2	15.7	16.6	101.5	101.2	15.7	15.6
5	108.2	110.9	18.2	18.7	108.3	108.3	18.1	17.
6	114.8	115.3	20.4	20.5	116.6	113.1	21.4	20.
7	123.2	121.6	24.0	23.4	121.6	121.1	23.3	22.0
8	128.2	127.4	26.8	25.9	126.1	127.1	26.1	25.
9	133.7	133.6	31.2	29.6	134.4	133.1	30.4	29.9
10	138.3	137.3	33.3	32.7	139.8	138.5	33.4	32.6
11	144.7	145.7	37.7	38.0	146.0	146.8	38.5	38.0
12	150.8	152.3	42.1	42.9	151.1	150.8	41.2	39.7
13	160.3	159.3	48.9	47.6	154.1	155.5	45.5	46.
14	164.3	164.3	51.8	51.2	156.8	157.2	47.7	47.2
15	168.6	167.5	56.5	55.6	156.8	155.9	47.7	48.
16	170.4	168.9	60.1	58.2	157.4	157.8	51.2	50.5
17	170.3	172.4	63.1	64.6	157.3	155.0	50.0	49.6
18	170.3	170.5	60.8	60.7	157.5	158.8	50.7	53.4
19	171.3	174.9	62.6	68.0	155.9	157.0	50.8	50.5
20	172.3	173.2	65.7	64.6	159.5	156.4	53.5	50.0
21	172.0	170.7	66.1	68.5	157.9	156.6	50.9	50.2
22	170.2	170.7	66.5	66.1	158.5	158.1	53.6	51.0
23	171.4	172.9	69.2	71.3	157.4	156.1	51.8	52.5
24	173.0	171.3	69.9	64.1	157.3	159.5	52.1	51.5
25	170.5	170.9	64.5	61.1	155.2	160.4	50.2	53.1
26〜29	171.4	171.7	68.3	70.3	158.8	159.0	52.8	53.1
30〜39	171.5	172.0	69.2	71.2	158.1	158.2	53.6	52.0
40〜49	171.4	170.8	70.9	70.6	157.9	158.0	55.5	55.5
50〜59	169.8	169.2	69.7	68.1	156.7	156.6	55.2	55.0
60〜69	167.0	167.0	66.6	66.3	153.4	153.3	53.9	53.3
70歳以上	162.1	162.0	61.6	61.0	148.8	148.5	50.5	50.3
（再掲）								
60〜64	167.9	167.2	67.3	66.7	154.5	154.0	54.5	53.3
65〜69	166.4	166.7	66.0	65.9	152.6	152.6	53.4	53.3
70〜74	164.0	163.8	64.5	63.1	151.2	151.2	52.6	52.6
75〜79	162.4	162.9	61.9	62.4	149.4	149.3	51.0	51.5
80歳以上	159.6	159.0	58.1	57.0	146.1	145.0	48.0	47.0

資料：健康局「平成27年、28年国民健康・栄養調査」
注：体重は妊婦除外。

保　健　91

第2－7表　就学児童等の身体発育状況，年齢×年度別

年　次	幼稚園	小　学　校						中　学　校			高等学校		
	5歳	6歳	7歳	8歳	9歳	10歳	11歳	12歳	13歳	14歳	15歳	16歳	17歳
平均身長（単位：cm）													
男													
昭和40年度 (FY1965)	108.7	113.3	118.8	124.0	128.8	133.6	138.5	144.7	151.7	158.3	163.6	165.7	166.8
50 (FY1975)	109.7	115.1	120.9	126.0	131.6	136.4	142.0	148.6	156.1	162.2	166.1	167.9	168.8
60 (FY1985)	110.6	116.4	122.1	127.5	132.6	137.7	143.2	150.0	157.7	163.8	167.5	169.2	170.2
平成7年度 (FY1995)	111.0	116.8	122.5	128.1	133.4	138.9	144.9	152.0	159.6	165.1	168.5	170.0	170.8
17 (FY2005)	110.7	116.6	122.5	128.2	133.6	139.0	145.1	152.5	159.9	165.4	168.4	170.0	170.8
27 (FY2015)	110.4	116.5	122.5	128.1	133.5	138.9	145.2	152.6	159.8	165.1	168.3	169.8	170.7
29 (FY2017)	110.3	116.5	122.5	128.2	133.5	139.0	145.0	152.8	160.0	165.3	168.2	169.9	170.6
女													
昭和40年度 (FY1965)	107.7	112.5	117.8	123.0	128.4	134.1	140.4	146.3	150.3	152.5	154.0	154.6	154.8
50 (FY1975)	109.0	114.4	120.1	125.5	131.6	137.6	144.2	149.6	153.2	155.0	155.7	156.2	156.3
60 (FY1985)	109.8	115.7	121.4	126.9	132.6	138.8	145.5	150.9	154.4	156.3	157.0	157.4	157.6
平成7年度 (FY1995)	110.1	116.0	121.8	127.6	133.5	140.2	146.7	151.9	155.1	156.7	157.3	157.8	158.0
17 (FY2005)	109.9	115.8	121.7	127.5	133.5	140.1	146.9	152.0	155.2	156.8	157.3	157.8	158.0
27 (FY2015)	109.4	115.5	121.5	127.3	133.4	140.1	146.7	151.8	154.9	156.5	157.1	157.6	157.9
29 (FY2017)	109.3	115.5	121.5	127.3	133.4	140.1	146.7	151.8	154.9	156.5	157.1	157.6	157.8
平均体重（単位：kg）													
男													
昭和40年度 (FY1965)	18.2	19.6	21.8	24.1	26.5	29.2	32.2	36.6	42.0	47.1	52.8	55.6	57.5
50 (FY1975)	18.7	20.5	22.9	25.4	28.5	31.5	35.2	40.0	45.6	51.0	55.4	57.8	59.2
60 (FY1985)	19.1	21.2	23.7	26.5	29.5	32.8	36.5	41.8	47.4	53.0	57.9	60.0	61.5
平成7年度 (FY1995)	19.4	21.7	24.4	27.6	30.8	34.5	38.6	44.1	49.8	54.7	59.8	61.7	63.0
17 (FY2005)	19.1	21.6	24.3	27.4	30.9	34.7	39.1	44.9	50.1	55.3	60.3	62.2	63.8
27 (FY2015)	18.9	21.3	23.9	26.9	30.4	34.0	38.1	43.9	48.8	53.9	59.0	60.6	62.5
29 (FY2017)	18.9	21.4	24.1	27.2	30.5	34.2	38.2	44.0	49.0	53.9	58.9	60.6	62.6
女													
昭和40年度 (FY1965)	17.7	19.1	21.2	23.5	26.2	29.4	33.7	38.6	43.2	46.5	48.9	50.5	51.2
50 (FY1975)	18.3	20.1	22.4	25.0	28.3	32.0	36.6	41.6	45.8	48.8	50.7	51.9	52.2
60 (FY1985)	18.7	20.7	23.2	26.0	29.2	33.1	37.8	42.9	46.8	49.8	51.9	52.7	52.8
平成7年度 (FY1995)	19.0	21.3	23.9	27.0	30.3	34.6	39.6	44.6	48.0	50.5	52.3	53.2	53.3
17 (FY2005)	18.7	21.1	23.6	26.8	30.2	34.4	39.5	44.4	48.0	50.8	52.4	53.3	53.7
27 (FY2015)	18.5	20.8	23.4	26.4	29.7	33.9	38.8	43.6	47.3	49.9	51.5	52.6	53.0
29 (FY2017)	18.5	21.0	23.5	26.4	29.9	34.0	39.0	43.6	47.2	50.0	51.6	52.6	53.0
平均座高（単位：cm）													
男													
昭和40年度 (FY1965)	61.8	64.1	66.6	69.0	71.1	73.1	75.3	78.3	81.7	85.2	88.2	89.3	90.0
50 (FY1975)	62.1	64.6	67.2	69.5	71.9	74.0	76.2	79.5	83.1	86.4	88.9	89.9	90.3
60 (FY1985)	62.6	65.2	67.7	70.1	72.3	74.4	76.7	79.9	83.7	87.0	89.3	90.3	90.8
平成7年度 (FY1995)	62.3	65.1	67.8	70.4	72.8	75.1	77.6	81.0	84.6	87.6	89.8	90.7	91.1
17 (FY2005)	62.0	64.9	67.7	70.3	72.7	75.1	77.7	81.3	85.0	88.1	90.2	91.1	91.7
27 (FY2015)	61.8	64.8	67.6	70.2	72.6	74.9	77.7	81.4	85.1	88.2	90.4	91.4	92.1
女													
昭和40年度 (FY1965)	61.1	63.6	66.1	68.6	71.0	73.7	76.8	80.2	82.6	84.0	84.8	85.1	85.1
50 (FY1975)	61.6	64.0	66.7	69.2	71.8	74.7	77.9	81.2	83.1	84.2	84.9	85.1	85.0
60 (FY1985)	62.1	64.7	67.4	69.8	72.3	75.2	78.5	81.6	83.4	84.5	85.1	85.2	85.1
平成7年度 (FY1995)	61.9	64.7	67.5	70.1	72.9	76.0	79.3	82.2	83.8	84.6	85.1	85.3	85.3
17 (FY2005)	61.5	64.4	67.2	69.9	72.7	75.8	79.2	82.1	83.9	84.9	85.3	85.6	85.9
27 (FY2015)	61.3	64.4	67.2	69.9	72.7	75.8	79.2	82.1	83.9	84.9	85.3	85.7	85.9

資料：文部科学省総合教育政策局調査企画課「学校保健統計調査」

92　保　　健

第2－8表　栄養士・調理師の免許交付数，年度別

各年度

区　　　　　分		平成23年度 (FY2011)	平成24年度 (FY2012)	平成25年度 (FY2013)	平成26年度 (FY2014)	平成27年度 (FY2015)	平成28年度 (FY2016)	平成29年 (FY2017)
栄　　養　　士		17 984	18 012	18 567	19 090	18 600	19 166	18 55
調理師	総　　　　　　数	40 367	40 207	38 650	37 990	36 935	35 469	32 47
	指定養成施設卒業者	16 613	16 685	17 260	16 507	15 929	15 764	13 78
	講習課程修了者	–	–	–	1	–	–	
	都道府県知事試験合格者	23 754	23 521	21 390	21 482	21 005	19 704	18 68
	附則第3項による講習認定	–	1	–	–	1	1	

資料：政策統括官（統計・情報政策、政策評価担当）「平成29年度衛生行政報告例」

第2－9表　給食施設数，施設の種類×栄養士の有無×年度別

各年度末現在

区　　　　　分			平成23年度 (FY2011)	平成24年度 (FY2012)	平成25年度 (FY2013)	平成26年度 (FY2014)	平成27年度 (FY2015)	平成28年度 (FY2016)	平成29年 (FY2017)
総数		施　設　数	85 740	86 661	87 139	87 702	88 645	90 419	91 00
		管理栄養士数	49 595	52 910	54 993	57 295	60 131	62 211	63 76
		栄　養　士　数	56 922	57 393	58 042	58 410	59 239	61 222	61 74
特定給食施設	総　　数	施　設　数	48 238	48 746	49 111	49 332	49 744	50 350	50 54
		管理栄養士数	38 062	40 363	41 793	43 287	45 273	46 572	47 75
		栄　養　士　数	37 898	38 041	38 573	38 885	39 022	40 204	40 57
	管理栄養士のみいる施設	施　設　数	10 794	11 404	11 676	12 104	12 456	12 539	12 803
		管理栄養士数	15 027	16 245	16 754	17 439	18 261	18 475	18 970
	栄養士のみいる施設	施　設　数	12 287	12 011	12 015	11 989	11 893	11 971	12 042
		栄　養　士　数	15 593	15 418	15 614	15 730	15 524	15 895	16 12
	管理栄養士・栄養士どちらもいる施設	施　設　数	11 032	11 184	11 354	11 508	11 826	12 219	12 290
		管理栄養士数	23 035	24 118	25 039	25 848	27 012	28 097	28 788
		栄　養　士　数	22 305	22 623	22 959	23 155	23 498	24 309	24 452
	管理栄養士・栄養士どちらもいない施設数		14 125	14 147	14 066	13 731	13 569	13 621	13 407
その他の給食施設	総　　数	施　設　数	37 502	37 915	38 028	38 370	38 901	40 069	40 460
		管理栄養士数	11 533	12 547	13 200	14 008	14 858	15 639	16 00
		栄　養　士　数	19 024	19 352	19 469	19 525	20 217	21 018	21 167
	管理栄養士のみいる施設	施　設　数	4 927	5 365	5 579	6 031	6 376	6 695	6 856
		管理栄養士数	5 946	6 567	6 887	7 413	7 998	8 463	8 744
	栄養士のみいる施設	施　設　数	10 330	10 306	10 195	10 132	10 419	10 793	10 956
		栄　養　士　数	12 646	12 603	12 562	12 422	12 934	13 533	13 669
	管理栄養士・栄養士どちらもいる施設	施　設　数	4 484	4 708	4 908	5 021	5 175	5 375	5 471
		管理栄養士数	5 587	5 980	6 313	6 595	6 860	7 176	7 261
		栄　養　士　数	6 378	6 749	6 907	7 103	7 283	7 485	7 498
	管理栄養士・栄養士どちらもいない施設数		17 761	17 536	17 346	17 186	16 931	17 206	17 177

資料：政策統括官（統計・情報政策、政策評価担当）「平成29年度衛生行政報告例」

保　健　93

第2－10表　新規HIV感染者およびAIDS患者報告数，国籍×感染経路－性－感染地別

診断区分	項目	区分	日本国籍			外国国籍			合　計		
			2017	2016	差	2017	2016	差	2017	2016	差
HIV	合計		824	885	△61	152	126	26	976	1 011	△35
	感染経路	異性間の性的接触	120	139	△19	29	31	△2	149	170	△21
		同性間の性的接触*1	624	669	△45	85	66	19	709	735	△26
		静注薬物使用	-	1	△1	3	-	3	3	1	2
		母　子　感　染	1	-	1	2	-	2	3	-	3
		そ　の　他*2	16	18	△2	6	5	1	22	23	△1
		不　　　明	63	58	5	27	24	3	90	82	8
	性	男	802	857	△55	136	108	28	938	965	△27
		女	22	28	△6	16	18	△2	38	46	△8
	感染地	国　　　内	723	784	△61	58	54	4	781	838	△57
		海　　　外	34	35	△1	34	30	4	68	65	3
		不　　　明	67	66	1	60	42	18	127	108	19
AIDS	合計		369	394	△25	44	43	1	413	437	△24
	感染経路	異性間の性的接触	84	106	△22	15	8	7	99	114	△15
		同性間の性的接触*1	212	223	△11	14	18	△4	226	241	△15
		静注薬物使用	-	1	△1	1	-	1	1	1	0
		母　子　感　染	-	-	0	1	-	1	1	-	1
		そ　の　他*2	18	14	4	4	2	2	22	16	6
		不　　　明	55	50	5	9	15	△6	64	65	△1
	性	男	348	376	△28	27	39	△12	375	415	△40
		女	21	18	3	17	4	13	38	22	16
	感染地	国　　　内	317	334	△17	10	10	0	327	344	△17
		海　　　外	12	23	△11	18	19	△1	30	42	△12
		不　　　明	40	37	3	16	14	2	56	51	5

資料：厚生労働省エイズ動向委員会「平成29年エイズ発生動向年報」
注：＊1）両性間性的接触を含む。
　　＊2）輸血などに伴う感染例，推定される感染経路が複数ある例を含む。

第2－11表　平成29(2017)年末におけるHIV感染者・AIDS患者の累計，国籍・性×感染経路別

診断区分	感染経路	日　本　国　籍			外　国　国　籍			合　計		
		男	女	計	男	女	計	男	女	計
HIV	異性間の性的接触	3 015	782	3 797	459	860	1 319	3 474	1 642	5 116
	同性間の性的接触*1	11 061	4	11 065	757	1	758	11 818	5	11 823
	静注薬物使用	41	2	43	31	3	34	72	5	77
	母　子　感　染	17	10	27	6	9	15	23	19	42
	そ　の　他*2	331	40	371	70	28	98	401	68	469
	不　　　明	1 234	126	1 360	448	561	1 009	1 682	687	2 369
	合　　　計	15 699	964	16 663	1 771	1 462	3 233	17 470	2 426	19 896
AIDS	異性間の性的接触	2 241	264	2 505	307	230	537	2 548	494	3 042
	同性間の性的接触*1	3 490	3	3 493	187	2	189	3 677	5	3 682
	静注薬物使用	28	4	32	27	3	30	55	7	62
	母　子　感　染	9	3	12	1	6	7	10	9	19
	そ　の　他*2	201	26	227	32	17	49	233	43	276
	不　　　明	1 220	98	1 318	379	158	537	1 599	256	1 855
	合　　　計*3	7 189	398	7 587	933	416	1 349	8 122	814	8 936

資料：厚生労働省エイズ動向委員会「平成29年エイズ発生動向年報」
注：＊1）両性間性的接触を含む。
　　＊2）輸血などに伴う感染例や推定される感染経路が複数ある例を含む。
　　＊3）平成11年3月31日までの病状変化によるエイズ患者報告数154件を含む。

94　保　　　健

第2－12表　感染症の発生状況，性×種類別

a）一～五類感染症（全数把握）（2－1）

感染症の種類	平成28年			平成27年		
	年間報告件数	男	女	年間報告件数	男	女
一　類　感　染　症						
エ ボ ラ 出 血 熱	－	－	－	－	－	－
ク リ ミ ヤ ・ コ ン ゴ 出 血 熱	－	－	－	－	－	－
痘　　　そ　　　う	－	－	－	－	－	－
南　米　出　血　熱	－	－	－	－	－	－
ペ　　　ス　　　ト	－	－	－	－	－	－
マ ー ル ブ ル グ 病	－	－	－	－	－	－
ラ　ッ　サ　熱	－	－	－	－	－	－
二　類　感　染　症						
急 性 灰 白 髄 炎	－	－	－	－	－	－
結　　　　　核	24 669	13 904	10 765	24 520	…	…
ジ フ テ リ ア	－	－	－	－	－	－
重症急性呼吸器症候群（病原体がベータコロナウイルス属SARSコロナウイルスであるものに限る。）	－	－	－	－	－	－
中 東 呼 吸 器 症 候 群＊1)	－	－	－	－	－	－
鳥 イ ン フ ル エ ン ザ（ H 5 N 1 ）	－	－	－	－	－	－
鳥 イ ン フ ル エ ン ザ（ H7N9 ）＊1)	－	－	－	－	－	－
三　類　感　染　症						
コ　　　レ　　　ラ	9	5	4	7	7	－
細　菌　性　赤　痢	121	51	70	156	80	76
腸 管 出 血 性 大 腸 菌 感 染 症	3 647	1 620	2 027	3 573	1 586	1 987
腸　　チ　　フ　　ス	52	29	23	37	27	10
パ　ラ　チ　フ　ス	20	13	7	32	20	12
四　類　感　染　症						
E　型　肝　炎	356	270	86	213	…	…
ウエストナイル熱（ウエストナイル脳炎を含む）	－	－	－	－	－	－
A　型　肝　炎	272	176	96	243	144	99
エ キ ノ コ ッ ク ス 症	27	14	13	27	…	…
黄　　　　　熱	－	－	－	－	－	－
オ　　ウ　　ム　　病	6	3	3	5	4	1
オ ム ス ク 出 血 熱	－	－	－	－	－	－
回　　帰　　熱	7	5	2	4	2	2
キ ャ サ ヌ ル 森 林 病	－	－	－	－	－	－
Q　　　　　熱	－	－	－	－	－	－
狂　　犬　　病	－	－	－	－	－	－
コ ク シ ジ オ イ デ ス 症	3	1	2	3	2	1
サ　　ル　　痘	－	－	－	－	－	－
ジ カ ウ イ ル ス 感 染 症	12	7	5	…	…	…
重症熱性血小板減少症候群（病原体がフレボウイルス属SFTSウイルスであるものに限る。）	60	35	25	60	28	32
腎 症 候 性 出 血 熱	－	－	－	－	－	－
西　部　ウ　マ　脳　炎	－	－	－	－	－	－
ダ ニ 媒 介 脳 炎	1	1	－	－	－	－
炭　　　　　疽	－	－	－	－	－	－
チ ク ン グ ニ ア 熱	14	8	6	17	7	10
つ　つ　が　虫　病	505	288	217	423	…	…
デ　ン　グ　熱	342	202	140	293	187	106
東　部　ウ　マ　脳　炎	－	－	－	－	－	－
鳥インフルエンザ（H5N1及びH7N9を除く。）	－	－	－	－	－	－
ニ パ ウ イ ル ス 感 染 症	－	－	－	－	－	－
日　本　紅　斑　熱	277	124	153	215	97	118
日　　本　　脳　　炎	11	5	6	2	2	－
ハ ン タ ウ イ ル ス 肺 症 候 群	－	－	－	－	－	－
B　ウ　イ　ル　ス　病	－	－	－	－	－	－
鼻　　　　　疽	－	－	－	－	－	－
ブ　ル　セ　ラ　症	－	－	－	5	4	1
ベ ネ ズ エ ラ ウ マ 脳 炎	－	－	－	－	－	－
ヘ ン ド ラ ウ イ ル ス 感 染 症	－	－	－	－	－	－
発　し　ん　チ　フ　ス	－	－	－	－	－	－
ボ　ツ　リ　ヌ　ス　症	5	3	2	1	－	1
マ　　ラ　　リ　　ア	54	42	12	40	29	11
野　　兎　　病	－	－	－	2	1	1
ラ　イ　ム　病	8	7	1	9	7	2
リ ッ サ ウ イ ル ス 感 染 症	－	－	－	－	－	－
リ フ ト バ レ ー 熱	－	－	－	－	－	－
類　　鼻　　疽	－	－	－	1	1	－
レ ジ オ ネ ラ 症	1 602	1 341	261	1 592	1 309	283
レ プ ト ス ピ ラ 症	76	66	10	33	28	5
ロ ッ キ ー 山 紅 斑 熱	－	－	－	－	－	－
五　類　感　染　症						
ア　メ　ー　バ　赤　痢	1 151	1 026	125	1 109	988	121
ウイルス性肝炎（E型肝炎及びA型肝炎を除く。）	280	217	63	255	193	62

保　健　95

第2－12表（続）　感染症の発生状況，性×種類別

a）一～五類感染症（全数把握）（2－2）

感染症の種類	平成28年			平成27年		
	年間報告件数	男	女	年間報告件数	男	女
カルバペネム耐性腸内細菌科細菌感染症	1 573	974	599	1 673	…	…
急性脳炎(ウエストナイル脳炎、西部ウマ脳炎、ダニ媒介脳炎、東部ウマ脳炎、日本脳炎、ベネズエラウマ脳炎及びリフトバレー熱を除く)	763	422	341	511	281	230
クリプトスポリジウム症	14	6	8	15	8	7
クロイツフェルト・ヤコブ病	175	82	93	192	91	101
劇症型溶血性レンサ球菌感染症	494	259	235	415	231	184
後天性免疫不全症候群	1 443	1 375	68	1 431	1 358	73
ジアルジア症	71	52	19	81	66	15
侵襲性インフルエンザ菌感染症	312	186	126	252	154	98
侵襲性髄膜炎菌感染症	43	25	18	34	22	12
侵襲性肺炎球菌感染症	2 735	1 669	1 066	2 403	1 471	932
水痘（入院例に限る。）	318	183	135	318	…	…
先天性風しん症候群	-	-	-	-	-	-
梅毒	4 575	3 189	1 386	2 690	1 930	760
播種性クリプトコックス症	137	73	64	120	68	52
破傷風	129	68	61	120	68	52
バンコマイシン耐性黄色ブドウ球菌感染症	-	-	-	-	-	-
バンコマイシン耐性腸球菌感染症	61	25	36	66	35	31
麻しん	126	74	52	163	106	57
風しん	165	78	87	35	21	14
薬剤耐性アシネトバクター感染症※	33	22	11	38	24	14

注：※1）2015年1月21日より、中東呼吸器症候群（病原体がベータコロナウイルス属MERSコロナウイルスであるものに限る。）、および鳥インフルエンザ（H7N9）は指定感染症から二類感染症に変更された。

b）五類感染症（定点把握）

感染症の種類	平成28年				平成27年			
	年間報告件数	男	女	定点当り報告件数	年間報告件数	男	女	定点当り報告件数
インフルエンザ(鳥インフルエンザ及び新型インフルエンザ等感染症を除く。)	1 751 970	893 650	858 320	354.58	1 169 041	586 071	582 970	237.42
RSウイルス感染症	104 703	56 229	48 474	…	120 049	64 513	55 536	…
咽頭結膜熱	67 487	37 082	30 405	21.38	72 150	39 808	32 342	22.93
A群溶血性レンサ球菌咽頭炎	367 815	194 824	172 991	116.54	401 274	214 257	187 017	127.55
感染性胃腸炎	1 116 800	585 576	531 224	353.87	987 912	519 822	468 090	314.02
水痘	65 383	34 273	31 110	20.72	77 614	40 821	36 793	24.67
手足口病	69 139	38 035	31 104	21.91	381 720	209 971	171 749	121.34
伝染性紅斑	51 419	25 693	25 726	16.29	98 521	48 921	49 600	31.32
突発性発しん	76 270	38 877	37 393	24.17	84 957	43 587	41 370	27.00
百日咳	3 011	1 396	1 615	0.95	2 675	1 208	1 467	0.85
ヘルパンギーナ	129 371	67 027	62 344	40.99	98 212	51 193	47 019	31.22
流行性耳下腺炎	158 996	84 366	74 630	50.38	81 046	43 488	37 558	25.76
急性出血性結膜炎	401	187	214	0.58	494	247	247	0.72
流行性角結膜炎	26 099	12 989	13 110	37.72	25 037	12 541	12 496	36.44
細菌性髄膜炎(インフルエンザ菌、髄膜炎菌、肺炎球菌が原因として同定された場合を除く。)	493	252	241	1.03	402	217	185	0.84
無菌性髄膜炎	1 379	813	566	2.89	1 085	632	453	2.27
感染性胃腸炎（ロタウイルス）	5 266	2 807	2 459	11.04	4 368	2 353	2 015	9.16
マイコプラズマ肺炎	19 721	9 886	9 835	41.34	10 384	5 101	5 283	21.77
クラミジア肺炎(オウム病を除く)	354	176	178	0.74	411	198	213	0.86
性器クラミジア感染症	24 397	11 724	12 673	24.77	24 450	11 670	12 780	24.95
性器ヘルペスウイルス感染症	9 175	3 620	5 555	9.31	8 974	3 540	5 434	9.16
尖圭コンジローマ	5 734	3 666	2 068	5.82	5 806	3 589	2 217	5.92
淋菌感染症	8 298	6 654	1 644	8.42	8 698	6 905	1 793	8.88
メチシリン耐性黄色ブドウ球菌感染症	16 338	10 023	6 315	34.11	17 057	10 549	6 508	35.61
ペニシリン耐性肺炎球菌感染症	2 017	1 246	771	4.21	2 057	1 188	869	4.29
薬剤耐性緑膿菌感染症	157	114	43	0.33	217	147	70	0.45

資料：国立感染症研究所「感染症発生動向調査事業年報」

第2－13表　新登録結核患者数・罹患率，病型×年齢階級別

平成29年（2017）

年齢階級	新登録活動性結核患者数	肺結核	菌検査結果					肺外結核
			喀痰塗抹陽性	治療歴		その他の結核菌陽性	菌陰性・その他	
				初回治療	再治療			
新登録結核患者数 総　数	16 789	13 011	6 359	6 031	328	4 868	1 784	3 778
男	10 171	8 219	4 105	3 858	247	3 036	1 078	1 952
女	6 618	4 792	2 254	2 173	81	1 832	706	1 826
0～4歳	31	21	1	1	–	4	16	10
5～9	10	10	1	1	–	3	6	–
10～14	18	14	2	2	–	2	10	4
15～19	148	132	40	40	–	47	45	16
20～29	1 231	1 041	289	279	10	438	314	190
30～39	987	796	305	289	16	305	186	191
40～49	1 159	954	371	348	23	393	190	205
50～59	1 268	1 031	449	414	35	396	186	237
60～69	2 024	1 601	804	756	48	566	231	423
70～79	3 187	2 381	1 238	1 169	69	865	278	806
80～89	4 822	3 580	1 995	1 904	91	1 336	249	1 242
90歳以上	1 904	1 450	864	828	36	513	73	454
罹患率（人口一〇万対） 総　数	13.3	10.3	5.0	4.8	0.3	3.8	1.4	3.0
男	16.5	13.3	6.7	5.3	0.4	4.9	1.7	3.2
女	10.2	7.4	3.5	3.3	0.1	2.8	1.1	2.8
0～4歳	0.6	0.4	0.0	0.0	–	0.1	0.3	0.2
5～9	0.2	0.2	0.0	0.0	–	0.1	0.1	–
10～14	0.3	0.3	0.0	0.0	–	0.0	0.2	0.1
15～19	2.5	2.2	0.7	0.7	–	0.8	0.8	0.3
20～29	9.8	8.3	2.3	2.2	0.1	3.5	2.5	1.5
30～39	6.6	5.3	2.0	1.9	0.1	2.0	1.2	1.3
40～49	6.1	5.0	2.0	1.8	0.1	2.1	1.0	1.1
50～59	8.1	6.5	2.9	2.6	0.2	2.5	1.2	1.5
60～69	11.4	9.0	4.5	4.3	0.3	3.2	1.3	2.4
70～79	22.0	16.4	8.5	8.1	0.5	6.0	1.9	5.6
80～89	55.5	41.2	23.0	21.9	1.0	15.4	2.9	14.3
90歳以上	92.7	70.6	42.1	40.3	1.8	25.0	3.6	22.1

資料：公益財団法人結核予防会「結核の統計2018」

第2－14表　新登録結核患者罹患率，年次×年齢階級別

（単位：人口10万対）

年齢階級	昭和55年（1980）	昭和60年（1985）	平成2年（1990）	平成7年（1995）	平成12年（2000）	平成17年（2005）	平成27年（2015）	平成29年（2017）
総　数	60.7	48.4	41.9	34.3	31.0	22.2	14.4	13.3
0～4歳	7.9	5.4	3.1	2.5	1.8	1.0	0.6	0.6
5～9	6.5	3.5	1.8	1.2	0.7	0.4	0.2	0.2
10～14	6.3	3.9	2.1	1.5	1.1	0.6	0.2	0.3
15～19	18.5	12.6	9.9	7.0	5.7	4.4	2.8	2.5
20～29	38.0	28.1	25.1	20.8	20.1	15.4	9.0	9.8
30～39	44.9	29.9	24.5	20.3	19.6	14.0	7.1	6.6
40～49	63.1	42.7	32.7	26.0	21.6	14.0	7.5	6.1
50～59	107.6	78.3	56.5	41.3	31.3	18.9	8.8	8.1
60～69	161.0	122.7	96.2	66.5	46.1	33.1	11.4	11.4
70歳以上	218.3	183.8	154.5	112.2	101.3	66.6	45.2	39.3

資料：公益財団法人結核予防会「結核の統計2018」

保　　健　97

第2−15表　結核死亡数・死亡率（人口10万対），年次別

） 総　　数

年　　次	死　亡　数	死　亡　率 （人口10万対）	年　　次	死　亡　数	死　亡　率 （人口10万対）
明治33年　(1900)	71 771	163.7	平成7年　(1995)	3 178	2.6
38　(1905)	96 030	206.0	8　(1996)	2 858	2.3
43　(1910)	113 203	230.2	9　(1997)	2 742	2.2
大正4年　(1915)	115 913	219.7	10　(1998)	2 795	2.2
7　(1918)	140 747	257.1	11　(1999)	2 935	2.3
9　(1920)	125 165	223.7	12　(2000)	2 656	2.1
14　(1925)	115 956	194.1	13　(2001)	2 491	2.0
昭和5年　(1930)	119 635	185.6	14　(2002)	2 317	1.8
10　(1935)	132 151	190.8	15　(2003)	2 337	1.9
15　(1940)	153 154	212.9	16　(2004)	2 330	1.8
22　(1947)	146 241	187.2	17　(2005)	2 296	1.8
25　(1950)	121 769	146.4	18　(2006)	2 269	1.8
30　(1955)	46 735	52.3	19　(2007)	2 194	1.7
35　(1960)	31 959	34.2	20　(2008)	2 220	1.8
40　(1965)	22 366	22.8	21　(2009)	2 159	1.7
45　(1970)	15 899	15.4	22　(2010)	2 129	1.7
50　(1975)	10 567	9.5	23　(2011)	2 166	1.7
55　(1980)	6 439	5.5	24　(2012)	2 110	1.7
60　(1985)	4 692	3.9	25　(2013)	2 087	1.7
平成2年　(1990)	3 664	3.0	26　(2014)	2 100	1.7
4　(1992)	3 347	2.7	27　(2015)	1 956	1.6
5　(1993)	3 249	2.6	28　(2016)	1 892	1.5
6　(1994)	3 094	2.5	29　(2017)	2 306	1.9

） 年齢階級別死亡率（人口10万対）

年齢階級	昭和50年 (1975)	昭和55年 (1980)	昭和60年 (1985)	平成2年 (1990)	平成7年 (1995)	平成12年 (2000)	平成17年 (2005)	平成22年 (2010)	平成27年 (2015)	平成28年 (2016)	平成29年 (2017)
総　　数	9.5	5.5	3.9	3.0	2.6	2.1	1.8	1.7	1.6	1.5	1.9
0〜4歳	0.2	0.1	0.0	−	0.0	0.0	−	−	0.0	−	
5〜9	0.0	−	−	0.0	−	−	−	−	−	−	−
10〜14	0.0	−	−	−	−	0.0	−	−	−	−	−
15〜19	0.2	0.0	0.0	0.0	−	−	−	0.0	−	−	−
20〜24	0.4	0.2	0.0	0.1	0.1	0.0	0.0	0.0	−	−	−
25〜29	0.7	0.3	0.2	0.1	0.0	0.0	0.0	0.0	0.0	0.0	0.0
30〜34	1.5	0.5	0.2	0.2	0.2	0.1	0.1	0.0	0.0	0.0	0.0
35〜39	3.4	1.2	0.4	0.4	0.2	0.2	0.1	0.1	0.0	0.0	0.0
40〜44	6.2	2.4	1.1	0.6	0.4	0.3	0.1	0.1	0.1	0.0	0.1
45〜49	9.9	4.3	2.1	1.2	0.8	0.6	0.4	0.2	0.2	0.1	0.1
50〜54	13.3	7.2	3.7	2.2	1.5	1.0	0.7	0.3	0.1	0.2	0.2
55〜59	19.1	9.9	6.0	3.2	2.3	1.7	1.1	0.6	0.3	0.2	0.2
60〜64	26.3	14.0	9.0	5.5	3.8	1.8	1.1	0.8	0.5	0.4	0.5
65〜69	42.9	23.8	14.1	9.3	6.0	3.4	1.9	1.3	0.7	0.8	0.7
70〜74	66.7	34.3	20.4	13.9	10.5	6.2	3.1	2.3	1.4	1.2	1.7
75〜79	94.2	52.3	35.6	21.2	16.0	10.2	7.9	4.6	3.1	2.8	3.2
80〜84	106.7	60.3	41.9	31.8	22.9	19.0	15.1	11.1	7.5	7.0	8.2
85〜89	99.2	52.5	48.3	33.9	29.9	24.6	21.6	21.2	18.2	16.3	19.1
90〜94[1]	82.1	52.9	38.3	38.7	32.1	35.7	27.6	28.0	29.3	28.0	32.9
95〜99	…	…	…	…	…	…	31.7	34.3	32.4	36.1	44.1
100歳以上	…	…	…	…	…	…	35.5	29.6	27.5	18.5	29.9

資料：政策統括官（統計・情報政策，政策評価担当）「平成29年人口動態統計」
注：1）平成12年までの「90〜94歳」は90歳以上の数値である。

98　保　　　健

第2－16表　不妊手術件数，年次×年齢階級別

各年（度）

年齢階級	平成12年 (2000)	平成17年度 (FY2005)	平成22年度1) (FY2010)	平成26年度 (FY2014)	平成27年度 (FY2015)	平成28年度 (FY2016)	平成29年度 (FY2017)
	件				数		
総　　数	3 735	2 531	3 107	3 932	4 236	4 607	5 00?
20歳未満	4	・	・	・	・	・	・
20 ～ 24	96	74	111	81	104	108	9?
25 ～ 29	752	476	560	619	597	697	70?
30 ～ 34	1 554	1 045	1 080	1 500	1 582	1 695	1 83?
35 ～ 39	1 085	749	1 076	1 290	1 518	1 609	1 79?
40 ～ 44	228	172	265	405	398	470	53?
45 ～ 49	13	12	10	27	21	25	3?
50歳以上	1	2	3	10	14	2	
不　　詳	2	2	2				

資料：政策統括官（統計・情報政策，政策評価担当）「平成29年度衛生行政報告例」
注：平成13年までは「母体保護統計報告」による暦年の数値であり，平成14年度以降は「衛生行政報告例」による年度の数値である。
　　1）平成22年度は，東日本大震災の影響により，福島県の相双保健福祉事務所管轄内の市町村が含まれていない。

第2－17表　人工妊娠中絶件数・実施率，年次×年齢階級別

各年（度）

年齢階級	平成12年 (2000)	平成17年度 (FY2005)	平成22年度1) (FY2010)	平成26年度 (FY2014)	平成27年度 (FY2015)	平成28年度 (FY2016)	平成29年度 (FY2017)
	件				数		
総　　数	341 146	289 127	212 694	181 905	176 388	168 015	164 62?
15歳未満	…	308	415	303	270	220	21?
15歳	…	1 056	1 052	786	633	619	51?
16歳	…	3 277	2 594	2 183	1 845	1 452	1 42?
17歳	…	5 607	3 815	3 283	2 884	2 517	2 33?
18歳	…	8 236	5 190	4 679	4 181	3 747	3 52?
19歳	…	11 635	7 291	6 620	6 300	6 111	6 11?
20歳未満	44 477	30 119	20 357	17 854	16 113	14 666	14 128
20 ～ 24	82 598	72 217	47 089	39 851	39 430	38 561	39 27?
25 ～ 29	72 626	59 911	45 724	36 594	35 429	33 050	32 22?
30 ～ 34	61 836	59 748	42 206	36 621	35 884	34 256	33 52?
35 ～ 39	53 078	46 038	39 964	33 111	31 765	30 307	29 64?
40 ～ 44	24 117	19 319	15 983	16 558	16 368	15 782	14 87?
45 ～ 49	2 287	1 663	1 334	1 281	1 340	1 352	1 363
50歳以上	42	28	25	17	18	14	1?
不　　詳	85	84	12	18	41	27	2?
	実　施　率（女　子　人　口　千　対）						
総　　数2)	11.7	10.3	7.9	6.9	6.8	6.5	6.?
15歳	…	1.7	1.8	1.4	1.1	1.1	0.?
16歳	…	5.3	4.4	3.7	3.2	2.5	2.?
17歳	…	8.8	6.5	4.9	4.3	4.0	4.0
18歳	…	12.4	8.8	8.0	7.1	6.3	6.0
19歳	…	17.2	12.4	11.0	10.8	10.1	10.1
20歳未満3)	12.1	9.4	6.9	6.1	5.5	5.0	4.8
20 ～ 24	20.5	20.0	14.9	13.2	13.5	12.9	13.0
25 ～ 29	15.4	14.6	12.7	11.2	11.2	10.6	10.8
30 ～ 34	14.5	11.4	10.3	10.0	10.0	9.6	9.?
35 ～ 39	13.2	10.6	8.3	7.7	7.7	7.6	7.?
40 ～ 44	6.2	4.8	3.7	3.4	3.4	3.3	3.2
45 ～ 49	0.5	0.4	0.3	0.3	0.3	0.3	0.3

資料：政策統括官（統計・情報政策，政策評価担当）「平成29年度衛生行政報告例」
注：1　平成13年までは「母体保護統計報告」による暦年の数値であり，平成14年度以降は「衛生行政報告例」による年度の数値である。
　　2　平成15年度からの「20歳未満」は再掲である。
　　1）平成22年度は，東日本大震災の影響により，福島県の相双保健福祉事務所管轄内の市町村が含まれていない。
　　2）実施率の「総数」は，分母に15～49歳の女子人口を用い，分子に50歳以上の数値を除いた「件数」を用いて計算した。
　　3）実施率の「20歳未満」は，分母に15～19歳の女子人口を用い，分子に15歳未満を含めた「件数」を用いて計算した。

保　健　99

第２−18表　妊産婦死亡数・死亡率（出産10万対），死因別

死因基本分類[1]	死　　因[1]	妊産婦死亡数			妊産婦死亡率（出産10万対）		
		平成27年 (2015)	平成28年 (2016)	平成29年 (2017)	平成27年 (2015)	平成28年 (2016)	平成29年 (2017)
	総　　　　　　　数	39	34	33	3.8	3.4	3.4
O00〜O92	直 接 産 科 的 死 亡	30	27	20	2.9	2.7	2.1
O00	子 宮 外 妊 娠	−	2	1	−	0.2	0.1
O10〜O16	妊娠，分娩及び産じょくにおける浮腫，たんぱく尿及び高血圧性障害	3	4	1	0.3	0.4	0.1
O44〜O45	前置胎盤及び(常位)胎盤早期剥離	3	3	2	0.3	0.3	0.2
O46	分娩前出血，他に分類されないもの	−	−	−	−	−	−
O72	分 娩 後 出 血	11	2	3	1.1	0.2	0.3
O88	産 科 的 塞 栓 症	6	8	6	0.6	0.8	0.6
O01〜O07 O20〜O43 O47〜O71 O73〜O87 O89〜O92	その他の直接産科的死亡	7	8	7	0.7	0.8	0.7
O98〜O99	間 接 産 科 的 死 亡	8	7	13	0.8	0.7	1.3
O95	原 因 不 明 の 産 科 的 死 亡	1	−	−	0.1	−	−
A34	産 科 破 傷 風	−	−	−	−	−	−
E230	下垂体の分娩後え＜壊＞死	…	…	…	…	…	…
F53	産じょくに関連する精神及び行動の障害	…	…	…	…	…	…
M830	産 じ ょ く 期 骨 軟 化 症	…	…	…	…	…	…
V01〜Y89	傷 病 及 び 死 亡 の 外 因	…	…	…	…	…	…

資料：政策統括官（統計・情報政策，政策評価担当）「平成29年人口動態統計」
注：1）死因基本分類及び死因は，「ICD-10（2013年版）」（平成29年適用）によるものである。

第２−19表　諸外国の妊産婦死亡率，年次別

(単位：出生10万対)

国　　名	昭和30年 (1955)	昭和40年 (1965)	昭和50年 (1975)	昭和60年 (1985)	平成７年 (1995)	平成17年 (2005)	平成27年 (2015)	平成29年 (2017)
日　　　　本[1]	178.8	87.6	28.7	15.8	7.2	5.8	3.9	3.5
カ ナ ダ	75.8	32.3	7.5	4.0	4.5	'04) 5.9	'13) 6.0	'13) 6.0
アメリカ合衆国	47.0	31.6	12.8	7.8	7.1	18.4	28.7	'15) 28.7
フ ラ ン ス	61.1	32.2	19.9	12.0	9.6	5.3	'14) 4.7	'14) 4.7
ド イ ツ[2]	156.7	…	39.6	10.7	5.4	4.1	3.3	'15) 3.3
イ タ リ ア	133.3	77.0	25.9	8.2	3.2	'03) 5.1	3.3	'15) 3.3
オ ラ ン ダ	60.9	26.9	10.7	4.5	7.3	8.5	3.5	'16) 3.5
スウェーデン	49.4	13.8	1.9	5.1	3.9	5.9	0.9	'16) 2.6
ス イ ス	104.3	37.6	12.7	5.4	8.5	5.5	6.9	'15) 6.9
イ ギ リ ス[3]	65.7	18.0	12.8	7.0	7.0	7.1	4.5	'15) 4.5
オーストラリア	64.0	57.0	5.6	3.2	8.2	'04) 4.7	2.6	'15) 2.6
ニュージーランド	44.1[4]	21.6	23.0	13.5	3.5	10.4	'13) 17.0	'13) 17.0

資料：WHO "World Health Statistics Annual"
　　　UN "Demographic Yearbook"
　　　日本　政策統括官（統計・情報政策，政策評価担当）「平成29年人口動態統計」
注：1）国際比較の為，出生10万対で示している。
　　2）1985年までは，旧西ドイツの数値である。
　　3）1985年までは，イングランド・ウェールズの数値である。
　　4）マオリ族を除く。

第2−20表　保健所の主な活動状況

(3−1)　　　　　　　　　　　　　　　　　　　　　　　　　　　　　　　　　　　平成28年度 (FY2016)

保健所が実施した健康診断を受けた人の延数	総数	結核	精神	療育	生活習慣病	母子	一般	その他
	1 483 456	1 394 184	3 001	3 253	38 619	1 391	18 871	24 13

政令市及び特別区の設置する保健所が実施した妊産婦・乳幼児の一般健康診査を受けた人の数

		妊婦	産婦	乳児 1～2か月	乳児 3～5か月	乳児 6～8か月	乳 9～12か
一般健康診査	受診実人員	294 316	6 305	83 615	269 555	139 342	196 46
	受診延人員	3 054 304	6 463	83 618	270 495	139 974	197 02

		幼児 1歳6か月	幼児 3歳児	幼児 4～6歳児	幼児 その他
一般健康診査	受診実人員	274 376	262 595	1 831	10 657
	受診延人員	276 432	263 124	1 831	10 713

妊産婦・乳幼児保健指導を受けた人の数		妊婦	産婦	乳児	幼児	電話相談
	被指導実人員	211 724	58 216	154 271	163 483	
	被指導延人員	223 856	73 893	220 019	231 608	496 87

妊産婦・乳幼児訪問指導を受けた人の数		妊婦	産婦	新生児	未熟児	乳児	幼児
	被指導実人員	9 697	180 213	101 742	14 353	111 645	35 06
	被指導延人員	12 703	199 694	107 749	17 233	130 034	54 05

長期療養児相談等を受けた人の数		相談・機能訓練・訪問指導実人員	(再掲)相談	(再掲)機能訓練	(再掲)訪問指導	電話相談延人員
	被指導実人員	60 695	57 965	475	4 342	
	被指導延人員	・	87 195	1 149	9 660	46 71

長期療養児相談を受けた人の延数	総数	申請等	医療	家庭看護	福祉制度	就学	食事・栄養	歯科	その他
	87 195	62 089	5 285	6 629	3 994	1 830	1 165	513	5 69

歯科健診・保健指導を受けた人の延数		総数	妊産婦	乳幼児	その他	(再掲)歯周疾患検
	個別健診・保健指導	343 233	48 822	156 215	138 196	80 57
	集団健診・保健指導	969 050	23 033	843 364	102 653	9 43

訪問による歯科健診・保健指導を受けた人の数		総数	身体障害者(児) 知的障害者(児) 精神障害者 (再掲)	(再掲)医療機関等へ委
	受診実人員	5 612	4 219	69
	受診延人員	6 504	4 753	81

訪問による歯科予防処置・治療を受けた人の数				
	受診実人員	770	494	14
	受診延人員	1 377	690	55

歯科予防処置・治療を受けた人の延数		総数	妊産婦	乳幼児	その他
	予防処置	387 670	194	316 595	70 88
	治療	3 167	・	・	

保　健　101

第2－20表（続）　　保健所の主な活動状況

(3－2)　　　　　　　　　　　　　　　　　　　　　　　　　　　　　平成28年度 (FY2016)

栄養指導を受けた人の延数	総　数	妊産婦	乳幼児	20歳未満（乳幼児・妊産婦を除く）	20歳以上（妊産婦を除く）
	1 234 033	66 910	709 528	48 174	409 421
病態別栄養指導を受けた人の延数	91 503	3 055	26 669	1 713	60 066
訪問による栄養指導を受けた人の延数	16 138	4 527	5 238	100	6 273

運動指導を受けた人の延数	総　数	妊産婦	乳幼児	20歳未満（乳幼児・妊産婦を除く）	20歳以上（妊産婦を除く）
	195 517	3 735	・	4 262	187 520
病態別運動指導を受けた人の延数	5 755	29	・	47	5 679
休養指導を受けた人の延数	28 800	3 993	・	3 610	21 197
禁煙指導を受けた人の延数	116 031	23 041	・	36 710	56 280
その他の栄養・運動等指導を受けた人の延数	47 082	2 978	6 041	5 976	32 087

栄養管理指導を受けた施設，栄養・運動指導を受けた人の数		総　数	特定給食施設	その他の給食施設
	被指導施設数	104 648	60 309	44 339
	被指導延人員	23 856	20 522	3 334

精神保健福祉相談等を受けた人の数		総　数	(再掲)相談	(再掲)デイケア	(再掲)訪問指導	(再掲)ひきこもり
	被指導実人員	208 733	158 590	3 130	58 916	
	被指導延人員	・	458 607	35 468	153 548	46 741
		電話相談	メールによる相談			
	被指導実人員					
	被指導延人員	858 186	7 035			

精神保健福祉相談を受けた人の延数	総　数	老人精神保健	社会復帰	アルコール	薬　物	ギャンブル	思春期	心の健康づくり	摂食障害	てんかん	その他
	458 607	12 693	139 468	17 573	3 938	1 148	10 478	50 831	1 218	2 047	219 213

精神保健福祉の訪問指導を受けた人の延数	総　数	老人精神保健	社会復帰	アルコール	薬　物	ギャンブル	思春期	心の健康づくり	摂食障害	てんかん	その他
	153 548	6 445	30 414	6 544	1 349	172	19 698	471	1 317		84 632

精神保健福祉普及啓発のための教室等の数		精神障害者(家族)に対する教室等	地域住民と精神障害者との地域交流会
	開催回数	4 618	2 275
	参加延人員	56 095	35 314

精神保健福祉の組織育成支援件数	総　数	患者会	家族会	依存症の自助団体・回復会	職親会	その他
	12 614	2 428	4 563	2 095	51	3 477

難病相談等を受けた人の数		総　数	(再掲)相談	(再掲)機能訓練	(再掲)訪問指導	電話相談
	被指導実人員	507 659	495 313	1 165	18 563	
	被指導延人員	・	707 932	2 768	41 872	345 835

難病相談を受けた人の延数	総　数	申請等	医　療	家庭看護	福祉制度	就　労	就　学	食事・栄養	歯　科	その他
	707 932	570 685	53 083	26 291	23 574	2 704	527	4 421	896	25 751

難病患者・家族に対する学習会の数	開　催　回　数	1 935	参　加　延　人　員	33 190

エイズ相談件数－採血件数－陽性件数	相　談　件　数	99 715	HIV抗体検査のための採血件数	92 223	陽　性　件　数	275

衛生教育の数		総　数	感染症	精　神	難　病	母　子	成人・老人
	開催回数	117 036	7 502	7 891	1 251	25 686	17 822
	参加延人員	4 368 333	419 128	254 232	36 017	777 137	484 215
		栄養・健康増進	歯　科	医事・薬事	食　品	環　境	その他
	開催回数	17 164	10 982	3 239	19 692	2 748	3 059
	参加延人員	597 821	386 804	302 393	870 361	110 105	130 120

102　保　　健

第2−20表（続）　保健所の主な活動状況

(3−3) 平成28年度 (FY2016)

結核健康診断を受けた人の数−予防接種を受けた人の数−発見された患者等の数	ツ反応検査被注射者数	ツ反応検査被判定者数	ツ反応陰性者数	ツ反応陽性者数	健康診断受診者数		
	2 570	2 567	1 731	836	14 251 685		
	間接撮影者数	直接撮影者数	喀痰検査者数	IGRA検査者数	被発見者数；結核患者	被発見者数；潜在性結核感染者	被発見者数；発病のおそれがあると診断された者
	5 752 410	8 436 416	66 874	93 749	942	4 077	10 194

保健所の環境衛生監視員等が調査・監視指導した施設の延数	総　数	営業関係施設	飲料水施設	その他の施設	その他		
	233 625	160 378	27 911	25 582	19 754		
	営業関係施設	旅館等	興行場	公衆浴場	理容所	美容所	クリーニング所	無店舗取次店
	160 378	40 655	2 644	17 536	24 319	52 027	23 075	122
	飲料水施設	水道事業	簡易水道事業	水道用水供給事業	専用水道	簡易専用水道	その他の水道	井戸等
	27 911	1 153	2 782	101	2 994	9 517	8 300	3 064
	その他の施設	化製場	畜舎・家きん舎	火葬場	墓地・納骨堂	特定建築物	一般プール	
	25 582	993	1 569	125	2 423	12 725	7 747	

保健所が実施した試験検査件数	総　数	細菌学的検査	食品衛生関係検査	臨床学的検査	水質検査	廃棄物検査関係	環境・公害関係検査	その他
	2 167 712	1 382 059	193 301	412 422	90 393	1 240	59 558	28 739

市町村職員に対する研修(指導)の数		総　数	保健計画策定・地域診断	母子保健	健康増進	介護予防・生活支援	歯科保健
	実施回数	8 063	348	1 155	1 413	209	503
	参加延人員	136 056	4 268	21 190	16 003	5 267	6 679
		感染症	精神保健福祉	難　病	介護保険	健康危機管理	その他
	実施回数	546	1 667	236	453	344	1 189
	参加延人員	12 296	25 701	5 078	9 734	7 369	22 471

保健所における調査・研究	総　数	全　般	対人保健総数	対物保健総数
	1 955	80	1 331	544

保健所の非常勤職員の年度中に活動した人の延数	683 223

市町村に援助活動をした保健所職員の延数	15 995

保健所における連絡調整会議の開催回数及び参加機関・団体数		保健所運営協議会	保健所保健事業連絡協議会	母子保健推進協議会	保健所保健福祉サービス調整推進会議	その他
	開催回数	304	443	497	3 349	24 432
	参加機関・団体数	4 772	3 197	3 502	20 338	158 367

資料：政策統括官（統計・情報政策担当）「平成28年度地域保健・健康増進事業報告」

保　健　103

第2−21表　保健所の常勤職員，職種別

平成28年度（FY2016）末現在

総　　数	医　　師	歯科医師	獣 医 師	薬 剤 師
28 159	728	80	2 253	2 904
保 健 師	助 産 師	看 護 師	准看護師	理学療法士
8 327	52	150	8	53
作業療法士	歯科衛生士	診療放射線技師	診療エックス線技師	臨床検査技師
31	327	461	10	690
衛生検査技師	管理栄養士	栄 養 士	そ の 他	
56	1 160	97	10 772	

資料：政策統括官（統計・情報政策担当）　「平成28年度地域保健・健康増進事業報告」

104 保 健

第2-22表 特定医療費（指定難病）受給者証所持者数，対象疾患別

(3-1) 平成29年度（FY2017）末現在

対象疾患	所持者数	対象疾患	所持者数
総数	892 445	ベーチェット病	15 284
球脊髄性筋萎縮症	1 232	特発性拡張型心筋症	21 517
筋萎縮性側索硬化症	9 636	肥大型心筋症	4 046
脊髄性筋萎縮症	824	拘束型心筋症	44
原発性側索硬化症	84	再生不良性貧血	8 007
進行性核上性麻痺	9 967	自己免疫性溶血性貧血	898
パーキンソン病	127 536	発作性夜間ヘモグロビン尿症	622
大脳皮質基底核変性症	4 157	特発性血小板減少性紫斑病	17 618
ハンチントン病	900	血栓性血小板減少性紫斑病	182
神経有棘赤血球症	30	原発性免疫不全症候群	1 613
シャルコー・マリー・トゥース病	516	IgA腎症	7 796
重症筋無力症	22 532	多発性嚢胞腎	8 011
先天性筋無力症候群	10	黄色靭帯骨化症	4 979
多発性硬化症／視神経脊髄炎	18 411	後縦靭帯骨化症	32 340
慢性炎症性脱髄性多発神経炎／多巣性運動ニューロパチー	4 090	広範脊柱管狭窄症	5 257
封入体筋炎	417	特発性大腿骨頭壊死症	16 077
クロウ・深瀬症候群	142	下垂体性ADH分泌異常症	2 830
多系統萎縮症	11 331	下垂体性TSH分泌亢進症	140
脊髄小脳変性症（多系統萎縮症を除く。）	26 345	下垂体性PRL分泌亢進症	2 020
ライソゾーム病	1 262	クッシング病	787
副腎白質ジストロフィー	248	下垂体性ゴナドトロピン分泌亢進症	73
ミトコンドリア病	1 416	下垂体性成長ホルモン分泌亢進症	4 160
もやもや病	12 648	下垂体前葉機能低下症	14 969
プリオン病	414	家族性高コレステロール血症（ホモ接合体）	245
亜急性硬化性全脳炎	77	甲状腺ホルモン不応症	33
進行性多巣性白質脳症	32	先天性副腎皮質酵素欠損症	644
HTLV-1関連脊髄症	823	先天性副腎低形成症	35
特発性基底核石灰化症	73	アジソン病	229
全身性アミロイドーシス	2 471	サルコイドーシス	15 047
ウルリッヒ病	13	特発性間質性肺炎	11 936
遠位型ミオパチー	218	肺動脈性肺高血圧症	3 456
ベスレムミオパチー	10	肺静脈閉塞症／肺毛細血管腫症	23
自己貪食空胞性ミオパチー	6	慢性血栓塞栓性肺高血圧症	3 439
シュワルツ・ヤンペル症候群	7	リンパ脈管筋腫症	745
神経線維腫症	3 883	網膜色素変性症	24 692
天疱瘡	3 347	バッド・キアリ症候群	229
表皮水疱症	299	特発性門脈圧亢進症	253
膿疱性乾癬（汎発型）	1 788	原発性胆汁性胆管炎	18 047
スティーヴンス・ジョンソン症候群	150	原発性硬化性胆管炎	678
中毒性表皮壊死症	50	自己免疫性肝炎	4 772
高安動脈炎	4 573	クローン病	41 068
巨細胞性動脈炎	603	潰瘍性大腸炎	128 734
結節性多発動脈炎	2 551	好酸球性消化管疾患	576
顕微鏡的多発血管炎	8 669	慢性特発性偽性腸閉塞症	124
多発血管炎性肉芽腫症	2 554	巨大膀胱短小結腸腸管蠕動不全症	1
好酸球性多発血管炎性肉芽腫症	2 640	腸管神経節細胞僅少症	10
悪性関節リウマチ	5 571	ルビンシュタイン・テイビ症候群	5
バージャー病	3 177	CFC症候群	5
原発性抗リン脂質抗体症候群	407	コステロ症候群	3
全身性エリテマトーデス	60 441	チャージ症候群	55
皮膚筋炎／多発性筋炎	21 411	クリオピリン関連周期熱症候群	52
全身性強皮症	27 423	全身型若年性特発性関節炎	150
混合性結合組織病	9 871	TNF受容体関連周期性症候群	17
シェーグレン症候群	13 243	非典型溶血性尿毒症症候群	60
成人スチル病	2 717	ブラウ症候群	6
再発性多発軟骨炎	575	先天性ミオパチー	203

保　健　105

第2－22表（続）　**特定医療費（指定難病）受給者証所持者数，対象疾患別**

(3－2)

平成29年度（FY2017）末現在

対　象　疾　患	所持者数	対　象　疾　患	所持者数
マリネスコ・シェーグレン症候群	8	エーラス・ダンロス症候群	97
筋ジストロフィー	3 421	メンケス病	－
非ジストロフィー性ミオトニー症候群	16	オクシピタル・ホーン症候群	1
遺伝性周期性四肢麻痺	37	ウィルソン病	510
アトピー性脊髄炎	32	低ホスファターゼ症	5
脊髄空洞症	406	VATER症候群	16
脊髄髄膜瘤	41	那須・ハコラ病	5
アイザックス症候群	57	ウィーバー症候群	－
遺伝性ジストニア	56	コフィン・ローリー症候群	3
神経フェリチン症	1	有馬症候群	1
脳表ヘモジデリン沈着症	107	モワット・ウィルソン症候群	15
禿頭と変形性脊椎症を伴う常染色体劣性白質脳症	4	ウィリアムズ症候群	27
皮質下梗塞と白質脳症を伴う常染色体優性脳動脈症	62	ATR－X症候群	8
神経軸索スフェロイド形成を伴う遺伝性びまん性白質脳症	35	クルーゾン症候群	8
ペリー症候群	3	アペール症候群	6
前頭側頭葉変性症	733	ファイファー症候群	6
ビッカースタッフ脳幹脳炎	49	アントレー・ビクスラー症候群	－
痙攣重積型（二相性）急性脳症	56	コフィン・シリス症候群	4
先天性無痛無汗症	21	ロスムンド・トムソン症候群	2
アレキサンダー病	26	歌舞伎症候群	6
先天性核上性球麻痺	2	多脾症候群	21
メビウス症候群	14	無脾症候群	45
中隔視神経形成異常症／ドモルシア症候群	6	鰓耳腎症候群	6
アイカルディ症候群	5	ウェルナー症候群	95
片側巨脳症	10	コケイン症候群	4
限局性皮質異形成	36	プラダー・ウィリ症候群	120
神経細胞移動異常症	28	ソトス症候群	8
先天性大脳白質形成不全症	23	ヌーナン症候群	35
ドラベ症候群	23	ヤング・シンプソン症候群	－
海馬硬化を伴う内側側頭葉てんかん	27	1p36欠失症候群	4
ミオクロニー欠神てんかん	2	4p欠失症候群	3
ミオクロニー脱力発作を伴うてんかん	8	5p欠失症候群	－
レノックス・ガストー症候群	129	第14番染色体父親性ダイソミー症候群	1
ウエスト症候群	74	アンジェルマン症候群	20
大田原症候群	9	スミス・マギニス症候群	－
早期ミオクロニー脳症	8	22q11.2欠失症候群	36
遊走性焦点発作を伴う乳児てんかん	15	エマヌエル症候群	4
片側痙攣・片麻痺・てんかん症候群	11	脆弱X症候群関連疾患	－
環状20番染色体症候群	11	脆弱X症候群	4
ラスムッセン脳炎	21	総動脈幹遺残症	18
PCDH19関連症候群	7	修正大血管転位症	94
難治頻回部分発作重積型急性脳炎	16	完全大血管転位症	104
徐波睡眠期持続性棘徐波を示すてんかん性脳症	14	単心室症	173
ランドウ・クレフナー症候群	4	左心低形成症候群	16
レット症候群	50	三尖弁閉鎖症	91
スタージ・ウェーバー症候群	74	心室中隔欠損を伴わない肺動脈閉鎖症	58
結節性硬化症	486	心室中隔欠損を伴う肺動脈閉鎖症	50
色素性乾皮症	60	ファロー四徴症	332
先天性魚鱗癬	58	両大血管右室起始症	95
家族性良性慢性天疱瘡	41	エブスタイン病	64
類天疱瘡（後天性表皮水疱症を含む。）	2 031	アルポート症候群	107
特発性後天性全身性無汗症	126	ギャロウェイ・モワト症候群	－
眼皮膚白皮症	10	急速進行性糸球体腎炎	549
肥厚性皮膚骨膜症	10	抗糸球体基底膜腎炎	134
弾性線維性仮性黄色腫	51	一次性ネフローゼ症候群	7 700
マルファン症候群	585	一次性膜性増殖性糸球体腎炎	153

106　保　　健

第2-22表（続）　特定医療費（指定難病）受給者証所持者数，対象疾患別

（3-3）　　　　　　　　　　　　　　　　　　　　　　　平成29年度（FY2017）末現在

対　象　疾　患	所持者数	対　象　疾　患	所持者数
紫斑病性腎炎	500	巨大リンパ管奇形（頸部顔面病変）	4
先天性腎性尿崩症	29	巨大静脈奇形（頸部口腔咽頭びまん性病変）	9
間質性膀胱炎（ハンナ型）	542	巨大動静脈奇形（頸部顔面又は四肢病変）	69
オスラー病	445	クリッペル・トレノネー・ウェーバー症候群	186
閉塞性細気管支炎	18	先天性赤血球形成異常性貧血	3
肺胞蛋白症（自己免疫性又は先天性）	120	後天性赤芽球癆	435
肺胞低換気症候群	48	ダイアモンド・ブラックファン貧血	12
α1-アンチトリプシン欠乏症	8	ファンコニ貧血	13
カーニー複合	16	遺伝性鉄芽球性貧血	9
ウォルフラム症候群	1	エプスタイン症候群	3
ペルオキシソーム病（副腎白質ジストロフィーを除く。）	1	自己免疫性後天性凝固因子欠乏症	122
副甲状腺機能低下症	167	クロンカイト・カナダ症候群	108
偽性副甲状腺機能低下症	77	非特異性多発性小腸潰瘍症	65
副腎皮質刺激ホルモン不応症	8	ヒルシュスプルング病（全結腸型又は小腸型）	9
ビタミンD抵抗性くる病／骨軟化症	133	総排泄腔外反症	10
ビタミンD依存性くる病／骨軟化症	3	総排泄腔遺残	25
フェニルケトン尿症	181	先天性横隔膜ヘルニア	4
高チロシン血症1型	2	乳幼児肝巨大血管腫	1
高チロシン血症2型	-	胆道閉鎖症	227
高チロシン血症3型	-	アラジール症候群	22
メープルシロップ尿症	5	遺伝性膵炎	19
プロピオン酸血症	7	囊胞性線維症	28
メチルマロン酸血症	15	IgG4関連疾患	1 428
イソ吉草酸血症	-	黄斑ジストロフィー	97
グルコーストランスポーター1欠損症	6	レーベル遺伝性視神経症	63
グルタル酸血症1型	2	アッシャー症候群	10
グルタル酸血症2型	4	若年発症型両側性感音難聴	11
尿素サイクル異常症	62	遅発性内リンパ水腫	21
リジン尿性蛋白不耐症	21	好酸球性副鼻腔炎	4 978
先天性葉酸吸収不全	-	カナバン病	2
ポルフィリン症	32	進行性白質脳症	1
複合カルボキシラーゼ欠損症	2	進行性ミオクローヌスてんかん	6
筋型糖原病	19	先天異常症候群	7
肝型糖原病	76	先天性三尖弁狭窄症	2
ガラクトース-1-リン酸ウリジルトランスフェラーゼ欠損症	2	先天性僧帽弁狭窄症	1
レシチンコレステロールアシルトランスフェラーゼ欠損症	2	先天性肺静脈狭窄症	1
シトステロール血症	3	左側肺動脈右肺動脈起始症	1
タンジール病	1	ネイルパテラ症候群（爪膝蓋骨症候群）／LMX1B関連腎症	5
原発性高カイロミクロン血症	15	カルニチン回路異常症	5
脳腱黄色腫症	36	三頭酵素欠損症	1
無βリポタンパク血症	1	シトリン欠損症	26
脂肪萎縮症	22	セピアプテリン還元酵素（SR）欠損症	-
家族性地中海熱	175	先天性グリコシルホスファチジルイノシトール（GPI）欠損症	-
高IgD症候群	1	非ケトーシス型高グリシン血症	-
中條・西村症候群	-	β-ケトチオラーゼ欠損症	-
化膿性無菌性関節炎・壊疽性膿皮症・アクネ症候群	6	芳香族L-アミノ酸脱炭酸酵素欠損症	1
慢性再発性多発性骨髄炎	30	メチルグルタコン酸尿症	-
強直性脊椎炎	2 516	遺伝性自己炎症疾患	3
進行性骨化性線維異形成症	17	大理石骨病	8
肋骨異常を伴う先天性側弯症	19	特発性血栓症（遺伝性血栓性素因によるものに限る。）	40
骨形成不全症	61	前眼部形成異常	4
タナトフォリック骨異形成症	2	無虹彩症	27
軟骨無形成症	56	先天性気管狭窄症	5
リンパ管腫症／ゴーハム病	30		

資料：政策統括官（統計・情報政策、政策評価担当）「平成29年度衛生行政報告例」

保 健 107

第2−23表　原爆被爆者健康手帳等の交付状況，都道府県別

平成29年度 (FY2017) 末現在

区分 都道府県等	被爆者健康手帳					健康診断受診者証	合計	指定医療機関	一般疾病医療機関
	1号	2号	3号	4号	小計				
	人	人	人	人	人	人	人	箇所	箇所
全　国	96 365	34 257	17 176	7 061	154 859	9 063	163 922	2 363	158 337
北海道	196	64	23	9	292	6	298	15	4 030
青森	32	11	5	2	50	-	50	3	592
岩手	14	7	4	2	27	2	29	10	436
宮城	85	34	7	4	130	1	131	4	1 364
秋田	11	5	1	2	19	-	19	9	364
山形	13	5	-	-	18	1	19	6	680
福島	39	15	4	4	62	3	65	6	1 171
茨城	246	62	19	17	344	15	359	15	2 222
栃木	127	30	13	6	176	2	178	7	1 360
群馬	96	12	8	2	118	4	122	20	1 296
埼玉	1 153	341	105	129	1 728	64	1 792	6	8 706
千葉	1 401	521	137	154	2 213	72	2 285	32	5 761
東京	3 531	1 086	324	262	5 203	109	5 312	60	13 868
神奈川	2 701	754	225	206	3 886	119	4 005	90	10 515
新潟	69	13	7	3	92	-	92	5	1 663
富山	29	18	3	2	52	-	52	2	614
石川	55	20	5	2	82	2	84	24	1 029
福井	46	7	2	2	57	1	58	4	546
山梨	53	16	-	3	72	4	76	4	743
長野	75	19	6	6	106	5	111	8	2 031
岐阜	209	76	37	16	338	17	355	36	2 288
静岡	364	109	29	32	534	23	557	30	3 702
愛知	1 380	326	144	107	1 957	131	2 088	25	11 460
三重	234	63	23	16	336	15	351	87	2 047
滋賀	194	73	33	11	311	19	330	1	1 447
京都	594	209	77	47	927	20	947	16	4 514
大阪	3 515	970	348	250	5 083	199	5 282	90	12 415
兵庫	2 122	711	219	152	3 204	128	3 332	23	9 557
奈良	349	140	29	35	553	14	567	5	1 927
和歌山	149	30	14	14	207	4	211	4	1 563
鳥取	100	123	25	7	255	3	258	17	1 038
島根	302	537	65	14	918	2	920	63	1 213
岡山	813	412	115	77	1 417	19	1 436	21	4 801
広島	8 457	7 367	3 114	898	19 836	60	19 896	841	5 841
山口	1 539	728	221	114	2 602	35	2 637	116	3 205
徳島	87	39	11	2	139	2	141	6	1 654
香川	221	46	13	18	298	4	302	16	1 508
愛媛	421	176	34	35	666	9	675	8	2 264
高知	94	34	5	8	141	3	144	4	928
福岡	4 187	1 029	428	248	5 892	272	6 164	29	9 005
佐賀	613	180	122	28	943	42	985	5	1 884
長崎	6 379	1 823	2 714	469	11 385	1 681	13 066	531	2 970
熊本	788	123	51	37	999	33	1 032	7	3 928
大分	357	130	35	25	547	11	558	22	2 108
宮崎	281	80	25	12	398	7	405	16	1 654
鹿児島	495	90	41	26	652	12	664	6	3 230
沖縄	93	43	3	7	146	3	149	8	1 195
別掲 広島市	30 468	11 494	5 931	2 491	50 384	156	50 540	-	-
長崎市	21 588	4 056	2 372	1 048	29 064	5 729	34 793	-	-

資料：健康局総務課調べ
注：「原子爆弾被爆者に対する援護に関する法律」第1条（定義）における「被爆者」とは次の各号のいずれかに
　　該当する者であって，被爆者健康手帳の交付を受けたものをいう。
　1号　原子爆弾が投下された際当時の広島市若しくは長崎市の区域内又は政令で定めるこれらに隣接する区域
　　　　内に在った者
　2号　原子爆弾が投下された時から起算して政令で定める期間内に前号に規定する区域のうちで政令で定める
　　　　区域内に在った者
　3号　前2号に掲げる者のほか，原子爆弾が投下された際又はその後において，身体に原子爆弾の放射能の影
　　　　響を受けるような事情の下にあった者
　4号　前3号に掲げる者が当該各号に規定する事由に該当した当時その者の胎児であった者

108 医　療

第2章　医　療

第2−24表　医療法人数，年次別

年　次		総　数	財　団	社　団	持分のあるもの	持分のないもの
昭和60年	(1985)	3 926	349	3 577	3 456	121
平成2年	(1990)	14 312	366	13 946	13 796	150
7	(1995)	14 312	366	13 946	13 796	150
12	(2000)	32 708	399	32 309	32 067	242
17	(2005)	40 030	392	39 638	39 257	381
22	(2010)	45 989	393	45 596	42 902	2 694
27	(2015)	50 866	386	50 480	41 027	9 453
29	(2017)	53 000	375	52 625	40 186	12 439
30	(2018)	53 944	369	53 575	39 716	13 859

資料：医政局医療経営支援課調べ
注：平成7年までは年末現在数，平成12年以降は3月31日現在数である。

第2−25表　医療法人数，都道府県別

平成30年（2018）3月31日現在

都道府県	医療法人総　数	財　団	社団総数	持分のあるもの	持分のないもの	特定医療法人総数（再掲）	一人医師医療法人（再掲）設立認可件数	
							医　科	歯　科
全　国	53 944	369	53 575	39 716	13 859	358	35 175	9 672
北　海　道	2 610	4	2 606	1 958	648	17	1 342	677
青　森	347	3	344	282	62	1	227	43
岩　手	367	3	364	262	102	6	232	59
宮　城	840	9	831	620	211	3	567	94
秋　田	337	4	333	269	64	3	196	60
山　形	463	2	461	372	89	2	333	66
福　島	853	3	850	688	162	5	626	122
茨　城	952	2	950	711	239	3	545	132
栃　木	792	3	789	624	165	10	500	84
群　馬	847	4	843	631	212	6	588	131
埼　玉	2 610	17	2 593	1 841	752	14	1 584	532
千　葉	2 059	12	2 047	1 431	616	8	1 237	491
東　京	6 091	96	5 995	3 856	2 139	19	3 799	1 580
神　奈　川	3 390	36	3 354	2 266	1 088	17	2 155	747
新　潟	925	6	919	717	202	7	661	167
富　山	304	6	298	226	72	5	165	57
石　川	472	5	467	369	98	5	299	93
福　井	319	4	315	257	58	9	202	56
山　梨	248	3	245	187	58	5	163	34
長　野	767	8	759	614	145	5	527	133
岐　阜	724	–	724	549	175	9	455	116
静　岡	1 400	2	1 398	1 107	291	4	1 006	198
愛　知	2 174	8	2 166	1 543	623	17	1 399	347
三　重	665	1	664	532	132	4	470	86
滋　賀	477	–	477	353	124	3	350	67
京　都	1 018	22	996	735	261	7	687	154
大　阪	4 232	26	4 206	3 035	1 171	18	3 091	773
兵　庫	2 231	20	2 211	1 609	602	21	1 549	331
奈　良	498	8	490	346	144	2	346	46
和　歌　山	414	–	414	345	69	2	289	47
鳥　取	328	7	321	282	39	2	224	68
島　根	334	2	332	287	45	4	222	51
岡　山	978	1	977	795	182	15	660	159
広　島	1 501	1	1 500	1 158	342	6	1 070	218
山　口	767	3	764	610	154	4	548	89
徳　島	579	–	579	492	87	2	337	120
香　川	570	4	566	424	142	2	371	93
愛　媛	917	5	912	759	153	9	615	160
高　知	398	1	397	317	80	8	211	59
福　岡	2 905	8	2 897	2 175	722	19	1 951	378
佐　賀	440	1	439	331	108	7	270	67
長　崎	852	6	846	671	175	6	564	127
熊　本	1 055	3	1 052	851	201	11	665	157
大　分	692	6	686	519	167	8	419	81
宮　崎	596	2	594	458	136	7	403	76
鹿　児　島	1 090	2	1 088	866	222	7	707	182
沖　縄	516	–	516	386	130	4	348	64

資料：医政局医療経営支援課調べ
注：一人医師医療法人（再掲）欄には，昭和61年9月以前に設立された医療法人で，調査時点において，医師若しくは歯科医師が常時3人未満の診療所も含まれている。

医　療　109

第2－26表　医療施設数・人口10万対施設数, 年次×施設の種類別

各年10月1日現在

医療施設の種類	平成14年 (2002)	平成17年 (2005)	平成20年 (2008)	平成23年 (2011)	平成26年 (2014)	平成29年 (2017)
	施　　設　　数					
総　　　　　　　数	169 079	173 200	175 656	176 308	177 546	178 492
病　　　　　　院	9 187	9 026	8 794	8 605	8 493	8 412
精 神 科 病 院	1 069	1 073	1 079	1 076	1 067	1 059
結 核 療 養 所	2	1	1	1	－	－
一 般 病 院	8 116	7 952	7 714	7 528	7 426	7 353
（再掲）地域医療 支 援 病 院	43	106	228	378	493	556
（再掲）療養病床 を 有 す る 病 院	3 723	4 374	4 067	3 920	3 848	3 781
一 般 診 療 所	94 819	97 442	99 083	99 547	100 461	101 471
有　　　　　床	16 178	13 477	11 500	9 934	8 355	7 202
（再掲）療養病床 を有する一般診療所	2 675	2 544	1 728	1 385	1 125	902
無　　　　　床	78 641	83 965	87 583	89 613	92 106	94 269
歯 科 診 療 所	65 073	66 732	67 779	68 156	68 592	68 609
有　　　　　床	59	49	41	38	32	24
無　　　　　床	65 014	66 683	67 738	68 118	68 560	68 585
	人 口 10 万 対 施 設 数					
総　　　　　　　数	132.7	135.6	137.6	138.0	139.7	140.9
病　　　　　　院	7.2	7.1	6.9	6.7	6.7	6.6
精 神 科 病 院	0.8	0.8	0.8	0.8	0.8	0.8
結 核 療 養 所	0.0	0.0	0.0	0.0	－	－
一 般 病 院	6.4	6.2	6.0	5.9	5.8	5.8
（再掲）地域医療 支 援 病 院	0.0	0.1	0.2	0.3	0.4	0.4
（再掲）療養病床 を 有 す る 病 院	2.9	3.4	3.2	3.1	3.0	3.0
一 般 診 療 所	74.4	76.3	77.6	77.9	79.1	80.1
有　　　　　床	12.7	10.5	9.0	7.8	6.6	5.7
（再掲）療養病床 を有する一般診療所	2.1	2.0	1.4	1.1	0.9	0.7
無　　　　　床	61.7	65.7	68.6	70.1	72.5	74.4
歯 科 診 療 所	51.1	52.2	53.1	53.3	54.0	54.1

資料：政策統括官（統計・情報政策、政策評価担当）「医療施設調査」
注：1）「療養病床」は，平成14年は「療養病床」及び「経過的旧療養型病床群」である。
　　2）平成20年までの「一般診療所」には「沖縄県における介補診療所」を含む。

110 医　　療

第２－27表　病床数・人口10万対病床数，
年次×病床の種類別

各年10月１日現在

病床の種類	平成14年 (2002)	平成17年 (2005)	平成20年 (2008)	平成23年 (2011)	平成26年 (2014)	平成29年 (2017)
	病　　　床　　　数					
総　　　　　　　　数	1 839 376	1 798 637	1 756 115	1 712 539	1 680 712	1 653 303
病　　　　　　　院	1 642 593	1 631 473	1 609 403	1 583 073	1 568 261	1 554 879
精　神　病　床	355 966	354 296	349 321	344 047	338 174	331 700
感　染　症　病　床	1 854	1 799	1 785	1 793	1 778	1 876
結　核　病　床	17 558	11 949	9 502	7 681	5 949	5 210
療　養　病　床	300 851	359 230	339 358	330 167	328 144	325 228
一　般　病　床	966 364	904 199	909 437	899 385	894 216	890 865
一　般　診　療　所	196 596	167 000	146 568	129 366	112 364	98 355
（再掲）療養病床	24 880	24 681	17 519	14 150	11 410	9 069
歯　科　診　療　所	187	164	144	100	87	69
	人　口　10　万　対　病　床　数					
総　　　　　　　　数	1 443. 4	1 407. 7	1 375. 3	1 340. 0	1 322. 5	1 304. 8
病　　　　　　　院	1 289. 0	1 276. 9	1 260. 4	1 238. 7	1 234. 0	1 227. 2
精　神　病　床	279. 3	277. 3	273. 6	269. 2	266. 1	261. 8
感　染　症　病　床	1. 5	1. 4	1. 4	1. 4	1. 4	1. 5
結　核　病　床	13. 8	9. 4	7. 4	6. 0	4. 7	4. 1
療　養　病　床	236. 1	281. 2	265. 8	258. 3	258. 2	256. 7
一　般　病　床	758. 3	707. 7	712. 2	703. 7	703. 6	703. 1
一　般　診　療　所	154. 3	130. 7	114. 8	101. 2	88. 4	77. 6
（再掲）療養病床	19. 5	19. 3	13. 7	11. 1	9. 0	7. 2
歯　科　診　療　所	0. 1	0. 1	0. 1	0. 1	0. 1	0. 1

資料：政策統括官（統計・情報政策、政策評価担当）「医療施設調査」
注：1）「療養病床」は，平成14年は「療養病床」及び「経過的旧療養型病床群」である。
　　2）「一般病床」は，平成14年は「一般病床」及び「経過的旧その他の病床（経過的旧療養型病床群を除
く。）」である。

医　療　111

第2−28表　医療施設数・構成割合，開設者・病床規模別

各年10月1日現在

開設者 病床規模	施　　設　　数					構成割合(%)
	平成17年 (2005)	平成20年 (2008)	平成23年 (2011)	平成26年 (2014)	平成29年 (2017)	平成29年 (2017)
開　　設　　者　　別						
病　　　　　院	9 026	8 794	8 605	8 493	8 412	100.0
国	294	276	274	329	327	3.9
公 的 医 療 機 関	1 362	1 320	1 258	1 231	1 211	14.4
社会保険関係団体	129	122	121	57	52	0.6
医 療 法 人	5 695	5 728	5 712	5 721	5 766	68.5
個　　　　人	677	476	373	289	210	2.5
そ　の　他	869	872	867	866	846	10.1
一 般 診 療 所	97 442	99 083	99 547	100 461	101 471	100.0
国	633	589	585	532	532	0.5
公 的 医 療 機 関	3 964	3 743	3 632	3 593	3 583	3.5
社会保険関係団体	750	665	581	513	471	0.5
医 療 法 人	30 941	34 858	36 859	39 455	41 927	41.3
個　　　　人	50 693	48 067	46 227	43 863	41 892	41.3
そ　の　他	10 461	11 161	11 663	12 505	13 066	12.9
歯 科 診 療 所	66 732	67 779	68 156	68 592	68 609	100.0
国	2	4	3	4	5	0.0
公 的 医 療 機 関	304	285	280	273	265	0.4
社会保険関係団体	13	11	12	7	7	0.0
医 療 法 人	8 971	10 197	11 074	12 393	13 871	20.2
個　　　　人	57 110	56 955	56 481	55 588	54 133	78.9
そ　の　他	332	327	306	327	328	0.5
病 床 規 模 別						
病　　　　　院	9 026	8 794	8 605	8 493	8 412	100.0
20　〜　29床	180	143	127	117	121	1.4
30　〜　39	396	348	325	313	300	3.6
40　〜　49	638	560	540	515	498	5.9
50　〜　99	2 344	2 288	2 190	2 147	2 088	24.8
100　〜　149	1 442	1 433	1 430	1 421	1 426	17.0
150　〜　199	1 274	1 313	1 339	1 336	1 365	16.2
200　〜　299	1 149	1 130	1 108	1 116	1 114	13.2
300　〜　399	764	745	724	711	700	8.3
400　〜　499	354	366	366	380	389	4.6
500　〜　599	207	200	198	190	168	2.0
600　〜　699	123	115	114	107	109	1.3
700　〜　799	54	57	55	54	55	0.7
800　〜　899	34	33	29	30	26	0.3
900　床　以　上	67	63	60	56	53	0.6
一 般 診 療 所	97 442	99 083	99 547	100 461	101 471	100.0
有　　　　床	13 477	11 500	9 934	8 355	7 202	7.1
1　〜　9床	5 050	4 026	3 283	2 514	2 058	2.0
10　〜　19	8 427	7 474	6 651	5 841	5 144	5.1

資料：政策統括官（統計・情報政策、政策評価担当）「医療施設調査」
注：開設者の分類の変更により，平成23年以前の「社会保険関係団体」のうち旧全国社会保険協会連合会，旧厚生
　年金事業振興団及び旧船員保険会は，平成26年は「国」又は「その他」に計上している。

112　医　　療

第２－29表　医療施設数・人口10万対施設数，施設の種類×都道府県別

各年10月１日現在

都道府県別	病院 平成29年（2017） 実数	人口10万対	平成28年 (2016)	一般診療所 平成29年（2017） 実数	人口10万対	平成28年 (2016)	歯科診療所 平成29年（2017） 実数	人口10万対	平成28年 (2016)
全　　国	8 412	6.6	8 442	101 471	80.1	101 529	68 609	54.1	68 940
北　海　道	561	10.5	562	3 384	63.6	3 380	2 934	55.2	2 968
青　　森	94	7.4	96	881	68.9	884	534	41.8	548
岩　　手	93	7.4	93	874	69.6	880	587	46.8	592
宮　　城	140	6.0	139	1 659	71.4	1 662	1 064	45.8	1 069
秋　　田	69	6.9	69	804	80.7	809	442	44.4	445
山　　形	69	6.3	68	926	84.0	934	485	44.0	486
福　　島	128	6.8	128	1 355	72.0	1 370	860	45.7	863
茨　　城	176	6.1	178	1 728	59.8	1 713	1 400	48.4	1 402
栃　　木	107	5.5	107	1 442	73.7	1 429	986	50.4	984
群　　馬	130	6.6	129	1 563	79.7	1 561	979	49.9	977
埼　　玉	343	4.7	342	4 261	58.3	4 225	3 542	48.5	3 546
千　　葉	288	4.6	286	3 759	60.2	3 778	3 255	52.1	3 256
東　　京	647	4.7	651	13 257	96.6	13 184	10 632	77.5	10 658
神　奈　川	338	3.7	341	6 661	72.7	6 711	4 915	53.7	4 989
新　　潟	129	5.7	131	1 675	73.9	1 688	1 162	51.3	1 168
富　　山	106	10.0	106	760	72.0	758	445	42.1	453
石　　川	94	8.2	95	876	76.4	872	482	42.0	481
福　　井	68	8.7	68	575	73.8	581	296	38.0	292
山　　梨	60	7.3	60	692	84.1	698	436	53.0	441
長　　野	129	6.2	130	1 581	76.2	1 570	1 025	49.4	1 022
岐　　阜	101	5.0	102	1 585	78.9	1 589	965	48.1	960
静　　岡	180	4.9	181	2 708	73.7	2 711	1 766	48.1	1 783
愛　　知	324	4.3	323	5 347	71.1	5 298	3 735	49.6	3 707
三　　重	98	5.4	100	1 525	84.7	1 523	837	46.5	850
滋　　賀	57	4.0	57	1 070	75.7	1 062	556	39.3	558
京　　都	169	6.5	170	2 459	94.6	2 471	1 308	50.3	1 313
大　　阪	521	5.9	523	8 400	95.2	8 387	5 509	62.4	5 553
兵　　庫	350	6.4	350	5 053	91.8	5 033	2 981	54.2	3 011
奈　　良	79	5.9	77	1 204	89.3	1 208	690	51.2	689
和　歌　山	83	8.8	83	1 035	109.5	1 056	540	57.1	547
鳥　　取	44	7.8	44	497	88.0	503	261	46.2	257
島　　根	51	7.4	51	721	105.3	725	271	39.6	273
岡　　山	163	8.5	164	1 648	86.4	1 661	984	51.6	1 000
広　　島	242	8.6	244	2 546	90.0	2 572	1 566	55.4	1 566
山　　口	145	10.5	147	1 268	91.7	1 283	668	48.3	679
徳　　島	109	14.7	112	730	98.3	746	428	57.6	431
香　　川	89	9.2	90	834	86.2	830	474	49.0	478
愛　　媛	141	10.3	141	1 245	91.3	1 252	685	50.2	685
高　　知	129	18.1	130	560	78.4	565	366	51.3	370
福　　岡	462	9.0	461	4 666	91.4	4 654	3 094	60.6	3 095
佐　　賀	106	12.9	107	689	83.6	691	416	50.5	421
長　　崎	150	11.1	151	1 380	101.9	1 389	734	54.2	739
熊　　本	213	12.1	212	1 457	82.5	1 454	844	47.8	851
大　　分	157	13.6	157	965	83.8	964	538	46.7	541
宮　　崎	140	12.9	140	884	81.2	891	501	46.0	508
鹿　児　島	246	15.1	252	1 400	86.1	1 410	815	50.1	820
沖　　縄	94	6.5	94	882	61.1	896	616	42.7	615

資料：政策統括官（統計・情報政策、政策評価担当）「医療施設調査」

第2－30表　病床数・人口10万対病床数，
施設の種類×都道府県別

各年10月1日現在

都道府県別	病院					一般診療所				
	平成20年(2008)	平成23年(2011)	平成26年(2014)	平成29年(2017)		平成20年(2008)	平成23年(2011)	平成26年(2014)	平成29年(2017)	
				実数	人口10万対				実数	人口10万対
全　国	1 609 403	1 583 073	1 568 261	1 554 879	1 227.2	146 568	129 366	112 364	98 355	77.6
北　海　道	101 071	98 526	96 574	94 523	1 776.7	8 657	7 522	6 950	6 253	117.5
青　森	18 879	18 300	17 664	17 252	1 349.9	3 981	3 602	2 766	2 085	163.1
岩　手	19 129	17 965	17 569	17 304	1 378.8	2 288	2 044	1 663	1 418	113.0
宮　城	26 579	25 251	25 265	25 552	1 100.0	2 880	2 161	1 945	1 651	71.1
秋　田	16 705	16 012	15 437	15 059	1 511.9	1 483	1 109	931	802	80.5
山　形	15 415	15 115	14 921	14 589	1 323.9	1 063	882	749	678	61.5
福　島	29 139	26 621	25 835	25 547	1 357.4	2 589	2 147	1 845	1 429	75.9
茨　城	33 025	32 376	32 151	31 594	1 092.5	2 778	2 418	2 140	1 791	61.9
栃　木	22 272	21 694	21 572	21 105	1 078.4	2 676	2 273	1 812	1 657	84.7
群　馬	25 393	24 959	24 596	24 217	1 235.6	2 094	1 825	1 383	1 219	62.2
埼　玉	62 986	62 475	62 060	62 346	852.9	4 021	3 645	2 996	2 765	37.8
千　葉	56 488	56 909	58 126	59 538	953.2	3 539	3 113	2 612	2 314	37.0
東　京	128 243	127 380	127 110	128 279	934.7	5 507	4 585	4 285	3 798	27.7
神　奈　川	74 206	73 834	74 119	73 844	806.2	3 436	2 969	2 726	2 522	27.5
新　潟	30 091	29 329	29 065	28 406	1 253.0	1 186	948	786	596	26.3
富　山	18 002	17 493	16 880	16 633	1 575.1	1 255	1 024	735	610	57.8
石　川	19 483	19 060	18 468	17 905	1 561.0	1 498	1 209	962	907	79.1
福　井	11 653	11 381	11 103	10 912	1 400.8	1 686	1 654	1 328	1 103	141.6
山　梨	11 275	11 215	11 037	10 843	1 317.5	857	704	512	475	57.7
長　野	24 871	24 147	24 190	23 878	1 150.2	1 566	1 280	1 076	903	43.5
岐　阜	20 950	20 760	20 727	20 456	1 018.7	2 205	2 041	1 806	1 657	82.5
静　岡	40 852	39 782	38 726	38 673	1 052.3	3 117	2 816	2 403	2 118	57.6
愛　知	68 316	67 811	67 758	67 678	899.4	5 855	5 119	4 646	4 053	53.9
三　重	21 124	20 624	20 535	20 172	1 120.7	2 124	1 633	1 420	1 165	64.7
滋　賀	14 944	14 805	14 561	14 351	1 015.6	581	613	536	506	35.8
京　都	36 598	36 187	35 883	35 325	1 359.2	1 327	1 142	892	737	28.4
大　阪	109 503	108 584	107 770	106 920	1 211.8	3 468	3 104	2 656	2 368	26.8
兵　庫	64 760	63 890	65 335	65 021	1 181.6	3 969	3 601	3 019	2 764	50.2
奈　良	16 544	16 489	16 701	16 962	1 258.3	741	648	575	486	36.1
和　歌　山	14 324	14 296	13 722	13 473	1 425.7	1 829	1 667	1 414	1 069	113.1
鳥　取	9 104	8 936	8 722	8 546	1 512.6	867	711	569	455	80.5
島　根	11 764	11 408	11 003	10 557	1 541.2	880	723	545	482	70.4
岡　山	30 461	29 776	29 088	28 226	1 480.1	3 011	2 778	2 513	2 234	117.1
広　島	41 823	41 108	40 418	39 942	1 411.9	4 541	4 049	3 381	2 948	104.2
山　口	27 626	27 400	27 120	26 700	1 930.6	2 710	2 504	2 012	1 709	123.6
徳　島	15 252	15 029	14 845	14 430	1 942.1	2 708	2 390	2 137	1 804	242.8
香　川	15 933	15 465	15 102	14 863	1 537.0	2 391	2 172	1 921	1 644	170.0
愛　媛	23 201	22 952	22 579	21 980	1 611.4	4 440	3 799	3 315	2 711	198.8
高　知	19 154	18 879	18 320	18 170	2 544.8	1 750	1 560	1 495	1 260	176.5
福　岡	87 634	86 985	86 071	85 398	1 672.2	10 618	9 876	8 415	7 548	147.8
佐　賀	15 414	15 220	15 108	14 980	1 818.0	3 063	2 787	2 603	2 349	285.1
長　崎	27 792	27 322	26 780	26 301	1 942.5	5 513	4 761	4 210	3 640	268.8
熊　本	35 827	35 610	35 190	34 626	1 961.8	6 617	6 184	5 447	5 052	286.2
大　分	20 847	20 177	20 042	20 006	1 736.6	4 723	4 403	4 099	3 813	331.0
宮　崎	20 068	19 507	19 245	19 107	1 754.5	3 867	3 426	2 944	2 589	237.7
鹿　児　島	35 337	35 032	34 275	33 706	2 072.9	6 984	6 365	5 973	5 245	322.6
沖　縄	19 346	18 997	18 893	18 984	1 315.6	1 629	1 380	1 216	973	67.4

資料：政策統括官（統計・情報政策、政策評価担当）　「医療施設調査」

114 医　　療

第2−31表　病院数，病院の種類×開設者・病床規模別

平成29年（2017）10月1日現在

開設者 病床規模	総数	精神科病院	一般病院	地域医療支援病院（再掲）	救急告示病院（再掲）	精神病床を有する病院（再掲）	感染症病床を有する病院（再掲）	結核病床を有する病院（再掲）	療養病床を有する病院（再掲）	療養病床のみの病院（再掲）	一般病床を有する病院（再掲）
総　　数	8 412	1 059	7 353	556	3 904	1 638	365	219	3 781	1 341	5 835
国	327	3	324	101	225	90	37	68	7	–	323
厚生労働省	14	–	14	–	–	–	–	–	–	–	14
独立行政法人国立病院機構	142	3	139	59	89	33	15	50	1	–	139
国立大学法人	48	–	48	–	42	42	12	6	1	–	48
独立行政法人労働者健康安全機構	34	–	34	25	31	–	–	–	–	–	34
国立高度専門医療研究センター	8	–	8	1	5	3	1	1	–	–	8
独立行政法人地域医療機能推進機構	57	–	57	16	55	–	6	6	5	–	57
そ　の　他	24	–	24	–	3	12	3	5	–	–	23
公的医療機関	1 211	41	1 170	278	1 006	182	288	113	314	25	1 142
都　道　府　県	198	25	173	44	108	60	54	35	8	–	171
市　町　村	627	4	623	93	564	58	138	45	222	17	605
地方独立行政法人	102	8	94	41	77	28	31	20	8	1	93
日　　赤	92	–	92	55	87	18	29	9	18	1	91
済　生　会	82	1	81	29	69	2	8	1	18	3	78
北海道社会事業協会	7	–	7	–	7	–	1	–	5	–	7
厚　生　連	103	3	100	16	94	16	27	3	35	3	97
国民健康保険団体連合会	–	–	–	–	–	–	–	–	–	–	–
社会保険関係団体	52	–	52	25	42	4	3	3	11	–	52
健康保険組合及びその連合会	9	–	9	2	5	–	1	–	3	–	9
共済組合及びその連合会	42	–	42	23	36	4	2	3	8	–	42
国民健康保険組合	1	–	1	–	1	–	–	–	–	–	1
公　益　法　人	200	38	162	35	111	51	10	6	80	17	143
医　療　法　人	5 766	913	4 853	64	2 161	1 186	10	17	3 044	1 172	3 517
私　立　学　校　法　人	113	2	111	16	76	34	5	3	8	2	109
社　会　福　祉　法　人	198	11	187	5	43	22	–	3	67	13	174
医　療　生　協	81	2	79	1	55	2	–	–	37	11	68
会　　　　　社	38	–	38	4	26	4	2	1	5	–	38
その他の法人	216	27	189	–	102	37	10	4	101	35	149
個　　　　　人	210	22	188	–	57	26	6	1	107	66	120
医育機関（再掲）	164	1	163	15	122	84	20	14	6	1	162
総　　数	8 412	1 059	7 353	556	3 904	1 638	365	219	3 781	1 341	5 835
20　～　29床	121	1	120	–	17	1	–	–	28	27	93
30　～　39	300	–	300	–	71	–	–	2	95	87	212
40　～　49	498	2	496	–	164	2	–	1	156	128	368
50　～　99	2 088	45	2 043	–	862	52	9	9	1 120	494	1 545
100　～　149	1 426	179	1 247	3	608	209	14	9	881	292	938
150　～　199	1 365	256	1 109	12	685	313	27	21	736	168	912
200　～　299	1 114	337	777	77	474	450	57	29	444	97	614
300　～　399	700	145	555	137	437	245	74	50	194	33	496
400　～　499	389	63	326	147	257	166	69	39	78	8	294
500　～　599	168	18	150	86	124	65	45	29	21	4	142
600　～　699	109	8	101	50	92	55	34	11	11	2	97
700　～　799	55	4	51	28	45	38	18	9	9	–	48
800　～　899	26	1	25	7	24	15	9	3	1	–	25
900　床　以　上	53	–	53	9	44	47	9	7	1	1	51

資料：政策統括官（統計・情報政策、政策評価担当）　「平成29年医療施設調査」

116　医　　療

第2−32表　病院の病床数,

開設者 病床規模	総　数	精神病床		感染症病床	結核病床
			精神科病院	一般病院	感染症病床	結核病床
総　　　　　数	1 554 879	331 700	247 595	84 105	1 876	5 210
国	128 184	7 202	890	6 312	169	2 317
厚　生　労　働　省	4 743	–	–	–	–	–
独立行政法人国立病院機構	54 227	4 505	890	3 615	68	1 928
国　立　大　学　法　人	32 738	1 775	–	1 775	40	53
独立行政法人労働者健康安全機構	12 821	–	–	–	–	–
国立高度専門医療研究センター	4 185	388	–	388	4	40
独立行政法人地域医療機能推進機構	15 995	–	–	–	32	186
そ　　の　　他	3 475	534	–	534	25	110
公　的　医　療　機　関	316 804	20 523	10 476	10 047	1 499	1 888
都　　道　　府　　県	53 258	9 888	6 503	3 385	282	498
市　　町　　村	130 230	4 384	849	3 535	693	696
地　方　独　立　行　政　法　人	40 163	3 351	2 087	1 264	219	555
日　　　　赤	35 930	794	–	794	151	109
済　　生　　会	22 508	429	379	50	32	4
北　海　道　社　会　事　業　協　会	1 717	–	–	–	4	–
厚　　生　　連	32 998	1 677	658	1 019	118	26
国民健康保険団体連合会						
社　会　保　険　関　係　団　体	15 643	144	–	144	14	95
健康保険組合及びその連合会	1 934	–	–	–	4	–
共済組合及びその連合会	13 389	144	–	144	10	95
国　民　健　康　保　険　組　合	320	–	–	–	–	–
公　　益　　法　　人	50 747	14 671	12 551	2 120	77	136
医　　療　　法　　人	865 116	265 644	208 442	57 202	49	402
私　立　学　校　法　人	55 873	2 209	370	1 839	21	84
社　会　福　祉　法　人	33 851	4 916	2 941	1 975	–	128
医　　療　　生　　協	13 416	388	388	–	–	–
会　　　　　　　　社	9 671	189	–	189	6	2
そ　の　他　の　法　人	45 465	10 621	7 902	2 719	41	108
個　　　　　　　　人	20 109	5 193	3 635	1 558	–	50
医　育　機　関　（　再　掲　）	94 434	4 347	226	4 121	80	241
総　　　　　数	1 554 879	331 700	247 595	84 105	1 876	5 210
20　　～　　29床	2 980	20	20	–	–	–
30　　～　　39	10 266	–	–	–	–	34
40　　～　　49	21 894	86	86	–	–	1
50　　～　　99	150 963	3 852	3 599	253	33	194
100　　～　　149	172 973	24 564	22 237	2 327	56	184
150　　～　　199	239 807	50 764	44 943	5 821	110	471
200　　～　　299	270 860	99 926	81 718	18 208	234	642
300　　～　　399	235 364	66 477	48 763	17 714	329	1 318
400　　～　　499	171 389	43 103	27 711	15 392	341	961
500　　～　　599	90 221	18 025	9 656	8 369	286	780
600　　～　　699	69 731	9 856	5 124	4 732	235	164
700　　～　　799	40 435	7 172	2 932	4 240	103	280
800　　～　　899	21 814	2 279	806	1 473	68	24
900　床　　以　　上	56 182	5 576	–	5 576	81	157

資料：政策統括官（統計・情報政策、政策評価担当）「平成29年医療施設調査」

医　療　117

床－病院の種類×開設者・病床規模別

平成29年 (2017) 10月1日現在

療養病床	一般病床	一般病院 (再掲)	療養病床 のみの病院 (再掲)	療養病床及び 一　般　病　床 の　み　の　病　院 (再掲)	地域医療 支援病院 (再掲)	救急告示 病　　院 (再掲)
325 228	890 865	1 307 284	149 288	920 553	246 038	872 493
439	118 057	127 294	–	52 868	44 173	100 955
–	4 743	4 743	–	4 743	–	–
120	47 606	53 337	–	19 168	26 516	36 802
6	30 864	32 738	–	463	–	32 275
–	12 821	12 821	–	12 821	10 765	12 364
–	3 753	4 185	–	2 488	442	2 708
313	15 464	15 995	–	12 485	6 450	15 536
–	2 806	3 475	–	700	–	1 270
17 005	275 889	306 328	2 491	148 643	131 489	283 047
327	42 263	46 755	–	16 645	20 900	37 111
10 675	113 782	129 381	1 380	67 516	42 704	123 193
485	35 553	38 076	114	11 917	19 803	33 315
866	34 010	35 930	99	14 453	28 794	35 315
1 458	20 585	22 129	441	19 000	12 002	20 750
556	1 157	1 717	–	1 462	–	1 717
2 638	28 539	32 340	457	17 650	7 286	31 646
		–	–			
470	14 920	15 643		11 792	10 287	14 121
120	1 810	1 934	–	1 530	727	1 459
350	12 790	13 389	–	9 942	9 560	12 342
–	320	320	–	320	–	320
6 771	29 092	38 196	1 642	29 479	12 785	30 801
273 807	325 214	656 674	132 203	563 999	25 116	334 035
471	53 088	55 503	142	24 655	7 768	47 115
5 424	23 383	30 910	1 276	25 582	3 169	13 070
2 876	10 152	13 028	1 371	13 028	325	10 443
336	9 138	9 671	–	6 399	2 514	7 885
9 598	25 097	37 563	4 837	29 682	8 412	25 887
8 031	6 835	16 474	5 326	14 426	–	5 134
320	89 446	94 208	62	23 271	7 665	84 765
325 228	890 865	1 307 284	149 288	920 553	246 038	872 493
699	2 261	2 960	695	2 960	–	426
3 164	7 068	10 266	2 987	10 193	–	2 434
6 367	15 440	21 808	5 624	21 766	–	7 241
59 875	87 009	147 364	34 962	145 749	–	64 312
69 747	78 422	150 736	34 366	144 305	357	74 614
73 230	115 232	194 864	28 970	177 046	2 131	121 404
57 939	112 119	189 142	23 009	144 649	18 505	116 400
28 449	138 791	186 601	10 829	122 853	46 403	146 517
12 531	114 453	143 678	3 424	78 249	64 665	113 704
4 671	66 459	80 565	2 060	34 731	46 339	66 789
2 891	56 585	64 607	1 338	20 996	32 166	58 853
1 678	31 202	37 503	–	8 727	20 515	33 042
174	19 269	21 008	–	3 358	5 869	20 204
3 813	46 555	56 182	1 024	4 971	9 088	46 553

118　医　　療

第2-33表　一般病院数（重複計上），診療科目別

平成29年（2017）10月1日現在

診　療　科　目	施　設　数	総数に対する割合(%)	診　療　科　目	施　設　数	総数に対する割合(%)
一　般　病　院			整　形　外　科	4 924	67.
総　　　　数	7 353	100.0	形　成　外　科	1 364	18.
内　　　　科	6 785	92.3	美　容　外　科	121	1.
呼　吸　器　内　科	2 749	37.4	眼　　　　科	2 414	32.8
循　環　器　内　科	3 964	53.9	耳鼻いんこう科	1 966	26.
消化器内科(胃腸内科)	4 012	54.6	小　児　外　科	376	5.
腎　臓　内　科	1 187	16.1	産　婦　人　科	1 127	15.3
神　経　内　科	2 512	34.2	産　　　　科	186	2.
糖尿病内科(代謝内科)	1 424	19.4	婦　　人　　科	851	11.
血　液　内　科	640	8.7	リハビリテーション科	5 557	75.
皮　　　膚　　　科	3 053	41.5	放　射　線　科	3 375	45.9
ア　レ　ル　ギ　ー　科	442	6.0	麻　　酔　　科	2 727	37.
リ　ウ　マ　チ　科	1 303	17.7	病　理　診　断　科	885	12.0
感　染　症　内　科	145	2.0	臨　床　検　査　科	231	3.
小　　　児　　　科	2 592	35.3	救　　急　　科	714	9.7
精　　　神　　　科	1 740	23.7	歯　　　　科	1 095	14.9
心　療　内　科	629	8.6	矯　正　歯　科	146	2.0
外　　　　科	4 574	62.2	小　児　歯　科	151	2.
呼　吸　器　外　科	976	13.3	歯　科　口　腔　外　科	962	13.1
心　臓　血　管　外　科	1 128	15.3			
乳　腺　外　科	915	12.4			
気　管　食　道　外　科	85	1.2			
消化器外科(胃腸外科)	1 699	23.1			
泌　尿　器　科	2 829	38.5			
肛　門　外　科	1 188	16.2			
脳　神　経　外　科	2 581	35.1			

資料：政策統括官（統計・情報政策、政策評価担当）「平成29年医療施設調査」

医　療　119

第2－34表　一般診療所数・歯科診療所数（重複計上），診療科目別

平成29年（2017）10月1日現在

診　療　科　目	施　設　数	総数に対する割　合(%)	診　療　科　目	施　設　数	総数に対する割　合(%)
一　般　診　療　所			整　形　外　科	12 675	12.5
総　　　　　　　数	101 471	100.0	形　成　外　科	2 046	2.0
内　　　　　　　科	63 994	63.1	美　容　外　科	1 233	1.2
呼　吸　器　内　科	7 813	7.7	眼　　　　　　　科	8 226	8.1
循　環　器　内　科	13 057	12.9	耳鼻いんこう科	5 828	5.7
消化器内科(胃腸内科)	18 256	18.0	小　児　外　科	369	0.4
腎　臓　内　科	1 962	1.9	産　婦　人　科	2 976	2.9
神　経　内　科	3 120	3.1	産　　　　　　　科	351	0.3
糖尿病内科(代謝内科)	3 870	3.8	婦　　人　　科	1 829	1.8
血　液　内　科	445	0.4	リハビリテーション科	11 834	11.7
皮　　　膚　　　科	12 198	12.0	放　射　線　科	3 367	3.3
ア　レ　ル　ギ　ー　科	7 475	7.4	麻　　　酔　　　科	2 008	2.0
リ　ウ　マ　チ　科	4 410	4.3	病　理　診　断　科	56	0.1
感　染　症　内　科	397	0.4	臨　床　検　査　科	63	0.1
小　　　児　　　科	19 647	19.4	救　　　急　　　科	56	0.1
精　　　神　　　科	6 864	6.8	歯　　　　　　　科	1 751	1.7
心　療　内　科	4 855	4.8	矯　正　歯　科	139	0.1
外　　　　　　　科	13 076	12.9	小　児　歯　科	196	0.2
呼　吸　器　外　科	150	0.1	歯　科　口　腔　外　科	210	0.2
心　臓　血　管　外　科	386	0.4	歯　科　診　療　所		
乳　腺　外　科	796	0.8	総　　　　　　　数	68 609	100.0
気　管　食　道　外　科	402	0.4	歯　　　　　　　科	67 145	97.9
消化器外科(胃腸外科)	1 188	1.2	矯　正　歯　科	24 627	35.9
泌　尿　器　科	3 741	3.7	小　児　歯　科	43 561	63.5
肛　門　外　科	3 113	3.1	歯　科　口　腔　外　科	25 708	37.5
脳　神　経　外　科	1 811	1.8			

資料：政策統括官（統計・情報政策、政策評価担当）　「平成29年医療施設調査」
注：診療所の数値は静態調査年のみ把握している。

120　医　　療

第2−35表　**病院数**，病院の種類×都道府県−

都道府県	総　数	精神科病院	一般病院	療養病床及び一般病床のみの病院	地域医療支援病院（再掲）	救急告示病院（再掲）	精神病床を有する病院（再掲）	感染症病床を有する病院（再掲）	結核病床を有する病院（再掲）	療養病床を有する病院（再掲）	療養病床のみの病院（再掲）	一般病床を有する病院（再掲）
全　国	8 412	1 059	7 353	6 402	556	3 904	1 638	365	219	3 781	1 341	5 835
北 海 道	561	68	493	430	13	247	120	24	11	250	72	408
青　森	94	16	78	65	5	47	27	6	1	38	13	63
岩　手	93	15	78	59	6	48	21	9	10	30	5	72
宮　城	140	26	114	98	12	68	37	5	3	52	9	102
秋　田	69	16	53	36	2	27	25	10	5	25	10	43
山　形	69	14	55	43	5	37	21	5	1	22	7	48
福　島	128	23	105	92	9	53	31	6	5	50	15	85
茨　城	176	20	156	131	14	90	33	11	4	81	16	132
栃　木	107	18	89	74	9	57	27	7	2	56	14	73
群　馬	130	13	117	99	13	75	19	12	3	67	10	105
埼　玉	343	48	295	268	14	177	66	10	3	123	39	253
千　葉	288	34	254	224	16	146	53	11	7	121	39	212
東　京	647	50	597	522	34	312	113	13	16	252	102	482
神 奈 川	338	47	291	258	33	162	70	8	4	122	43	242
新　潟	129	20	109	95	8	67	30	6	2	48	12	94
富　山	106	19	87	71	4	34	30	5	8	51	40	44
石　川	94	13	81	69	3	44	21	4	4	43	20	59
福　井	68	10	58	47	4	39	15	5	6	30	10	46
山　梨	60	8	52	41	1	35	11	7	3	28	8	43
長　野	129	15	114	88	11	82	30	11	2	57	11	100
岐　阜	101	12	89	76	10	67	19	5	6	50	17	72
静　岡	180	31	149	130	20	76	40	10	5	91	49	99
愛　知	324	38	286	257	22	148	53	12	7	157	75	208
三　重	98	12	86	73	11	56	18	7	1	52	17	67
滋　賀	57	7	50	36	8	31	13	7	3	29	5	43
京　都	169	11	158	138	12	86	21	6	10	61	18	136
大　阪	521	39	482	446	35	287	64	6	8	229	84	393
兵　庫	350	32	318	297	32	176	44	9	5	163	62	252
奈　良	79	4	75	65	3	41	10	4	1	35	8	65
和 歌 山	83	8	75	64	5	51	12	7	1	40	8	67
鳥　取	44	5	39	29	5	18	12	4	3	25	7	28
島　根	51	8	43	31	5	25	15	8	2	30	8	34
岡　山	163	17	146	134	12	85	24	4	5	79	20	123
広　島	242	31	211	194	18	116	42	5	3	121	43	164
山　口	145	28	117	108	13	65	31	4	2	77	36	79
徳　島	109	15	94	88	7	37	18	4	4	61	42	52
香　川	89	10	79	64	6	49	19	5	4	40	14	63
愛　媛	141	14	127	107	3	58	23	10	4	77	29	94
高　知	129	11	118	102	3	39	24	2	5	83	37	75
福　岡	462	61	401	345	36	140	103	12	7	219	76	302
佐　賀	106	14	92	82	6	43	19	5	1	60	30	61
長　崎	150	28	122	103	10	57	38	10	9	67	26	92
熊　本	213	38	175	153	15	81	46	10	6	104	37	134
大　分	157	25	132	120	12	52	28	8	1	52	14	117
宮　崎	140	17	123	107	7	60	26	7	2	65	21	97
鹿 児 島	246	37	209	177	14	87	51	13	9	127	50	150
沖　縄	94	13	81	66	10	26	25	6	5	41	13	63

資料：政策統括官（統計・情報政策、政策評価担当）「平成29年医療施設調査」

医　療　121

指定都市・特別区－中核市（再掲）別

平成29年（2017）10月1日現在

	総数	精神科病院	一般病院	療養病床及び一般病床のみの病院	地域医療支援病院（再掲）	救急告示病院（再掲）	精神病床を有する病院（再掲）	感染症病床を有する病院（再掲）	結核病床を有する病院（再掲）	療養病床を有する病院（再掲）	療養病床のみの病院（再掲）	一般病床を有する病院（再掲）
（再掲）指定都市・特別区												
京都区部	427	12	415	377	21	229	46	7	8	159	64	348
幌市	202	24	178	164	7	61	37	1	3	66	16	156
台市	57	9	48	40	8	25	17	1	−	14	3	44
いたま市	37	4	33	30	3	22	6	1	1	11	4	29
葉市	48	6	42	38	4	23	9	2	1	15	3	39
浜市	133	19	114	102	16	58	29	1	2	46	12	100
崎市	39	6	33	29	4	24	9	1	1	11	4	28
模原市	37	3	34	30	2	14	6	1	−	17	9	23
潟市	44	7	37	33	3	19	10	1	1	18	5	31
岡市	29	5	24	21	6	10	6	1	1	13	8	16
松市	35	7	28	22	6	12	11	2	2	19	10	17
古屋市	127	10	117	107	10	54	16	2	2	54	27	90
都市	102	5	97	86	7	51	12	1	6	36	11	83
阪市	179	1	178	170	12	96	7	1	2	79	28	150
市	44	4	40	36	5	23	6	1	2	21	9	31
戸市	110	11	99	95	11	58	14	1	1	42	14	84
山市	56	6	50	46	9	23	8	2	2	18	8	41
島市	84	10	74	68	5	44	14	2	1	37	17	56
九州市	91	14	77	70	9	18	19	1	2	40	10	64
岡市	116	13	103	90	10	38	23	3	1	47	20	79
本市	94	16	78	72	5	39	20	1	2	38	7	70
（再掲）中核市												
川市	39	3	36	30	2	18	8	1	1	20	4	32
館市	29	1	28	23	1	18	5	1	2	15	2	26
森市	20	4	16	11	2	10	7	1	1	9	2	13
戸市	21	4	17	13	3	6	8	1	−	7	4	12
岡市	29	5	24	20	2	13	7	1	2	11	3	21
田市	23	7	16	13	1	6	9	2	1	7	3	13
山市	22	3	19	18	3	7	4	−	−	8	3	16
わき市	27	6	21	20	2	6	6	1	1	15	4	17
都宮市	31	5	26	22	3	13	7	1	1	16	6	19
橋市	21	2	19	16	4	10	4	2	1	7	1	18
崎市	27	1	26	24	2	18	2	1	−	13	5	21
越市	26	6	20	20	−	10	6	−	−	7	4	16
谷市	16	3	13	12	−	6	4	−	−	4	1	12
橋市	22	3	19	18	1	11	3	1	−	7	4	15
市	18	2	16	14	−	9	4	−	−	6	1	15
王子市	39	7	32	21	1	12	17	1	1	16	5	21
須賀市	12	−	12	8	3	8	3	1	−	5	−	12
山市	46	8	38	32	3	12	13	2	2	23	18	18
沢市	44	7	37	33	2	22	10	1	1	20	8	28
野市	25	2	23	19	3	14	5	1	−	8	4	17
阜市	32	3	29	25	4	22	6	1	1	14	5	24
橋市	21	4	17	15	1	9	5	1	1	9	6	10
田市	16	4	12	11	2	7	4	1	−	6	1	11
崎市	14	2	12	11	1	5	2	1	1	6	2	10
津市	15	2	13	8	2	6	5	1	1	8	3	9
槻市	19	3	16	15	3	12	4	−	−	3	2	14
大阪市	23	2	21	21	2	13	2	−	−	12	4	17
中市	19	2	17	15	1	10	2	1	1	6	4	13
方市	25	1	24	19	2	18	5	1	−	11	3	20
路市	35	2	33	31	4	22	3	1	−	18	6	26
宮市	24	2	22	20	1	6	7	−	1	13	5	17
崎市	25	−	25	24	2	12	1	1	−	16	8	17
良市	23	1	22	19	1	14	2	1	1	9	1	21
歌山市	37	3	34	32	2	20	4	1	−	16	5	29
敷市	36	4	32	30	1	22	6	1	−	15	4	28
山市	42	5	37	36	2	22	5	1	−	20	3	34
市	26	5	21	19	4	7	6	−	1	11	5	16
関市	26	5	21	18	3	11	6	1	1	15	7	13
松市	35	4	31	27	3	22	5	2	3	11	5	26
山市	43	5	38	35	2	14	6	2	−	21	8	30
知市	63	7	56	49	3	17	12	1	3	36	14	40
留米市	34	4	30	23	3	10	10	2	2	19	8	19
崎市	46	9	37	35	2	18	10	2	2	17	7	30
世保市	19	4	15	14	2	12	6	2	1	10	4	15
分市	53	12	41	40	5	15	12	1	−	8	2	39
崎市	39	5	34	28	3	19	10	1	2	8	−	25
児島市	93	12	81	72	4	31	18	2	3	44	23	56
覇市	19	2	17	16	2	4	3	−	−	9	3	14

122　医　　療

第2－36表　病院の従事者数，1病院当たり

（単位：人）

職　　　種	従　事　者　数			1病院当たり
	総　　数	精神科病院	一般病院	総　　数
				常
総　　　　　数	2 090 967.5	167 147.3	1 923 820.2	250.
医　　　　　師	217 567.4	9 086.1	208 481.3	26.
常　　　勤	172 192	6 652	165 540	20.
非　常　勤	45 375.4	2 434.1	42 941.3	5.
歯　科　医　師	9 825.1	133.1	9 692.0	1.
常　　　勤	7 705	65	7 640	0.9
非　常　勤	2 120.1	68.1	2 052.0	0.
薬　　剤　　師	49 782.8	2 936.8	46 846.0	6.
保　　健　　師	5 658.5	114.5	5 544.0	0.
助　　産　　師	22 881.7	2.0	22 879.7	2.
看　　護　　師	805 708.0	55 670.7	750 037.3	96.
准　看　護　師	113 496.5	26 035.4	87 461.1	13.
看護業務補助者	175 234.8	25 758.2	149 476.6	21.
理学療法士（ＰＴ）	78 439.0	233.8	78 205.2	9.
作業療法士（ＯＴ）	45 164.9	6 775.7	38 389.2	5.
視　能　訓　練　士	4 320.5	12.0	4 308.5	0.
言　語　聴　覚　士	15 781.0	59.2	15 721.8	1.
義　肢　装　具　士	61.6		61.6	
歯　科　衛　生　士	5 970.9	148.4	5 822.5	0.
歯　科　技　工　士	661.9	5.3	656.6	0.
診療放射線技師	44 755.4	563.6	44 191.8	5.
診療エツクス線技師	105.5	5.9	99.6	0.
臨　床　検　査　技　師	54 960.2	953.5	54 006.7	6.
衛　生　検　査　技　師	76.5	0.2	76.3	0.
臨　床　工　学　技　士	21 184.3	12.2	21 172.1	2.5
あん摩マツサージ指圧師	1 229.5	16.6	1 212.9	0.
柔　道　整　復　師	486.4	2.0	484.4	0.
管　理　栄　養　士	22 430.0	2 231.4	20 198.6	2.
栄　　養　　士	4 717.3	836.5	3 880.8	0.6
精神保健福祉士	9 822.4	6 892.0	2 930.4	1.2
社　会　福　祉　士	12 966.6	67.0	12 899.6	1.6
介　護　福　祉　士	45 197.1	3 124.8	42 072.3	5.
保　　育　　士	7 238.8	368.4	6 870.4	0.9
その他の技術員	18 916.6	2 365.3	16 551.3	2.3
医療社会事業従事者	4 774.5	257.4	4 517.1	0.6
事　　務　　職　　員	218 004.0	11 618.1	206 385.9	26.
そ　の　他　の　職　員	73 547.8	10 861.2	62 686.6	8.8
				実
薬　　剤　　師	53 022	3 331	49 691	6.4
保　　健　　師	5 873	119	5 754	0.7
助　　産　　師	23 986	2	23 984	2.9
看　　護　　師	839 898	58 069	781 829	100.7
准　看　護　師	124 613	27 416	97 197	14.9

資料：政策統括官（統計・情報政策，政策評価担当）「平成29年医療施設調査」
注：1）医師及び歯科医師の「常勤」は，実人員で計算した。
　　2）従事者数不詳の施設を除いて算出した。

医　療　123

００床当たり・病院の種類×職種別

平成29年（2017）10月1日現在

	たり従事者数		100床当たり従事者数		
	精神科病院	一般病院	総　数	精神科病院	一般病院
勤　　換　　算					
	159.3	263.9	135.7	68.2	148.4
	8.7	28.6	14.1	3.7	16.1
	6.3	22.7	11.2	2.7	12.8
	2.3	5.9	2.9	1.0	3.3
	0.1	1.3	0.6	0.1	0.7
	0.1	1.0	0.5	0.0	0.6
	0.1	0.3	0.1	0.0	0.2
	2.8	6.4	3.2	1.2	3.6
	0.1	0.8	0.4	0.0	0.4
	0.0	3.1	1.5	0.0	1.8
	53.1	102.9	52.3	22.7	57.9
	24.8	12.0	7.4	10.6	6.7
	24.6	20.5	11.4	10.5	11.5
	0.2	10.7	5.1	0.1	6.0
	6.5	5.3	2.9	2.8	3.0
	0.0	0.6	0.3	0.0	0.3
	0.1	2.2	1.0	0.0	1.2
	－	0.0	0.0	－	0.0
	0.1	0.8	0.4	0.1	0.4
	0.0	0.1	0.0	0.0	0.1
	0.5	6.1	2.9	0.2	3.4
	0.0	0.0	0.0	0.0	0.0
	0.9	7.4	3.6	0.4	4.2
	0.0	0.0	0.0	0.0	0.0
	0.0	2.9	1.4	0.0	1.6
	0.0	0.2	0.1	0.0	0.1
	0.0	0.1	0.0	0.0	0.0
	2.1	2.8	1.5	0.9	1.6
	0.8	0.5	0.3	0.3	0.3
	6.6	0.4	0.6	2.8	0.2
	0.1	1.8	0.8	0.0	1.0
	3.0	5.8	2.9	1.3	3.2
	0.4	0.9	0.5	0.2	0.5
	2.3	2.3	1.2	1.0	1.3
	0.2	0.6	0.3	0.1	0.3
	11.1	28.3	14.1	4.7	15.9
	10.4	8.6	4.8	4.4	4.8
人　　　　員					
	3.2	6.8	3.4	1.4	3.8
	0.1	0.8	0.4	0.0	0.4
	0.0	3.3	1.6	0.0	1.9
	55.4	107.2	54.5	23.7	60.3
	26.1	13.3	8.1	11.2	7.5

124　医　　療

第2－37表　病院の在院患者延数，病床の種類×年次別

（単位：人）　　　　　　　　　　　　　　　　　　　　　　　　　　　　　　　　　　　各年間

年　　次	総　　数	精神病床	感染症病床	結核病床	療養病床	(再掲) 介護療養病床	一般病床
平成8年　(1996)	513 605 500	124 593 319	45 459	4 980 108	10 948 646	・	373 037 96
11　　　(1999)	509 438 114	121 991 170	21 818	4 136 216	50 903 262	・	332 385 64
14　　　(2002)	509 443 294	121 188 060	17 084	2 988 075	100 968 854	…	284 281 22
17　　　(2005)	504 499 287	118 634 949	17 414	2 011 705	121 704 131	…	262 131 08
20　　　(2008)	482 395 353	115 326 704	15 719	1 350 029	113 019 537	33 178 545	252 683 36
23　　　(2011)	474 252 454	112 220 478	16 421	1 041 548	110 326 717	26 075 878	250 647 29
26　　　(2014)	460 330 943	107 974 310	20 794	793 850	107 086 533	21 250 066	244 455 45
29　　　(2017)	457 087 848	104 491 266	22 148	644 133	104 907 400	16 524 384	247 022 90

資料：政策統括官（統計・情報政策、政策評価担当）「病院報告」
注：1）「療養病床」については，平成8・11年は「療養型病床群」，平成14年は「療養病床」及び「経過的旧
　　　　養型病床群」の数値である。
　　2）「一般病床」については，平成8・11年は「その他の病床（療養型病床群を除く。）」，平成14年は「一
　　　　般病床」及び「経過的旧その他の病床（経過的旧療養型病床群を除く。）」の数値である。
　　3）東日本大震災の影響により，平成23年3月分の報告において，病院の合計11施設（岩手県気仙医療圏1
　　　　設，岩手県宮古医療圏1施設，宮城県石巻医療圏2施設，宮城県気仙沼医療圏2施設，福島県相双医療
　　　　5施設）は，報告のあった患者数のみ集計した。

第2－38表　病院の新入院患者数，病床の種類×年次別

（単位：人）　　　　　　　　　　　　　　　　　　　　　　　　　　　　　　　　　　　各年間

年　　次	総　　数	精神病床	感染症病床	結核病床	療養病床	(再掲) 介護療養病床	一般病床
平成8年　(1996)	11 768 143	281 447	3 232	41 127	45 133	・	11 397 20
11　　　(1999)	12 786 484	311 289	1 980	40 337	162 024	・	12 270 85
14　　　(2002)	13 572 932	331 622	1 966	34 009	315 721	…	12 889 61
17　　　(2005)	14 123 260	360 330	1 813	27 897	394 582	…	13 338 63
20　　　(2008)	14 273 548	366 573	1 609	18 281	362 192	71 846	13 524 89
23　　　(2011)	14 821 932	372 640	1 729	14 765	356 095	52 012	14 076 70
26　　　(2014)	15 406 819	380 015	2 448	12 268	382 179	42 695	14 629 90
29　　　(2017)	16 222 030	387 224	3 007	9 937	441 434	34 037	15 380 42

資料：政策統括官（統計・情報政策、政策評価担当）「病院報告」
注：1）「療養病床」については，平成8・11年は「療養型病床群」，平成14年は「療養病床」及び「経過的旧療
　　　　養型病床群」の数値である。
　　2）「一般病床」については，平成8・11年は「その他の病床（療養型病床群を除く。）」，平成14年は「一
　　　　般病床」及び「経過的旧その他の病床（経過的旧療養型病床群を除く。）」の数値である。
　　3）東日本大震災の影響により，平成23年3月分の報告において，病院の合計11施設（岩手県気仙医療圏1
　　　　設，岩手県宮古医療圏1施設，宮城県石巻医療圏2施設，宮城県気仙沼医療圏2施設，福島県相双医療
　　　　5施設）は，報告のあった患者数のみ集計した。

医　療　125

第2－39表　病院の退院患者数，病床の種類×年次別

(単位：人)　　　　　　　　　　　　　　　　　　　　　　　　　　　　　　　　　　　各年間

年　　次	総　　数	精神病床	感染症病床	結核病床	療養病床	(再掲) 介護療養病床	一般病床
平成8年 (1996)	11 755 692	283 092	3 244	42 041	52 175	・	11 375 140
11 (1999)	12 783 173	314 118	1 999	40 398	243 283	・	12 183 375
14 (2002)	13 576 632	334 876	1 942	33 864	491 908	…	12 714 042
17 (2005)	14 115 769	364 926	1 751	28 055	611 827	…	13 109 210
20 (2008)	14 296 320	370 501	1 478	18 094	559 103	89 480	13 347 144
23 (2011)	14 825 669	380 216	1 552	14 576	567 167	66 357	13 862 158
26 (2014)	15 411 107	387 828	2 207	11 520	595 496	54 525	14 414 056
29 (2017)	16 210 167	393 456	2 561	9 427	668 945	44 143	15 135 778

資料：政策統括官（統計・情報政策、政策評価担当）「病院報告」
注：1）「療養病床」については，平成8・11年は「療養型病床群」，平成14年は「療養病床」及び「経過的旧療養型病床群」の数値である。
　　2）「一般病床」については，平成8・11年は「その他の病床（療養型病床群を除く。）」，平成14年は「一般病床」及び「経過的旧その他の病床（経過的旧療養型病床群を除く。）」の数値である。
　　3）東日本大震災の影響により，平成23年3月分の報告において，病院の合計11施設（岩手県気仙医療圏1施設，岩手県宮古医療圏1施設，宮城県石巻医療圏2施設，宮城県気仙沼医療圏2施設，福島県相双医療圏5施設）は，報告のあった患者数のみ集計した。

第2－40表　病院の外来患者延数，病院の種類×年次別

(単位：人)　　　　　　　　　　　　　　　　　　　　　　　　　　　　　　　　　　　各年間

年　　次	総　　数	精神科病院	結核療養所	一般病院
平成8年 (1996)	653 270 549	13 447 151	30 241	639 793 157
11 (1999)	653 382 423	14 898 323	12 799	638 471 301
14 (2002)	633 917 992	16 730 053	2 057	617 185 882
17 (2005)	576 568 450	18 425 961	1 372	558 141 117
20 (2008)	523 861 651	19 751 155	1 884	504 108 612
23 (2011)	511 609 176	20 836 072	1 935	490 771 169
26 (2014)	500 821 580	20 822 310	・	479 999 270
29 (2017)	491 518 786	21 390 082	・	470 128 704

資料：政策統括官（統計・情報政策、政策評価担当）「病院報告」
注：1）病院の種類の分類方法を現行の方法で整理しているため，各年の報告書と不一致の部分がある。
　　2）東日本大震災の影響により，平成23年3月分の報告において，病院の合計11施設（岩手県気仙医療圏1施設，岩手県宮古医療圏1施設，宮城県石巻医療圏2施設，宮城県気仙沼医療圏2施設，福島県相双医療圏5施設）は，報告のあった患者数のみ集計した。

126 医　　療

第2−41表　病院の1日平均在院患者数，病床の種類×年次別

(単位：人)　　　　　　　　　　　　　　　　　　　　　　　　　　　　　　各年間

年　　次	総　　数	精神病床	感染症病床	結核病床	療養病床	(再掲)介護療養病床	一般病床
平成8年 (1996)	1 403 294	340 419	124	13 607	29 914	・	1 019 229
11 (1999)	1 395 721	334 222	60	11 332	139 461	・	910 646
14 (2002)	1 395 735	332 022	47	8 187	276 627	…	778 853
17 (2005)	1 382 190	325 027	48	5 512	333 436	…	718 167
20 (2008)	1 318 020	315 100	43	3 689	308 797	90 652	690 392
23 (2011)	1 299 322	307 453	45	2 854	302 265	71 441	686 705
26 (2014)	1 261 181	295 820	57	2 175	293 388	58 219	669 741
29 (2017)	1 252 295	286 277	61	1 765	287 418	45 272	676 775

資料：政策統括官（統計・情報政策，政策評価担当）「病院報告」
注：1）「療養病床」については，平成8・11年は「療養型病床群」，平成14年は「療養病床」及び「経過的旧療養型病床群」の数値である。
　　2）「一般病床」については，平成8・11年は「その他の病床（療養型病床群を除く。）」，平成14年は「一般病床」及び「経過的旧その他の病床（経過的旧療養型病床群を除く。）」の数値である。
　　3）東日本大震災の影響により，平成23年3月の報告において，病院の合計11施設（岩手県気仙医療圏1施設，岩手県宮古医療圏1施設，宮城県石巻医療圏2施設，宮城県気仙沼医療圏2施設，福島県相双医療圏5施設）は，報告のあった患者数のみ集計した。

第2−42表　病院の病床利用率，病床の種類×年次別

(単位：%)　　　　　　　　　　　　　　　　　　　　　　　　　　　　　　各年間

年　　次	全病床	精神病床	感染症病床	結核病床	療養病床	一般病床	介護療養病床
平成8年 (1996)	84.3	94.3	1.3	42.8	91.7	82.7	・
11 (1999)	84.6	93.2	1.7	45.0	91.0	81.9	・
14 (2002)	85.0	93.1	2.5	45.3	94.1	80.1	…
17 (2005)	84.8	91.7	2.7	45.3	93.4	79.4	…
20 (2008)	81.7	90.0	2.4	38.0	90.6	75.9	94.2
23 (2011)	81.9	89.1	2.5	36.6	91.2	76.2	94.6
26 (2014)	80.3	87.3	3.2	34.7	89.4	74.8	92.9
29 (2017)	80.4	86.1	3.3	33.6	88.0	75.9	90.9

資料：政策統括官（統計・情報政策，政策評価担当）「病院報告」
注：1）「療養病床」については，平成8・11年は「療養型病床群」，平成14年は「療養病床」及び「経過的旧療養型病床群」の数値である。
　　2）「一般病床」については，平成8・11年は「その他の病床（療養型病床群を除く。）」，平成14年は「一般病床」及び「経過的旧その他の病床（経過的旧療養型病床群を除く。）」の数値である。
　　3）平成11年までは従来の計算式による。
　　4）東日本大震災の影響により，平成23年3月分の報告において，病院の合計11施設（岩手県気仙医療圏1施設，岩手県宮古医療圏1施設，宮城県石巻医療圏2施設，宮城県気仙沼医療圏2施設，福島県相双医療圏5施設）は，報告のあった患者数のみ集計した。

第2−43表　病院の平均在院日数，病床の種類×年次別

(単位：日)　　　　　　　　　　　　　　　　　　　　　　　　　　　　　　各年間

年　　次	全病床	精神病床	感染症病床	結核病床	療養病床	一般病床	介護療養病床	介護療養病床を除く全病床
平成8年 (1996)	43.7	441.4	14.0	119.8	152.6	32.8	・	・
11 (1999)	39.8	390.1	11.0	102.5	165.3	27.2	・	・
14 (2002)	37.5	363.7	8.7	88.0	179.1	22.2	…	…
17 (2005)	35.7	327.2	9.8	71.9	172.8	19.8	…	…
20 (2008)	33.8	312.9	10.2	74.2	176.6	18.8	292.3	31.6
23 (2011)	32.0	298.1	10.0	71.0	175.1	17.9	311.2	30.4
26 (2014)	29.9	281.2	8.9	64.6	164.6	16.3	315.5	28.6
29 (2017)	28.2	267.7	8.0	66.5	146.3	16.2	308.9	27.2

資料：政策統括官（統計・情報政策，政策評価担当）「病院報告」
注：1）「療養病床」については，平成8・11年は「療養型病床群」，平成14年は「療養病床」及び「経過的旧療養型病床群」の数値である。
　　2）「一般病床」については，平成8・11年は「その他の病床（療養型病床群を除く。）」，平成14年は「一般病床」及び「経過的旧その他の病床（経過的旧療養型病床群を除く。）」の数値である。
　　3）東日本大震災の影響により，平成23年3月分の報告において，病院の合計11施設（岩手県気仙医療圏1施設，岩手県宮古医療圏1施設，宮城県石巻医療圏2施設，宮城県気仙沼医療圏2施設，福島県相双医療圏5施設）は，報告のあった患者数のみ集計した。

第2－44表　**病院の病床利用率・平均在院日数，病床の種類×都道府県－指定都市・特別区－中核市（再掲）別**

(2－1)　　　　　　　　　　　　　　　　　　　　　　　　　　　　平成29年（2017）年間

都道府県	病床利用率(%) 全病床	精神病床	感染症病床	結核病床	療養病床	一般病床	介護療養病床	平均在院日数(日) 全病床	精神病床	感染症病床	結核病床	療養病床	一般病床	介護療養病床	介護療養病床を除く全病床
全　国	80.4	86.1	3.3	33.6	88.0	75.9	90.9	28.2	267.7	8.0	66.5	146.3	16.2	308.9	27.2
北 海 道	79.5	86.3	0.0	16.2	85.8	74.8	90.2	31.6	258.6	2.3	49.6	202.6	17.5	352.4	30.6
青　森	77.0	84.7	－	22.4	88.9	71.0	95.4	31.2	237.9	－	94.3	127.8	18.0	412.4	30.1
岩　手	74.4	80.0	－	7.1	86.6	70.4	87.7	30.1	264.3	－	65.5	132.0	18.3	213.8	29.6
宮　城	76.8	84.3	4.3	12.0	83.0	73.0	85.6	24.8	284.1	9.2	52.7	103.7	15.3	104.2	24.7
秋　田	79.2	85.5	－	23.4	90.7	74.0	95.6	30.8	254.4	－	98.9	160.4	17.9	620.8	29.9
山　形	79.3	88.2	－	31.3	88.3	74.0	95.4	27.2	235.8	－	103.9	109.6	16.5	74.1	27.2
福　島	71.7	76.1	0.5	12.9	80.1	68.3	90.6	28.7	302.5	－	76.3	149.7	17.1	280.9	28.1
茨　城	75.8	79.7	1.0	21.7	83.4	72.5	83.2	26.9	328.7	16.5	75.0	135.5	15.7	180.9	26.4
栃　木	81.4	87.0	7.5	61.8	87.7	77.0	94.6	29.5	345.7	5.0	91.4	154.9	16.5	338.6	28.8
群　馬	80.2	89.4	9.8	31.8	87.0	75.4	90.1	27.4	310.3	8.3	76.2	109.8	16.3	359.7	26.9
埼　玉	81.8	85.9	6.5	32.7	88.5	77.0	88.2	28.0	270.8	6.1	61.7	166.4	16.2	317.1	27.5
千　葉	78.1	82.2	5.4	40.9	87.4	74.2	88.9	25.6	306.0	4.5	64.4	164.3	15.4	283.9	25.0
東　京	80.0	87.3	5.7	50.4	89.6	75.5	92.7	22.1	190.8	12.1	57.0	149.0	13.9	354.4	21.2
神 奈 川	80.2	86.1	15.0	48.7	88.5	76.3	86.0	22.1	227.5	20.8	60.3	178.3	13.7	439.3	21.6
新　潟	79.9	85.9	0.0	32.8	88.3	75.5	92.8	30.9	316.7	2.0	61.4	168.5	18.2	331.9	29.0
富　山	82.9	90.9	11.8	8.6	93.1	74.7	95.2	32.8	312.3	3.7	49.1	242.7	15.8	315.9	29.1
石　川	82.0	86.3	－	22.6	87.3	78.8	87.3	31.6	264.6	－	77.5	187.8	17.8	293.1	30.2
福　井	80.7	83.0	26.6	19.8	87.3	78.2	93.8	28.7	229.9	4.0	26.5	149.1	17.3	323.2	27.7
山　梨	75.8	80.2	－	14.1	84.5	71.9	73.7	28.9	260.7	－	48.8	121.4	17.1	160.8	28.5
長　野	79.5	82.7	1.2	31.7	87.2	76.9	88.2	23.7	223.8	4.4	81.3	103.4	15.2	123.8	22.8
岐　阜	75.8	89.5	－	24.7	80.4	71.2	84.4	24.5	257.6	－	66.0	114.0	15.5	173.3	24.0
静　岡	79.2	82.3	6.2	29.4	87.6	74.4	94.6	28.0	257.2	11.9	59.8	165.4	15.3	307.4	26.5
愛　知	80.5	89.2	－	41.0	88.2	75.2	92.0	23.9	247.9	－	71.2	140.1	13.9	278.4	23.2
三　重	79.4	87.5	1.9	38.0	84.5	74.4	90.5	28.4	305.7	4.1	71.8	128.3	15.9	375.0	27.7
滋　賀	81.2	83.8	－	17.8	90.7	78.4	96.2	25.2	231.0	－	65.7	169.6	16.2	327.5	24.5
京　都	78.8	79.0	－	10.6	91.5	76.3	95.0	28.4	255.7	－	61.0	189.8	18.4	459.8	25.9
大　阪	82.8	86.5	1.5	62.6	90.3	79.5	89.8	25.9	226.9	5.7	72.5	160.5	16.0	324.3	25.4
兵　庫	81.2	88.3	0.3	51.7	90.3	75.9	92.0	26.4	254.9	4.5	78.6	147.7	15.7	410.5	25.7
奈　良	78.8	85.7	25.7	59.7	87.3	74.4	90.9	26.2	257.1	10.9	85.5	124.1	16.4	385.4	25.1
和 歌 山	78.4	77.4	5.0	59.9	85.0	76.7	85.2	29.2	301.2	10.0	84.1	120.7	19.1	232.1	28.2
鳥　取	82.2	84.2	－	24.7	87.6	80.0	84.6	29.8	270.2	－	90.6	106.9	17.7	81.2	29.3
島　根	80.1	85.7	0.4	39.0	83.6	77.4	71.7	29.0	250.0	29.3	54.8	132.3	17.4	134.3	28.4
岡　山	75.4	79.5	－	39.9	85.5	71.9	92.0	27.1	226.5	－	88.0	117.1	17.4	210.8	26.5
広　島	82.7	87.6	0.6	22.5	87.4	79.0	86.8	31.2	294.4	1.8	61.8	140.3	16.8	280.2	29.5
山　口	84.8	89.5	－	23.7	89.4	79.0	93.1	41.1	413.0	－	88.6	164.5	18.0	475.7	38.5
徳　島	81.4	86.4	－	53.0	86.2	75.9	86.5	38.3	361.2	－	71.9	121.5	18.1	300.4	35.6
香　川	77.4	86.2	1.4	12.3	82.3	73.6	92.7	27.7	301.2	3.9	67.9	151.6	16.4	182.4	26.5
愛　媛	77.1	79.7	1.0	23.3	86.4	72.6	92.8	30.8	296.5	8.5	87.5	118.5	17.4	234.2	29.8
高　知	83.2	81.8	－	13.9	91.1	78.3	95.2	45.9	231.0	－	46.7	181.5	21.3	439.4	40.8
福　岡	84.0	88.2	2.0	43.9	88.7	79.9	91.4	34.3	289.7	13.9	58.4	148.2	17.9	373.9	33.0
佐　賀	85.6	89.3	－	57.9	90.3	80.4	91.2	41.4	290.8	－	75.5	115.7	18.9	421.2	39.3
長　崎	83.0	85.5	6.6	20.7	89.7	78.8	84.0	36.2	352.7	12.6	56.5	97.6	17.7	372.7	35.7
熊　本	83.2	89.4	－	21.3	88.5	77.7	88.9	39.8	299.6	－	72.7	137.9	19.8	242.9	37.9
大　分	83.7	90.8	－	57.8	90.6	79.3	87.8	32.5	408.4	－	116.5	105.8	19.2	211.4	32.0
宮　崎	78.9	88.0	－	23.3	85.2	71.4	86.9	36.1	331.0	－	34.7	109.3	17.6	405.8	34.7
鹿 児 島	82.5	90.1	5.0	31.6	86.5	76.2	90.0	41.3	360.2	9.8	120.0	117.3	19.3	305.6	40.3
沖　縄	81.7	89.3	－	21.1	92.6	80.3	94.8	29.3	243.9	－	59.6	155.6	15.3	457.2	28.8

資料：政策統括官（統計・情報政策，政策評価担当）「平成29年病院報告」
注：1) この表では，表章記号の規約に以下の場合も含む。
　　　「－」：病床があるが，計上する数値がない場合
　　　「・」：病床がないので，計上する数値がない場合

128 医　療

第2－44表（続）　病院の病床利用率・平均在院日数，病床の種類×都道府県－指定都市・特別区－中核市（再掲）別

（2－2）　　　　　　　　　　　　　　　　　　　　　　　　　　平成29年（2017）年間

指定都市・特別区・中核市（再掲）	病床利用率(%)							平均在院日数(日)						
	全病床	精神病床	感染症病床	結核病床	療養病床	一般病床	介護療養病床	全病床	精神病床	感染症病床	結核病床	療養病床	一般病床	介護療養病床
指定都市・特別区（再掲）														
東京都の区部	78.0	85.4	8.4	39.2	88.6	75.0	90.8	18.0	115.5	12.1	65.1	139.5	13.4	349.
札　幌　市	81.8	88.6	–	15.6	89.0	77.3	91.1	29.1	236.3	–	46.5	222.6	17.4	371.
仙　台　市	78.0	82.9	8.2	–	94.1	74.9	·	20.4	249.7	7.8	–	145.4	14.3	·
さいたま市	80.6	87.8	33.0	31.4	86.9	77.8	86.8	20.7	200.4	5.8	61.1	178.4	14.2	334.
千　葉　市	75.0	70.9	1.6	65.6	85.8	74.0	64.7	22.6	162.0	11.0	58.7	157.5	16.3	202.
横　浜　市	82.9	85.4	42.8	48.2	92.2	80.3	95.8	20.5	195.4	20.8	53.9	138.4	13.7	431.
川　崎　市	78.0	87.0	–	53.1	91.3	74.1	88.2	18.7	196.4	–	56.8	209.5	13.1	486.
相模原市	78.0	84.3	–	–	84.5	72.0	79.2	24.8	301.0	–	–	277.3	12.1	488.
新　潟　市	84.2	92.2	0.7	47.5	90.2	79.1	94.5	31.0	345.4	8.4	74.2	155.3	17.5	639.
静　岡　市	77.6	74.6	–	35.6	87.3	74.3	96.0	26.3	203.2	–	72.6	169.4	15.8	290.
浜　松　市	82.0	81.0	–	30.8	89.5	79.2	93.5	26.9	219.5	–	51.6	166.5	14.7	334.
名古屋市	78.4	86.9	–	57.7	89.5	73.2	88.7	21.7	240.5	–	62.1	126.0	13.7	351.
京　都　市	78.4	73.4	–	6.9	93.1	76.1	95.4	27.6	315.1	–	58.4	215.8	17.6	479.
大　阪　市	80.5	78.0	2.3	87.5	90.4	78.2	87.9	19.9	44.4	13.5	51.1	163.3	15.6	627.
堺　　　市	83.0	82.3	2.2	49.5	91.3	78.5	86.9	32.5	175.1	1.7	66.5	166.7	15.8	192.
神　戸　市	79.0	84.5	1.2	61.1	88.6	75.1	83.6	24.2	203.4	8.6	67.2	144.8	15.5	386.
岡　山　市	76.9	79.2	–	23.1	87.9	74.9	75.0	23.7	186.3	–	64.3	125.6	15.9	201.
広　島　市	83.5	90.0	–	37.8	86.4	80.2	82.8	27.4	210.3	–	62.7	164.9	15.1	417.
北九州市	83.0	85.5	0.3	50.9	91.6	78.2	96.7	32.2	281.3	7.5	77.6	165.6	17.2	372.
福　岡　市	83.7	88.1	0.2	29.4	86.9	81.5	89.0	25.4	241.4	2.5	93.5	118.3	15.5	316.
熊　本　市	82.2	88.3	–	40.4	86.7	78.4	88.2	29.0	215.4	–	53.9	112.3	16.8	372.
中核市（再掲）														
旭　川　市	78.5	84.4	–	27.8	79.5	77.1	77.4	25.6	167.1	–	45.6	127.9	16.5	166.
函　館　市	79.0	81.3	–	11.5	89.5	76.2	94.6	27.4	222.7	–	60.1	160.6	17.1	461.
青　森　市	74.9	80.1	–	22.4	93.6	68.8	91.7	33.7	250.4	–	94.3	77.3	19.1	466.
八　戸　市	80.7	87.3	–	–	93.3	74.5	93.4	33.9	268.8	–	–	190.7	18.4	178.
盛　岡　市	77.7	85.4	–	50.8	92.0	71.6	94.5	26.6	199.6	–	153.6	167.7	16.1	303.
秋　田　市	83.9	90.8	–	34.0	89.5	78.8	·	29.4	276.0	–	116.3	200.5	15.7	·
郡　山　市	69.7	67.1	·	·	81.7	68.6	90.2	25.8	292.7	·	·	166.3	16.2	378.
いわき市	77.9	88.3	–	1.5	79.5	73.4	88.4	39.7	416.7	–	84.7	189.2	19.4	279.
宇都宮市	83.0	83.2	34.2	66.9	92.3	78.6	95.8	36.8	490.4	5.1	86.1	196.8	17.5	389.
前　橋　市	80.2	90.1	–	11.6	88.4	76.6	49.7	20.1	305.7	–	84.4	98.7	13.8	1451.
高　崎　市	84.1	96.9	–	·	79.5	81.2	67.2	28.7	279.3	–	·	103.3	17.0	1144.
川　越　市	83.1	88.3	·	·	91.7	77.6	86.4	28.2	305.7	·	·	198.0	15.3	203.
越　谷　市	81.3	85.6	–	·	96.7	76.8	·	20.9	100.2	–	·	111.9	13.6	·
船　橋　市	79.7	89.5	3.7	·	92.5	72.7	·	23.2	257.7	·	·	111.9	13.3	·
柏　　　市	83.1	81.1	–	·	94.1	83.9	·	24.0	476.6	–	·	337.7	13.5	·
八王子市	85.5	88.8	0.2	13.0	92.9	76.4	95.3	44.6	355.4	10.0	293.5	186.6	13.8	304.
横須賀市	65.7	86.3	–	–	76.3	60.8	98.2	17.1	110.9	–	–	72.8	12.3	624.
富　山　市	84.7	92.6	1.9	7.6	91.7	77.9	94.0	32.4	248.7	14.0	45.7	228.1	15.4	410.
金　沢　市	83.1	87.0	–	35.3	89.2	78.9	81.1	33.5	285.2	–	61.3	221.2	17.8	413.
長　野　市	83.9	83.9	–	·	93.5	81.9	95.4	23.9	458.1	–	·	288.0	14.1	441.
岐　阜　市	75.5	86.5	–	32.3	81.4	72.1	75.9	23.0	232.5	–	69.8	116.9	15.5	345.
豊　橋　市	86.2	94.2	–	34.7	90.1	77.9	97.8	37.1	412.5	–	55.0	239.7	13.8	505.
豊　田　市	84.3	91.3	–	·	89.5	80.6	86.8	19.4	220.7	–	·	139.8	12.0	126.
岡　崎　市	75.0	75.2	–	21.0	82.1	73.1	93.4	27.0	364.4	–	74.6	122.1	15.8	77.
大　津　市	78.7	76.0	–	8.0	89.8	73.8	86.4	21.8	190.1	–	49.8	176.3	13.6	333.
高　槻　市	85.8	85.9	–	·	95.4	84.7	·	18.7	142.3	–	·	87.0	14.2	·
東大阪市	83.2	85.0	–	·	99.7	79.7	94.1	29.6	176.8	–	·	152.9	17.2	635.
豊　中　市	87.2	91.0	–	29.5	98.6	84.6	·	36.2	154.0	–	64.7	234.0	21.3	·
枚　方　市	80.4	77.9	3.5	·	89.7	78.7	77.6	25.4	161.6	4.6	·	144.1	17.2	247.
姫　路　市	80.8	86.3	0.1	·	88.7	76.9	94.8	22.7	313.4	0.6	·	110.6	14.4	465.
西　宮　市	82.6	83.1	–	80.7	89.1	80.0	94.3	23.0	212.0	–	84.6	147.9	14.4	388.
尼　崎　市	86.5	68.7	–	·	94.5	83.4	·	20.6	13.2	–	·	131.0	14.6	·
奈　良　市	81.1	94.4	–	59.7	87.9	77.0	86.4	27.3	202.1	–	85.5	117.9	18.7	390.
和歌山市	78.1	85.9	17.6	·	83.8	75.5	80.9	24.9	291.1	11.5	·	136.9	17.6	260.
倉　敷　市	78.0	76.3	–	·	91.7	75.2	96.4	22.3	204.3	–	·	123.8	16.1	298.
福　山　市	80.6	83.6	3.0	·	88.0	77.2	83.9	24.5	314.5	1.8	·	72.5	14.8	78.
呉　　　市	79.1	89.1	·	10.8	85.9	77.0	·	29.8	298.7	·	59.7	177.6	16.2	472.
下　関　市	85.5	89.1	–	·	91.0	79.3	96.5	43.4	390.9	–	·	124.8	18.8	399.
高　松　市	74.5	91.2	–	12.5	82.3	68.9	87.9	24.5	399.2	–	71.7	142.8	15.0	482.
松　山　市	79.7	81.6	0.4	·	91.2	74.6	94.6	28.0	238.4	8.0	·	142.9	15.9	384.
高　知　市	81.8	76.4	–	19.7	91.3	77.9	96.1	40.6	160.7	–	63.6	205.9	20.5	433.
久留米市	82.8	92.3	–	·	84.2	78.4	94.7	28.9	172.3	–	·	154.6	16.0	408.
佐世保市	82.5	85.6	12.1	37.7	89.6	72.6	92.0	36.1	385.7	27.1	66.3	141.3	17.0	426.
大牟田市	80.0	87.7	–	10.8	89.6	72.6	90.0	31.1	362.4	–	23.5	136.4	15.5	311.
大　分　市	83.7	89.1	–	·	·	·	·	29.8	454.2	–	·	·	17.0	·
宮　崎　市	77.9	86.1	–	23.3	83.9	74.1	80.6	26.2	178.8	–	34.7	126.6	15.7	478.
鹿児島市	83.6	90.0	–	4.6	83.3	78.5	31.5	35.1	290.7	–	141.4	18.2	16.7	258.
那　覇　市	87.7	95.5	–	·	92.2	83.3	·	23.7	175.4	–	·	130.1	14.0	·

資料：政策統括官（統計・情報政策、政策評価担当）「平成29年病院報告」
注：1）この表では，表章記号の規約に以下の場合も含む。
　　　　「－」：病床があるが，計上する数値がない場合
　　　　「・」：病床がないので，計上する数値がない場合

130　医　　療

第2−45表　医師・歯科医師・薬剤師数及び平均年齢,

	総数	医療施設の従事者	病院の従事者	病院の開設者又は法人の代表者	病院の勤務者（医育機関附属の病院を除く）	医育機関附属の病院の勤務者	臨床系の教官又は教員	臨床系の大学院生	臨床系の教官又は教員及び大学院生以外の従事者	診療所の従事者	診療所の開設者又は法人の代表者	診療所の勤務者	介護老人保健施設の従事者
					医								
総　数	319 480	304 759	202 302	5 149	141 966	55 187	28 318	6 000	20 869	102 457	71 888	30 569	3 34
男	251 987	240 454	157 385	4 878	111 930	40 577	23 299	4 508	12 770	83 069	64 009	19 060	2 89
女	67 493	64 305	44 917	271	30 036	14 610	5 019	1 492	8 099	19 388	7 879	11 509	45
29歳以下	27 951	27 725	27 544	1	17 705	9 838	818	578	8 442	181	19	162	
30～39	66 714	64 878	60 338	74	35 753	24 511	9 264	5 181	10 066	4 540	1 156	3 384	6
40～49	70 873	68 344	49 092	524	35 687	12 890	10 835	223	1 832	19 252	10 300	8 952	22
50～59	70 728	67 286	37 248	1 148	30 068	6 032	5 644	15	373	30 038	22 544	7 494	42
60～69	52 537	49 630	20 050	1 901	16 311	1 838	1 706	3	129	29 580	24 475	5 105	88
70歳以上	30 677	26 896	8 030	1 501	6 451	78	51	−	27	18 866	13 394	5 472	1 75
					平								
総　数	50.0	49.6	44.5	64.2	46.0	38.8	44.4	33.7	32.8	59.6	61.2	56.1	69.
男	51.7	51.2	46.1	64.5	47.5	40.2	45.3	33.6	33.0	60.9	61.5	59.0	71.
女	43.9	43.5	38.8	59.3	40.4	35.2	39.9	33.7	32.5	54.3	58.7	51.2	57.
					歯　　科　　医								
総　数	104 533	101 551	12 385	22	3 055	9 308	3 476	1 861	3 971	89 166	59 482	29 684	3
男	80 189	78 160	8 113	20	2 251	5 842	2 614	1 144	2 084	70 047	54 084	15 963	2
女	24 344	23 391	4 272	2	804	3 466	862	717	1 887	19 119	5 398	13 721	1
29歳以下	6 516	6 414	3 815	−	391	3 424	123	1 190	2 111	2 599	84	2 515	
30～39	19 470	18 896	4 428	2	922	3 504	1 218	650	1 636	14 468	3 742	10 726	
40～49	22 855	22 287	1 977	8	810	1 159	981	19	159	20 310	12 968	7 342	
50～59	26 112	25 542	1 493	7	661	825	788	1	36	24 049	19 774	4 275	
60～69	21 153	20 649	622	2	243	377	355	1	21	20 027	17 458	2 569	1
70歳以上	8 427	7 763	50	3	28	19	11	−	8	7 713	5 456	2 257	
					平								
総　数	51.2	51.1	37.9	53.4	43.7	35.9	45.1	29.7	30.9	52.9	56.6	45.5	55.
男	53.0	52.9	39.9	54.0	45.1	37.9	46.7	29.9	31.1	54.4	56.8	46.1	61.
女	45.3	45.1	34.0	46.6	39.6	32.7	40.1	29.5	30.6	47.6	54.8	44.8	46.

	総　数	薬局の従事者	薬局の開設者又は法人の代表者	薬局の勤務者	医療施設の従事者	調剤・病棟業務	その他（検査、治験等）	病院の従事者	調剤・病棟業務	その他（検査、治験等）	診療所の従事者	調剤・病棟業務
					薬　　　剤							
総　数	301 323	172 142	17 201	154 941	58 044	55 634	2 410	52 145	50 785	1 360	5 899	4 84
男	116 826	57 891	12 069	45 822	20 541	19 812	729	19 916	19 310	606	625	50
女	184 497	114 251	5 132	109 119	37 503	35 822	1 681	32 229	31 475	754	5 274	4 34
29歳以下	39 494	20 009	29	19 980	13 169	13 082	87	13 033	12 955	78	136	12
30～39	76 714	42 761	934	41 827	16 019	15 556	463	15 528	15 132	396	491	42
40～49	71 949	42 830	2 876	39 954	11 885	11 339	546	10 916	10 515	401	969	82
50～59	60 514	34 829	4 799	30 030	10 079	9 359	720	8 222	7 913	309	1 857	1 44
60～69	38 409	23 744	5 386	18 358	5 484	5 006	478	3 773	3 609	164	1 711	1 39
70歳以上	14 243	7 969	3 177	4 792	1 408	1 292	116	673	661	12	735	63
					平							
総　数	46.0	46.5	59.7	45.1	42.3	42.0	50.9	40.7	40.6	45.8	56.8	56.
男	46.0	46.2	58.1	43.1	41.8	41.5	48.2	41.5	41.3	47.8	51.3	50.
女	46.1	46.7	63.3	45.9	42.7	42.2	51.8	40.2	40.1	44.3	57.4	57.

資料：政策統括官（統計・情報政策、政策評価担当）「平成28年医師・歯科医師・薬剤師調査」

施設・業務の種別・性・年齢階級別

平成28年（2016）12月31日現在

介護老人保健施設の開設者又は法人の代表者	介護老人保健施設の勤務者	医療施設・介護老人保健施設以外の従事者	医育機関の臨床系以外の大学院生	医育機関の臨床系以外の勤務者	医育機関以外の教育機関又は研究機関の勤務者	行政機関・産業医・保健衛生業務の従事者	行政機関	産業医	保健衛生業務	その他の者	その他の業務の従事者	無職の者	不詳
						数（人）							
373	2 973	9 057	627	3 004	1 582	3 844	1 740	1 128	976	2 301	642	1 659	17
313	2 578	6 936	468	2 508	1 305	2 655	1 194	734	727	1 696	495	1 201	10
60	395	2 121	159	496	277	1 189	546	394	249	605	147	458	7
–	4	198	97	34	11	56	33	11	12	24	10	14	–
5	56	1 614	489	391	146	588	277	213	98	160	55	105	1
22	201	2 034	31	872	286	845	427	277	141	268	164	104	4
53	373	2 771	4	1 115	583	1 069	579	320	170	244	170	74	1
114	766	1 779	6	533	446	794	343	190	261	248	101	147	–
179	1 573	661	–	59	110	492	81	117	294	1 357	142	1 215	11
						年齢（歳）							
69.2	69.6	52.2	33.9	51.4	55.6	54.5	51.8	52.7	61.3	71.0	58.2	76.0	71.9
70.8	71.5	53.6	33.8	52.4	56.7	56.7	52.8	55.1	64.6	74.3	59.6	80.3	74.1
61.0	57.0	47.7	34.2	46.5	50.2	49.5	49.5	48.2	51.5	61.9	53.6	64.6	68.7
						数（人）							
12	21	1 543	125	897	173	348	299	…	49	1 397	311	1 086	9
10	11	1 097	72	689	120	216	189	…	27	906	180	726	5
2	10	446	53	208	53	132	110	…	22	491	131	360	4
–	–	77	65	5	4	3	2	…	1	25	4	21	–
1	6	371	56	224	24	67	57	…	10	196	61	135	–
1	5	406	3	280	36	87	80	…	7	154	78	76	2
2	3	417	1	252	53	111	95	…	16	146	74	72	2
6	7	236	–	129	36	71	62	…	9	255	58	197	–
2	–	36	–	7	20	9	3	…	6	621	36	585	5
						年齢（歳）							
63.5	51.1	48.1	30.9	48.2	54.0	51.2	50.8	…	53.4	64.4	53.2	67.7	69.5
62.2	60.0	49.7	31.2	49.6	56.6	52.5	51.4	…	59.9	69.9	55.6	73.5	67.6
70.0	41.2	44.2	30.5	43.6	48.0	49.1	49.8	…	45.3	54.3	49.8	55.9	71.9

平成28年（2016）12月31日現在

その他（検査、治験等）	大学の従事者	大学の勤務者（研究・教育）	大学院生又は研究生	医薬品関係企業の従事者	医薬品製造販売業・製造業（研究・開発、営業、その他）	医薬品販売業	衛生行政機関又は保健衛生施設の従事者	その他の者	その他の業務の従事者	無職の者	不詳
					数（人）						
1 050	5 046	4 523	523	42 024	30 265	11 759	6 813	17 233	6 802	10 431	21
123	3 599	3 236	363	25 800	20 643	5 157	3 834	5 160	3 226	1 934	1
927	1 447	1 287	160	16 224	9 622	6 602	2 979	12 073	3 576	8 497	20
9	583	159	424	3 898	3 085	813	962	872	502	370	1
67	1 227	1 154	73	10 432	8 882	1 550	2 347	3 927	1 664	2 263	1
145	1 236	1 223	13	11 097	9 268	1 829	1 568	3 331	1 538	1 793	2
411	1 154	1 147	7	10 072	7 513	2 559	1 483	2 895	1 536	1 359	2
314	792	787	5	4 636	1 286	3 350	411	3 338	1 141	2 197	4
104	54	53	1	1 889	231	1 658	42	2 870	421	2 449	11
					年齢（歳）						
57.5	46.1	48.1	29.1	46.8	43.7	54.8	42.3	53.0	48.8	55.8	66.3
53.6	46.4	48.4	28.9	47.2	45.2	55.4	43.7	55.7	49.1	66.7	33.8
58.0	45.4	47.3	29.7	46.1	40.4	54.4	40.5	51.9	48.5	53.3	68.0

132　医　　療

第2－46表　医療施設に従事する医師数・歯科医師数，診療科別

平成28年（2016）12月31日現在

診療科	主たる診療科別医師数[1]			診療科（複数回答）別医師数[2]			
	総数	病院	診療所	病院	病院従事医師数に対する割合(%)	診療所	診療所従事医師数に対する割合(%)
医療施設従事医師数	304 759	202 302	102 457	202 302	100.0	102 457	100.0
内　　　　　　科	60 855	21 981	38 874	35 044	17.3	52 717	51.8
呼 吸 器 内 科	5 987	5 407	580	6 849	3.4	6 556	6.4
循 環 器 内 科	12 456	10 489	1 967	12 337	6.1	10 337	10.1
消化器内科(胃腸内科)	14 236	10 847	3 389	13 850	6.8	15 628	15.3
腎 臓 内 科	4 516	3 689	827	4 526	2.2	2 324	2.3
神 経 内 科	4 922	4 446	476	5 292	2.6	2 325	2.3
糖尿病内科(代謝内科)	4 889	4 040	849	5 155	2.5	3 848	3.8
血 液 内 科	2 650	2 631	19	3 016	1.5	440	0.4
皮 　 膚 　 科	9 102	3 691	5 411	4 024	2.0	10 118	9.9
ア レ ル ギ ー 科	162	95	67	832	0.4	5 622	5.5
リ ウ マ チ 科	1 613	1 419	194	2 655	1.3	3 531	3.4
感 染 症 内 科	492	473	19	868	0.4	458	0.4
小 　 児 　 科	16 937	10 355	6 582	10 956	5.4	16 805	16.4
精 　 神 　 科	15 609	11 747	3 862	12 184	6.0	4 893	4.8
心 療 内 科	910	264	646	1 933	1.0	3 684	3.6
外 　 　 　 科	14 423	11 293	3 130	15 705	7.8	9 968	9.7
呼 吸 器 外 科	1 880	1 867	13	2 240	1.1	127	0.1
心 臓 血 管 外 科	3 137	3 046	91	3 277	1.6	313	0.3
乳 　 腺 　 外 　 科	1 868	1 537	331	2 689	1.3	733	0.7
気 管 食 道 外 科	84	83	1	600	0.3	331	0.3
消化器外科(胃腸外科)	5 375	5 117	258	7 619	3.8	1 109	1.1
泌 尿 器 科	7 062	5 154	1 908	5 368	2.7	3 122	3.0
肛 　 門 　 外 　 科	443	170	273	1 867	0.9	2 485	2.4
脳 神 経 外 科	7 360	6 232	1 128	6 548	3.2	1 479	1.4
整 形 外 科	21 293	13 497	7 796	14 363	7.1	10 743	10.5
形 成 外 科	2 593	2 079	514	2 184	1.1	1 393	1.4
美 容 外 科	522	9	513	167	0.1	853	0.8
眼 　 　 　 科	13 144	4 749	8 395	4 779	2.4	8 578	8.4
耳 鼻 い ん こ う 科	9 272	3 839	5 433	3 907	1.9	5 629	5.5
小 児 外 科	802	777	25	955	0.5	264	0.3
産 婦 人 科	10 854	6 656	4 198	6 720	3.3	4 322	4.2
産 　 　 　 科	495	394	101	500	0.2	221	0.2
婦 　 人 　 科	1 805	762	1 043	962	0.5	1 414	1.4
リ ハ ビ リ テ ー シ ョ ン 科	2 484	2 326	158	6 172	3.1	8 643	8.4
放 射 線 科	6 587	6 137	450	6 735	3.3	2 528	2.5
麻 　 酔 　 科	9 162	8 604	558	9 341	4.6	1 657	1.6
病 理 診 断 科	1 893	1 863	30	1 932	1.0	59	0.1
臨 床 検 査 科	613	607	6	800	0.4	42	0.0
救 　 急 　 科	3 244	3 226	18	4 075	2.0	97	0.1
臨 床 研 修 医	16 701	16 697	4	16 697	8.3	4	0.0
全 　 　 　 科	252	136	116	136	0.1	116	0.1
そ 　 の 　 他	3 998	3 059	939	3 813	1.9	1 775	1.7
不 　 　 　 詳	2 077	812	1 265	518	0.3	570	0.6

診療科	主たる診療科別歯科医師数[1]			診療科（複数回答）別歯科医師数[2]			
	総数	病院	診療所	病院	病院従事歯科医師数に対する割合(%)	診療所	診療所従事歯科医師数に対する割合(%)
医療施設従事歯科医師数	101 551	12 385	89 166	12 385	100.0	89 166	100.0
歯 　 　 　 科	88 768	5 574	83 194	6 546	52.9	85 578	96.0
矯 正 歯 科	3 760	966	2 794	1 079	8.7	19 314	21.7
小 児 歯 科	1 995	453	1 542	708	5.7	38 878	43.6
歯 科 口 腔 外 科	4 087	3 648	439	4 039	32.6	23 531	26.4
臨 床 研 修 歯 科 医	1 882	1 640	242	1 640	13.2	242	0.3
不 　 　 　 詳	1 059	104	955	94	0.8	511	0.6

資料：政策統括官（統計・情報政策、政策評価担当）「平成28年医師・歯科医師・薬剤師調査」

注：1）複数の診療科に従事している場合の主として従事する診療科と，1診療科のみに従事している場合の診療科である。

2）2つ以上の診療科に従事している場合，各々の科に重複計上している。

医　療　133

第2－47表　人口10万対医療施設従事医師・歯科医師数及び薬局・医療施設従事薬剤師数，従業地による都道府県－指定都市・特別区（再掲）別

各年12月31日現在

都道府県 指定都市・特別区	医療施設従事医師数（人）				医療施設従事歯科医師数（人）				薬局・医療施設従事薬剤師数（人）			
	平成22年	平成24年	平成26年	平成28年	平成22年	平成24年	平成26年	平成28年	平成22年	平成24年	平成26年	平成28年
全　　国	219.0	226.5	233.6	240.1	77.1	78.2	79.4	80.0	154.3	161.3	170.0	181.3
北　海　道	218.3	224.6	230.2	238.3	78.1	78.8	80.2	80.4	150.1	154.9	163.6	175.6
青　　森	182.4	184.5	193.3	198.2	74.1	75.4	76.5	76.8	120.9	126.4	133.8	143.5
岩　　手	181.4	189.6	192.0	193.8	74.3	75.7	76.9	77.1	129.5	136.1	141.4	150.2
宮　　城	210.4	218.3	221.2	231.9	74.9	75.9	76.2	78.5	154.5	161.5	168.5	182.9
秋　　田	203.8	207.5	216.3	223.5	57.2	57.8	58.8	61.4	147.0	154.7	162.7	171.1
山　　形	206.3	210.0	215.0	219.5	56.2	58.1	59.7	60.2	127.4	132.3	142.2	149.8
福　　島	182.6	178.7	188.8	195.7	68.5	64.9	69.3	69.6	135.9	136.2	144.8	155.0
茨　　城	158.0	169.0	169.6	180.4	61.7	65.0	65.6	65.9	144.7	151.9	159.7	167.4
栃　　木	205.3	205.0	212.8	218.0	64.8	64.7	65.6	66.2	134.3	141.7	151.6	158.2
群　　馬	206.4	214.9	218.9	225.2	66.8	69.2	69.7	70.9	129.5	138.4	146.6	159.0
埼　　玉	142.6	148.2	152.8	160.1	69.1	69.2	70.4	71.4	138.7	144.8	153.3	165.8
千　　葉	164.3	172.7	182.9	189.9	77.6	80.4	81.3	81.7	147.3	154.7	165.0	176.2
東　　京	285.4	295.7	304.5	304.2	118.7	117.8	118.4	118.2	189.9	198.1	207.1	218.3
神　奈　川	187.8	193.7	201.7	205.4	76.1	76.9	79.5	77.8	167.2	174.0	187.7	197.3
新　　潟	177.2	182.1	188.2	191.9	85.3	85.0	85.7	86.0	136.6	142.9	151.1	160.8
富　　山	223.6	232.8	234.9	241.8	56.0	56.0	56.4	59.0	141.3	147.0	154.1	159.7
石　　川	251.8	264.1	270.6	280.6	55.1	55.5	58.8	58.6	153.1	161.9	169.3	178.5
福　　井	226.5	236.3	240.0	245.8	50.6	53.1	52.9	54.7	117.1	128.4	140.5	145.1
山　　梨	209.7	216.0	222.4	231.8	64.1	67.3	70.5	71.3	138.4	149.4	158.0	169.2
長　　野	205.0	211.4	216.8	226.2	72.0	72.5	73.4	75.0	149.3	156.2	165.2	175.0
岐　　阜	189.0	195.4	202.9	208.9	74.5	77.4	78.0	80.1	135.5	142.5	151.8	156.0
静　　岡	182.8	186.5	193.9	200.8	59.3	60.5	61.2	62.9	143.7	150.2	158.8	169.0
愛　　知	191.7	198.1	202.1	207.7	70.3	72.8	72.8	73.6	136.3	141.7	149.1	157.9
三　　重	190.1	197.3	207.3	217.0	59.1	61.6	63.3	64.3	132.9	135.7	145.9	158.7
滋　　賀	200.6	204.7	211.7	220.9	56.1	55.3	55.4	56.0	142.3	149.1	158.0	170.5
京　　都	286.2	296.7	307.9	314.9	68.3	69.9	71.1	71.6	142.5	147.0	158.3	172.6
大　　阪	248.1	256.7	261.8	270.4	86.2	84.7	85.8	86.4	168.4	173.0	178.7	197.1
兵　　庫	215.2	226.6	232.1	242.4	67.4	68.0	69.7	69.6	178.5	188.1	198.2	214.0
奈　　良	213.7	217.9	225.7	243.1	63.5	64.5	67.0	67.1	139.9	157.7	143.8	163.8
和　歌　山	259.2	269.2	277.4	290.1	70.8	72.5	74.5	75.3	146.8	156.7	164.3	181.9
鳥　　取	265.9	279.6	289.5	298.1	60.5	59.1	61.0	59.6	148.1	152.4	159.8	168.4
島　　根	250.8	262.1	265.1	272.3	55.6	56.3	56.8	57.8	137.0	143.7	156.0	162.2
岡　　山	270.3	277.1	287.8	300.4	84.0	87.3	86.8	89.0	148.7	154.6	166.2	175.8
広　　島	235.9	245.5	252.2	254.6	81.3	83.8	86.7	86.4	177.8	184.1	193.8	203.9
山　　口	233.1	241.4	244.8	246.5	64.3	66.3	66.7	69.0	172.2	179.5	187.0	200.7
徳　　島	283.0	296.3	303.3	315.9	98.4	99.6	101.2	103.1	196.7	199.5	210.9	220.9
香　　川	253.7	260.4	268.3	276.0	68.0	72.7	72.3	73.5	164.5	174.6	186.1	199.4
愛　　媛	235.8	244.1	254.3	262.5	64.0	65.6	66.7	68.2	140.5	149.9	158.5	170.0
高　　知	274.1	284.0	293.0	306.0	62.1	65.6	64.8	69.5	176.1	181.6	185.6	192.2
福　　岡	274.2	283.0	292.9	297.6	98.3	101.7	104.1	101.9	167.0	177.1	182.8	195.7
佐　　賀	245.0	249.8	266.1	276.8	71.1	70.5	74.1	73.2	170.4	174.5	178.4	191.9
長　　崎	270.3	275.8	287.7	295.7	82.1	83.0	85.3	85.7	152.5	160.9	170.6	178.6
熊　　本	257.5	266.4	275.3	281.9	68.2	72.1	74.5	75.3	142.0	150.2	163.9	171.5
大　　分	245.0	256.5	260.8	268.5	61.5	63.8	63.2	63.5	143.6	151.6	158.4	164.8
宮　　崎	220.3	228.0	233.2	238.4	61.7	62.0	59.8	60.5	133.6	142.2	148.5	152.4
鹿　児　島	232.4	240.7	247.8	262.9	71.7	74.3	74.8	79.0	140.4	148.5	158.5	166.4
沖　　縄	227.7	233.1	241.5	243.1	60.2	59.5	57.6	57.6	119.7	125.3	131.0	134.7
（再掲）指定都市・特別区												
東京都区部	333.2	346.1	354.9	351.6	140.9	140.1	139.7	138.4	200.1	209.2	216.4	227.5
札　幌　市	297.1	306.7	313.9	322.9	100.9	104.6	104.8	104.2	180.7	187.5	199.4	217.8
仙　台　市	305.1	312.8	313.1	321.6	104.7	104.6	103.9	106.8	190.6	202.0	208.2	226.5
さいたま市	160.7	162.3	168.6	172.8	75.8	75.5	72.8	76.8	154.5	165.4	173.0	190.2
千　葉　市	243.8	255.3	263.6	270.7	107.2	108.9	102.9	98.8	173.1	181.8	193.3	202.8
横　浜　市	196.4	200.9	211.8	217.9	85.2	87.0	87.4	85.8	178.6	185.4	203.2	209.7
川　崎　市	192.9	200.8	209.7	216.9	69.2	67.0	69.1	69.0	168.9	176.4	186.2	200.8
相模原市	226.3	226.1	234.0	229.5	57.8	56.7	67.6	66.5	165.0	173.6	183.3	197.4
新　潟　市	253.0	257.5	266.8	267.7	133.9	132.8	131.3	132.3	170.3	176.4	186.0	201.1
静　岡　市	211.4	210.1	216.7	229.5	63.0	67.1	67.3	67.5	176.0	181.0	176.0	192.3
浜　松　市	238.2	245.4	251.1	256.0	63.2	65.1	65.7	66.0	138.2	151.7	164.5	176.3
名古屋市	268.6	282.8	287.3	288.5	92.4	95.8	94.5	95.3	164.1	172.9	184.8	197.6
京　都　市	379.2	395.8	409.8	417.7	80.7	81.4	81.4	80.9	164.7	169.5	181.1	196.9
大　阪　市	311.1	318.1	324.5	327.2	114.6	110.0	109.0	111.6	200.9	208.0	207.4	225.0
堺　　市	205.4	210.6	219.0	227.4	63.2	64.0	72.5	65.4	144.1	148.5	159.2	177.4
神　戸　市	278.0	291.6	298.3	304.0	78.4	77.8	79.1	77.7	207.0	216.0	233.8	247.8
岡　山　市	362.3	365.5	383.8	410.3	121.6	125.8	125.2	125.2	180.0	188.2	201.7	219.6
広　島　市	271.2	283.6	291.7	295.8	98.6	102.1	103.5	103.8	188.1	191.3	203.5	216.5
北九州市	309.5	317.2	326.5	325.1	117.4	117.5	118.8	117.4	188.9	196.3	196.8	211.0
福　岡　市	339.3	351.9	363.7	366.0	125.1	133.2	134.9	131.5	204.4	208.8	208.8	223.2
熊　本　市	378.5	394.4	407.6	413.1	83.5	89.3	91.9	93.4	176.9	186.2	206.4	218.5

資料：政策統括官（統計・情報政策、政策評価担当）　「医師・歯科医師・薬剤師調査」

134　医　　療

第 2 －48表　就業医療関係者数・

都道府県	実数									
	保健師	助産師	看護師	准看護師	あん摩マッサージ指圧師	はり師	きゅう師	柔道整復師	歯科衛生士	歯科技工士
全　　国	51 280	35 774	1 149 397	323 111	116 280	116 007	114 048	68 120	123 831	34 64
北　海　道	3 118	1 671	61 624	18 021	3 107	3 944	3 883	2 221	5 837	1 93
青　　森	636	326	12 789	5 262	592	411	395	468	870	56
岩　　手	715	389	13 391	3 115	480	587	566	460	1 030	54
宮　　城	1 107	752	19 138	5 839	1 585	1 472	1 415	1 478	1 841	74
秋　　田	569	342	10 922	3 303	542	441	434	343	1 008	43
山　　形	581	342	11 324	2 873	512	439	420	451	1 133	45
福　　島	1 012	492	16 311	6 965	1 316	1 040	1 031	897	1 396	75
茨　　城	1 123	626	19 958	7 432	1 905	1 565	1 525	1 148	2 179	63
栃　　木	881	506	15 427	6 164	1 464	1 118	1 089	1 110	1 687	48
群　　馬	945	499	17 979	7 564	1 588	1 244	1 216	1 067	2 046	66
埼　　玉	2 067	1 573	46 416	14 435	5 382	5 372	5 196	3 876	5 821	1 15
千　　葉	2 014	1 419	41 999	10 327	4 363	5 082	5 005	3 029	4 965	1 20
東　　京	3 762	3 792	104 744	13 476	27 257	21 583	21 493	10 605	12 952	3 01
神　奈　川	2 149	2 322	62 794	8 958	12 265	10 314	10 242	3 900	7 926	1 68
新　　潟	1 183	818	21 938	6 060	1 449	1 349	1 319	653	2 627	92
富　　山	620	404	12 272	3 306	466	434	415	781	1 059	44
石　　川	554	329	14 140	3 282	710	541	531	555	1 028	34
福　　井	549	242	8 497	2 953	430	352	346	335	698	26
山　　梨	609	242	7 756	2 193	874	760	751	352	1 000	26
長　　野	1 600	839	21 476	5 103	1 814	1 566	1 521	968	2 446	66
岐　　阜	982	624	16 860	6 166	1 893	1 614	1 552	1 067	2 595	65
静　　岡	1 626	952	31 000	6 522	3 646	2 884	2 836	1 474	3 358	1 00
愛　　知	2 553	2 225	58 387	14 373	5 103	5 815	5 699	2 993	5 675	1 56
三　　重	688	410	15 703	5 061	817	1 029	990	472	1 939	51
滋　　賀	650	478	13 348	1 828	878	1 077	1 062	634	1 290	37
京　　都	1 145	942	26 649	5 604	3 596	4 086	3 996	2 034	2 152	53
大　　阪	2 367	2 829	73 457	18 293	10 113	14 427	14 173	8 994	8 092	2 33
兵　　庫	1 679	1 446	50 916	11 016	2 878	4 972	4 915	3 187	5 354	1 21
奈　　良	510	355	12 073	2 269	981	1 506	1 500	756	1 421	27
和　歌　山	480	266	10 225	3 366	827	1 076	1 058	728	955	32
鳥　　取	327	216	6 752	2 285	294	277	266	84	820	25
島　　根	503	323	8 332	3 078	560	460	436	136	845	26
岡　　山	974	517	22 563	4 828	1 108	1 218	1 165	777	2 621	57
広　　島	1 184	654	29 317	11 749	1 699	2 119	2 052	1 127	3 496	1 00
山　　口	756	438	16 207	6 799	849	718	697	370	1 486	46
徳　　島	404	260	8 726	3 690	744	520	524	409	1 203	46
香　　川	539	270	11 000	4 139	892	917	884	574	1 341	57
愛　　媛	682	323	16 151	5 599	1 101	926	904	447	1 540	53
高　　知	530	184	10 159	3 662	584	564	545	267	1 023	23
福　　岡	1 772	1 364	56 955	17 967	2 891	3 421	3 353	3 163	6 109	1 46
佐　　賀	487	221	10 579	4 755	572	498	486	369	1 146	24
長　　崎	725	414	17 285	7 350	1 081	1 046	1 024	663	1 630	41
熊　　本	929	454	22 075	9 996	1 265	1 076	1 060	513	2 314	52
大　　分	687	355	14 096	5 865	1 034	849	826	507	1 464	59
宮　　崎	638	297	13 492	6 501	922	957	943	418	1 445	34
鹿　児　島	915	598	21 463	9 574	1 235	1 414	1 392	746	1 850	46
沖　　縄	754	434	14 732	4 145	616	927	917	514	1 118	25

資料：政策統括官（統計・情報政策担当）「平成28年度衛生行政報告例」

医　療　135

人口10万対，都道府県（従業地）別

平成28年（2016）末現在

		率				（人口10万対）			
保 健 師	助 産 師	看 護 師	准看護師	あん摩マッサージ指圧師	は り 師	きゅう師	柔道整復師	歯科衛生士	歯科技工士
40.4	28.2	905.5	254.6	91.6	91.4	89.8	53.7	97.6	27.3
58.3	31.2	1 151.4	336.7	58.1	73.7	72.6	41.5	109.1	36.1
49.2	25.2	989.1	407.0	45.8	31.8	30.5	36.2	67.3	43.6
56.4	30.7	1 056.1	245.7	37.9	46.3	44.6	36.3	81.2	43.1
47.5	32.3	821.4	250.6	68.0	63.2	60.7	63.4	79.0	32.0
56.3	33.9	1 081.4	327.0	53.7	43.7	43.0	34.0	99.8	42.6
52.2	30.7	1 017.4	258.1	46.0	39.4	37.7	40.5	101.8	40.7
53.2	25.9	858.0	366.4	69.2	54.7	54.2	47.2	73.4	39.6
38.7	21.5	687.0	255.8	65.6	53.9	52.5	39.5	75.0	21.9
44.8	25.7	784.7	313.5	74.5	56.9	55.4	56.5	85.8	24.7
48.0	25.4	914.0	384.5	80.7	63.2	61.8	54.2	104.0	33.9
28.4	21.6	636.8	198.0	73.8	73.7	71.3	53.2	79.9	15.8
32.3	22.8	673.5	165.6	70.0	81.5	80.3	48.6	79.6	19.3
27.6	27.8	768.8	98.9	200.1	158.4	157.8	77.8	95.1	22.1
23.5	25.4	686.6	98.0	134.1	112.8	112.0	42.6	86.7	18.4
51.7	35.8	959.7	265.1	63.4	59.0	57.7	28.6	114.9	40.4
58.4	38.1	1 156.6	311.6	43.9	40.9	39.1	73.6	99.8	41.9
48.1	28.6	1 228.5	285.1	61.7	47.0	46.1	48.2	89.3	30.2
70.2	30.9	1 086.6	377.6	55.0	45.0	44.2	42.8	89.3	34.3
73.4	29.2	934.5	264.2	105.3	91.6	90.5	42.4	120.5	31.6
76.6	40.2	1 028.5	244.4	86.9	75.0	72.8	46.4	117.1	31.7
48.6	30.9	833.8	304.9	93.6	79.8	76.8	52.8	128.3	32.4
44.1	25.8	840.6	176.8	98.9	78.2	76.9	40.0	91.1	27.1
34.0	29.6	777.8	191.5	68.0	77.5	75.9	39.9	75.6	20.8
38.1	22.7	868.5	279.9	45.2	56.9	54.8	26.1	107.2	28.4
46.0	33.8	944.7	129.4	62.1	76.2	75.2	44.9	91.3	26.5
44.0	36.2	1 023.0	215.1	138.0	156.9	153.4	78.1	82.6	20.4
26.8	32.0	831.6	207.1	114.5	163.3	160.5	101.8	91.6	26.5
30.4	26.2	922.4	199.6	52.1	90.1	89.0	57.7	97.0	22.0
37.6	26.2	890.3	167.3	72.3	111.1	110.6	55.8	104.8	20.5
50.3	27.9	1 071.8	352.8	86.7	112.8	110.9	76.3	100.1	34.2
57.4	37.9	1 184.6	400.9	51.6	48.6	46.7	14.7	143.9	44.0
72.9	46.8	1 207.5	446.1	81.2	66.7	63.2	19.7	122.5	38.3
50.9	27.0	1 178.2	252.1	57.9	63.6	60.8	40.6	136.9	29.9
41.7	23.1	1 033.4	414.1	59.9	74.7	72.3	39.7	123.2	35.2
54.2	31.4	1 162.6	487.7	60.9	51.5	50.0	26.5	106.6	33.6
53.9	34.7	1 163.5	492.0	99.2	69.3	69.9	54.5	160.4	61.5
55.5	27.8	1 131.7	425.8	91.8	94.3	90.9	59.1	138.0	58.8
49.6	23.5	1 174.6	407.2	80.1	67.3	65.7	32.5	112.0	38.8
73.5	30.9	1 409.0	507.9	81.0	78.2	75.6	37.0	141.9	32.7
34.7	26.7	1 115.9	352.0	56.6	67.0	65.7	62.0	119.7	28.8
58.8	26.7	1 277.7	574.3	69.1	60.1	58.7	44.6	138.4	29.6
53.0	30.3	1 264.4	537.7	79.1	76.5	74.9	48.5	119.2	30.1
52.4	25.6	1 244.4	563.5	71.3	60.7	59.8	28.9	130.4	29.8
59.2	30.6	1 215.2	505.6	89.1	73.2	71.2	43.7	126.2	51.6
58.2	27.1	1 231.0	593.2	84.1	87.3	86.0	38.1	131.8	31.7
55.9	36.5	1 311.1	584.9	75.4	86.4	85.0	45.6	113.0	28.3
52.4	30.2	1 023.8	288.0	42.8	64.4	63.7	35.7	77.7	17.4

136 医　　療

第2-49表　就業医療関係者数，年次×職種別

各年末現在

職　　　種	平成16年 (2004)	平成18年 (2006)	平成20年 (2008)	平成22年[1] (2010)	平成24年 (2012)	平成26年 (2014)	平成28年 (2016)
保　　健　　師	39 195	40 191	43 446	45 028	47 279	48 452	51 280
助　　産　　師	25 257	25 775	27 789	29 672	31 835	33 956	35 774
看　　護　　師	760 221	811 972	877 182	952 723	1 015 744	1 086 779	1 149 397
准　看　護　師	385 960	382 149	375 042	368 148	357 777	340 153	323 111
あん摩マッサージ指圧師	98 148	101 039	101 913	104 663	109 309	113 215	116 280
目 が 見 え る 者	72 349	75 577	76 811	79 439	83 664	87 216	89 627
目 が 見 え な い 者	25 799	25 462	25 102	25 224	25 645	25 999	26 653
は　　　り　　　師	76 643	81 361	86 208	92 421	100 881	108 537	116 007
目 が 見 え る 者	61 442	66 430	71 409	77 521	85 969	93 610	100 800
目 が 見 え な い 者	15 201	14 931	14 799	14 900	14 912	14 927	15 207
き　　ゅ　　う　　師	75 100	79 932	84 629	90 664	99 118	106 642	114 048
目 が 見 え る 者	60 627	65 611	70 433	76 415	84 897	92 335	99 502
目 が 見 え な い 者	14 473	14 321	14 196	14 249	14 221	14 307	14 546
柔　道　整　復　師	35 077	38 693	43 946	50 428	58 573	63 873	68 120
歯　科　衛　生　士	79 695	86 939	96 442	103 180	108 123	116 299	123 831
歯　科　技　工　士	35 668	35 147	35 337	35 413	34 613	34 495	34 640

資料：政策統括官（統計・情報政策担当）「平成28年度衛生行政報告例」
注：1）平成22年の「あん摩マッサージ指圧師」，「はり師」，「きゅう師」及び「柔道整復師」は，東日本大震
　　　災の影響により，宮城県が含まれていない。

医　療　137

第2−50表　就業保健師・助産師・看護師・准看護師数, 年次×就業場所別

各年末現在

職　種	平成16年 (2004)	平成18年 (2006)	平成20年 (2008)	平成22年 (2010)	平成24年 (2012)	平成26年 (2014)	平成28年 (2016)
就 業 保 健 師	39 195	40 191	43 446	45 028	47 279	48 452	51 280
病　　　　院	1 858	1 904	2 770	2 791	3 019	3 075	3 271
診 療 所	1 193	1 257	1 392	1 497	1 661	1 757	1 930
助 産 所	7	3	4	1	1	1	2
訪問看護ステーション	487	309	276	268	250	275	315
介 護 保 険 施 設 等[1]	542	571	533	447	379	460	1 027
社 会 福 祉 施 設	471	337	390	417	409	490	412
保 健 所	7 635	7 185	6 927	7 131	7 457	7 266	7 829
都 道 府 県[2]	…	…	…	…	…	…	1 375
市 区 町 村	22 313	23 455	24 299	25 502	26 538	27 234	28 509
事 業 所	2 415	2 437	3 524	3 532	4 119	4 037	3 079
看護師等学校養成所又は研究機関	841	884	983	1 075	1 119	1 210	1 188
そ の 他	1 433	1 849	2 348	2 367	2 327	2 647	2 343
就 業 助 産 師	25 257	25 775	27 789	29 672	31 835	33 956	35 774
病　　　　院	17 539	17 352	18 180	19 068	20 784	22 055	22 707
診 療 所	4 111	4 952	5 685	6 379	6 663	7 305	7 956
助 産 所	1 654	1 550	1 653	1 789	1 742	1 804	2 004
訪問看護ステーション	12	8	4	7	9	6	6
社 会 福 祉 施 設	7	12	6	14	12	23	20
保 健 所	231	221	227	266	307	283	311
都 道 府 県[2]	…	…	…	…	…	…	17
市 区 町 村	477	557	667	722	717	774	1 057
事 業 所	13	12	38	24	39	48	36
看護師等学校養成所又は研究機関	1 048	1 027	1 223	1 298	1 414	1 524	1 501
そ の 他	165	84	106	105	148	134	159
就 業 看 護 師	760 221	811 972	877 182	952 723	1 015 744	1 086 779	1 149 397
病　　　　院	582 268	613 027	656 012	706 279	747 528	791 988	829 488
診 療 所	84 571	96 237	107 237	118 576	125 782	134 974	144 522
助 産 所	50	53	48	104	60	82	72
訪問看護ステーション	22 931	23 354	24 628	27 210	30 225	36 446	42 245
介 護 保 険 施 設 等[1]	36 818	43 113	47 738	55 505	62 495	70 210	79 663
社 会 福 祉 施 設	7 383	8 608	10 304	11 872	13 737	15 399	16 399
保 健 所	899	938	848	1 012	1 028	1 037	1 105
都 道 府 県[2]	…	…	…	…	…	…	680
市 区 町 村	6 040	6 778	6 831	6 981	6 795	6 887	7 154
事 業 所	4 048	3 917	5 797	6 058	6 482	6 258	4 795
看護師等学校養成所又は研究機関	11 461	11 710	12 556	13 546	14 664	15 603	16 120
そ の 他	3 752	4 237	5 183	5 580	6 948	7 895	7 154
就 業 准 看 護 師	385 960	382 149	375 042	368 148	357 777	340 153	323 111
病　　　　院	199 109	189 228	180 883	170 576	158 315	143 995	130 859
診 療 所	126 167	125 935	123 083	120 680	116 510	110 180	105 124
助 産 所	28	40	37	32	47	28	28
訪問看護ステーション	3 004	3 636	2 754	2 816	3 165	3 719	4 411
介 護 保 険 施 設 等[1]	46 612	51 707	55 102	60 637	64 841	66 779	68 993
社 会 福 祉 施 設	6 199	6 684	7 841	8 246	9 229	9 887	9 309
保 健 所	129	190	106	92	65	48	68
都 道 府 県[2]	…	…	…	…	…	…	19
市 区 町 村	1 894	1 912	1 683	1 519	1 347	1 269	1 115
事 業 所	1 150	1 247	1 498	1 635	1 625	1 473	1 265
看護師等学校養成所又は研究機関	31	16	30	24	29	48	45
そ の 他	1 637	1 554	2 025	1 891	2 604	2 727	1 875

資料：政策統括官（統計・情報政策担当）「平成28年度衛生行政報告例」
注：1）「介護保険施設等」とは，「介護老人保健施設」「指定介護老人福祉施設」「居宅サービス事業所」
　　　「居宅介護支援事業所」等をいう。
　　2）平成26年以前は「都道府県」を項目として把握していない。

138　医　　療

第2－51表　有訴者数・通院者数・日常生活に影響のある者数，性・年齢階級別

a）有訴者数
（単位：千人）

平成28年（2016）

年齢階級	総　数	有訴者率（人口千対）	男	女
総　数	37 719	305.9	16 140	21 580
0～ 9歳	1 862	185.7	1 013	849
10～19	1 979	166.5	982	996
20～29	2 061	209.2	821	1 240
30～39	3 375	250.6	1 390	1 985
40～49	4 893	270.0	2 001	2 892
50～59	4 882	308.8	2 037	2 846
60～69	6 925	352.8	3 129	3 796
70～79	6 757	456.5	2 944	3 813
80歳以上	4 975	520.2	1 820	3 155
（再掲）				
65歳以上	15 751	446.0	6 572	9 179
75歳以上	8 267	505.2	3 242	5 025

資料：政策統括官（統計・情報政策、政策評価担当）「平成28年国民生活基礎調査」
注：1）熊本県を除いたものである。
　　2）有訴者には入院者を含まないが，分母となる世帯人員には入院者を含む。
　　3）「総数」には，年齢不詳を含む。
　　4）国民生活基礎調査（健康票）は大規模調査年のみ実施。

b）通院者数
（単位：千人）

平成28年（2016）

年齢階級	総　数	通院者率（人口千対）	男	女
総　数	48 118	390.2	22 109	26 009
0～ 9歳	1 604	160.0	882	722
10～19	1 676	141.1	873	804
20～29	1 545	156.7	636	909
30～39	2 774	206.0	1 198	1 577
40～49	4 992	275.5	2 351	2 641
50～59	6 621	418.8	3 186	3 436
60～69	11 426	582.2	5 521	5 905
70～79	10 480	708.0	4 796	5 683
80歳以上	6 985	730.3	2 659	4 326
（再掲）				
65歳以上	24 250	686.7	10 731	13 519
75歳以上	11 910	727.8	4 892	7 018

資料：政策統括官（統計・情報政策、政策評価担当）「平成28年国民生活基礎調査」
注：1）熊本県を除いたものである。
　　2）通院者には入院者を含まないが，分母となる世帯人員には入院者を含む。
　　3）「総数」には，年齢不詳を含む。
　　4）国民生活基礎調査（健康票）は大規模調査年のみ実施。

c）6歳以上の者の日常生活に影響のある者数
（単位：千人）

平成28年（2016）

年齢階級	総　数	日常生活に影響のある者率（人口千対）	男	女
総　数	14 805	126.0	6 375	8 429
6～ 9歳	86	19.7	48	38
10～19	470	39.6	243	227
20～29	492	49.9	216	276
30～39	856	63.5	371	485
40～49	1 384	76.4	604	780
50～59	1 702	107.7	764	938
60～69	2 718	138.5	1 320	1 398
70～79	3 290	222.2	1 496	1 794
80歳以上	3 807	398.0	1 313	2 494
（再掲）				
65歳以上	8 707	246.6	3 590	5 117
75歳以上	5 550	339.2	2 093	3 458

資料：政策統括官（統計・情報政策、政策評価担当）「平成28年国民生活基礎調査」
注：1）熊本県を除いたものである。
　　2）日常生活に影響のある者には入院者を含まないが，分母となる世帯人員には入院者を含む。
　　3）国民生活基礎調査（健康票）は大規模調査年のみ実施。

医　療　139

第2－52表　有訴者の総症状数，性・年齢階級×症状別

(単位：千人)　　　　　　　　　　　　　　　　　　　　　　　　　　　　　　　　平成28年（2016）

症　　状	総数	男	女	0～14歳	15～64	65歳以上	不詳	(再掲)75歳以上
有　訴　者　数	37 719	16 140	21 580	2 871	19 086	15 751	10	8 267
熱がある	925	403	522	276	483	166	0	93
体がだるい	5 706	2 255	3 451	137	3 675	1 892	2	1 021
眠れない	3 533	1 298	2 234	32	1 696	1 802	2	982
いらいらしやすい	3 329	1 158	2 171	101	2 257	970	2	515
もの忘れする	4 246	1 638	2 608	26	1 156	3 064	1	2 095
頭痛	4 503	1 265	3 238	187	3 353	960	2	481
めまい	2 715	782	1 933	38	1 480	1 196	1	702
目のかすみ	5 214	2 093	3 121	26	1 992	3 195	3	1 796
物を見づらい	4 442	1 831	2 610	56	1 734	2 650	1	1 531
耳なりがする	3 598	1 563	2 035	29	1 461	2 108	1	1 016
きこえにくい	4 024	1 804	2 219	48	823	3 152	2	2 194
動悸	2 290	828	1 462	7	1 062	1 221	0	712
息切れ	2 295	1 082	1 213	11	726	1 559	1	948
前胸部に痛みがある	1 115	486	629	8	515	590	1	336
せきやたんが出る	5 997	2 999	2 998	818	2 754	2 422	2	1 301
鼻がつまる・鼻汁が出る	6 164	2 935	3 229	1 357	3 107	1 698	2	893
ゼイゼイする	1 166	559	608	167	455	542	0	333
胃のもたれ・むねやけ	2 892	1 141	1 751	15	1 471	1 403	1	712
下痢	2 025	1 077	948	153	1 279	592	1	307
便秘	4 381	1 455	2 925	108	1 672	2 599	1	1 655
食欲不振	1 112	440	672	41	467	605	0	401
腹痛・胃痛	2 195	793	1 402	122	1 420	654	1	328
痔による痛み・出血など	825	467	358	8	434	382	0	196
歯が痛い	2 202	1 026	1 177	71	1 273	859	1	438
歯ぐきのはれ・出血	2 281	961	1 320	36	1 167	1 077	1	507
かみにくい	2 414	1 027	1 387	10	561	1 841	0	1 122
発疹（じんま疹・できものなど）	2 272	948	1 324	302	1 309	661	1	341
かゆみ（湿疹・水虫など）	4 592	2 190	2 402	445	2 074	2 072	1	1 133
肩こり	10 902	3 395	7 517	64	6 900	3 934	4	1 858
腰痛	12 833	5 447	7 386	56	6 327	6 446	5	3 454
手足の関節が痛む	6 905	2 415	4 490	89	2 755	4 059	1	2 271
手足の動きが悪い	3 720	1 447	2 274	11	863	2 846	1	1 970
手足のしびれ	4 411	1 946	2 465	7	1 690	2 713	1	1 548
手足が冷える	2 960	866	2 094	12	1 020	1 926	2	1 216
足のむくみやだるさ	3 960	1 031	2 929	16	1 776	2 167	1	1 406
尿が出にくい・排尿時痛い	1 046	733	312	2	264	778	1	469
頻尿（尿の出る回数が多い）	3 610	1 980	1 630	10	910	2 689	1	1 607
尿失禁（尿がもれる）	1 527	495	1 032	3	291	1 233	0	871
月経不順・月経痛	1 090	・	1 090	21	1 067	-	-	-
骨折・ねんざ・脱きゅう	1 300	549	751	162	558	580	1	351
切り傷・やけどなどのけが	909	418	491	226	473	211	0	113
その他	1 991	881	1 109	156	1 100	733	1	377
不詳	216	97	119	10	89	118	0	66

資料：政策統括官（統計・情報政策、政策評価担当）　「平成28年国民生活基礎調査」
注：1）熊本県を除いたものである。
　　2）症状は複数回答である。
　　3）有訴者には，入院者を含まない。
　　4）国民生活基礎調査（健康票）は大規模調査年のみ実施。

140　医　　療

第２－53表　通院者の総傷病数，性・年齢階級×傷病別

（単位：千人）

平成28年（2016）

傷　　病	総数	男	女	0～14歳	15～64	65歳以上	不詳	（再掲）75歳以上
通院者数	48 118	22 109	26 009	2 550	21 303	24 250	15	11 910
代謝内分泌障害　糖尿病	5 737	3 451	2 286	4	1 869	3 863	1	1 729
肥満症	571	296	275	4	275	292	–	127
脂質異常症(高コレステロール血症等)	5 802	2 199	3 603	0	2 227	3 574	1	1 338
甲状腺の病気	1 476	279	1 196	17	748	710	–	310
精神・神経　うつ病やその他のこころの病気	2 180	884	1 296	32	1 619	526	1	225
認知症	799	280	518	–	21	778	–	697
パーキンソン病	226	100	126	–	30	195	–	134
その他の神経の病気(神経痛・麻痺等)	801	374	427	31	345	424	0	239
眼の病気	6 324	2 517	3 807	129	1 428	4 765	1	2 695
耳の病気	1 289	541	747	105	376	807	0	492
循環器系　高血圧症	14 549	7 120	7 429	2	4 300	10 244	2	5 122
脳卒中(脳出血，脳梗塞等)	1 305	816	489	0	278	1 027	1	593
狭心症・心筋梗塞	2 175	1 364	812	0	434	1 741	0	1 057
その他の循環器系の病気	2 240	1 186	1 054	62	527	1 650	1	990
呼吸器系　急性鼻咽頭炎（かぜ）	541	230	311	207	196	140	0	71
アレルギー性鼻炎	2 561	1 134	1 426	470	1 287	803	1	349
慢性閉塞性肺疾患（COPD）	168	134	33	0	28	139	0	83
喘息	1 539	667	872	286	679	575	–	291
その他の呼吸器系の病気	1 178	686	493	68	403	707	0	387
消化器系　胃・十二指腸の病気	1 903	951	951	5	678	1 221	0	647
肝臓・胆のうの病気	1 081	579	502	4	415	662	1	328
その他の消化器系の病気	1 457	743	714	31	576	849	0	456
歯の病気	6 477	2 812	3 666	371	3 238	2 868	1	1 244
皮膚　アトピー性皮膚炎	1 286	665	621	357	790	138	–	66
その他の皮膚の病気	2 348	1 075	1 274	312	1 146	891	0	447
筋骨格系　痛風	1 105	1 048	57	0	555	549	1	209
関節リウマチ	790	195	596	3	277	510	0	261
関節症	2 523	748	1 774	19	757	1 747	0	1 058
肩こり症	3 279	957	2 322	6	1 606	1 664	1	885
腰痛症	6 081	2 460	3 622	20	2 174	3 885	3	2 308
骨粗しょう症	2 133	142	1 991	0	196	1 937	1	1 276
尿路生殖器系　腎臓の病気	1 129	673	456	19	366	742	1	410
前立腺肥大症	1 454	1 454	・	–	149	1 305		805
閉経期又は閉経後障害（更年期障害等）	214	・	214	–	194	21	–	11
損傷　骨折	832	295	536	61	245	524	1	354
骨折以外のけが・やけど	800	372	428	134	427	238	–	124
貧血・血液の病気	749	221	528	14	361	373	–	246
悪性新生物（がん）	1 071	468	603	5	416	650	0	291
妊娠・産褥(切迫流産，前置胎盤等)	154	・	154	–	155	–	–	–
不妊症	113	3	110	0	113	–	–	–
その他	2 937	1 043	1 894	326	1 771	840	0	444
不明	182	71	111	10	108	64	–	41
不詳	409	193	215	30	173	202	3	114

資料：政策統括官（統計・情報政策、政策評価担当）「平成28年国民生活基礎調査」
注：1）熊本県を除いたものである。
　　2）傷病は複数回答である。
　　3）通院者には、入院者を含まない。
　　4）国民生活基礎調査（健康票）は大規模調査年のみ実施。

医　療　141

第2−54表　6歳以上の者の構成割合，健康状態，性・年齢階級別

（単位：％）　　　　　　　　　　　　　　　　　　　　　　　　　　　　　　　　　　平成28年（2016）

性 年齢階級	総数	自覚症状なし				自覚症状あり			
		日常生活影響なし		日常生活影響あり		日常生活影響なし		日常生活影響あり	
		通院なし	通院あり	通院なし	通院あり	通院なし	通院あり	通院なし	通院あり
総　　数	100.0	46.6	16.7	0.5	1.8	8.0	12.5	1.4	9.2
6〜 9歳	100.0	69.5	8.3	0.2	0.4	7.0	7.0	0.2	1.2
10〜19	100.0	73.5	6.3	0.4	0.6	8.6	5.2	0.9	2.2
20〜29	100.0	69.0	6.5	0.4	0.7	11.4	6.0	1.3	2.8
30〜39	100.0	62.8	8.5	0.5	0.8	12.5	7.7	1.4	3.8
40〜49	100.0	57.2	12.2	0.3	0.8	11.0	9.7	1.7	4.9
50〜59	100.0	45.1	19.6	0.4	1.4	8.3	13.6	1.7	7.5
60〜69	100.0	30.9	28.0	0.4	2.1	5.8	17.6	1.4	10.3
70〜79	100.0	18.7	27.2	0.5	2.9	3.7	21.8	1.3	18.3
80歳以上	100.0	11.6	20.3	1.4	6.9	2.6	16.4	2.5	32.4
（再掲）									
65歳以上	100.0	19.7	26.1	0.7	3.7	3.9	19.5	1.6	19.7
75歳以上	100.0	13.8	22.4	1.0	5.4	2.9	18.7	2.0	27.7
男	100.0	49.7	17.4	0.5	1.8	7.1	11.2	1.3	8.1
6〜 9歳	100.0	68.0	8.7	0.1	0.6	6.9	7.8	0.2	1.3
10〜19	100.0	73.9	6.3	0.4	0.6	7.9	5.5	0.9	2.2
20〜29	100.0	73.8	5.8	0.4	0.6	9.1	4.5	1.3	2.2
30〜39	100.0	67.2	8.3	0.5	0.7	10.8	6.1	1.3	3.1
40〜49	100.0	60.6	13.3	0.4	0.9	8.8	8.2	1.4	4.2
50〜59	100.0	47.4	21.7	0.5	1.8	7.0	11.7	1.5	6.4
60〜69	100.0	31.4	29.6	0.4	2.4	5.4	16.2	1.3	10.2
70〜79	100.0	19.7	28.6	0.5	3.1	3.4	20.4	1.2	18.0
80歳以上	100.0	13.4	22.2	0.9	6.5	2.6	17.0	2.2	29.0
（再掲）									
65歳以上	100.0	21.2	28.1	0.5	3.7	3.7	18.5	1.4	18.0
75歳以上	100.0	15.5	24.4	0.8	5.1	2.8	18.6	1.7	25.1
女	100.0	43.7	16.0	0.5	1.8	8.9	13.7	1.6	10.3
6〜 9歳	100.0	71.0	7.8	0.2	0.3	7.1	6.1	0.2	1.1
10〜19	100.0	73.1	6.3	0.3	0.5	9.4	4.8	0.9	2.2
20〜29	100.0	64.2	7.1	0.4	0.7	13.6	7.5	1.2	3.3
30〜39	100.0	58.5	8.8	0.4	0.9	14.3	9.3	1.5	4.4
40〜49	100.0	54.0	11.1	0.3	0.8	13.0	11.2	1.9	5.6
50〜59	100.0	42.9	17.6	0.4	1.1	9.5	15.5	1.9	8.5
60〜69	100.0	30.5	26.6	0.4	1.8	6.2	18.9	1.4	10.5
70〜79	100.0	17.8	25.9	0.5	2.7	4.0	23.0	1.3	18.7
80歳以上	100.0	10.5	19.1	1.6	7.2	2.6	16.0	2.7	34.5
（再掲）									
65歳以上	100.0	18.5	24.5	0.8	3.8	4.0	20.2	1.7	21.1
75歳以上	100.0	12.7	20.9	1.2	5.6	2.9	18.7	2.2	29.5

資料：政策統括官（統計・情報政策，政策評価担当）　「平成28年国民生活基礎調査」
注：1）熊本県を除いたものである。
　　2）入院者は含まない。
　　3）「総数」には，健康状態不詳を含む。
　　4）国民生活基礎調査（健康票）は大規模調査年のみ実施。

142 医　　療

第2−55表　6歳以上の者の構成割合，健康意識，性・年齢階級別

（単位：%）　　　　　　　　　　　　　　　　　　　　　　　　　　　平成28年（2016）

性 年齢階級	総　数	よ　い	まあよい	ふ　つ　う	あ ま り よくない	よくない
総　　　数	100.0	20.7	17.8	47.0	11.2	1.8
6〜 9歳	100.0	55.1	18.0	19.8	1.2	0.1
10〜19	100.0	41.7	21.5	32.4	2.6	0.3
20〜29	100.0	26.7	20.7	44.6	6.2	0.9
30〜39	100.0	23.4	19.6	47.2	8.0	0.9
40〜49	100.0	20.1	19.4	49.2	9.3	1.2
50〜59	100.0	15.9	17.6	52.7	11.5	1.4
60〜69	100.0	13.6	16.0	54.8	12.7	1.7
70〜79	100.0	11.1	15.2	50.3	17.9	3.3
80歳以上	100.0	6.3	12.2	44.9	27.4	6.6
（再掲）						
65歳以上	100.0	10.6	14.6	50.2	18.9	3.7
75歳以上	100.0	7.9	13.2	46.5	24.4	5.5
男	100.0	22.2	17.9	46.5	10.1	1.8
6〜 9歳	100.0	54.0	18.8	20.0	1.2	0.1
10〜19	100.0	42.4	22.0	31.6	2.3	0.3
20〜29	100.0	28.5	20.6	43.8	5.4	0.9
30〜39	100.0	24.3	19.1	48.0	6.7	0.9
40〜49	100.0	21.6	18.8	49.5	8.1	1.2
50〜59	100.0	17.5	17.5	52.0	10.4	1.6
60〜69	100.0	14.2	15.7	54.3	12.8	1.9
70〜79	100.0	12.0	15.8	49.2	17.6	3.5
80歳以上	100.0	7.3	13.0	44.7	25.5	6.8
（再掲）						
65歳以上	100.0	11.6	15.1	49.7	17.9	3.7
75歳以上	100.0	9.1	14.3	45.9	22.8	5.5
女	100.0	19.3	17.7	47.4	12.3	1.8
6〜 9歳	100.0	56.2	17.2	19.5	1.2	0.0
10〜19	100.0	41.1	20.9	33.3	3.0	0.3
20〜29	100.0	24.9	20.9	45.4	7.1	0.8
30〜39	100.0	22.5	20.2	46.5	9.3	0.9
40〜49	100.0	18.7	20.0	49.0	10.5	1.1
50〜59	100.0	14.3	17.8	53.4	12.5	1.2
60〜69	100.0	13.1	16.3	55.2	12.6	1.5
70〜79	100.0	10.4	14.8	51.3	18.2	3.2
80歳以上	100.0	5.7	11.6	45.0	28.5	6.5
（再掲）						
65歳以上	100.0	9.7	14.2	50.6	19.7	3.7
75歳以上	100.0	7.0	12.5	46.9	25.6	5.4

資料：政策統括官（統計・情報政策、政策評価担当）　「平成28年国民生活基礎調査」
注：1）熊本県を除いたものである。
　　2）入院者は含まない。
　　3）「総数」には，健康意識不詳を含む。
　　4）国民生活基礎調査（健康票）は大規模調査年のみ実施。

医　療　143

第2−56表　20歳以上の者の構成割合，過去1年間の健診等の受診状況別

（単位：％）

平成28年（2016）

性 年齢階級 仕事の有無	総　数	健診等を受けた	健診等を受けなかった
総　　数	100.0	67.3	31.3
男	100.0	72.0	26.7
女	100.0	63.1	35.5
20〜29歳	100.0	64.1	34.6
30〜39	100.0	65.4	33.6
40〜49	100.0	73.5	25.5
50〜59	100.0	75.3	23.7
60〜69	100.0	67.7	31.0
70〜79	100.0	63.5	34.4
80歳以上	100.0	52.3	45.1
（再掲）			
65歳以上	100.0	61.4	36.6
75歳以上	100.0	56.4	41.0
仕事あり	100.0	76.0	23.1
管理的職業従事者	100.0	86.3	13.0
専門的・技術的職業従事者	100.0	82.3	16.9
事務従事者	100.0	81.8	17.5
販売従事者	100.0	70.9	28.2
サービス職業従事者	100.0	66.2	32.7
保安職業従事者	100.0	88.6	10.8
農林漁業作業者	100.0	63.2	35.6
生産工程従事者	100.0	79.7	19.5
輸送・機械運転従事者	100.0	85.6	13.4
建設・採掘従事者	100.0	72.0	26.9
運搬・清掃・包装等従事者	100.0	68.9	30.1
分類不能の職業	100.0	67.6	31.4
仕事なし	100.0	54.4	44.1
通学のみ	100.0	61.8	34.9
家事	100.0	55.0	43.6
その他	100.0	53.3	45.3

資料：政策統括官（統計・情報政策、政策評価担当）「平成28年国民生活基礎調査」

注：1）熊本県を除いたものである。

　　2）入院者は含まない。

　　3）「総数」には，受診状況の不詳を含む。

　　4）国民生活基礎調査（健康票）は大規模調査年のみ実施。

144 医　　療

第 2 −56表（続）　20歳以上の者の構成割合，過去1年間の健診等の受診状況別

（単位：％）　　　　　　　　　−健診等を受けなかった理由（複数回答）の割合−　　　　　　平成28年（2016）

性 年齢階級 仕事の有無	健診等を受けなかった	知らなかったから	時間がとれなかったから	場所が遠いから	費用がかかるから	検査等に不安があるから	その時、医療機関に入院していたから	毎年受ける必要性を感じないから	健康状態に自信があり、必要性を感じないから	心配な時はいつでも医療機関を受診できるから	結果が不安なため、受診したくないから	めんどうだから	その他
総　　数	100.0	3.5	22.8	2.3	14.9	3.5	9.6	9.7	8.3	33.5	5.4	20.2	11.7
男	100.0	3.8	21.9	1.6	13.8	2.5	10.2	11.0	10.2	31.5	4.3	22.6	11.0
女	100.0	3.3	23.3	2.8	15.6	4.6	9.3	8.8	7.0	34.9	6.2	18.6	12.1
20～29歳	100.0	10.9	24.4	1.9	22.9	3.3	1.2	9.1	12.9	16.6	2.0	25.0	14.7
30～39	100.0	5.9	35.5	2.4	28.5	4.3	2.5	7.6	7.6	16.9	4.0	23.5	13.4
40～49	100.0	2.9	41.4	2.7	19.8	5.0	3.8	7.8	6.7	18.8	7.6	26.1	10.5
50～59	100.0	2.2	33.7	2.6	16.7	4.8	7.1	9.1	7.3	26.8	8.4	24.6	10.7
60～69	100.0	1.2	17.9	1.9	11.0	4.3	12.0	12.6	8.9	41.2	7.7	20.7	10.6
70～79	100.0	1.6	7.0	2.1	5.9	2.7	17.5	11.8	9.2	52.7	4.9	12.6	9.9
80歳以上	100.0	2.2	2.6	2.6	2.7	1.1	20.4	8.2	5.9	54.1	1.9	10.4	13.3
（再掲）													
65歳以上	100.0	1.7	7.7	2.2	6.1	2.6	17.2	11.0	8.2	50.8	4.5	13.8	11.2
75歳以上	100.0	2.0	3.6	2.5	3.4	1.6	19.9	9.3	6.8	54.2	2.8	10.6	12.2
仕事あり	100.0	3.9	35.9	2.0	18.5	3.8	4.8	9.1	9.4	24.5	5.4	23.6	10.2
管理的職業従事者	100.0	1.9	40.8	1.3	8.6	1.7	7.3	11.3	10.7	30.2	4.2	19.7	8.0
専門的・技術的職業従事者	100.0	3.7	39.6	1.7	17.0	3.2	4.5	10.2	10.0	22.7	4.3	23.7	10.5
事務従事者	100.0	2.9	36.9	1.7	17.0	4.3	4.7	9.4	7.8	25.1	5.2	20.8	12.3
販売従事者	100.0	5.3	37.2	2.3	20.5	4.5	4.5	8.5	9.0	23.8	6.6	26.2	9.2
サービス職業従事者	100.0	4.9	36.7	2.3	22.1	4.2	3.7	8.9	9.8	22.6	5.3	24.6	9.6
保安職業従事者	100.0	2.6	27.6	2.6	18.4	2.6	9.2	10.5	11.8	26.3	5.3	26.3	14.5
農林漁業作業者	100.0	2.6	29.0	1.8	8.6	3.2	10.0	9.3	10.1	33.8	4.9	20.7	8.6
生産工程従事者	100.0	4.5	31.6	1.8	20.9	4.3	4.7	8.9	8.7	24.8	6.6	24.9	10.3
輸送・機械運転従事者	100.0	3.2	36.9	2.1	20.9	2.7	4.3	10.2	9.1	22.5	5.9	26.2	11.2
建設・採掘従事者	100.0	3.4	45.0	1.4	16.6	2.6	3.4	6.4	9.3	19.2	4.0	25.6	8.2
運搬・清掃・包装等従事者	100.0	3.2	30.5	2.7	24.1	5.6	4.5	8.3	10.4	26.6	7.2	24.1	10.4
分類不能の職業	100.0	4.3	30.6	2.1	19.9	4.1	5.6	10.5	8.5	25.2	6.4	24.5	12.3
仕事なし	100.0	3.1	12.4	2.6	12.1	3.7	13.5	10.3	7.4	41.0	5.6	17.6	12.9
通学	100.0	12.8	18.9	1.7	11.8	1.2	0.9	8.3	17.7	15.8	0.9	21.7	16.1
家事	100.0	2.9	18.4	3.1	14.5	4.8	10.9	10.3	7.2	39.6	6.9	18.0	11.1
その他	100.0	2.9	8.5	2.3	9.4	2.6	17.3	10.4	6.9	44.0	4.5	16.9	14.8

資料：政策統括官（統計・情報政策、政策評価担当）「平成28年国民生活基礎調査」
注：1）熊本県を除いたものである。
　　2）入院者は含まない。
　　3）健診等を受けなかった者を100とした割合である。
　　4）国民生活基礎調査（健康票）は大規模調査年のみ実施。

医　療　145

第2-57表　推計患者数，入院-外来・施設の種類×年次別

各年10月

年　　次	入　　院			外　　来			
	総　数	病　院	一般診療所	総　数	病　院	一般診療所	歯科診療所
	推計患者数（単位：千人）						
平成8年 (1996)	1 480.5	1 396.2	84.2	7 329.8	2 260.6	3 767.7	1 301.6
11　　(1999)	1 482.6	1 401.3	81.3	6 835.9	2 132.7	3 553.6	1 149.7
14　　(2002)	1 451.0	1 377.6	73.4	6 478.0	1 952.5	3 377.6	1 147.9
17　　(2005)	1 462.8	1 391.6	71.2	7 092.4	1 866.4	3 948.9	1 277.2
20　　(2008)	1 392.4	1 332.6	59.8	6 865.0	1 727.5	3 828.0	1 309.4
23　　(2011)	1 341.0	1 290.1	50.9	7 260.5	1 659.2	4 238.8	1 362.5
26　　(2014)	1 318.8	1 273.0	45.8	7 238.4	1 641.9	4 233.0	1 363.4

資料：政策統括官（統計・情報政策，政策評価担当）「平成26年患者調査」
注：1）推計患者数とは，医療施設（病院・一般診療所・歯科診療所）ごとに指定した調査日当日に医療施設で受療した患者の推計数である。
　　2）平成23年の数値は，宮城県の石巻医療圏，気仙沼医療圏及び福島県を除いた数値である。

第2-58表　推計患者数・構成割合，入院-外来の種別×施設の種別別

平成26年（2014）10月

施　設　の　種　別	入　院	新入院	繰越入院	外　来	初　診	再　来
	推計患者数（単位：千人）					
総　　　　　　　　　数	1 318.8	52.9	1 265.9	7 238.4	1 369.3	5 869.0
病　　　　　　　　　院	1 273.0	50.0	1 223.1	1 641.9	236.9	1 405.0
精　神　科　病　院	218.4	0.8	217.6	68.8	2.4	66.5
特　定　機　能　病　院	61.0	5.0	56.0	135.2	14.4	120.9
療養病床を有する病院	466.6	8.1	458.5	374.0	58.6	315.4
地域医療支援病院	180.0	14.6	165.4	326.4	44.4	282.0
一般病院（上記以外）	347.0	21.5	325.5	737.5	117.2	620.3
一　般　診　療　所	45.8	2.9	42.9	4 233.0	868.1	3 364.9
有　　　　　　　床	45.8	2.9	42.9	672.1	104.5	567.6
療養病床を有する一般診療所（再掲）	17.9	0.3	17.6	182.5	23.1	159.4
無　　　　　　　床	・	・	・	3 560.9	763.6	2 797.3
歯　科　診　療　所	…	…	…	1 363.4	264.3	1 099.1
	構　成　割　合（単位：％）					
総　　　　　　　　　数	100.0	100.0	100.0	100.0	100.0	100.0
病　　　　　　　　　院	96.5	94.4	96.6	22.7	17.3	23.9
精　神　科　病　院	16.6	1.5	17.2	1.0	0.2	1.1
特　定　機　能　病　院	4.6	9.4	4.4	1.9	1.0	2.1
療養病床を有する病院	35.4	15.2	36.2	5.2	4.3	5.4
地域医療支援病院	13.7	27.6	13.1	4.5	3.2	4.8
一般病院（上記以外）	26.3	40.6	25.7	10.2	8.6	10.6
一　般　診　療　所	3.5	5.6	3.4	58.5	63.4	57.3
有　　　　　　　床	3.5	5.6	3.4	9.3	7.6	9.7
療養病床を有する一般診療所（再掲）	1.4	0.5	1.4	2.5	1.7	2.7
無　　　　　　　床	・	・	・	49.2	55.8	47.7
歯　科　診　療　所	…	…	…	18.8	19.3	18.7

資料：政策統括官統計・情報政策、政策評価担当）「平成26年患者調査」
注：1）推計患者数とは，医療施設（病院・一般診療所・歯科診療所）ごとに指定した調査日当日に医療施設で受療した患者の推計数である。
　　2）歯科診療所については，外来のみの調査である。

146　医　　療

第2−59表　推計患者数・受療率（人口10万対），入院−外来・年次×性・年齢階級別

各年10月

性 年齢階級	入　　院				外　　来			
	平成17年 (2005)	平成20年 (2008)	平成23年 (2011)	平成26年 (2014)	平成17年 (2005)	平成20年 (2008)	平成23年 (2011)	平成26年 (2014)
	推計患者数（単位：千人）							
総　　　数	1 462.8	1 392.4	1 341.0	1 318.8	7 092.4	6 865.0	7 260.5	7 238.4
男	673.6	639.7	613.6	603.8	3 002.1	2 918.5	3 062.5	3 131.0
女	789.2	752.6	727.5	715.1	4 090.3	3 946.4	4 198.0	4 107.3
0　　歳	11.0	11.6	10.9	10.8	66.6	64.0	75.7	68.3
1　～　4	9.1	8.4	7.3	7.1	293.9	261.6	291.9	284.3
5　～　9	6.7	5.6	5.6	4.9	239.8	237.0	253.0	234.7
10　～　14	6.6	5.8	5.7	5.3	144.3	136.1	169.1	151.3
15　～　19	8.8	8.0	7.5	7.0	125.8	117.3	120.2	116.3
20　～　24	15.6	13.0	11.6	10.2	170.9	151.5	141.8	138.9
25　～　29	24.7	20.5	18.0	16.1	225.0	202.1	192.4	181.4
30　～　34	33.8	28.0	24.2	22.1	285.8	268.8	241.0	230.4
35　～　39	32.9	31.4	29.9	26.3	273.9	297.1	304.9	284.4
40　～　44	35.4	31.6	31.9	32.3	285.3	278.5	311.7	331.2
45　～　49	44.2	39.5	36.1	36.8	284.5	284.7	301.6	329.5
50　～　54	71.3	53.4	46.3	46.0	396.0	338.0	343.2	363.4
55　～　59	106.7	93.5	69.6	59.1	569.8	513.9	441.7	410.3
60　～　64	115.2	108.3	118.5	95.6	633.3	615.6	708.2	585.0
65　～　69	132.2	125.8	111.7	123.6	699.1	687.3	680.5	760.6
70　～　74	166.6	153.2	141.6	144.3	855.7	797.2	819.5	854.5
75　～　79	185.9	184.6	176.1	165.2	742.5	733.4	804.1	777.2
80　～　84	177.5	186.0	189.5	188.9	467.8	508.6	591.0	613.8
85　～　89	145.5	149.5	158.3	170.9	216.9	240.6	302.9	348.3
90歳以上	129.7	132.1	137.7	144.4	96.0	109.8	131.9	155.8
不　　詳	3.3	2.3	3.2	1.9	19.5	21.9	34.3	18.9
（再掲）								
65歳以上	937.5	931.4	914.9	937.3	3 077.8	3 076.8	3 329.9	3 510.2
75歳以上	638.6	652.3	661.6	669.4	1 523.1	1 592.3	1 829.9	1 895.1
	受　療　率（人口10万対）							
総　　　数	1 145	1 090	1 068	1 038	5 551	5 376	5 784	5 696
男	1 080	1 028	1 005	977	4 815	4 688	5 014	5 066
女	1 206	1 150	1 129	1 095	6 252	6 031	6 514	6 292
0　　歳	1 039	1 052	1 036	1 062	6 276	5 814	7 193	6 691
1　～　4	201	195	175	170	6 477	6 077	7 009	6 778
5　～　9	113	97	103	92	4 030	4 096	4 692	4 422
10　～　14	110	97	98	92	2 390	2 275	2 916	2 649
15　～　19	133	131	125	117	1 909	1 906	2 017	1 937
20　～　24	212	183	186	165	2 315	2 132	2 260	2 240
25　～　29	298	269	254	241	2 706	2 649	2 708	2 716
30　～　34	345	311	304	296	2 918	2 987	3 026	3 086
35　～　39	375	326	313	304	3 123	3 092	3 187	3 280
40　～　44	436	375	347	330	3 517	3 313	3 397	3 382
45　～　49	570	508	461	427	3 669	3 659	3 852	3 827
50　～　54	807	683	619	591	4 486	4 322	4 585	4 664
55　～　59	1 036	950	854	772	5 535	5 224	5 421	5 361
60　～　64	1 344	1 209	1 135	1 064	7 383	6 872	6 786	6 514
65　～　69	1 772	1 565	1 445	1 350	9 370	8 548	8 802	8 309
70　～　74	2 501	2 202	2 007	1 820	12 846	11 458	11 617	10 778
75　～　79	3 521	3 236	2 927	2 635	14 060	12 855	13 363	12 397
80　～　84	5 185	4 583	4 314	3 879	13 664	12 531	13 457	12 606
85　～　89	7 844	6 879	6 170	5 578	11 693	11 067	11 809	11 373
90歳以上	12 000	10 308	9 733	8 412	8 879	8 562	9 322	9 074
（再掲）								
65歳以上	3 639	3 301	3 136	2 840	11 948	10 904	11 414	10 637
75歳以上	5 487	4 935	4 598	4 205	13 086	12 045	12 717	11 906

資料：政策統括官（統計・情報政策、政策評価担当）「平成26年患者調査」
注：1）推計患者数とは、医療施設（病院・一般診療所・歯科診療所）ごとに指定した調査日当日に医療施設で受療した患者の推計数である。
　　2）受療率の総数には、年齢不詳を含む。
　　3）平成23年の数値は、宮城県の石巻医療圏、気仙沼医療圏及び福島県を除いた数値である。

医　療　147

第2-60表　推計患者数，入院－外来・施設の種類×傷病分類別

(単位：千人)　　　　　　　　　　　　　　　　　　　　　　　　　　　平成26年（2014）10月

傷病分類	入院			外来			
	総数	病院	一般診療所	総数	病院	一般診療所	歯科診療所
総数	1 318.8	1 273.0	45.8	7 238.4	1 641.9	4 233.0	1 363.4
I　感染症及び寄生虫症	20.7	20.3	0.4	173.3	41.7	131.6	・
腸管感染症 (再掲)	4.1	4.0	0.1	30.1	6.3	23.8	・
結核 (再掲)	3.4	3.4	0.0	1.7	1.5	0.2	・
皮膚及び粘膜の病変を伴うウイルス疾患 (再掲)	1.4	1.4	0.1	58.1	6.5	51.6	・
真菌症 (再掲)	0.9	0.9	0.0	34.6	5.8	28.8	・
II　新生物	144.9	143.2	1.7	231.6	187.3	44.3	・
（悪性新生物）(再掲)	129.4	127.9	1.5	171.4	146.5	24.8	・
胃の悪性新生物 (再掲)	13.5	13.4	0.2	19.2	14.9	4.3	・
結腸及び直腸の悪性新生物 (再掲)	18.9	18.7	0.3	28.0	22.9	5.1	・
気管，気管支及び肺の悪性新生物 (再掲)	18.8	18.7	0.1	16.1	14.3	1.8	・
III　血液及び造血器の疾患並びに免疫機構の障害	6.3	6.1	0.2	21.6	10.4	11.2	・
IV　内分泌，栄養及び代謝疾患	33.0	31.6	1.3	437.0	131.9	305.1	・
甲状腺障害	0.9	0.9	0.0	39.0	22.1	16.9	・
糖尿病	20.9	20.0	1.0	222.3	77.6	144.7	・
V　精神及び行動の障害	265.5	264.3	1.3	257.7	110.9	146.9	・
統合失調症，統合失調症型障害及び妄想性障害	165.8	165.6	0.1	69.7	44.7	25.0	・
気分[感情]障害（躁うつ病を含む）	28.8	28.4	0.1	83.4	27.3	56.1	・
神経症性障害，ストレス関連障害及び身体表現性障害	5.6	5.5	0.1	53.4	15.5	38.0	・
VI　神経系の疾患	122.2	119.5	2.7	173.0	69.3	103.7	・
VII　眼及び付属器の疾患	11.5	10.2	1.3	337.9	56.9	280.9	・
白内障 (再掲)	7.4	6.4	1.0	77.7	17.0	60.6	・
VIII　耳及び乳様突起の疾患	2.5	2.4	0.1	100.5	15.2	85.3	・
IX　循環器系の疾患	240.1	230.4	9.7	933.0	236.3	696.7	・
高血圧性疾患 (再掲)	6.4	4.8	1.6	671.4	104.6	566.8	・
（心疾患(高血圧性のものを除く)）(再掲)	59.9	57.4	2.5	133.9	68.2	65.7	・
虚血性心疾患 (再掲)	15.3	14.8	0.5	59.7	30.8	28.9	・
脳血管疾患 (再掲)	159.4	154.9	4.6	94.0	44.7	49.2	・
X　呼吸器系の疾患	90.7	88.1	2.6	668.4	91.6	576.8	・
急性上気道感染症 (再掲)	1.3	1.3	0.0	248.3	20.6	227.7	・
肺炎 (再掲)	34.6	33.3	1.3	8.2	3.9	4.3	・
急性気管支炎及び急性細気管支炎 (再掲)	2.2	2.1	0.1	101.4	10.6	90.8	・
気管支炎及び慢性閉塞性肺疾患 (再掲)	8.3	8.0	0.4	31.6	10.2	21.3	・
喘息 (再掲)	3.8	3.6	0.2	127.6	23.7	103.9	・
XI　消化器系の疾患	65.9	63.9	2.0	1 310.0	115.9	174.4	1 019.6
う蝕 (再掲)	0.1	0.1	0.0	283.6	3.4	3.3	276.8
歯肉炎及び歯周疾患 (再掲)	0.2	0.2	-	444.7	9.5	7.1	428.2
胃潰瘍及び十二指腸潰瘍 (再掲)	4.3	4.0	0.2	30.3	11.5	18.8	・
胃炎及び十二指腸炎 (再掲)	0.6	0.5	0.1	73.6	15.0	58.6	・
肝疾患 (再掲)	8.0	7.7	0.3	32.6	12.1	20.5	・
XII　皮膚及び皮下組織の疾患	10.9	10.5	0.4	286.9	47.7	239.3	・
XIII　筋骨格系及び結合組織の疾患	69.9	64.4	5.5	877.8	180.6	697.2	・
炎症性多発性関節障害 (再掲)	5.2	5.0	0.3	49.2	18.1	31.0	・
関節症 (再掲)	15.7	14.5	1.2	194.0	38.3	155.7	・
脊柱障害 (再掲)	26.3	23.4	2.8	454.7	75.2	379.6	・
骨の密度及び構造の障害 (再掲)	1.9	1.7	0.3	56.1	12.6	43.5	・
XIV　腎尿路生殖器系の疾患	46.9	44.0	2.9	283.1	112.6	170.5	・
糸球体疾患，腎尿細管間質性疾患及び腎不全 (再掲)	33.7	31.1	2.6	118.4	54.2	64.1	・
前立腺肥大（症）(再掲)	1.3	1.2	0.1	34.1	15.7	18.4	・
乳房及び女性生殖器の疾患 (再掲)	2.2	2.2	0.1	79.6	23.2	56.4	・
XV　妊娠，分娩及び産じょく	18.4	14.2	4.3	14.5	6.7	7.8	・
妊娠高血圧症候群 (再掲)	0.5	0.4	0.1	0.2	0.1	0.1	・
XVI　周産期に発生した病態	6.7	6.4	0.3	2.9	2.4	0.5	・
XVII　先天奇形，変形及び染色体異常	5.8	5.7	0.0	14.3	9.0	5.3	・
XVIII　症状，徴候及び異常臨床所見・異常検査所見で他に分類されないもの	16.0	15.0	1.0	76.9	38.2	38.7	・
XIX　損傷，中毒及びその他の外因の影響	131.3	124.5	6.8	306.5	102.5	201.2	2.7
骨折 (再掲)	91.4	86.4	5.0	92.0	39.9	52.1	・
XXI　健康状態に影響を及ぼす要因及び保健サービスの利用	9.7	8.3	1.3	731.7	74.9	315.8	341.1
歯の補てつ (再掲)	0.0	0.0	-	305.7	4.3	1.5	299.9

資料：政策統括官（統計・情報政策，政策評価担当）「平成26年患者調査」
注：推計患者数とは，医療施設（病院・一般診療所・歯科診療所）ごとに指定した調査日当日に医療施設で受療した患者の推計数である。

148　医　　療

第2−61表　推計患者数（施設所在地），入院−外来・施設の種類×都道府県別

（単位：千人）　　　　　　　　　　　　　　　　　　　　　　　　平成26年（2014）10月

都道府県	入　　院			外　　来			
	総　数	病　院	一般診療所	総　数	病　院	一般診療所	歯科診療所
全　　国	1 318.8	1 273.0	45.8	7 238.4	1 641.9	4 233.0	1 363.4
北　海　道	78.6	75.8	2.9	275.1	94.0	126.8	54.3
青　　森	14.8	13.9	0.9	77.7	19.5	46.8	11.4
岩　　手	14.6	14.1	0.5	70.9	17.6	43.7	9.6
宮　　城	21.3	20.2	1.1	133.6	29.0	80.8	23.8
秋　　田	13.2	12.9	0.3	56.9	16.7	30.5	9.7
山　　形	12.6	12.4	0.2	71.7	15.5	43.8	12.5
福　　島	20.2	19.6	0.6	106.6	23.9	62.1	20.5
茨　　城	25.4	24.7	0.7	153.5	37.3	87.7	28.5
栃　　木	18.7	17.8	0.9	109.3	21.3	68.9	19.1
群　　馬	20.2	19.7	0.5	109.0	21.9	63.7	23.4
埼　　玉	51.1	50.0	1.1	339.0	75.6	192.3	71.1
千　　葉	47.6	46.4	1.2	289.9	70.8	158.5	60.5
東　　京	101.9	100.4	1.5	841.3	165.6	511.3	164.4
神　奈　川	61.1	60.2	0.9	506.6	93.7	301.4	111.5
新　　潟	24.3	24.1	0.2	132.4	32.7	73.2	26.6
富　　山	14.8	14.5	0.3	53.7	17.2	28.4	8.1
石　　川	15.5	15.1	0.4	57.6	18.9	28.2	10.5
福　　井	9.7	9.1	0.5	41.2	11.6	23.8	5.7
山　　梨	8.3	8.2	0.2	45.5	11.6	25.5	8.3
長　　野	20.5	19.9	0.6	109.1	33.8	56.9	18.4
岐　　阜	16.2	15.6	0.6	123.5	26.0	76.6	20.9
静　　岡	31.6	30.8	0.7	192.9	38.0	121.5	33.4
愛　　知	57.6	55.8	1.8	426.3	86.7	259.9	79.6
三　　重	17.1	16.7	0.4	117.8	21.6	77.8	18.5
滋　　賀	12.0	11.7	0.2	71.8	16.3	42.1	13.4
京　　都	28.9	28.5	0.3	133.1	37.8	73.5	21.8
大　　阪	91.2	90.1	1.2	540.3	111.6	317.1	111.5
兵　　庫	53.3	52.4	0.9	333.9	68.2	210.9	54.8
奈　　良	13.2	13.1	0.2	71.5	17.7	39.1	14.8
和　歌　山	10.8	10.3	0.5	64.7	15.5	37.6	11.6
鳥　　取	7.5	7.3	0.2	35.3	8.8	18.8	7.7
島　　根	9.3	9.0	0.3	41.9	9.1	26.8	6.1
岡　　山	23.2	21.9	1.2	109.4	30.8	61.2	17.5
広　　島	35.1	33.6	1.5	179.4	38.1	103.4	37.9
山　　口	24.4	23.5	0.9	91.8	19.7	57.1	15.0
徳　　島	13.4	12.3	1.0	48.5	13.6	26.7	8.2
香　　川	12.9	12.0	0.9	64.6	17.8	37.1	9.6
愛　　媛	19.5	17.9	1.6	91.7	23.1	53.6	15.1
高　　知	16.3	15.6	0.7	44.7	15.3	20.8	8.7
福　　岡	75.9	72.1	3.8	304.4	65.1	179.3	60.0
佐　　賀	14.2	13.2	1.0	57.3	12.8	33.7	10.7
長　　崎	24.6	23.0	1.6	91.2	19.0	54.0	18.2
熊　　本	32.3	29.8	2.6	118.5	25.1	72.5	21.0
大　　分	18.9	17.1	1.7	66.6	18.1	37.3	11.1
宮　　崎	16.8	15.5	1.3	67.4	14.5	42.0	10.8
鹿　児　島	31.2	28.6	2.6	107.1	25.5	65.3	16.3
沖　　縄	17.2	16.6	0.6	61.9	17.8	32.9	11.3

資料：政策統括官（統計・情報政策、政策評価担当）「平成26年患者調査」
注：推計患者数とは，医療施設（病院・一般診療所・歯科診療所）ごとに指定した調査日当日に医療施設で受診した患者の推計数である。

医　療　149

第2－62表　受療率（人口10万対），入院－外来・性×年齢階級別

平成26年（2014）10月

年齢階級	入　　院			外　　来		
	総　　数	男	女	総　　数	男	女
総　　数	1 038	977	1 095	5 696	5 066	6 292
0　　歳	1 062	1 119	1 001	6 691	6 811	6 564
1 ～ 4	170	187	152	6 778	6 914	6 638
5 ～ 9	92	101	83	4 422	4 562	4 275
10 ～ 14	92	102	82	2 649	2 711	2 584
15 ～ 19	117	123	111	1 937	1 750	2 134
20 ～ 24	165	147	184	2 240	1 743	2 765
25 ～ 29	241	178	306	2 716	1 908	3 561
30 ～ 34	296	216	379	3 086	2 156	4 043
35 ～ 39	304	266	342	3 280	2 463	4 118
40 ～ 44	330	351	308	3 382	2 850	3 927
45 ～ 49	427	480	374	3 827	3 333	4 327
50 ～ 54	591	688	493	4 664	4 087	5 244
55 ～ 59	772	921	626	5 361	4 878	5 838
60 ～ 64	1 064	1 282	855	6 514	6 164	6 853
65 ～ 69	1 350	1 618	1 102	8 309	7 821	8 761
70 ～ 74	1 820	2 110	1 568	10 778	10 266	11 224
75 ～ 79	2 635	2 913	2 416	12 397	12 110	12 624
80 ～ 84	3 879	4 063	3 757	12 606	12 857	12 439
85 ～ 89	5 578	5 603	5 569	11 373	11 871	11 126
90歳以上	8 412	7 803	8 587	9 074	9 911	8 834
《再掲》						
65歳以上	2 840	2 786	2 881	10 637	10 327	10 872
75歳以上	4 205	4 036	4 311	11 906	12 169	11 741

資料：政策統括官（統計・情報政策、政策評価担当）「平成26年患者調査」
注：総数には，年齢不詳を含む。

150　医　　療

第２－63表　受療率（人口10万対），入院－外来・性×傷病分類別

平成26年（2014）10月

傷　病　分　類	入院 総数	男	女	外来 総数	男	女
総　　　　　数	1 038	977	1 095	5 696	5 066	6 29
Ⅰ　感染症及び寄生虫症	16	17	16	136	127	14
腸　管　感　染　症 (再掲)	3	3	4	24	24	2
結　　　　　　　核 (再掲)	3	3	2	1	1	
皮膚及び粘膜の病変を伴うウイルス疾患 (再掲)	1	1	1	46	40	5
真　　　菌　　　症 (再掲)	1	1	1	27	23	3
Ⅱ　新　　生　　物	114	132	97	182	172	19
（悪　性　新　生　物） (再掲)	102	122	83	135	147	12
胃　の　悪　性　新　生　物 (再掲)	11	15	7	15	20	1
結腸及び直腸の悪性新生物 (再掲)	15	17	13	22	26	1
気管，気管支及び肺の悪性新生物 (再掲)	15	20	9	13	16	
Ⅲ　血液及び造血器の疾患並びに免疫機構の障害	5	4	6	17	9	2
Ⅳ　内分泌，栄養及び代謝疾患	26	23	29	344	300	38
甲　状　腺　障　害 (再掲)	1	0	1	31	10	5
糖　　尿　　病 (再掲)	16	15	18	175	198	15
Ⅴ　精神及び行動の障害	209	210	208	203	195	21
統合失調症，統合失調症型障害及び妄想性障害 (再掲)	130	135	126	55	60	5
気分［感情］障害（躁うつ病を含む） (再掲)	23	16	29	66	56	7
神経症性障害，ストレス関連障害及び身体表現性障害 (再掲)	4	3	6	42	31	5
Ⅵ　神　経　系　の　疾　患	96	81	110	136	114	15
Ⅶ　眼及び付属器の疾患	9	8	10	266	207	32
白　　内　　障 (再掲)	6	5	7	61	46	7
Ⅷ　耳及び乳様突起の疾患	2	2	2	79	72	8
Ⅸ　循　環　器　系　の　疾　患	189	174	203	734	676	78
高　血　圧　性　疾　患 (再掲)	5	3	7	528	455	59
（心疾患（高血圧性のものを除く）） (再掲)	47	44	50	105	116	9
虚　血　性　心　疾　患 (再掲)	12	16	8	47	56	3
脳　血　管　疾　患 (再掲)	125	114	136	74	77	7
Ⅹ　呼　吸　器　系　の　疾　患	71	79	64	526	506	54
急　性　上　気　道　感　染　症 (再掲)	1	1	1	195	181	20
肺　　　　　　　炎 (再掲)	27	29	26	6	6	
急性気管支炎及び急性細気管支炎 (再掲)	2	2	2	80	76	8
気管支炎及び慢性閉塞性肺疾患 (再掲)	7	9	5	25	31	1
喘　　　　　　　息 (再掲)	3	3	3	100	94	10
ⅩⅠ　消　化　器　系　の　疾　患	52	56	48	1 031	934	1 12
う　　　　　　　蝕 (再掲)	0	0	0	223	205	24
歯　肉　炎　及　び　歯　周　疾　患 (再掲)	0	0	0	350	302	39
胃　潰　瘍　及　び　十　二　指　腸　潰　瘍 (再掲)	3	4	3	24	23	2
胃　炎　及　び　十　二　指　腸　炎 (再掲)	0	0	1	58	45	7
肝　　　疾　　　患 (再掲)	6	7	6	26	28	2
ⅩⅡ　皮膚及び皮下組織の疾患	9	8	9	226	208	24
ⅩⅢ　筋骨格系及び結合組織の疾患	55	40	69	691	533	84
炎　症　性　多　発　性　関　節　障　害 (再掲)	4	2	6	39	33	4
関　　節　　症 (再掲)	12	5	20	153	81	22
脊　　柱　　障　　害 (再掲)	21	20	21	358	329	38
骨の密度及び構造の障害 (再掲)	2	1	2	44	7	8
ⅩⅣ　腎尿路生殖器系の疾患	37	37	37	223	217	22
糸球体疾患，腎尿細管間質性疾患及び腎不全 (再掲)	26	28	25	93	121	67
前　立　腺　肥　大　（症） (再掲)	1	2	・	27	55	・
乳房及び女性生殖器の疾患 (再掲)	2	0	3	63	0	12
ⅩⅤ　妊娠，分娩及び産じょく	15	・	28	11	・	22
妊　娠　高　血　圧　症　候　群 (再掲)	0	・	1	0	・	0
ⅩⅥ　周産期に発生した病態	5	6	5	2	2	2
ⅩⅦ　先天奇形，変形及び染色体異常	5	5	4	11	11	1
ⅩⅧ　症状，徴候及び異常臨床所見・異常検査所見で他に分類されないもの	13	10	15	61	51	7
ⅩⅨ　損傷，中毒及びその他の外因の影響	103	80	125	241	249	23
骨　　　　　　　折 (再掲)	72	42	100	72	62	8
ⅩⅩⅠ　健康状態に影響を及ぼす要因及び保健サービスの利用	8	4	11	576	485	66
歯　の　補　て　つ (再掲)	0	0	0	241	225	25

資料：政策統括官（統計・情報政策、政策評価担当）「平成26年患者調査」

医　療　151

第2−64表　退院患者平均在院日数，性×傷病分類別

単位：日）　　　　　　　　　　　　　　　　　　　　　　　　　　　　平成26年（2014）9月

傷病分類		総数	男	女
総数		31.9	29.8	33.9
Ⅰ 感染症及び寄生虫症		20.9	21.9	20.0
腸管感染症	(再掲)	9.9	7.7	11.7
結核	(再掲)	58.7	61.4	54.5
皮膚及び粘膜の病変を伴うウイルス疾患	(再掲)	11.1	12.0	10.5
真菌症	(再掲)	32.8	34.3	30.5
Ⅱ 新生物		18.7	18.6	18.7
（悪性新生物）	(再掲)	19.9	19.6	20.3
胃の悪性新性物	(再掲)	19.3	17.8	23.2
結腸及び直腸の悪性新生物	(再掲)	18.0	17.1	19.2
気管，気管支及び肺の悪性新生物	(再掲)	20.9	19.0	25.2
Ⅲ 血液及び造血器の疾患並びに免疫機構の障害		21.8	21.8	21.7
Ⅳ 内分泌，栄養及び代謝疾患		28.5	25.4	31.4
甲状腺障害	(再掲)	18.5	15.7	19.4
糖尿病	(再掲)	35.5	27.5	45.4
Ⅴ 精神及び行動の障害		291.9	327.9	261.9
統合失調症，統合失調症型障害及び妄想性障害	(再掲)	546.1	630.5	473.8
気分［感情］障害（躁うつ病を含む）	(再掲)	113.4	113.6	113.3
神経症性障害，ストレス関連障害及び身体表現性障害	(再掲)	53.0	72.9	44.8
Ⅵ 神経系の疾患		82.2	59.1	109.9
Ⅶ 眼及び付属器の疾患		4.1	3.7	4.4
白内障	(再掲)	3.3	2.5	3.9
Ⅷ 耳及び乳様突起の疾患		7.8	9.1	6.9
Ⅸ 循環器系の疾患		43.3	31.9	58.7
高血圧性疾患	(再掲)	60.5	29.4	80.5
（心疾患（高血圧性のものを除く））	(再掲)	20.3	13.8	30.1
虚血性心疾患	(再掲)	8.2	6.8	11.6
脳血管疾患	(再掲)	89.5	70.0	112.3
Ⅹ 呼吸器系の疾患		27.3	25.6	29.5
急性上気道感染症	(再掲)	6.3	7.3	4.9
肺炎	(再掲)	29.7	26.6	33.3
急性気管支炎及び急性細気管支炎	(再掲)	7.3	6.4	8.3
気管支炎及び慢性閉塞性肺疾患	(再掲)	60.0	53.0	77.5
喘息	(再掲)	10.8	7.9	13.9
ⅩⅠ 消化器系の疾患		13.0	11.6	14.8
う蝕	(再掲)	1.6	1.3	2.1
歯肉炎及び歯周疾患	(再掲)	2.1	2.1	2.1
胃潰瘍及び十二指腸潰瘍	(再掲)	19.1	16.1	24.1
胃炎及び十二指腸炎	(再掲)	12.6	13.7	11.9
肝疾患	(再掲)	25.8	23.7	28.5
ⅩⅡ 皮膚及び皮下組織の疾患		22.7	20.7	24.6
ⅩⅢ 筋骨格系及び結合組織の疾患		31.1	27.8	33.5
炎症性多発性関節障害	(再掲)	22.2	19.7	23.0
関節症	(再掲)	32.5	28.3	33.4
脊柱障害	(再掲)	28.9	26.1	32.1
骨の密度及び構造の障害	(再掲)	33.4	23.6	39.7
ⅩⅣ 腎尿路生殖器系の疾患		23.6	22.8	24.3
糸球体疾患，腎尿細管間質性疾患及び腎不全	(再掲)	37.9	36.1	39.6
前立腺肥大（症）	(再掲)	9.5	9.5	・
乳房及び女性生殖器の疾患	(再掲)	5.5	6.8	5.5
ⅩⅤ 妊娠，分娩及び産じょく		7.9	・	7.9
妊娠高血圧症候群	(再掲)	11.0	・	11.0
ⅩⅥ 周産期に発生した病態		10.9	10.9	11.0
ⅩⅦ 先天奇形，変形及び染色体異常		15.5	13.9	17.5
ⅩⅧ 症状，徴候及び異常臨床所見・異常検査所見で他に分類されないもの		23.7	17.3	28.4
ⅩⅨ 損傷，中毒及びその他の外因の影響		31.7	26.6	36.1
骨折	(再掲)	37.9	28.9	43.4
ⅩⅩⅠ 健康状態に影響を及ぼす要因及び保健サービスの利用		9.9	8.4	10.8
歯の補てつ	(再掲)	1.1	0.9	1.2

資料：政策統括官統計・情報政策、政策評価担当）「平成26年患者調査」
注：退院患者平均在院日数とは，平成26年9月1日〜30日までの1か月間に病院及び一般診療所を退院した患者の在院日数の平均である。

152　医　　療

第2－65表　総患者数，性×傷病分類別

(単位：千人)　　　　　　　　　　　　　　　　　　　　　　　　平成26年（2014）10月

傷病分類		総数	男	女
I 感染症及び寄生虫症		1 168	529	639
腸管感染症	(再掲)	91	45	46
結核	(再掲)	20	11	10
皮膚及び粘膜の病変を伴うウイルス疾患	(再掲)	412	176	237
真菌症	(再掲)	337	157	182
II 新生物		2 100	993	1 107
（悪性新生物）	(再掲)	1 626	876	750
胃の悪性新生物	(再掲)	185	124	62
結腸及び直腸の悪性新生物	(再掲)	261	150	111
気管，気管支及び肺の悪性新生物	(再掲)	146	90	56
III 血液及び造血器の疾患並びに免疫機構の障害		209	57	152
IV 内分泌，栄養及び代謝疾患		6 069	2 641	3 432
甲状腺障害	(再掲)	442	70	372
糖尿病	(再掲)	3 166	1 768	1 401
V 精神及び行動の障害		3 175	1 348	1 832
統合失調症，統合失調症型障害及び妄想性障害	(再掲)	773	361	414
気分［感情］障害（躁うつ病を含む）	(再掲)	1 116	418	700
神経症性障害，ストレス関連障害及び身体表現性障害	(再掲)	724	258	466
VI 神経系の疾患		2 014	837	1 177
VII 眼及び付属器の疾患		3 660	1 373	2 287
白内障	(再掲)	856	309	547
VIII 耳及び乳様突起の疾患		583	237	346
IX 循環器系の疾患		13 344	6 163	7 200
高血圧性疾患	(再掲)	10 108	4 450	5 676
（心疾患（高血圧性のものを除く））	(再掲)	1 729	947	786
虚血性心疾患	(再掲)	779	469	313
脳血管疾患	(再掲)	1 179	592	587
X 呼吸器系の疾患		3 850	1 829	2 022
急性上気道感染症	(再掲)	868	383	485
肺炎	(再掲)	69	36	34
急性気管支炎及び急性細気管支炎	(再掲)	340	160	180
気管支炎及び慢性閉塞性肺疾患	(再掲)	299	198	101
喘息	(再掲)	1 177	515	662
XI 消化器系の疾患		9 500	4 047	5 453
う蝕	(再掲)	1 846	786	1 059
歯肉炎及び歯周疾患	(再掲)	3 315	1 373	1 942
胃潰瘍及び十二指腸潰瘍	(再掲)	318	158	161
胃炎及び十二指腸炎	(再掲)	735	278	457
肝疾患	(再掲)	251	132	119
XII 皮膚及び皮下組織の疾患		2 248	1 009	1 237
XIII 筋骨格系及び結合組織の疾患		5 279	1 726	3 560
炎症性多発性関節障害	(再掲)	492	195	297
関節症	(再掲)	1 250	293	957
脊柱障害	(再掲)	2 360	962	1 400
骨の密度及び構造の障害	(再掲)	552	39	514
XIV 腎尿路生殖器系の疾患		1 743	798	943
糸球体疾患，腎尿細管間質性疾患及び腎不全	(再掲)	374	224	150
前立腺肥大（症）	(再掲)	510	510	・
乳房及び女性生殖器の疾患	(再掲)	617	2	615
XV 妊娠，分娩及び産じょく		138	・	138
妊娠高血圧症候群	(再掲)	2	・	2
XVI 周産期に発生した病態		30	15	15
XVII 先天奇形，変形及び染色体異常		131	65	66
XVIII 症状，徴候及び異常臨床所見・異常検査所見で他に分類されないもの		500	192	308
XIX 損傷，中毒及びその他の外因の影響		1 325	611	715
骨折	(再掲)	580	226	354
XXI 健康状態に影響を及ぼす要因及び保健サービスの利用		4 278	1 557	2 723
歯の補てつ	(再掲)	2 128	930	1 198

資料：政策統括官（統計・情報政策、政策評価担当）「平成26年患者調査」
注：総患者数とは，調査日現在において，継続的に医療を受けている者（調査日には医療施設で受療していない者も含む。）の推計数である。

医　　療　153

第2－66表　**外来患者の構成割合，病院の種類×診察等までの待ち時間別**

単位：%

病院の種類 ＼ 診察等までの待ち時間	総　数	特定機能病院	大病院	中病院	小病院	療養病床を有する病院
総　　　　　　　数	100.0	100.0	100.0	100.0	100.0	100.0
15 分 未 満	25.0	24.1	22.7	23.6	22.3	30.4
15 分 以 上 30 分 未 満	24.1	21.9	21.8	23.5	22.9	27.9
30 分 以 上 1 時 間 未 満	20.4	21.5	21.3	21.0	20.6	18.2
1 時間以上 1 時間30分未満	10.8	12.5	12.8	11.2	11.0	8.0
1 時間30分以上 2 時間未満	7.5	8.3	8.6	7.8	8.7	5.2
2 時 間 以 上 3 時 間 未 満	4.5	5.0	5.3	4.8	5.3	2.8
3 時 間 以 上	1.9	2.0	2.3	2.1	1.8	1.2
無 回 答	5.8	4.6	5.2	5.9	7.3	6.3

資料：政策統括官（統計・情報政策、政策評価担当）「平成26年受療行動調査」
注：1）医師による診察を受けていない者を除いた数値である。
　　2）病院の種類　以下の病院は，一般病院※のうち特定機能病院，療養病床を有する病院を除いた病院である。
　　　　・小病院　　　　病床数が20〜99床の病院
　　　　・中病院　　　　病床数が100〜499床の病院
　　　　・大病院　　　　病床数が500床以上の病院
　　※一般病院　　　　精神病床のみを有する病院，感染症病床のみを有する病院及び結核病床のみを有する病院を除いた病院

第2－67表　**外来患者の構成割合，病院の種類×診察時間別**

（単位：%）

病院の種類 ＼ 診察時間	総　数	特定機能病院	大病院	中病院	小病院	療養病床を有する病院
総　　　　　　　数	100.0	100.0	100.0	100.0	100.0	100.0
3 分 未 満	16.3	8.6	13.3	15.9	20.9	19.5
3 分 以 上 10 分 未 満	51.8	50.8	53.9	52.9	50.5	49.4
10 分 以 上 20 分 未 満	14.0	19.5	16.0	13.7	11.3	12.3
20 分 以 上 30 分 未 満	6.3	8.9	6.7	6.0	5.1	6.3
30 分 以 上	4.2	6.2	3.4	3.9	3.4	4.7
無 回 答	7.5	5.9	6.6	7.6	8.8	7.8

資料：政策統括官（統計・情報政策、政策評価担当）「平成26年受療行動調査」
注：1）医師による診察を受けていない者を除いた数値である。
　　2）病院の種類　以下の病院は，一般病院※のうち特定機能病院，療養病床を有する病院を除いた病院である。
　　　　・小病院　　　　病床数が20〜99床の病院
　　　　・中病院　　　　病床数が100〜499床の病院
　　　　・大病院　　　　病床数が500床以上の病院
　　※一般病院　　　　精神病床のみを有する病院，感染症病床のみを有する病院及び結核病床のみを有する病院を除いた病院

154　医　　療

第２－68表　患者の構成割合，外来－入院・満足度全項目別

(単位：%)

患者の満足度	総　数	満　足	非常に満足	やや満足	ふつう	不　満	やや不満	非常に不満	その他	無回答
外 来 患 者 の 満 足 度										
診察までの待ち時間	100.0	28.0	11.8	16.2	39.9	27.6	20.0	7.7	0.2	4.2
診　　察　　時　　間	100.0	39.0	17.1	21.9	46.7	8.3	6.9	1.5	0.2	5.8
医師による診療・治療内容	100.0	54.4	25.9	28.5	33.7	6.0	4.9	1.1	0.3	5.7
医　師　と　の　対　話	100.0	56.2	28.3	27.9	31.3	6.7	5.3	1.3	0.3	5.6
医師以外の病院スタッフの対応	100.0	58.6	27.4	31.2	31.8	4.1	3.1	0.9	0.2	5.4
診察時のプライバシー保護の対応	100.0	50.9	25.8	25.1	39.4	2.8	2.2	0.7	0.7	6.1
病院に対する全体的な満足度	100.0	58.3	24.7	33.6	31.5	4.8	3.9	0.9	0.2	5.2
入 院 患 者 の 満 足 度										
医師による診療・治療内容	100.0	69.7	43.9	25.8	21.4	4.2	3.3	1.0	0.5	4.1
医　師　と　の　対　話	100.0	65.2	41.3	23.9	22.4	6.2	4.8	1.4	0.7	5.4
医師以外の病院スタッフの対応	100.0	69.6	43.5	26.1	19.4	4.7	3.7	1.0	0.4	5.9
病室でのプライバシー保護の対応	100.0	56.3	34.0	22.3	30.5	6.0	4.6	1.3	0.6	6.6
病室・浴室・トイレなど	100.0	57.2	33.6	23.6	27.1	9.3	7.2	2.1	0.9	5.6
食　　事　　の　　内　　容	100.0	44.4	23.9	20.5	31.2	13.6	10.2	3.4	4.0	6.8
病院に対する全体的な満足度	100.0	67.5	36.4	31.0	23.1	4.2	3.2	1.0	0.4	4.9

資料：政策統括官（統計・情報政策、政策評価担当）「平成26年受療行動調査」
注：「診察までの待ち時間」及び「診察時間」は「医師による診察を受けていない」者を除いた数値である。

第3章　生　活　環　境

第2－69表　**食中毒事件数・患者数・死者数,**
病因物質・原因施設別

) 病因物質別

病　因　物　質	平 成 29 年 (2017)			平 成 28 年 (2016)		
	事件数	患者数	死者数	事件数	患者数	死者数
総　　　　　　　　数	1 014	16 464	3	1 139	20 252	14
病因物質の判明したもの	985	15 865	3	1 112	19 930	14
細　　　　　　菌	449	6 621	2	480	7 483	10
サルモネラ属菌	35	1 183	–	31	704	–
ぶ　ど　う　球　菌	22	336	–	36	698	–
ボ ツ リ ヌ ス 菌	1	1	1	–	–	–
腸 炎 ビ ブ リ オ	7	97	–	12	240	–
腸管出血性大腸菌(VT産生)	17	168	1	14	252	10
その他の病原大腸菌	11	1 046	–	6	569	–
ウ ェ ル シ ュ 菌	27	1 220	–	31	1 411	–
セ レ ウ ス 菌	5	38	–	9	125	–
エルシニア・エンテロコリチカ	1	7	–	1	72	–
カンピロバクター・ジェジュニ/コリ	320	2 315	–	339	3 272	–
ナ グ ビ ブ リ オ	–	–	–	–	–	–
コ　レ　ラ　菌	–	–	–	–	–	–
赤　　痢　　菌	–	–	–	–	–	–
チ フ ス 菌	–	–	–	–	–	–
パ ラ チ フ ス A 菌	–	–	–	–	–	–
その他の細菌	3	210	–	1	140	–
ウ イ ル ス	221	8 555	–	356	11 426	–
ノ ロ ウ イ ル ス	214	8 496	–	354	11 397	–
その他のウイルス	7	59	–	2	29	–
寄　　生　　虫	242	368	–	147	406	–
ク　ド　ア	12	126	–	22	259	–
サルコシスティス	–	–	–	–	–	–
ア ニ サ キ ス	230	242	–	124	126	–
その他の寄生虫	–	–	–	1	21	–
化　学　物　質	9	76	–	17	297	–
自　　然　　毒	60	176	1	109	302	4
植 物 性 自 然 毒	34	134	1	77	229	4
動 物 性 自 然 毒	26	42	–	32	73	–
そ　　の　　他	4	69	–	3	16	–
病因物質の不明のもの	29	599	–	27	322	–

) 原因施設別

原　因　施　設	平 成 29 年 (2017)			平 成 28 年 (2016)		
	事件数	患者数	死者数	事件数	患者数	死者数
総　　　　　　　　数	1 014	16 464	3	1 139	20 252	14
原 因 施 設 判 明	897	15 942	3	1 051	19 586	14
家　　　　　　庭	100	179	2	118	234	4
事　　業　　場	23	623	–	52	2 002	10
学　　　　　校	28	2 675	–	19	845	–
病　　　　　院	6	332	–	5	340	–
旅　　　　　館	39	1 852	–	50	2 750	–
飲　　食　　店	598	8 007	1	713	11 135	–
販　　売　　店	48	85	–	31	146	–
製　　造　　所	8	164	–	6	160	–
仕　　出　　屋	38	1 605	–	40	1 523	–
採　　取　　場　　所	1	43	–	1	2	–
そ　　の　　他	8	377	–	16	449	–
原 因 施 設 不 明	117	522	–	88	666	–

資料：医薬・生活衛生局食品監視安全課「食中毒統計」

156　生活環境

第2-70表　食中毒事件数・患者数・死者数，原因食品別

原因食品	平成 29 年 (2017)			平成 28 年 (2016)		
	事件数	患者数	死者数	事件数	患者数	死者数
総　　　　　　　数	1 014	16 464	3	1 139	20 252	1
原因食品の判明したもの	871	15 241	3	1 009	18 734	1
魚　　介　　類	196	469	-	173	1 112	-
貝　　　　類	7	68	-	36	358	-
ふ　　　　ぐ	19	22	-	17	31	-
そ　の　他	170	379	-	120	723	-
魚　介　類　加　工　品	12	67	-	19	227	-
魚 肉 練 り 製 品	-	-	-	1	65	-
そ　の　他	12	67	-	18	162	-
肉 類 及 び そ の 加 工 品	61	638	-	80	1 067	-
卵 類 及 び そ の 加 工 品	2	4	-	3	106	-
乳 類 及 び そ の 加 工 品	-	-	-	-	-	-
穀 類 及 び そ の 加 工 品	5	113	-	11	368	-
野 菜 及 び そ の 加 工 品	27	295	-	70	619	1
豆　　　　　　　類	1	17	-	-	-	-
き　　の　　こ　　類	16	44	-	42	110	-
そ　　の　　他	10	234	-	28	509	1
菓　　子　　類	5	182	-	3	27	-
複　合　調　理　食　品	51	1 546	-	84	2 506	-
そ　　の　　他	512	11 927	3	566	12 702	3
食　品　特　定	33	2 416	2	28	952	3
食　事　特　定	479	9 511	1	538	11 750	-
原 因 食 品 不 明 の も の	143	1 223	-	130	1 518	-

資料：医薬・生活衛生局食品監視安全課「食中毒統計」

第2-71表　食中毒事件数・患者数・死者数，年次別

年　　次	事件数	患者数	死者数	1事件当たり患者数	罹患率（人口10万対）	死亡率（人口10万対）
昭和55年 (1980)	1 001	32 737	23	32.7	28.0	0.0
60 (1985)	1 177	44 102	12	37.5	36.4	0.0
平成2年 (1990)	926	37 561	5	40.6	30.4	0.0
7 (1995)	699	26 325	5	37.7	21.2	0.0
12 (2000)	2 247	43 307	4	19.3	34.2	0.0
17 (2005)	1 545	27 019	7	17.5	21.1	0.0
22 (2010)	1 254	25 972	-	20.7	20.3	0.0
25 (2013)	931	20 802	1	22.3	16.3	0.0
26 (2014)	976	19 355	2	19.8	15.2	0.0
27 (2015)	1 202	22 718	6	18.9	17.9	0.0
28 (2016)	1 139	20 252	14	17.8	16.0	0.0
29 (2017)	1 014	16 464	3	16.2	13.0	0.0

資料：医薬・生活衛生局食品監視安全課「食中毒統計」

生活環境　157

第２−72表　水道普及率・給水人口，都道府県別

（単位：人）　　　　　　　　　　　　　　　　　　　　　　　　　　　　　　　平成29年（2017）３月31日現在

| 都道府県 | 総人口（A） | 現　在　給　水　人　口 | | | | 普及率 B／A（%） |
		上　水　道	簡易水道	専用水道	合　計（B）	
全　　　　国	126 914 344	120 229 643	3 695 187	387 583	124 312 413	
北　海　道	5 348 102	4 876 952	338 180	21 090	5 236 222	97.9
青　　　森	1 281 265	1 206 002	42 526	1 237	1 249 765	97.5
岩　　　手	1 261 031	1 081 587	99 721	3 843	1 185 151	94.0
宮　　　城	2 309 354	2 253 384	31 276	2 615	2 287 275	99.0
秋　　　田	999 203	832 580	74 858	3 624	911 062	91.2
山　　　形	1 110 654	1 058 982	39 330	300	1 098 612	98.9
福　　　島	1 887 005	1 695 927	63 808	4 022	1 763 757	93.5
茨　　　城	2 897 065	2 685 843	42 838	6 125	2 734 806	94.4
栃　　　木	1 987 698	1 847 459	40 524	21 812	1 909 795	96.1
群　　　馬	1 959 913	1 858 438	91 799	2 073	1 952 310	99.6
埼　　　玉	7 294 490	7 262 343	8 826	5 145	7 276 314	99.8
千　　　葉	6 244 033	5 889 803	6 381	49 294	5 945 478	95.2
東　　　京	13 687 380	13 647 092	16 383	23 480	13 686 955	100.0
神　奈　川	9 144 183	9 111 883	15 074	5 562	9 132 519	99.9
新　　　潟	2 270 264	2 134 868	119 058	3 314	2 257 240	99.4
富　　　山	1 056 925	944 892	36 224	3 132	984 248	93.1
石　　　川	1 146 693	1 086 325	43 838	1 965	1 132 128	98.7
福　　　井	791 540	706 046	55 693	1 109	762 848	96.4
山　　　梨	829 814	671 264	150 391	2 974	824 629	99.4
長　　　野	2 076 122	1 900 262	151 031	1 864	2 053 157	98.9
岐　　　阜	2 016 314	1 772 400	147 907	5 514	1 925 821	95.5
静　　　岡	3 674 874	3 531 663	85 745	21 866	3 639 274	99.0
愛　　　知	7 505 526	7 433 414	47 143	14 107	7 494 664	99.9
三　　　重	1 835 867	1 768 514	59 036	1 305	1 828 855	99.6
滋　　　賀	1 418 411	1 361 852	43 177	4 821	1 409 850	99.4
京　　　都	2 602 619	2 472 938	120 489	1 213	2 594 640	99.7
大　　　阪	8 826 312	8 823 667	555	1 395	8 825 617	100.0
兵　　　庫	5 502 755	5 419 499	72 362	2 437	5 494 298	99.8
奈　　　良	1 351 143	1 306 777	33 138	159	1 340 074	99.2
和　歌　山	970 988	867 865	77 736	16 439	962 040	99.1
鳥　　　取	572 089	477 267	78 807	3 105	559 179	97.7
島　　　根	684 888	526 961	136 663	880	664 504	97.0
岡　　　山	1 909 361	1 766 711	122 974	1 074	1 890 759	99.0
広　　　島	2 848 796	2 605 317	74 294	9 217	2 688 828	94.4
山　　　口	1 384 057	1 215 556	71 448	5 465	1 292 469	93.4
徳　　　島	744 837	654 478	51 864	15 709	722 051	96.9
香　　　川	967 504	948 924	12 143	18	961 085	99.3
愛　　　媛	1 399 568	1 214 829	66 697	20 363	1 301 889	93.0
高　　　知	719 041	556 489	117 768	2 392	676 649	94.1
福　　　岡	5 098 153	4 746 440	21 919	32 929	4 801 288	94.2
佐　　　賀	834 546	778 208	13 745	2 109	794 062	95.1
長　　　崎	1 356 226	1 118 738	205 397	11 256	1 335 391	98.5
熊　　　本	1 765 940	1 377 308	158 787	11 488	1 547 583	87.6
大　　　分	1 152 383	956 798	86 391	15 607	1 058 796	91.9
宮　　　崎	1 092 532	999 363	62 463	2 009	1 063 835	97.4
鹿　児　島	1 660 197	1 374 245	223 925	20 110	1 618 280	97.5
沖　　　縄	1 436 683	1 401 490	34 855	16	1 436 361	100.0

資料：医薬・生活衛生局水道課調べ

158　生活環境

第 2 - 73表　ごみ処理とし尿処理の状況，年度別

a）ごみ排出量及び処理量の推移

区　　　　　分	平成23年度 (FY2011)	平成24年度 (FY2012)	平成25年度 (FY2013)	平成26年度 (FY2014)	平成27年度 (FY2015)	平成28年度 (FY2016)
総人口(千人)	127 147	128 622	128 394	128 181	128 039	127 924
計画収集人口(千人)	127 123	128 602	128 379	128 166	128 024	127 912
自家処理人口(千人)	25	20	15	15	15	12
ごみ排出量総数(千トン／年)	42 785	42 609	42 310	41 850	41 608	40 927
計画収集量(千トン／年)	39 025	38 890	38 546	38 095	37 867	37 248
直接搬入量(千トン／年)	3 724	3 697	3 745	3 718	3 720	3 654
自家処理量(千トン／年)	37	21	19	36	22	28
1人1日当たりごみ排出量(g／人日)[注]	976	964	958	947	939	925
	1 070	1 221	1 259	975	963	975
ごみの総処理量(千トン／年)	42 853	42 616	42 372	41 841	41 699	41 011
	47 211	54 707	56 494	43 144	42 811	43 281
直接焼却量(千トン／年)	34 002	33 991	33 729	33 470	33 423	32 935
	34 327	35 312	34 731	33 533	33 490	33 073
資源化等の中間処理量						
粗大ごみ処理施設(千トン／年)	1 998	1 905	1 876	1 773	1 795	1 753
	2 053	1 916	1 880	1 776	1 798	1 754
ごみ堆肥化施設(千トン／年)	162	156	166	174	176	204
	184	160	166	175	182	219
ごみ飼料化施設(千トン／年)	8	7	7	8	8	12
	8	7	7	8	8	12
メタン化施設(千トン／年)	32	33	47	58	59	59
	32	33	47	58	59	59
ごみ燃料化施設(千トン／年)	695	705	694	671	639	641
	794	842	748	683	644	751
その他の資源化等を行う施設 (千トン／年)	3 125	3 039	3 066	3 002	3 027	2 956
	4 602	10 103	11 432	3 159	3 538	3 526
その他施設(千トン／年)	94	94	91	84	73	61
	193	109	94	108	96	120
小計(千トン／年)	6 113	5 939	5 948	5 770	5 777	5 685
	7 866	13 169	14 374	5 968	6 325	6 441
直接資源化量(千トン／年)	2 145	2 118	2 120	2 076	2 031	1 964
	4 101	5 283	6 217	2 933	2 526	3 140
直接最終処分量(千トン／年)	593	567	574	525	468	426
	916	944	1 172	710	470	627

資料：環境省環境再生・資源循環局廃棄物適正処理推進課「日本の廃棄物処理　平成28年度版」
注：1人1日当たりのごみ排出量＝（計画収集量＋直接搬入量＋集団回収量）÷総人口÷365又は366
　　総人口＝計画収集人口＋自家処理人口
　・平成23年度以降の実績の2段書きの上段は，災害廃棄物を除く値であり，下段は災害廃棄物を含む値であ
　・平成24年度以降の総人口には，外国人人口を含んでいる。

b）し尿処理形態の推移

区　　　　　分	平成23年度 (FY2011)	平成24年度 (FY2012)	平成25年度 (FY2013)	平成26年度 (FY2014)	平成27年度 (FY2015)	平成28年度 (FY2016)
総人口(千人)	127 147	128 622	128 394	128 181	128 039	127 924
水洗化人口(千人)	117 687	119 666	120 065	120 372	120 772	120 991
公共下水道人口(千人)	89 810	91 984	92 886	93 685	94 463	95 056
浄化槽人口(千人)	27 591	27 392	26 875	26 386	26 015	25 648
非水洗化人口(千人)	9 460	8 956	8 329	7 810	7 267	6 933
計画収集人口(千人)	9 348	8 849	8 242	7 727	7 197	6 871
自家処理人口(千人)	112	107	87	83	70	62
水洗化率(%)	92.6	93.0	93.5	93.9	94.3	94.6
非水洗化率(%)	7.4	7.0	6.5	6.1	5.7	5.4
公共下水道水洗化率(%)	70.6	71.5	72.3	73.1	73.8	74.3
浄化槽水洗化率(%)	21.7	21.3	20.9	20.6	20.3	20.0

資料：環境省環境再生・資源循環局廃棄物適正処理推進課「日本の廃棄物処理　平成28年度版」

第２−74表　墓地・火葬場・納骨堂数，

都　道　府　県	墓　　地	火　葬　場	(再掲)恒常的に使用[1]している火葬場	納骨堂
全　　　　　国	867 918	4 112	1 437	12 360
北　海　道	2 016	178	158	1 730
青　　　森	2 639	36	36	41
岩　　　手	3 251	31	30	28
宮　　　城	2 309	27	27	93
秋　　　田	13 053	25	22	22
山　　　形	4 394	27	24	48
福　　　島	7 857	25	24	68
茨　　　城	27 424	32	31	84
栃　　　木	18 173	13	13	59
群　　　馬	44 250	19	18	152
埼　　　玉	33 426	23	21	127
千　　　葉	21 679	29	25	109
東　　　京	9 608	27	26	419
神　奈　川	18 098	20	19	128
新　　　潟	28 503	37	32	60
富　　　山	2 780	16	16	22
石　　　川	9 746	324	12	96
福　　　井	2 156	867	14	171
山　　　梨	2 571	13	10	28
長　　　野	83 984	26	25	76
岐　　　阜	11 091	260	72	149
静　　　岡	18 612	36	36	138
愛　　　知	13 047	42	33	221
三　　　重	4 863	687	44	63
滋　　　賀	4 691	22	16	52
京　　　都	14 145	17	13	161
大　　　阪	3 095	150	50	267
兵　　　庫	20 986	65	61	244
奈　　　良	4 944	38	35	53
和　歌　山	10 435	104	50	38
鳥　　　取	15 037	76	5	143
島　　　根	97 239	28	27	66
岡　　　山	107 569	278	28	136
広　　　島	68 657	153	57	213
山　　　口	3 320	47	43	247
徳　　　島	17 430	19	17	400
香　　　川	2 705	44	29	59
愛　　　媛	12 535	43	39	55
高　　　知	9 817	14	14	75
福　　　岡	26 924	40	40	2 997
佐　　　賀	10 537	16	13	454
長　　　崎	17 746	35	35	415
熊　　　本	4 143	30	29	1 056
大　　　分	333	5	4	102
宮　　　崎	9 450	12	11	203
鹿　児　島	9 003	36	33	1 081
沖　　　縄	11 647	20	20	71

資料：政策統括官（統計・情報政策、政策評価担当）「平成29年度衛生行政報告例」
注：1）「恒常的に使用している火葬場」とは，過去1年以内に稼働実績のある火葬場をいう。

都道府県－指定都市－中核市（再掲）別

平成29年度（FY2017）末現在

指定都市・中核市	墓地	火葬場	(再掲)恒常的に使用している火葬場	納骨堂
指定都市（再掲）				
札幌市	45	2	2	247
仙台市	673	1	1	32
さいたま市	1 212	2	2	20
千葉市	333	1	1	18
横浜市	2 667	5	5	60
川崎市	197	2	2	16
相模原市	4 935	1	-	7
新潟市	3 926	5	-	35
静岡市	819	4	4	19
浜松市	1 588	7	7	22
名古屋市	689	3	3	110
京都市	2 309	1	1	117
大阪市	685	6	6	133
堺市	188	1	1	17
神戸市	150	4	4	69
岡山市	8 214	2	2	39
広島市	7 322	58	6	60
北九州市	270	2	2	470
福岡市	849	2	2	415
熊本市	1 514	2	2	267
中核市（再掲）				
旭川市	22	1	1	80
函館市	83	4	4	71
青森市	190	2	2	8
八戸市	208	1	1	1
盛岡市	79	1	1	4
秋田市	1 051	1	1	2
郡山市	488	1	1	2
いわき市	564	2	2	18
宇都宮市	1 518	1	1	12
前橋市	3 115	1	1	55
高崎市	7 255	2	2	16
川越市	650	1	1	7
越谷市	221	1	1	3
船橋市	262	1	1	10
柏市	212	1	1	3
八王子市	1 592	1	1	15
横須賀市	424	1	1	1
富山市	304	4	4	6
金沢市	693	2	2	73
長野市	9 911	3	3	9
岐阜市	355	4	2	32
豊橋市	458	1	1	11
豊田市	3 628	1	1	16
岡崎市	2 669	1	1	15
大津市	536	2	2	18
高槻市	140	1	1	10
東大阪市	90	7	7	10
豊中市	124	1	1	7
枚方市	143	1	1	6
姫路市	355	8	4	21
西宮市	6	1	1	1
尼崎市	127	1	1	22
奈良市	92	1	1	5
和歌山市	500	25	1	6
倉敷市	893	4	4	16
福山市	8 212	6	6	40
呉市	2 841	26	7	26
下関市	438	6	6	61
高松市	472	19	5	27
松山市	671	5	5	10
高知市	809	1	1	23
久留米市	7 651	1	1	240
長崎市	1 278	1	1	122
佐世保市	113	3	3	45
大分市	175	2	2	58
宮崎市	716	1	1	20
鹿児島市	683	2	2	86
那覇市	591	1	1	19

162　生活環境

第2－75表　食品関係営業施設数の状況，営業の種類別

許可を要する施設　　　　　　　　　　　　　　　　　　　　　　　　　　　　平成29年度（FY2017）

営業の種類	営業施設数 （年度末現在）	営業許可施設数（年度中）		廃業施設数 （年度中）	処分件数 （年度中）	調査・監視 指導施設数 （年度中）
		継　続	新　規			
総　　　　　　　数	2 441 483	247 289	263 007	272 761	3 185	1 869 341
飲　食　店　営　業	1 420 182	136 267	166 105	168 327	2 124	769 899
一般食堂・レストラン等	745 191	73 128	65 047	67 695	1 018	356 628
仕出し屋・弁当屋	81 122	8 705	8 083	7 997	195	86 911
旅　　　　　館	45 210	5 355	1 580	2 083	87	29 721
そ　の　他	548 659	49 079	91 395	90 552	824	296 639
菓子（パンを含む。）製造業	167 972	16 583	23 690	18 395	242	128 205
乳　　処　　理　　業	573	95	21	19	9	2 250
特別牛乳さく取処理業	5	1	－	－	－	19
乳　製　品　製　造　業	2 046	306	150	89	10	4 214
集　　　乳　　　業	94	9	3	2	－	174
魚　介　類　販　売　業	148 556	15 320	14 392	13 655	259	454 832
魚介類せり売り営業	1 129	158	18	39	9	11 581
魚肉ねり製品製造業	2 989	367	193	274	15	4 609
食品の冷凍または冷蔵業	11 174	1 372	771	485	10	14 291
かん詰またはびん詰食品製造業	5 433	639	383	239	5	4 421
（上記及び下記以外）						
喫　茶　店　営　業	201 385	23 333	18 659	27 165	75	73 207
（再掲）　自動販売機	173 014	21 101	11 540	20 791	55	48 828
あ　ん　類　製　造　業	928	122	40	40	2	1 830
アイスクリーム類製造業	16 314	1 511	2 545	2 139	41	16 565
乳　類　販　売　業	223 662	25 585	15 622	22 621	80	135 232
食　肉　処　理　業	9 687	1 164	553	474	31	22 657
食　肉　販　売　業	144 484	14 759	14 740	13 756	131	143 435
食　肉　製　品　製　造　業	2 460	312	166	130	9	4 702
乳　酸　菌　飲　料　製　造　業	255	34	11	11	1	894
食　用　油　脂　製　造　業	1 045	101	91	49	4	1 003
マーガリン又はショートニング製造業	57	7	3	1	－	117
み　そ　製　造　業	6 237	780	208	283	8	3 905
醤　油　製　造　業	1 687	220	36	51	2	1 759
ソ　ー　ス　類　製　造　業	3 057	321	243	162	10	2 772
酒　類　製　造　業	3 021	335	177	58	3	2 046
豆　腐　製　造　業	6 563	849	107	533	6	6 931
納　豆　製　造　業	475	62	8	23	1	434
め　ん　類　製　造　業	10 899	1 337	582	745	14	8 520
そ　う　ざ　い　製　造　業	39 859	4 227	3 077	2 524	62	37 227
添加物（法第11条第1項の規定により規 格が定められたものに限る。）製造業	2 090	249	84	88	2	1 842
食　品　の　放　射　線　照　射　業	1	1	－	2	－	9
清　涼　飲　料　水　製　造　業	4 320	541	243	224	15	6 005
氷　　雪　　製　　造　　業	1 263	130	55	63	5	2 119
氷　　雪　　販　　売　　業	1 581	192	31	95	－	1 635

資料：政策統括官（統計・情報政策、政策評価担当）「平成29年度衛生行政報告例」

第 2 −76表　食品衛生管理者数，資格−業種別

（資　格）

	平成29年度 (FY2017)	平成28年度 (FY2016)
総　　　　　　数	4 633	4 607
医 師 ・ 歯 科 医 師	72	64
薬　　　剤　　　師	565	557
獣　　　医　　　師	268	270
その他 [1] 医学・歯学・薬学・獣医学	66	77
その他 [1] 畜　　産　　学	418	438
その他 [1] 水　　産　　学	298	283
その他 [1] 農　芸　化　学	639	709
登録養成施設を修了した者	821	726
登録講習会を修了した者	1 486	1 483

（業　種）　　　　　　　　　　　　　各年度末現在

	平成29年度 (FY2017)	平成28年度 (FY2016)
総　　　　　　数	4 633	4 607
全粉乳[2]・加糖粉乳・調整粉乳の製造業又は加工業	53	50
食肉製品[3]の製造業又は加工業	2 338	2 340
魚肉ハム・魚肉ソーセージの製造業又は加工業	70	53
食品の放射線照射業	1	1
食用油脂[4]の製造業又は加工業	108	108
マーガリン又はショートニングの製造業又は加工業	45	46
添加物（法第11条第1項の規定により規格が定められたものに限る。）の製造業又は加工業	2 018	2 009

資料：政策統括官（統計・情報政策、政策評価担当）「平成29年度衛生行政報告例」

注：1）「その他」は，大学，旧制大学，旧制専門学校でそれぞれの課程を修めて卒業した者である。
　　2）「全粉乳」は，その容量が1400 g以下である缶に収められるものに限る。
　　3）「食肉製品」は，ハム・ソーセージ・ベーコン・その他これらに類するものをいう。
　　4）「食用油脂」は，脱色又は脱臭の過程を経て製造されるものに限る。

164　生活環境

第 2 −77表　食品衛生管理者数,

都道府県	総　数	医師・歯科医師	薬剤師	獣医師	大学・旧制大学又は旧制専門学校で下記の課程を修めて卒業した者				登録養成施設を修了した者	登録講習会を修了した者
					医・歯・薬・獣医学	畜産学	水産学	農芸化学		
全　国	4 633	72	565	268	66	418	298	639	821	1 486
北海道	291	7	12	25	2	47	19	13	94	72
青　森	47	−	3	3	1	7	2	4	11	16
岩　手	61	−	4	6	−	10	5	9	6	21
宮　城	85	4	9	4	−	7	7	5	20	29
秋　田	37	−	1	5	−	3	−	6	−	22
山　形	75	−	−	2	−	15	2	9	15	32
福　島	57	−	8	4	1	6	−	8	3	27
茨　城	150	1	19	3	1	22	7	36	12	49
栃　木	95	−	10	3	−	6	6	12	32	26
群　馬	106	1	9	5	1	12	2	16	6	54
埼　玉	173	−	23	4	14	19	10	33	18	52
千　葉	199	1	24	8	3	11	10	36	50	56
東　京	262	4	39	6	3	30	13	43	30	94
神奈川	198	4	17	4	2	18	16	37	36	64
新　潟	115	6	11	19	−	6	3	15	11	44
富　山	51	−	13	4	−	10	1	7	11	5
石　川	31	−	9	2	−	5	1	2	3	9
福　井	12	−	1	−	−	2	1	−	1	7
山　梨	29	2	3	−	−	3	−	5	5	11
長　野	90	4	8	17	1	13	2	7	11	27
岐　阜	111	2	25	8	−	6	1	16	16	37
静　岡	221	2	17	11	4	10	38	26	52	61
愛　知	169	1	31	3	4	8	8	34	20	60
三　重	87	−	11	1	2	2	12	16	13	30
滋　賀	69	−	17	5	1	4	4	9	15	14
京　都	92	3	10	5	6	5	5	10	22	26
大　阪	314	7	50	10	5	11	18	44	39	130
兵　庫	247	6	45	22	3	11	23	41	38	58
奈　良	33	−	10	3	1	3	1	5	3	7
和歌山	42	−	16	−	−	1	2	2	5	16
鳥　取	17	1	2	1	−	1	1	4	5	2
島　根	20	−	2	2	−	1	1	11	1	2
岡　山	94	5	8	2	−	7	7	6	19	40
広　島	119	1	13	8	−	9	3	11	47	27
山　口	52	−	8	1	−	3	4	6	17	13
徳　島	47	−	17	6	−	1	−	1	12	10
香　川	46	−	10	−	−	−	−	5	11	20
愛　媛	44	1	2	6	−	2	2	6	6	19
高　知	23	1	7	1	−	2	1	3	1	7
福　岡	125	1	14	4	1	4	18	11	23	49
佐　賀	47	1	1	3	1	3	3	8	10	17
長　崎	55	2	1	5	−	5	9	6	13	14
熊　本	81	1	7	8	5	12	4	11	14	19
大　分	49	−	5	7	1	6	2	2	10	16
宮　崎	75	1	5	6	1	11	4	20	9	18
鹿児島	124	1	5	15	1	19	17	11	21	34
沖　縄	66	1	5	3	1	19	3	11	4	23

資料：政策統括官（統計・情報政策、政策評価担当）「平成29年度衛生行政報告例」

資格×都道府県－指定都市－中核市（再掲）別

平成29年度（FY2017）末現在

指定都市・中核市	総数	医師・歯科医師	薬剤師	獣医師	大学・旧制大学又は旧制専門学校で下記の課程を修めて卒業した者				登録養成施設を修了した者	登録講習会を修了した者
					医・歯・薬・獣医学	畜産学	水産学	農芸化学		
指定都市(再掲)										
札　幌　市	43	-	3	2	-	3	3	1	20	11
仙　台　市	34	1	5	1	-	4	3	1	10	9
さいたま市	8	-	-	-	-	1	3	1	3	
千　葉　市	33	-	5	-	1	-	2	10	7	8
横　浜　市	70	1	5	-	2	7	6	15	17	17
川　崎　市	34	-	5	2	-	1	2	5	3	16
相模原市	11	1	-	-	-	1	3	2	1	3
新　潟　市	33	5	3	4	-	4	1	5	1	10
静　岡　市	43	-	3	-	1	1	18	-	14	6
浜　松　市	24	-	-	3	1	3	-	4	2	11
名古屋市	63	1	12	1	3	1	5	11	6	23
京　都　市	49	3	7	3	2	3	2	5	10	14
大　阪　市	138	2	25	3	1	4	9	20	12	62
堺　　　市	34	-	4	1	-	1	2	5		21
神　戸　市	75	5	16	5	2	5	11	15	4	12
岡　山　市	28	5	3	-	-	2	2	4	4	8
広　島　市	20	-	2	1	-	3	2	2	6	4
北九州市	22	1	3	-	-	3	4	-	4	11
福　岡　市	17	-	4	-	-	2	-	4		7
熊　本　市	16	-	2	3	-	1	1	1	1	7
中核市(再掲)										
旭　川　市	9	-	-	3	-	1	-	-	3	2
函　館　市	16	1	1	3	-	2	4	1	2	2
青　森　市	8	-	-	-	1	-	1	-	6	3
八　戸　市	7	-	-	-	-	1	-	-	3	3
盛　岡　市	5	-	-	1	-	1	1	1	-	1
秋　田　市	7	-	-	1	-	1	-	-	-	5
郡　山　市	12	-	1	2	-	-	1	-	1	6
いわき市	13	-	2	-	1	3	-	3	-	4
宇都宮市	14	-	3	-	-	-	4	-	3	4
前　橋　市	22	-	-	1	1	6	1	5	-	8
高　崎　市	19	-	2	1	-	1	-	3	3	9
川　越　市	13	-	3	-	-	2	1	3	-	4
越　谷　市	7	-	1	-	-	2	2	-	2	-
船　橋　市	18	-	-	-	-	2	3	4	6	3
柏　　　市	4	-	-	-	-	1	-	1	2	-
八王子市	12	-	2	2	-	-	1	1	3	3
横須賀市	9	1	-	-	-	1	1	2	4	-
富　山　市	25	-	9	1	-	6	-	6	1	2
金　沢　市	14	-	3	-	-	4	1	-	1	5
長　野　市	18	1	1	5	-	6	-	-	1	4
岐　阜　市	10	-	2	1	-	-	-	-	2	2
豊　橋　市	13	-	2	-	-	-	-	2	4	3
豊　田　市	5	-	-	-	-	1	-	1	-	3
岡　崎　市	3	-	2	-	-	-	-	-	-	1
大　津　市	3	-	1	1	-	-	-	-	1	-
高　槻　市	10	-	-	2	-	-	-	1	5	2
東大阪市	12	-	5	-	-	-	-	-	3	4
豊　中　市	12	-	3	-	-	-	1	2	2	4
牧　方　市	8	-	-	-	2	1	1	-	2	4
姫　路　市	21	-	5	4	-	1	1	4	3	4
西　宮　市	14	-	2	-	1	1	2	-	3	5
尼　崎　市	18	-	6	1	-	1	1	-	2	3
奈　良　市	4	-	-	-	1	-	1	-	1	2
和歌山市	21	-	10	-	-	1	1	1	-	8
倉　敷　市	15	-	-	-	-	-	1	-	3	11
福　山　市	47	-	5	-	-	1	-	3	29	9
呉　　　市	12	-	-	1	-	-	1	3	3	4
下　関　市	12	-	1	-	-	-	-	2	7	2
高　松　市	12	-	4	-	-	-	-	-	3	5
松　山　市	15	-	1	2	-	1	-	2	1	8
高　知　市	7	-	1	-	-	-	1	2	-	3
久留米市	10	-	3	1	-	-	2	-	1	3
長　崎　市	6	-	-	-	-	-	1	-	-	5
佐世保市	1	-	-	-	-	1	-	1	-	-
大　分　市	13	-	3	3	-	1	1	-	1	4
宮　崎　市	24	-	3	4	-	-	1	7	1	7
鹿児島市	36	-	2	4	-	5	6	4	6	9
那　覇　市	6	1	-	-	-	1	-	1	-	3

166　生活環境

第 2 −78表　生活衛生関係営業施設数・客室数・従業者数, 年度×施設の種類別

各年度末現在

施設の種類	平成23年度 (FY2011)	平成24年度 (FY2012)	平成25年度 (FY2013)	平成26年度 (FY2014)	平成27年度 (FY2015)	平成28年度 (FY2016)	平成29年度 (FY2017)
常 設 の 興 行 場	4 855	4 806	4 782	4 745	4 785	4 747	4 760
映 画 館	1 602	1 539	1 524	1 496	1 490	1 448	1 475
ス ポ ー ツ 施 設	382	373	364	360	355	356	357
そ の 他 の 興 行 場	2 871	2 894	2 894	2 889	2 940	2 943	2 928
旅 館 業	81 404	80 412	79 519	78 898	78 519	79 842	82 150
ホ テ ル 営 業	9 863	9 796	9 809	9 879	9 967	10 101	10 402
旅 館 営 業	46 196	44 744	43 363	41 899	40 661	39 489	38 622
簡 易 宿 所 営 業	24 506	25 071	25 560	26 349	27 169	29 559	32 451
下 宿 営 業	839	801	787	771	722	693	675
ホ テ ル 客 室 数	814 355	814 984	827 211	834 588	846 332	869 810	907 500
旅 館 客 室 数	761 448	740 977	735 271	710 019	701 656	691 962	688 342
公 衆 浴 場	27 557	27 074	26 580	26 221	25 703	25 331	25 121
公 営	4 525	4 427	4 386	4 312	4 237	4 154	4 093
一 般 公 衆 浴 場	401	390	370	354	338	338	332
そ の 他	4 124	4 037	4 016	3 958	3 899	3 816	3 761
私 営	23 032	22 647	22 194	21 909	21 466	21 177	21 028
一 般 公 衆 浴 場	4 788	4 414	4 172	3 939	3 740	3 562	3 397
個 室 付 浴 場	1 394	1 370	1 384	1 382	1 419	1 432	1 447
ヘ ル ス セ ン タ ー	2 220	2 337	2 113	2 135	2 192	2 006	1 961
サ ウ ナ 風 呂	1 883	1 820	1 686	1 620	1 560	1 482	1 459
ス ポ ー ツ 施 設	3 255	3 271	3 337	3 313	3 374	3 417	3 444
そ の 他	9 492	9 435	9 502	9 520	9 181	9 278	9 320
理 容 所	131 687	130 210	128 127	126 546	124 584	122 539	120 965
従 業 理 容 師	240 017	238 086	234 044	231 053	227 429	223 606	221 097
美 容 所	228 429	231 134	234 089	237 525	240 299	243 360	247 578
従 業 美 容 師	471 161	479 509	487 636	496 697	504 698	509 279	523 543
ク リ ー ニ ン グ 業	123 845	118 188	113 567	108 513	104 180	99 709	96 041
従事クリーニング師	53 941	51 190	49 737	47 314	45 684	43 654	42 843

資料：政策統括官（統計・情報政策、政策評価担当）「平成29年度衛生行政報告例」

生活環境　167

第2－79表　生活衛生関係営業施設数，施設の種類×都道府県－指定都市－中核市（再掲）別

(2－1)　　　　　　　　　　　　　　　　　　　　　　　　　平成29年度（FY2017）末現在

都道府県	常設の興行場		旅　　館　　業				公衆浴場	理容所	美容所	クリーニング業
	映画館	スポーツ施設	ホテル営業	旅館営業	簡易宿所営業	下宿営業				
全　　国	1 475	357	10 402	38 622	32 451	675	25 121	120 965	247 578	96 041
北 海 道	52	21	702	2 195	1 977	125	1 347	6 497	10 651	3 805
青　　森	17	21	140	553	593	10	444	2 087	3 199	927
岩　　手	18	3	175	651	279	23	235	2 401	3 083	1 622
宮　　城	13	6	268	517	259	32	381	2 793	4 345	1 572
秋　　田	12	3	91	474	265	18	333	2 394	3 039	769
山　　形	11	3	133	701	231	1	251	2 381	3 189	881
福　　島	17	14	264	1 317	704	140	492	2 713	4 235	1 319
茨　　城	29	7	293	680	150	27	452	3 669	6 124	2 011
栃　　木	17	1	168	1 250	377	－	521	2 237	4 449	1 302
群　　馬	21	3	227	970	701	1	460	2 320	4 880	2 170
埼　　玉	28	14	374	320	111	－	634	5 287	10 929	4 467
千　　葉	37	8	190	1 138	792	4	863	4 785	9 253	3 290
東　　京	316	38	718	1 306	1 196	13	2 014	8 167	22 844	10 093
神 奈 川	60	23	338	1 003	658	5	1 085	4 894	11 444	4 768
新　　潟	13	6	294	1 846	176	13	611	3 352	5 375	1 906
富　　山	6	2	99	334	185	1	291	1 170	2 376	931
石　　川	9	－	134	626	455	－	350	1 363	2 696	1 010
福　　井	13	6	76	911	399	4	154	906	1 835	966
山　　梨	5	1	128	1 213	1 324	6	314	1 027	2 327	862
長　　野	25	3	509	2 168	3 582	6	1 107	1 998	4 723	1 415
岐　　阜	11	3	210	923	472	11	558	2 111	4 520	2 026
静　　岡	34	23	380	2 624	1 083	23	1 250	3 828	8 295	3 194
愛　　知	56	19	301	874	126	4	707	5 581	12 150	5 367
三　　重	21	5	99	1 295	192	10	341	2 005	3 908	1 701
滋　　賀	12	1	132	374	317	5	293	1 157	2 561	1 222
京　　都	18	6	269	652	2 765	79	455	2 043	5 232	1 900
大　　阪	62	13	498	732	599	5	1 029	6 529	16 398	6 865
兵　　庫	67	7	434	1 091	617	28	1 090	3 976	9 641	3 676
奈　　良	4	1	66	340	328	－	211	1 103	2 514	1 401
和 歌 山	8	4	103	613	592	－	256	1 256	2 476	589
鳥　　取	12	2	60	315	375	－	152	740	1 601	405
島　　根	3	11	68	366	301	10	176	994	1 718	474
岡　　山	10	7	167	526	207	11	316	1 976	4 177	1 287
広　　島	52	4	190	507	474	1	456	2 691	5 767	2 179
山　　口	16	4	90	653	138	7	362	1 692	3 162	1 554
徳　　島	6	4	45	490	200	1	193	1 182	2 260	752
香　　川	28	4	132	249	341	1	230	1 177	2 485	1 203
愛　　媛	22	7	170	295	454	5	624	1 951	3 599	1 118
高　　知	9	9	88	305	387	1	140	953	2 022	470
福　　岡	166	12	418	539	398	1	803	4 413	9 887	4 484
佐　　賀	7	10	58	297	131	1	281	904	1 846	715
長　　崎	28	3	84	527	1 469	1	331	1 548	3 276	1 315
熊　　本	56	3	133	1 080	545	5	711	2 288	4 044	1 651
大　　分	14	2	175	987	730	22	539	1 461	2 956	1 055
宮　　崎	8	2	139	326	405	1	244	1 393	2 868	819
鹿 児 島	13	6	176	856	999	7	760	2 079	4 125	1 363
沖　　縄	13	2	396	613	3 392	6	274	1 493	3 374	1 170

資料：政策統括官（統計・情報政策、政策評価担当）「平成29年度衛生行政報告例」

第2−79表（続） 生活衛生関係営業施設数，施設の種類×都道府県−指定都市−中核市（再掲）別

(2−2)　　　　　　　　　　　　　　　　　　　　　　　　　　平成29年度（FY2017）末現在

指定都市・中核市	常設の興行場		旅館業				公衆浴場	理容所	美容所	クリーニング業
	映画館	スポーツ施設	ホテル営業	旅館営業	簡易宿所営業	下宿営業				
指定都市(再掲)										
札　幌　市	13	9	186	90	53	4	293	1 639	3 296	1 261
仙　台　市	7	5	133	72	17	3	108	919	1 802	827
さいたま市	5	7	61	31	4	−	107	811	1 865	906
千　葉　市	12	6	38	86	21	−	128	649	1 442	559
横　浜　市	28	7	141	80	156	−	318	1 750	4 349	1 845
川　崎　市	4	6	30	28	70	4	238	664	1 449	826
相　模　原　市	1	2	27	54	33	−	53	491	915	398
新　潟　市	6	1	81	120	7	5	130	1 076	1 860	731
静　岡　市	7	3	57	121	61	−	106	770	1 546	489
浜　松　市	4	5	56	146	46	−	117	786	1 786	523
名　古　屋　市	21	6	46	258	52	2	242	1 570	4 000	1 688
京　都　市	14	5	211	364	2 291	78	258	1 095	3 197	1 015
大　阪　市	38	10	411	377	481	3	509	2 333	7 203	3 060
堺　　市	11	−	9	62	14	−	56	627	1 258	496
神　戸　市	47	1	136	130	76	7	352	985	2 673	1 198
岡　山　市	9	2	76	89	20	1	101	650	1 662	525
広　島　市	36	2	87	135	80	−	132	968	2 346	976
北　九　州　市	42	5	96	62	27	−	150	957	1 966	800
福　岡　市	23	4	187	94	190	−	297	1 010	3 061	1 402
熊　本　市	24	3	25	177	19	−	212	675	1 512	504
中　核　市(再掲)										
旭　川　市	3	−	25	75	54	−	80	474	862	352
函　館　市	2	2	76	65	47	5	53	341	633	235
青　森　市	10	8	49	51	25	2	59	376	682	232
八　戸　市	1	−	35	45	10	2	52	350	534	165
盛　岡　市	11	2	44	64	13	15	35	405	731	416
秋　田　市	4	1	32	47	16	10	62	469	823	245
郡　山　市	2	1	30	126	26	46	71	401	734	223
い　わ　き　市	1	4	66	161	70	19	70	458	795	175
宇　都　宮　市	7	1	66	55	5	−	68	516	1 145	318
前　橋　市	4	−	35	52	32	−	44	367	772	268
高　崎　市	4	−	49	42	39	−	74	400	915	279
川　越　市	2	−	20	19	2	−	26	234	585	214
越　谷　市	1	1	17	12	−	−	23	265	553	239
船　橋　市	1	−	8	34	15	−	49	363	796	345
柏　　市	1	−	7	35	2	−	28	249	590	180
八　王　子　市	9	5	24	35	6	−	42	309	707	310
横　須　賀　市	8	1	26	30	14	1	50	276	678	224
富　山　市	4	2	52	117	41	1	109	410	879	370
金　沢　市	6	−	77	58	124	−	85	490	1 074	388
長　野　市	7	−	51	145	126	−	74	331	859	264
岐　阜　市	5	1	50	39	9	−	118	427	1 057	548
豊　橋　市	1	2	27	21	3	−	39	384	771	238
豊　田　市	3	1	22	47	17	−	50	344	562	257
岡　崎　市	−	−	22	23	7	−	29	273	601	263
大　津　市	2	1	28	86	58	−	117	195	503	368
高　槻　市	1	−	4	6	2	−	27	214	522	308
東　大　阪　市	1	1	10	22	9	−	68	397	818	363
豊　中　市	−	−	9	11	6	1	35	254	607	299
牧　方　市	3	−	1	11	5	−	24	248	602	225
姫　路　市	1	−	62	52	32	9	62	465	1 147	334
西　宮　市	2	2	13	17	5	−	45	230	776	327
尼　崎　市	5	−	22	18	−	1	79	365	824	477
奈　良　市	−	−	35	74	78	−	56	256	725	324
和　歌　山　市	2	3	20	74	26	−	49	397	819	186
倉　敷　市	1	2	51	88	13	10	51	457	997	254
福　山　市	4	1	33	69	26	−	90	454	1 079	286
呉　　市	2	1	5	76	58	−	36	228	487	198
下　関　市	2	2	6	199	24	3	104	326	620	489
高　松　市	16	2	63	75	64	−	91	449	1 102	669
松　山　市	5	3	74	84	66	−	183	607	1 228	381
高　知　市	8	5	42	70	20	−	58	388	989	210
久　留　米　市	13	1	17	63	6	1	35	336	756	338
長　崎　市	3	1	17	130	41	−	61	410	954	330
佐　世　保　市	19	1	27	75	94	1	53	268	614	381
大　分　市	−	−	63	44	64	9	61	445	1 035	379
宮　崎　市	4	−	69	56	36	1	79	388	951	292
鹿　児　島　市	8	2	78	57	35	1	136	545	1 232	434
那　覇　市	5	−	112	137	136	−	107	304	885	421

資料：政策統括官（統計・情報政策、政策評価担当）　「平成29年度衛生行政報告例」

生活環境　169

第2−80表　環境衛生・食品衛生関係職員数，年度別

各年度末現在

区　　　分	平成23年度 (FY2011)	平成24年度 (FY2012)	平成25年度 (FY2013)	平成26年度 (FY2014)	平成27年度 (FY2015)	平成28年度 (FY2016)	平成29年度 (FY2017)
総　　　　　数	28 041	29 125	30 272	29 187	30 731	30 883	30 103
環境衛生監視員	5 867	5 831	6 182	6 060	6 259	6 301	6 289
水道法第39条職員	3 384	4 275	4 659	4 108	5 026	5 077	4 675
食品衛生監視員	8 044	7 995	8 125	7 978	8 256	8 270	8 192
と　畜　検　査　員	2 493	2 580	2 635	2 575	2 531	2 547	2 522
食　鳥　検　査　員	2 764	2 861	2 954	2 958	2 920	2 906	2 737
狂 犬 病 予 防 員	2 418	2 348	2 449	2 353	2 327	2 350	2 323
家庭用品衛生監視員	3 071	3 235	3 268	3 155	3 412	3 432	3 365
専　　従　　者	2 276	2 198	2 341	2 382	2 300	2 322	2 308
環境衛生監視員	406	340	306	324	277	294	308
水道法第39条職員	160	123	229	255	310	293	277
食品衛生監視員	1 347	1 279	1 259	1 271	1 261	1 252	1 257
と　畜　検　査　員	147	205	242	206	126	152	151
狂 犬 病 予 防 員	181	201	226	268	233	232	222
家庭用品衛生監視員	35	50	79	58	93	99	93
兼　　務　　者[1]	25 765	26 927	27 931	26 805	28 431	28 561	27 795
環境衛生監視員	5 461	5 491	5 876	5 736	5 982	6 007	5 981
水道法第39条職員	3 224	4 152	4 430	3 853	4 716	4 784	4 398
食品衛生監視員	6 697	6 716	6 866	6 707	6 995	7 018	6 935
と　畜　検　査　員	2 346	2 375	2 393	2 369	2 405	2 395	2 371
食　鳥　検　査　員	2 764	2 861	2 954	2 958	2 920	2 906	2 737
狂 犬 病 予 防 員	2 237	2 147	2 223	2 085	2 094	2 118	2 101
家庭用品衛生監視員	3 036	3 185	3 189	3 097	3 319	3 333	3 272

資料：政策統括官（統計・情報政策、政策評価担当）「平成29年度衛生行政報告例」
注：1）「兼務者」は，「環境衛生監視員」，「水道法第39条職員」，「食品衛生監視員」，「と畜検査員」，
　　　　「食鳥検査員」，「狂犬病予防員」，「家庭用品衛生監視員」の職務を兼務している者の累計である。

170 生活環境

第 2 －81表　環境衛生・食品衛生関係職員数，

都道府県	総　数	環境衛生監　視　員	水道法第39条職員	食品衛生監　視　員	と　畜検査員	食　鳥検査員	狂犬病予防員	家庭用品衛生監　視　員
全　　国	30 103	6 289	4 675	8 192	2 522	2 737	2 323	3 365
北　海　道	1 528	327	107	405	276	199	144	70
青　　森	468	57	62	124	65	65	39	56
岩　　手	495	116	84	90	49	47	24	85
宮　　城	723	129	114	237	58	43	50	92
秋　　田	291	67	43	65	21	21	23	51
山　　形	229	43	15	75	37	46	13	－
福　　島	412	108	61	122	31	27	23	40
茨　　城	549	108	64	145	71	61	50	50
栃　　木	410	76	76	88	39	36	45	50
群　　馬	595	71	61	168	75	79	62	79
埼　　玉	717	175	37	274	77	51	81	22
千　　葉	1 158	234	207	324	101	127	95	70
東　　京	2 181	527	346	813	71	152	53	219
神　奈　川	2 014	438	380	577	81	78	204	256
新　　潟	513	88	87	149	42	48	33	66
富　　山	443	100	75	112	25	27	33	71
石　　川	310	92	51	90	30	28	16	3
福　　井	314	80	76	68	12	12	12	54
山　　梨	223	32	33	59	17	27	15	40
長　　野	564	117	81	132	38	38	54	104
岐　　阜	633	98	99	137	85	78	55	81
静　　岡	847	148	187	195	34	43	52	188
愛　　知	1 834	433	324	416	80	159	179	243
三　　重	586	141	123	133	36	33	42	78
滋　　賀	362	84	79	82	14	22	18	63
京　　都	838	214	154	271	27	45	72	55
大　　阪	1 545	337	322	399	37	172	142	136
兵　　庫	1 272	252	191	347	94	107	64	217
奈　　良	346	73	42	67	29	32	34	69
和　歌　山	359	71	76	60	29	35	36	52
鳥　　取	126	30	17	41	17	9	4	8
島　　根	333	91	62	66	31	14	16	53
岡　　山	480	131	83	116	22	24	25	79
広　　島	487	73	82	162	50	28	42	50
山　　口	295	49	42	79	35	23	26	41
徳　　島	229	33	26	89	33	33	15	－
香　　川	397	76	64	79	48	37	41	52
愛　　媛	318	71	31	86	23	54	43	10
高　　知	325	59	74	75	31	33	22	31
福　　岡	774	154	74	266	63	73	64	80
佐　　賀	209	37	37	60	22	23	25	5
長　　崎	583	119	71	134	77	72	49	61
熊　　本	557	113	112	118	73	79	46	16
大　　分	402	113	61	100	21	11	54	42
宮　　崎	591	103	108	139	71	71	34	65
鹿　児　島	769	118	43	228	151	144	36	49
沖　　縄	469	83	31	130	73	71	18	63

資料：政策統括官（統計・情報政策、政策評価担当）「平成29年度衛生行政報告例」

職名×都道府県－指定都市－中核市（再掲）別

平成29年度（FY2017）末現在

指定都市・中核市	総数	環境衛生監視員	水道法第39条職員	食品衛生監視員	と畜検査員	食鳥検査員	狂犬病予防員	家庭用品衛生監視員
指定都市（再掲）								
札幌市	147	29	12	83	8	-	7	8
仙台市	192	34	18	107	22	-	6	5
さいたま市	123	28	10	40	15	15	7	8
千葉市	282	64	63	66	29	29	10	21
横浜市	871	207	111	316	26	26	74	111
川崎市	237	84	90	-	-	-	59	4
相模原市	173	34	33	35	-	19	19	33
新潟市	117	17	11	41	16	16	5	11
静岡市	86	18	19	30	-	9	4	6
浜松市	150	32	22	48	12	12	6	18
名古屋市	543	149	71	172	22	26	43	60
京都市	507	137	114	176	10	18	45	7
大阪市	729	160	160	176	32	86	61	54
堺市	91	21	21	22	-	10	9	8
神戸市	476	117	94	114	20	29	19	83
岡山市	167	30	29	37	13	17	12	29
広島市	107	15	-	57	16	4	4	11
北九州市	102	13	10	35	11	12	8	13
福岡市	324	65	37	113	27	32	14	36
熊本市	93	26	18	26	-	7	10	6
中核市（再掲）								
旭川市	187	28	28	30	34	27	15	25
函館市	65	17	8	18	9	6	4	3
青森市	44	7	7	14	3	3	3	7
八戸市	43	9	13	6	-	-	6	9
盛岡市	76	26	17	9	5	5	5	9
秋田市	80	5	5	27	18	18	2	5
山形市	91	14	5	38	16	14	3	1
いわき市	65	19	10	14	5	5	6	6
宇都宮市	110	19	19	32	14	14	6	6
前橋市	71	13	9	22	6	6	7	8
高崎市	110	11	9	36	17	17	2	18
川越市	66	15	16	15	-	6	6	8
越谷市	70	8	7	20	12	12	5	6
船橋市	116	24	24	24	-	10	10	24
柏市	96	17	17	16	-	16	15	15
八王子市	30	9	2	12	-	-	2	5
横須賀市	107	21	21	22	-	11	11	21
富山市	66	24	9	18	-	5	5	5
金沢市	85	26	-	26	15	12	3	3
長野市	58	14	-	11	9	9	9	6
岐阜市	83	10	10	26	13	10	4	10
豊橋市	197	31	34	41	23	24	14	30
豊田市	130	20	14	25	19	19	19	14
岡崎市	79	25	7	14	4	6	16	7
大津市	80	24	19	21	-	-	3	13
高槻市	98	22	22	22	-	10	10	12
東大阪市	97	18	18	22	-	11	11	17
豊中市	103	22	22	20	-	10	10	19
枚方市	87	23	9	21	-	6	6	22
姫路市	65	4	9	17	16	13	4	2
西宮市	65	8	5	19	10	8	4	11
尼崎市	33	8	6	10	-	1	2	6
奈良市	67	17	17	12	-	3	6	12
和歌山市	66	10	8	17	7	7	7	10
倉敷市	93	20	20	19	-	7	7	20
福山市	112	17	17	23	19	9	10	17
呉市	49	14	14	11	-	1	1	8
下関市	33	7	-	12	-	-	2	12
高松市	142	30	29	26	16	13	13	15
松山市	52	15	3	19	-	-	7	8
高知市	119	18	24	22	14	16	13	12
久留米市	35	5	6	10	-	4	6	4
長崎市	38	8	8	13	-	1	4	4
佐世保市	121	18	18	33	24	17	7	4
大分市	56	17	8	13	-	7	7	4
宮崎市	93	27	31	14	7	7	7	-
鹿児島市	101	20	-	31	21	6	9	14
那覇市	53	13	12	13	2	2	2	9

第4章　薬　　事

第2－82表　医薬品等営業許可・登録・届出施設数,
営業の種類別

各年度末現在

営業の種類	平成23年度 (FY2011)	平成24年度 (FY2012)	平成25年度 (FY2013)	平成26年度 (FY2014)	平成27年度 (FY2015)	平成28年度 (FY2016)	平成29年度 (FY2017)
総　　　　　数	679 555	704 946	710 956	734 190	712 547	726 254	717 880
医　　薬　　品	145 409	145 516	140 860	140 526	138 135	136 714	135 130
医　薬　部　外　品	2 969	3 060	3 125	3 117	3 130	3 154	3 225
化　　粧　　品	6 837	6 955	7 115	7 101	7 224	7 286	7 412
医　療　機　器	447 477	475 226	486 006	510 331	491 215	508 439	502 728
体外診断用医薬品[1]	…	…	…	…	335	357	346
再生医療等製品[1]	…	…	…	…	458	730	865
毒　物　劇　物	76 863	74 189	73 850	73 115	72 050	69 574	68 174

資料：政策統括官（統計・情報政策、政策評価担当）「平成29年度衛生行政報告例」
注：平成27年度から，「医薬品等営業許可・届出施設数」は「医薬品等営業許可・登録・届出施設数」になった。
1）平成26年度以前は「体外診断用医薬品」及び「再生医療等製品」を項目として把握していない。

薬　　事　173

第２－83表　薬局数・無薬局町村数，都道府県別

各年度末現在

都道府県	平成29年度 (FY2017)				平成28年度 (FY2016)			
	薬　局　数			無薬局町　村	薬　局　数			無薬局町　村
	総　数	開設者が自ら管理している薬局	開設者が自ら管理していない薬局		総　数	開設者が自ら管理している薬局	開設者が自ら管理していない薬局	
全　　国	59 138	4 834	54 304	168	58 678	5 124	53 554	145
北 海 道	2 344	124	2 220	26	2 350	103	2 247	26
青　　森	608	38	570	27	607	37	570	5
岩　　手	594	36	558	-	583	40	543	-
宮　　城	1 148	59	1 089	1	1 142	54	1 088	1
秋　　田	536	43	493	2	533	41	492	2
山　　形	580	30	550	3	579	31	548	3
福　　島	894	69	825	11	895	70	825	12
茨　　城	1 290	127	1 163	1	1 274	135	1 139	1
栃　　木	877	57	820	-	866	59	807	-
群　　馬	891	60	831	4	887	67	820	4
埼　　玉	2 829	175	2 654	1	2 797	188	2 609	1
千　　葉	2 429	154	2 275	-	2 374	161	2 213	-
東　　京	6 646	357	6 289	7	6 604	396	6 208	6
神 奈 川	3 836	200	3 636	1	3 825	211	3 614	1
新　　潟	1 135	65	1 070	2	1 131	70	1 061	2
富　　山	445	46	399	1	440	45	395	1
石　　川	526	65	461	-	514	72	442	-
福　　井	291	37	254	1	286	42	244	1
山　　梨	453	78	375	3	443	75	368	4
長　　野	966	75	891	14	951	78	873	14
岐　　阜	1 021	147	874	2	1 018	145	873	2
静　　岡	1 813	174	1 639	-	1 817	183	1 634	-
愛　　知	3 321	399	2 922	2	3 278	401	2 877	2
三　　重	812	94	718	-	800	99	701	-
滋　　賀	597	58	539	1	586	61	525	1
京　　都	1 091	139	952	2	1 026	147	879	3
大　　阪	4 092	529	3 563	1	4 046	597	3 449	1
兵　　庫	2 632	197	2 435	-	2 591	202	2 389	-
奈　　良	541	68	473	12	530	81	449	12
和 歌 山	488	122	366	3	487	137	350	3
鳥　　取	276	20	256	-	273	22	251	-
島　　根	331	12	319	5	325	12	313	2
岡　　山	830	63	767	3	838	71	767	3
広　　島	1 613	137	1 476	-	1 618	139	1 479	-
山　　口	810	68	742	-	815	71	744	-
徳　　島	390	41	349	1	392	48	344	1
香　　川	530	40	490	-	534	41	493	-
愛　　媛	598	42	556	-	586	43	543	-
高　　知	399	62	337	5	399	72	327	5
福　　岡	2 891	183	2 708	-	2 901	209	2 692	1
佐　　賀	524	32	492	-	536	37	499	-
長　　崎	737	56	681	1	744	69	675	1
熊　　本	844	29	815	5	835	24	811	5
大　　分	572	37	535	1	559	40	519	1
宮　　崎	595	45	550	2	595	55	540	2
鹿 児 島	901	54	847	4	897	51	846	5
沖　　縄	571	91	480	12	571	92	479	11

資料：政策統括官（統計・情報政策、政策評価担当）「平成29年度衛生行政報告例」

174 薬　　　事

第2-84表　薬事監視員数・監視状況，年次別

年　　　次		許可・登録・[2] 届出施設数 （各年(度)末現在）	立入検査 施行施設数 （各年(度)）	違反発見 施設数 （各年(度)）	薬事監視員数
昭和55年	（1980）	353 185	284 679	18 058	2 497
60	（1985）	392 723	280 457	15 989	2 594
平成2年	（1990）	428 887	287 397	12 071	2 796
7	（1995）	464 740	240 375	8 250	2 928
平成12年度	（FY2000）	488 741	203 630	8 285	3 419
17	（FY2005）	609 444	228 808	9 205	3 547
20	（FY2008）	603 113	200 054	9 331	3 842
21	（FY2009）	612 754	204 504	8 897	3 909
22	（FY2010）[1]	593 608	217 842	11 066	3 963
23	（FY2011）	602 692	211 432	9 980	4 059
24	（FY2012）	630 757	208 256	10 277	3 876
25	（FY2013）	637 106	186 727	9 372	3 902
26	（FY2014）	661 075	191 009	9 405	3 985
27	（FY2015）	640 497	222 729	10 385	4 035
28	（FY2016）	656 680	234 020	11 979	4 107
29	（FY2017）	649 706	216 022	10 831	4 197

資料：薬事監視員数は4月1日現在，医薬・生活衛生局監視指導・麻薬対策課調べ
　　　政策統括官（統計・情報政策、政策評価担当）「平成29年度衛生行政報告例」
注：平成8年までは暦年の数値である。
　1）平成22年度の「許可・届出施設数」，「立入検査施行施設数」及び「違反発見施設数」は，東日本大震災
　　　の影響により，宮城県が含まれていない。
　2）平成27年度から，「許可・届出施設数」は「許可・登録・届出施設数」になった。

第2-85表　毒物劇物監視員数・監視状況，年次別

年　　　次		登録・届出・ 許可施設数 （各年(度)末現在）	立入検査 施行施設数 （各年(度)）	違反発見 施設数 （各年(度)）	毒物劇物 監視員数
昭和55年	（1980）	92 707	91 541	14 421	2 636
60	（1985）	98 320	89 008	13 207	2 735
平成2年	（1990）	101 955	86 465	11 082	2 763
7	（1995）	103 439	72 313	7 048	2 902
平成12年度	（FY2000）	96 878	46 717	4 385	3 400
17	（FY2005）	83 932	39 365	4 550	3 556
20	（FY2008）	82 699	35 338	3 636	3 711
21	（FY2009）	79 893	35 071	3 127	3 789
22	（FY2010）[1]	76 893	37 909	3 435	3 816
23	（FY2011）	76 863	33 726	3 073	3 899
24	（FY2012）	74 189	31 419	2 980	3 717
25	（FY2013）	73 850	27 962	2 723	3 763
26	（FY2014）	73 115	25 910	2 314	3 763
27	（FY2015）	72 050	29 868	2 726	3 843
28	（FY2016）	69 574	31 384	2 973	3 896
29	（FY2017）	68 174	26 731	2 500	3 983

資料：毒物劇物監視員数は4月1日現在，医薬・生活衛生局監視指導・麻薬対策課調べ
　　　政策統括官（統計・情報政策、政策評価担当）「平成29年度衛生行政報告例」
注：平成8年までは暦年の数値である。
　1）平成22年度の「登録・届出・許可施設数」，「立入検査施行施設数」及び「違反発見施設数」は，東日本
　　　大震災の影響により，宮城県が含まれていない。

薬　　事　175

第2−86表　麻薬中毒者の状況，年次別

年　　次	麻薬不正中毒者届出通報件数	う　ち　措　置　入　院　者
昭　和　55　年　(1980)	11	4
60　(1985)	6	4
平　成　2　年　(1990)	8	−
7　(1995)	11	−
12　(2000)	10（ヘロイン4，モルヒネ2，大麻4）	1
17　(2005)	19（ヘロイン4，合成麻薬1，大麻14）	1
22　(2010)	6（モルヒネ1，大麻4，その他1）	−
24　(2012)	2（大麻2）	−
25　(2013)	4（合成麻薬1，大麻3）	−
26　(2014)	1（その他1）	−
27　(2015)	3（合成麻薬3）	−
28　(2016)	7（大麻5，その他2）	−

資料：医薬・生活衛生局監視指導・麻薬対策課調べ

第2−87表　献血者数，受入施設×年次別

（単位：人）

年　　次	総　数	血液センター	出　張　所		移動採血車（献血バス）	出張採血（オープン献血）
			献血ルーム	その他		
平成23　(2011)	5 252 182	334 205	2 412 752	8 269	2 398 898	98 058
24　(2012)	5 271 103	319 855	2 461 764	7 794	2 373 717	107 973
25　(2013)	5 205 819	291 625	2 505 507	7 611	2 289 872	111 204
26　(2014)	4 999 127	269 020	2 411 543	…	2 210 719	107 845
27　(2015)	4 909 156	241 147	2 426 833	…	2 137 056	104 120
28　(2016)	4 841 601	233 468	2 449 940	…	2 051 096	107 097
29　(2017)	4 775 648	220 458	2 439 908	…	2 011 239	104 043

資料：日本赤十字社調べ
注：平成26年より出張所の「その他」は「献血ルーム」に含む。

176　薬　　事

第2−88表　献血量の状況，年次別

年　　　次	献血申込者数	献血者数[注]	献血量合計	献血量内訳		
				成分献血	400mℓ献血	200mℓ献血
	人	人	ℓ	ℓ	ℓ	ℓ
平成23　(2011)	6 293 006	5 252 182	2 022 401	615 880	1 320 642	85 880
24　(2012)	6 250 108	5 271 103	2 044 245	631 989	1 329 222	83 033
25　(2013)	6 148 800	5 205 819	2 021 399	630 288	1 308 612	82 499
26　(2014)	5 829 753	4 999 127	1 952 180	574 537	1 313 398	64 245
27　(2015)	5 705 455	4 909 156	1 936 916	562 897	1 328 949	45 071
28　(2016)	5 579 776	4 841 601	1 915 888	569 708	1 312 428	33 752
29　(2017)	5 462 398	4 775 648	1 886 236	546 796	1 310 624	28 817

資料：日本赤十字社調べ
注：献血者数については，200mℓ献血，400mℓ献血及び成分献血を合計した人数である。

第2−89表　医薬品製造所数・生産金額，従業者規模別（月平均）

従業者規模	製　造　所　数			生　産　金　額		
	平成26年(2014)	平成27年(2015)	平成28年(2016)	平成26年(2014)	平成27年(2015)	平成28年(2016)
				百万円	百万円	百万円
総　　　　　数	1 693	1 687	1 629	4 516 911	4 593 816	4 581 348
9人以下	643	631	589	26 799	31 504	41 107
10〜 49人	576	579	556	280 833	264 046	294 186
50〜 99	182	181	191	471 604	507 723	509 894
100〜299	218	221	215	2 113 483	2 115 625	2 077 728
300〜499	53	55	56	1 027 154	1 176 513	1 152 630
500〜999	20	18	20	555 880	454 316	475 856
1,000人以上	2	2	1	41 158	44 088	29 946

資料：医政局「薬事工業生産動態統計年報」

薬　事　177

第2-90表　医薬品生産金額・構成割合，薬効大分類別

（単位：100万円，%）

薬 効 大 分 類	生 産 金 額		対前年増減		構 成 割 合	
	平成28年	平成27年	増減額	比　率	平成28年	平成27年
総　　　　　　数	6 623 860	6 748 121	△124 261	△ 1.8	100.0	100.0
循 環 器 官 用 薬	1 007 745	1 088 475	△ 80 730	△ 7.4	15.2	16.1
中 枢 神 経 系 用 薬	800 869	784 182	16 686	2.1	12.1	11.6
その他の代謝性医薬品	689 812	690 568	△　　756	△ 0.1	10.4	10.2
血 液 ・ 体 液 用 薬	425 618	461 825	△ 36 207	△ 7.8	6.4	6.8
消 化 器 官 用 薬	400 328	464 073	△ 63 745	△13.7	6.0	6.9
外 　皮　 用 　薬	370 819	378 290	△ 7 471	△ 2.0	5.6	5.6
腫 　瘍　 用 　薬	326 496	227 490	99 006	43.5	4.9	3.4
生 物 学 的 製 剤	326 095	328 161	△ 2 067	△ 0.6	4.9	4.9
感 覚 器 官 用 薬	306 845	278 773	28 072	10.1	4.6	4.1
体 外 診 断 用 医薬品	243 677	235 797	7 880	3.3	3.7	3.5
ア レ ル ギ ー 用 薬	212 209	233 739	△ 21 531	△ 9.2	3.2	3.5
抗 生 物 質 製 剤	209 885	219 483	△ 9 598	△ 4.4	3.2	3.3
ビ タ ミ ン 剤	193 027	203 883	△ 10 856	△ 5.3	2.9	3.0
ホルモン剤 (抗ホルモン剤を含む。)	159 150	182 902	△ 23 752	△13.0	2.4	2.7
漢 　方　 製 　剤	149 613	154 678	△ 5 066	△ 3.3	2.3	2.3
滋 養 強 壮 薬	144 456	146 492	△ 2 036	△ 1.4	2.2	2.2
泌尿生殖器官及び肛門用薬	134 491	147 680	△ 13 189	△ 8.9	2.0	2.2
化 学 療 法 剤	121 280	116 031	5 248	4.5	1.8	1.7
呼 吸 器 官 用 薬	119 619	119 017	602	0.5	1.8	1.8
診断用薬(体外診断用医薬品を除く。)	54 682	53 742	939	1.7	0.8	0.8
放 射 性 医 薬 品	46 501	46 797	△　　297	△ 0.6	0.7	0.7
人 工 透 析 用 薬	44 059	43 404	655	1.5	0.7	0.6
末 梢 神 経 系 用 薬	29 131	30 085	△　　954	△ 3.2	0.4	0.4
その他の治療を主目的としない医薬品	19 138	18 901	237	1.3	0.3	0.3
公 衆 衛 生 用 薬	18 711	19 345	△　　634	△ 3.3	0.3	0.3
そ　　の　　他	69 605	74 306	△ 4 700	△ 6.3	1.1	1.1

資料：医政局「平成28年薬事工業生産動態統計年報」
注：医薬品薬効大分類の順位は，平成28年の生産金額の順による。

178　薬　　事

第2−91表　医薬品輸出・輸入金額・指数，年次×州別

(単位：100万円，%)　　　　　　　　　　　　　　　　　　　　　　　　　　　　　　　（指数　平成24年＝100)

州　　名	平成24年(2012) 金額	指数	平成25年(2013) 金額	指数	平成26年(2014) 金額	指数	平成27年(2015) 金額	指数	平成28年(2016) 金額	指数
				輸　出　金　額						
総　　　　数	137 624	100.0	129 686	94.2	126 046	91.6	153 512	111.5	175 741	127.
ア　ジ　ア　州	64 401	100.0	59 270	92.0	64 713	100.5	76 142	118.2	85 462	132.
ヨーロッパ州	14 122	100.0	14 471	102.5	15 049	106.6	18 253	129.3	20 293	143.
北アメリカ州	51 357	100.0	47 296	92.1	39 805	77.5	51 924	101.1	61 920	120.
南アメリカ州	1 350	100.0	1 645	121.9	910	67.4	663	49.1	603	44.
ア フ リ カ 州	298	100.0	398	133.6	204	68.5	217	72.8	432	145.
大　洋　州	81	100.0	72	88.9	12	14.8	171	211.1	160	197.
そ　の　他	6 016	100.0	6 534	108.6	5 354	89.0	6 143	102.1	6 871	114.
（ＥＵ再掲）	11 473	100.0	12 044	105.0	12 936	112.8	16 119	140.5	18 028	157.
				輸　入　金　額						
総　　　　数	2 817 411	100.0	3 077 303	109.2	3 188 419	113.2	4 022 045	142.8	3 945 456	140.
ア　ジ　ア　州	93 446	100.0	123 112	131.7	137 395	147.0	189 532	202.8	212 736	227.
ヨーロッパ州	2 030 874	100.0	2 185 006	107.6	2 226 655	109.6	2 884 787	142.0	2 771 142	136.
北アメリカ州	672 774	100.0	752 400	111.8	805 148	119.7	928 286	138.0	948 903	141.
南アメリカ州	－	－	－	－	1 704	…	2 637	…	3	
ア フ リ カ 州	－	－	－	－	607	…	1 919	…	－	
大　洋　州	19 920	100.0	16 735	84.0	16 883	84.8	14 871	74.7	12 673	63.
そ　の　他	397	100.0	51	12.8	28	7.1	14	3.5	－	
（ＥＵ再掲）	1 489 654	100.0	1 670 993	112.2	1 633 542	109.7	2 262 232	151.9	2 143 284	143.

資料：医政局「平成28年薬事工業生産動態統計年報」

薬　事　179

第2-92表　医薬品輸出・輸入金額，年次×主要国別

(単位：100万円)

国　名	輸出金額		国　名	輸入金額	
	平成28年(2016)	平成27年(2015)		平成28年(2016)	平成27年(2015)
総　　　　数	175 741	153 512	総　　　　数	3 945 456	4 022 045
アメリカ合衆国	60 211	51 473	アメリカ合衆国	686 006	691 510
中華人民共和国	27 230	24 987	ド　イ　ツ	623 452	621 917
大　韓　民　国	23 717	18 127	ス　イ　ス	618 113	613 326
台　　　　湾	14 299	15 331	アイルランド	469 321	666 381
香　　　　港	7 222	7 790	フ　ラ　ン　ス	246 490	214 783
ド　イ　ツ	7 207	6 597	プエルトリコ(米)	205 588	189 083
タ　　　　イ	2 863	2 458	ベ　ル　ギ　ー	191 562	164 456
ス　ペ　イ　ン	2 671	1 494	英　　　　国	157 018	155 895
英　　　　国	2 439	2 235	シンガポール	143 794	123 576
ベ　ト　ナ　ム	2 409	1 709	スウェーデン	114 900	103 646
そ　の　他	25 473	21 311	そ　の　他	489 215	477 471

資料：医政局「平成28年薬事工業生産動態統計年報」

第2-93表　医療機器生産金額・構成割合，年次×大分類別

(単位：100万円，%)

大　分　類	生　産　金　額		構　成　割　合	
	平成28年(2016)	平成27年(2015)	平成28年(2016)	平成27年(2015)
総　　　　　　数	1 914 551	1 945 599	100.0	100.0
1　処　置　用　機　器	523 162	520 845	27.3	26.8
2　生体機能補助・代行機器	276 401	271 417	14.4	14.0
3　画　像　診　断　システム	266 728	291 958	13.9	15.0
4　医　用　検　体　検　査　機　器	200 984	180 700	10.5	9.3
5　生体現象計測・監視システム	167 738	205 351	8.8	10.6
6　歯　科　材　料	122 556	132 794	6.4	6.8
7　家　庭　用　医　療　機　器	85 899	94 243	4.5	4.8
8　治療用又は手術用機器	56 656	38 212	3.0	2
9　歯　科　用　機　器	56 172	55 203	2.9	2.8
10　眼科用品及び関連製品	53 402	49 985	2.8	2.6
11　画像診断用X線関連装置及び用具	42 465	49 180	2.2	2.5
12　施　設　用　機　器	31 326	27 167	1.6	1.4
13　鋼　　製　　品	24 158	20 597	1.3	1.1
14　衛生材料及び衛生用品	6 902	7 948	0.4	0.4

資料：医政局「平成28年薬事工業生産動態統計年報」
注：大分類の順位は，平成28年の生産金額の順による。

180　薬　　事

第2−94表　医療機器輸出・輸入金額・指数，年次×州別

（単位：100万円，%）　　　　　　　　　　　　　　　　　　　　　　　（指数　平成24年＝100）

州　名	平成24年(2012)		平成25年(2013)		平成26年(2014)		平成27年(2015)		平成28年(2016)	
	金　額	指数	金　額	指数	金　額	指数	金　額	指数	金　額	指数
				輸　　　出　　　金　　　額						
総　　　　　数	490 057	100.0	530 496	108.3	572 333	116.8	622 584	127.0	583 963	119.
ア　ジ　ア　州	119 823	100.0	136 124	113.6	152 387	127.2	186 705	155.8	171 916	143.
ヨーロッパ州	140 199	100.0	146 507	104.5	154 928	110.5	146 011	104.1	130 923	93.
北アメリカ州	99 836	100.0	110 043	110.2	112 958	113.1	130 662	130.9	134 579	134.
南アメリカ州	15 144	100.0	16 043	105.9	18 513	122.2	17 684	116.8	12 257	80.
ア　フ　リ　カ　州	7 845	100.0	8 904	113.5	10 736	136.9	9 584	122.2	6 390	81.
大　　洋　　州	6 515	100.0	7 645	117.3	8 669	133.1	9 802	150.5	7 298	112.
そ　の　他	100 694	100.0	105 230	104.5	114 142	113.4	122 137	121.3	120 600	119.
（EU再掲）	126 369	100.0	130 871	103.6	139 572	110.4	132 180	104.6	118 478	93.
				輸　　　入　　　金　　　額						
総　　　　　数	1 188 388	100.0	1 300 816	109.5	1 368 535	115.2	1 424 871	119.9	1 556 390	131.
ア　ジ　ア　州	184 506	100.0	224 060	121.4	243 317	131.9	277 406	150.4	282 964	153.
ヨーロッパ州	381 210	100.0	422 793	110.9	466 322	122.3	468 840	123.0	469 165	123.
北アメリカ州	611 313	100.0	644 511	105.4	648 076	106.0	667 716	109.2	791 516	129.
南アメリカ州	1 969	100.0	2 161	109.8	2 448	124.3	2 676	135.9	2 416	122.
ア　フ　リ　カ　州	12	100.0	19	158	12	100.0	-	-	7	58.
大　　洋　　州	8 895	100.0	7 164	80.5	8 217	92.4	8 082	90.9	10 206	114.
そ　の　他	482	100.0	108	22.4	144	29.9	149	30.9	115	23.
（EU再掲）	342 403	100.0	382 519	111.7	416 660	121.7	416 464	121.6	416 338	121.

資料：医政局「平成28年薬事工業生産動態統計年報」

薬　事　181

第2−95表　医薬部外品生産金額・構成割合，年次×薬効分類別

単位：100万円，%）

薬 効 分 類	生 産 金 額		構 成 割 合	
	平成28年 (2016)	平成27年 (2015)	平成28年 (2016)	平成27年 (2015)
総　　　　　　　　数	946 686	921 808	100.0	100.0
1　薬　用　化　粧　品	371 057	358 311	39.2	38.9
2　薬　用　歯　み　が　き　剤	146 618	134 626	15.5	14.6
3　毛　　髪　　用　　剤	146 303	156 476	15.5	17.0
4　ビ タ ミ ン 含 有 保 健 剤	106 098	100 327	11.2	10.9
5　殺　　　虫　　　剤	51 443	47 012	5.4	5.1
6　浴　　　用　　　剤	44 395	43 733	4.7	4.7
7　腋　臭　防　止　剤	18 992	22 606	2.0	2.5
8　外　皮　消　毒　剤	10 202	9 633	1.1	1.0
9　ビタミンを含有する保健薬	9 059	9 089	1.0	1.0
10　コンタクトレンズ洗浄剤	7 788	7 328	0.8	0.8
そ　　　の　　　他	34 730	32 667	3.7	3.5

資料：医政局「平成28年薬事工業生産動態統計年報」
注：薬効分類の順位は，平成28年の生産金額の順による。

第2−96表　衛生材料の生産金額・構成割合，年次×品目別

単位：100万円，%）

品　　　　名	生 産 金 額		構 成 割 合	
	平成28年 (2016)	平成27年 (2015)	平成28年 (2016)	平成27年 (2015)
総　　　　　　　数	59 466	56 790	100.0	100.0
A　大　判　製　品	2 961	3 116	5.0	5.5
A1　医　療　脱　脂　綿	932	1 054	1.6	1.9
A2　医 薬 部 外 品 脱 脂 綿	71	72	0.1	0.1
A3　医　療　ガ　ー　ゼ	1 958	1 989	3.3	3.5
B　最　　終　　製　　品	56 505	53 674	95.0	94.5
B1　生　理　処　理　用　品	56 505	53 674	95.0	94.5

資料：医政局「平成28年薬事工業生産動態統計年報」
注：1）医療脱脂綿，医療ガーゼはそれぞれ医療機器である脱脂綿，ガーゼをいう。
　　2）医薬部外品脱脂綿，生理処理用品はそれぞれ医薬部外品である脱脂綿，生理処理用ナプキンをいう。

第 3 編
社 会 福 祉

生活保護　185

第1章　生活保護

第3－1表　被保護人員・一般人口の構成割合・被保護人員の保護率，年齢階級×年次別

各年7月末日現在

年　　　次	総　　数	0～19歳	20 ～ 59	60歳以上
		被　保　護　人　員 (%)		
平成25年　(2013)	100.0	14.1	32.8	53.1
26　　(2014)	100.0	13.4	32.2	54.3
27　　(2015)	100.0	12.8	31.7	55.5
28　　(2016)	100.0	12.1	31.1	56.8
		一　般　人　口 (%)		
平成25年　(2013)	100.0	17.6	49.7	32.7
26　　(2014)	100.0	17.5	49.5	33.0
27　　(2015)	100.0	17.3	49.3	33.4
28　　(2016)	100.0	17.2	49.1	33.7
		保　護　　率 (‰)		
平成25年　(2013)	16.68	13.33	11.01	27.12
26　　(2014)	16.74	12.86	10.90	27.54
27　　(2015)	16.74	12.36	10.76	27.85
28　　(2016)	16.60	11.67	10.55	28.02

資料：社会・援護局「被保護者調査（年次調査）」，総務省「人口推計」
注：一般人口の数値は各年10月1日現在である。

第3－2表　被保護世帯数・一般世帯数の構成割合，世帯人員×年次別；平均世帯人員，年次別

（単位：%, 人）

年　　　次	総　　数	1　人	2　人	3　人	4　人	5　人	6人以上	平　均世帯人員
		被　　保　　護　　世　　帯						
平成25年　(2013)	100.0	76.6	15.7	4.8	1.9	0.7	0.4	1.36
26　　(2014)	100.0	77.3	15.4	4.5	1.8	0.6	0.4	1.34
27　　(2015)	100.0	78.1	15.0	4.3	1.6	0.6	0.3	1.33
28　　(2016)	100.0	79.0	14.6	4.0	1.5	0.6	0.3	1.31
		一　　般　　世　　帯						
平成25年　(2013)	100.0	26.5	30.7	20.1	14.6	5.4	2.7	2.51
26　　(2014)	100.0	27.1	30.9	19.7	14.4	5.3	2.6	2.49
27　　(2015)	100.0	26.8	31.3	19.7	14.4	5.2	2.6	2.49
28　　(2016)	100.0	26.9	31.5	20.2	13.9	5.1	2.4	2.47

資料：社会・援護局「被保護者調査（年次調査）」（各年7月末日現在），政策統括官（統計・情報政策、政策評価担当）「国民生活基礎調査」

第3－3表　現に保護を受けた世帯数・一般世帯数の構成割合・世帯保護率，世帯類型×年次別

年　　　次	総　　数	高齢者世帯	母　子世　帯	その他		
				総　数	障害・傷病者世帯	その他の世帯
現に保護を受けた世帯(%)						
平成25年度　(FY2013)	100.0	45.4	7.0	47.5	29.3	18.2
26　　(FY2014)	100.0	47.5	6.8	45.8	28.3	17.5
27　　(FY2015)	100.0	49.5	6.4	44.0	27.3	16.8
28　　(FY2016)	100.0	52.1	5.9	42.1	25.4	16.7
一般世帯　　（%）						
平成25年6月6日	100.0	23.2	1.6	75.2	…	…
平成26年6月5日	100.0	24.2	1.5	74.3	…	…
平成27年6月4日	100.0	25.2	1.6	73.2	…	…
平成28年6月2日	100.0	26.6	1.4	72.0	…	…
世帯保護率（‰）						
平成25年　(2013)	31.6	62.0	135.8	20.0	…	…
26　　(2014)	31.8	62.3	148.0	19.6	…	…
27　　(2015)	32.2	63.1	131.6	19.4	…	…
28　　(2016)	32.2	63.1	132.2	18.8	…	…

資料：社会・援護局「被保護者調査（月次調査）」，政策統括官（統計・情報政策、政策評価担当）「国民生活基礎調査」
注：1）保護停止中の世帯を除く。
　　2）「現に保護を受けた世帯」は，各年度とも1か月平均の数値である。

186　生活保護

第3－4表　被保護実世帯数，保護の種類×年度別

(各年度1か月平均)

年　　次	被保護実世帯数	生活扶助	住宅扶助	教育扶助	介護扶助	医療扶助	出産扶助	生業扶助	葬祭扶助
平成12年度 (FY2000)	751 303	635 634	554 313	61 494	64 551	672 676	95	662	1 5
17　(FY2005)	1 041 508	908 232	820 009	86 250	157 231	927 945	112	25 702	2 1
22　(FY2010)	1 410 049	1 254 992	1 166 183	103 346	220 616	1 210 389	186	45 332	2 9
26　(FY2014)	1 612 340	1 436 783	1 362 351	100 353	299 872	1 401 375	162	48 885	3 2
27　(FY2015)	1 629 743	1 441 282	1 378 887	95 841	319 002	1 421 745	162	46 430	3 3
28　(FY2016)	1 609 004	1 445 170	1 387 867	90 172	336 646	1 429 919	149	44 258	3 4
構成比 (%)	100.0	89.8	86.3	5.6	20.9	88.9	0.0	2.8	0

資料：社会・援護局「被保護者調査（月次調査）（平成23年度までは政策統括官（統計・情報政策、政策評価担当）「福祉行政報告例」）
注：生業扶助については，平成17年4月より高等学校等修学費の区分が追加された。

第3－5表　被保護実人員・保護率，保護の種類×年度別

(各年度1か月平均)

年　　次	被保護実人員	生活扶助	住宅扶助	教育扶助	介護扶助	医療扶助	出産扶助	生業扶助	葬祭扶助	保護率(人口千対)
平成12年度 (FY2000)	1 072 241	943 025	824 129	96 944	66 832	864 231	95	713	1 508	8.
17　(FY2005)	1 475 838	1 320 413	1 194 020	135 734	164 093	1 207 814	112	29 253	2 165	11.
22　(FY2010)	1 952 063	1 767 315	1 634 773	155 450	228 235	1 553 662	186	52 855	2 999	15.
26　(FY2014)	2 165 895	1 946 954	1 843 587	148 462	310 359	1 763 405	162	55 965	3 230	17.
27　(FY2015)	2 163 685	1 927 267	1 842 105	142 067	329 999	1 775 997	162	53 078	3 329	17.
28　(FY2016)	2 145 438	1 907 334	1 830 131	134 135	348 064	1 769 543	149	50 378	3 432	16.
構成比 (%)	100.0	88.9	85.3	6.3	16.2	82.5	0.0	2.3	0.2	

資料：社会・援護局「被保護者調査（月次調査）（平成23年度までは政策統括官（統計・情報政策、政策評価担当）「福祉行政報告例」）
注：1）保護率の算出は，1か月平均の被保護実人員を総務省統計局発表「10月1日現在の推計人口（平成12, 17, 22年度は国勢調査人口）」で除した。
　　2）生業扶助については，平成17年4月より高等学校等修学費の区分が追加された。

生活保護　187

第3－6表　現に保護を受けた世帯数，世帯の労働力類型－世帯類型×年度別

) 労働力類型別

(各年度1か月平均)

年　度	総　数	世帯主が働いている世帯					世帯員が働いている世帯	働いている者のいない世帯
		総　数	常　用	日　雇	内　職	その他		
平成12年度 (FY2000)	750 181	71 151	45 552	9 318	6 360	9 921	18 509	660 522
17　　(FY2005)	1 039 570	105 505	71 493	15 302	6 526	12 184	25 039	909 026
22　　(FY2010)	1 405 281	152 427	106 684	22 996	7 553	15 194	34 321	1 218 533
26　　(FY2014)	1 604 083	211 952	154 526	28 640	9 165	19 621	40 926	1 351 205
27　　(FY2015)	1 621 356	218 529	160 503	28 459	9 661	19 906	40 575	1 362 252
28　　(FY2016)	1 628 465	221 450	165 068	27 236	9 271	19 875	39 687	1 367 328
構成割合 (%)	100.0	13.6	10.1	1.7	0.6	1.2	2.4	84.0

) 世帯類型別

年　度	総　数	高齢者世帯	母子世帯	障害者世帯	傷病者世帯	その他の世帯	(再　掲)	
							医療扶助単給世帯	単身者世帯
平成12年度 (FY2000)	750 181	341 196	63 126	76 484	214 136	55 240	85 318	551 112
17　　(FY2005)	1 039 570	451 962	90 531	117 271	272 547	107 259	78 722	766 287
22　　(FY2010)	1 405 281	603 540	108 794	157 390	308 150	227 407	69 715	1 061 320
26　　(FY2014)	1 604 083	761 179	108 333	186 272	267 687	280 612	63 051	1 241 596
27　　(FY2015)	1 621 356	802 811	104 343	189 638	252 731	271 833	62 943	1 268 281
28　　(FY2016)	1 628 465	837 029	98 884	191 632	237 945	262 975	62 204	1 288 396
構成割合 (%)	100.0	51.4	6.1	11.8	14.6	16.1	3.8	79.1

資料：社会・援護局「被保護者調査（月次調査）（平成23年度までは政策統括官（統計・情報政策、政策評価担当）「福祉行政報告例」）」
注：保護停止中の世帯を除く。

第3－7表　保護開始・廃止世帯数及び人員数，年度別

年　度	開始世帯数	廃止世帯数	開始人員数	廃止人員数
		年　度　　累　　計		
平成12年度 (FY2000)	200 667	150 338	277 704	191 823
17　　(FY2005)	218 247	178 491	296 578	228 133
22　　(FY2010)	311 564	197 748	428 638	247 724
26　　(FY2014)	225 043	204 801	302 466	263 342
27　　(FY2015)	221 475	208 784	294 625	268 587
28　　(FY2016)	212 229	205 651	278 648	260 828
		1　か　月　平　均		
平成12年度 (FY2000)	16 722	12 528	23 142	15 985
17　　(FY2005)	18 187	14 874	24 715	19 011
22　　(FY2010)	25 964	16 479	35 720	20 644
26　　(FY2014)	18 754	17 067	25 206	21 945
27　　(FY2015)	18 456	17 399	24 552	22 382
28　　(FY2016)	17 686	17 138	23 221	21 736

資料：社会・援護局「被保護者調査（月次調査）（平成23年度までは政策統括官（統計・情報政策、政策評価担当）「福祉行政報告例」）」

188　生活保護

第３－８表　被保護実世帯数・実人員・保護率,

(各年度１か月平均)

都道府県		平成28年度 (FY2016)			平成27年度 (FY2015)		
		実世帯数	実 人 員	保護率(人口千対)	実世帯数	実 人 員	保護率(人口千x)
全	国	1 637 045	2 145 438	16.9	1 629 743	2 163 685	17.
北 海 道		49 968	67 067	24.1	50 229	68 479	24.
青	森	16 273	20 271	26.2	17 125	21 537	21.
岩	手	6 755	8 767	9.0	6 836	9 029	9.
宮	城	7 806	10 494	8.4	7 593	10 324	8.
秋	田	7 389	9 655	13.9	7 479	9 905	14.
山	形	6 174	7 653	6.9	6 052	7 565	6.
福	島	7 588	9 436	7.8	7 543	9 451	7.
茨	城	21 049	26 936	9.3	20 551	26 493	9.
栃	木	10 031	12 818	8.9	9 929	12 875	8.
群	馬	6 234	7 761	6.2	6 107	7 693	6.
埼	玉	51 193	68 784	12.9	50 139	68 429	12.
千	葉	38 386	50 319	11.9	37 383	49 620	11.
東	京	224 280	282 759	21.6	223 211	284 359	22.
神 奈 川		26 185	34 968	12.5	25 824	35 014	12.
新	潟	7 130	9 177	6.2	7 139	9 323	6.
富	山	1 504	1 756	2.7	1 503	1 755	2.
石	川	2 727	3 176	4.6	2 780	3 274	4.
福	井	3 336	4 170	5.3	3 269	4 149	5.
山	梨	5 574	7 008	8.4	5 425	6 892	8.
長	野	6 546	8 196	4.8	6 603	8 340	4.
岐	阜	4 370	5 446	3.4	4 364	5 473	3.
静	岡	11 634	14 583	6.7	11 314	14 281	6.
愛	知	17 754	23 542	5.9	17 536	23 604	5.
三	重	12 937	16 804	9.3	13 126	17 308	9.
滋	賀	5 181	7 392	6.9	5 147	7 471	7.
京	都	10 341	15 094	13.4	10 294	15 291	13.
大	阪	56 626	78 877	21.7	56 538	80 236	22.
兵	庫	17 561	23 867	9.5	17 404	23 876	9.
奈	良	9 579	13 065	13.1	9 476	13 052	13.
和 歌 山		4 978	6 156	10.4	4 936	6 166	10.
鳥	取	5 656	7 571	13.3	5 630	7 686	13.
島	根	4 661	6 023	8.7	4 695	6 139	8.
岡	山	4 031	5 200	7.3	4 108	5 353	7.
広	島	5 969	8 153	8.6	9 149	12 445	10.
山	口	9 058	11 479	10.2	9 214	11 796	10.
徳	島	10 805	14 054	18.7	10 854	14 336	19.
香	川	3 469	4 503	8.2	3 522	4 670	8.
愛	媛	7 633	9 497	11.0	7 523	9 409	10.
高	知	5 976	7 612	19.7	6 031	7 751	19.
福	岡	39 162	55 140	24.1	39 550	56 548	24.
佐	賀	6 461	7 987	9.6	6 418	8 030	9.
長	崎	8 152	10 943	15.9	12 508	17 077	18.
熊	本	7 592	9 777	9.5	7 607	9 968	9.
大	分	9 207	11 527	16.9	9 191	11 574	16.
宮	崎	7 516	9 512	13.7	7 448	9 549	13.
鹿 児 島		12 363	16 243	15.7	12 406	16 411	15.
沖	縄	18 125	24 099	21.5	17 457	23 572	21.

資料：社会・援護局「被保護者調査（月次調査）」
注：保護率の算出は，１か月平均の被保護実人員を総務省統計局発表「10月１日現在の推計人口」で除した。

道府県－指定都市－中核市（別掲）別

指定都市 中核市	平成28年度（FY2016）			平成27年度（FY2015）		
	実世帯数	実人員	保護率(人口千対)	実世帯数	実人員	保護率(人口千対)
指定都市（別掲）						
札　幌　市	54 306	73 723	37.7	53 714	74 564	38.2
仙　台　市	13 150	17 751	16.4	13 001	17 845	16.5
さいたま市	15 333	20 280	15.9	15 063	20 150	15.9
千　葉　市	16 147	20 527	21.1	15 749	20 248	20.8
横　浜　市	53 609	70 829	19.0	53 311	71 231	19.1
川　崎　市	24 315	31 995	21.5	24 363	32 479	22.0
相　模　原　市	9 957	13 978	19.4	9 820	14 034	19.5
新　潟　市	8 954	11 883	14.7	8 832	11 895	14.7
静　岡　市	6 987	9 015	12.8	6 887	8 905	12.6
浜　松　市	5 740	7 473	9.4	5 718	7 514	9.4
名　古　屋　市	38 562	49 183	21.3	38 439	49 341	21.5
京　都　市	33 017	45 403	30.8	33 083	46 215	31.3
大　阪　市	116 158	144 625	53.5	117 309	147 327	54.7
堺　　　市	19 107	25 936	30.9	18 906	26 051	31.0
神　戸　市	34 968	47 761	31.1	34 954	48 304	31.4
岡　山　市	10 001	13 649	18.9	9 953	13 728	19.1
広　島　市	19 364	26 408	22.1	19 653	27 290	22.9
北　九　州　市	18 586	23 766	24.9	18 630	24 022	25.0
福　岡　市	33 380	43 985	28.3	33 148	44 223	28.7
熊　本　市	12 506	16 607	22.4	12 696	17 089	23.1
中核市（別掲）						
旭　川　市	10 097	13 260	38.6	10 088	13 483	39.7
函　館　市	9 511	12 312	46.3	9 595	12 639	47.5
青　森　市	6 784	8 676	30.5	6 780	8 793	30.6
八　戸　市	3 642	4 610	19.7	…	…	…
盛　岡　市	3 731	4 824	16.3	3 739	4 942	16.6
秋　田　市	4 269	5 426	17.3	4 224	5 431	17.2
郡　山　市	2 588	3 244	9.7	2 501	3 169	9.4
い　わ　き　市	3 197	4 181	12.0	3 138	4 162	11.9
宇　都　宮　市	6 683	8 734	16.8	6 600	8 730	16.8
前　橋　市	3 172	3 948	11.7	3 095	3 893	11.6
高　崎　市	2 786	3 406	9.1	2 670	3 307	8.9
川　越　市	3 308	4 462	12.7	3 287	4 509	12.9
越　谷　市	2 957	4 053	11.9	2 867	3 990	11.8
船　橋　市	6 802	8 905	14.1	6 713	8 881	14.3
柏　　　市	3 350	4 475	10.7	3 220	4 340	10.5
八　王　子　市	7 762	10 307	18.3	7 974	10 817	18.7
横　須　賀　市	4 029	5 324	13.2	4 024	5 366	13.2
富　山　市	1 569	1 794	4.3	1 553	1 760	4.2
金　沢　市	3 692	4 406	9.4	3 658	4 397	9.4
長　野　市	2 486	3 178	8.3	2 419	3 125	8.3
岐　阜　市	5 296	6 592	16.3	5 244	6 567	16.1
豊　橋　市	1 822	2 268	6.1	1 856	2 330	6.2
豊　田　市	1 749	2 450	5.8	1 682	2 372	5.6
岡　崎　市	1 530	1 998	5.2	1 543	2 017	5.3
大　津　市	3 100	4 204	12.3	3 071	4 203	12.3
高　槻　市	4 256	6 176	17.4	4 244	6 277	17.8
東　大　阪　市	14 684	19 926	39.9	14 804	20 514	40.8
豊　中　市	7 627	10 367	26.2	7 524	10 326	26.1
枚　方　市	5 653	7 945	19.7	5 600	7 971	19.7
姫　路　市	6 781	8 879	16.6	6 775	8 980	16.8
西　宮　市	5 967	8 225	16.8	5 916	8 243	16.9
尼　崎　市	13 833	18 334	40.6	13 752	18 451	40.8
奈　良　市	5 484	7 744	21.6	5 463	7 858	21.8
和　歌　山　市	7 675	9 321	25.7	7 501	9 192	25.2
倉　敷　市	5 194	7 290	15.3	5 084	7 177	15.0
福　山　市	4 956	6 692	14.4	5 107	7 107	15.3
呉　　　市	3 028	3 934	17.0	…	…	…
下　関　市	3 520	4 509	17.0	3 560	4 614	17.2
高　松　市	4 833	6 281	14.9	4 852	6 433	15.3
松　山　市	10 020	12 541	24.4	10 070	12 784	24.8
高　知　市	9 398	12 482	37.2	9 493	12 787	37.9
久　留　米　市	5 097	6 709	21.9	4 917	6 570	21.6
長　崎　市	9 658	13 209	31.0	9 723	13 524	31.5
佐　世　保　市	4 218	5 601	22.1	…	…	…
大　分　市	6 927	8 772	18.3	6 890	8 873	18.6
宮　崎　市	6 890	8 899	22.2	6 749	8 826	22.0
鹿　児　島　市	11 715	15 497	25.9	11 698	15 686	26.2
那　覇　市	9 388	12 434	38.9	9 096	12 241	38.3

190　生活保護

第3-9表　保護開始世帯数・保護廃止世帯数，保護開始・保護廃止の理由別×年度別

a）保護開始

年　　度	総　　数	傷病による		急迫保護で医療扶助単給	要介護状態	働いていた者の死亡	働いていた者の離別等	失　業 定年・自己都合	失　業 勤務先都(解雇等
		世帯主の傷病	世帯員の傷病						
平成12年度(FY2000)	14 681	6 118	229	2 651	41	53	779	635	
17　(FY2005)	15 662	6 465	239	1 777	57	63	674	556	34
22　(FY2010)	24 088	6 378	355	1 259	120	87	915	1 571	1 23
26　(FY2014)	17 142	4 236	207	552	115	49	604	1 032	37
27　(FY2015)	16 747	4 017	199	565	119	47	568	966	32
28　(FY2016)	15 856	3 808	174	370	115	43	521	892	31

年　　度	老齢による収入の減少	事業不振・倒産	その他の働きによる収入の減少	社会保障給付金の減少・喪失	貯金等の減少・喪失	仕送りの減少・喪失	そ　の　他
平成12年度(FY2000)	817	106	488	180	1 500	419	3 31
17　(FY2005)	708	113	591	224	2 323	504	1 02
22　(FY2010)	1 118	337	1 879	371	5 792	850	1 82
26　(FY2014)	718	151	932	175	5 520	616	1 86
27　(FY2015)	706	128	870	138	5 713	623	1 76
28　(FY2016)	673	118	808	120	5 629	604	1 67

b）保護廃止

年　　度	総　　数	傷病治癒		死　亡	失そう	働きによる収入の増加・取得	働き手の転入	社会保障給付金の増加
		世帯主	世帯員					
平成12年度(FY2000)	9 958	1 090	21	1 886	1 103	994	110	46
17　(FY2005)	11 757	2 028	19	2 717	1 871	1 585	137	58
22　(FY2010)	13 070	751	4	4 107	1 653	1 995	102	76
26　(FY2014)	14 346	119	4	5 045	1 195	2 591	109	53
27　(FY2015)	14 609	112	5	5 175	1 139	2 710	96	55
28　(FY2016)	14 250	149	4	5 422	1 025	2 543	92	48

年　　度	仕送りの増加	親類・縁者等の引取り	施設入所	医療費の他方負担	そ　の　他
平成12年度(FY2000)	87	267	207	48	3 681
17　(FY2005)	77	342	246	70	2 082
22　(FY2010)	88	377	263	65	2 902
26　(FY2014)	108	516	278	73	3 776
27　(FY2015)	106	511	264	77	3 864
28　(FY2016)	91	485	268	76	3 611

資料：社会・援護局「被保護者調査（月次調査）（平成23年度までは政策統括官（統計・情報政策、政策評価担当）「福祉行政報告例」）」
注：1）平成23年度までは9月分報告，平成24年度以降は1ヶ月平均である。
　　2）保護開始の平成12年度「急迫保護で医療扶助単給」は「その他」の再掲である。

生活保護　191

第3-10表　**医療扶助人員**，年度×入院－入院外・単給－併給・精神病－その他別

(各年度1か月平均)

区　　分	平成12年度 (FY2000)	平成17年度 (FY2005)	平成22年度 (FY2010)	平成26年度 (FY2014)	平成27年度 (FY2015)	平成28年度 (FY2016)
総　　　　　数	864 231	1 207 814	1 553 662	1 763 405	1 775 997	1 769 543
入　　　　　院	132 751	131 104	129 805	118 136	116 279	113 974
精　神　病	64 913	62 479	55 841	50 982	49 358	48 427
そ　の　他	67 838	68 265	73 964	67 154	66 921	65 547
医療扶助単給	71 380	61 364	52 989	45 854	44 427	43 998
精　神　病	47 651	42 074	35 867	31 772	30 509	30 131
そ　の　他	23 729	19 289	17 122	14 082	13 918	13 868
医療扶助併給	61 371	69 741	76 816	72 281	71 852	69 976
精　神　病	17 262	20 405	19 974	19 210	18 849	18 297
そ　の　他	44 109	49 337	56 842	53 072	53 002	51 679
(再掲)						
老人保健施設入所者	1 786	126	236	147	139	84
入　　院　　外	731 480	1 076 710	1 423 857	1 645 270	1 659 718	1 655 570
精　神　病	90 939	142 121	47 132	63 783	67 371	69 512
そ　の　他	640 542	934 589	1 376 725	1 581 487	1 592 347	1 586 058
医療扶助単給	17 952	21 604	20 744	20 438	22 065	21 581
精　神　病	3 684	3 738	803	835	993	1 061
そ　の　他	14 268	17 864	19 941	19 603	21 072	20 520
医療扶助併給	713 529	1 055 106	1 403 113	1 624 832	1 637 654	1 633 989
精　神　病	87 255	138 382	46 329	62 948	66 378	68 451
そ　の　他	626 274	916 724	1 356 784	1 561 884	1 571 276	1 565 538
(再掲)						
訪問看護利用者	4 076	6 562	5 583	9 109	10 440	11 612

資料：社会・援護局「被保護者調査（月次調査）（平成23年度までは政策統括官（統計・情報政策、政策評価担当）「福祉行政報告例」）」

第3-11表　**日本の国籍を有しない被保護実世帯数・実人員**，年度別

区　　分	平成12年度 (FY2000)	平成17年度 (FY2005)	平成22年度 (FY2010)	平成26年度 (FY2014)	平成27年度 (FY2015)	平成28年度 (FY2016)
延被保護実世帯数	250 249	349 548	500 172	562 791	562 688	564 690
1　か　月　平　均	20 854	29 129	41 681	46 899	46 891	47 058
延被保護実人員	394 301	563 432	827 584	892 627	875 937	864 168
1　か　月　平　均	32 858	46 953	68 965	74 386	72 995	72 014

資料：社会・援護局「被保護者調査（月次調査）（平成23年度までは政策統括官（統計・情報政策、政策評価担当）「福祉行政報告例」）」

192　児童福祉・母子福祉

第2章　児童福祉・母子福祉

第3－12表　世帯数・構成割合；平均児童数，児童の有無×年次別

年　次	総　数	児童のいる世帯					児童のいない世帯	児童のいる世帯の平均児童数
		総　数	1　人	2　人	3　人	4人以上		
		推　　　計　　　数（単位：千世帯）						（単位：人）
平成23　(2011)	46 684	11 801	5 138	5 026	1 420	217	34 882	1.7
24　(2012)	48 170	12 003	5 180	5 241	1 380	202	36 167	1.7
25　(2013)	50 112	12 085	5 457	5 048	1 371	209	38 026	1.7
26　(2014)	50 431	11 411	5 293	4 621	1 312	184	39 020	1.6
27　(2015)	50 361	11 817	5 487	4 779	1 338	213	38 545	1.6
28　(2016)	49 945	11 666	5 436	4 702	1 320	207	38 279	1.6
29　(2017)	50 425	11 734	5 202	4 937	1 381	213	38 691	1.7
		構　　　成　　　割　　　合（単位：%）						
平成23　(2011)	100.0	25.3	11.0	10.8	3.0	0.5	74.7	…
24　(2012)	100.0	24.9	10.8	10.9	2.9	0.4	75.1	…
25　(2013)	100.0	24.1	10.9	10.1	2.7	0.4	75.9	…
26　(2014)	100.0	22.6	10.5	9.2	2.6	0.4	77.4	…
27　(2015)	100.0	23.5	10.9	9.5	2.7	0.4	76.5	…
28　(2016)	100.0	23.4	10.9	9.4	2.6	0.4	76.6	…
29　(2017)	100.0	23.3	10.3	9.8	2.7	0.4	76.7	…

資料：政策統括官（統計・情報政策、政策評価担当）「平成29年国民生活基礎調査」
注：1）平成23年の数値は，岩手県、宮城県及び福島県を除いたものである。
　　2）平成24年の数値は，福島県を除いたものである。
　　3）平成28年の数値は，熊本県を除いたものである。

第3－13表　平均所得金額－平均世帯人員－平均有業人員，児童の有－児童数－無別

平成29年（2017）調査

児童の有無児童数	1世帯当たり平均所得金額（万円）	1世帯当たり平均可処分所得金額（万円）	世帯人員1人当たり平均所得金額（万円）	有業人員1人当たり平均稼働所得金額（万円）	平　　均世帯人員（人）	平　　均有業人員（人）
総　　　　　数	560.2	428.8	219.5	325.8	2.55	1.36
児童のいる世帯	739.8	570.0	182.4	371.5	4.05	1.84
1　　　　人	699.8	547.9	203.5	350.0	3.44	1.84
2　　　　人	748.5	560.3	176.9	375.5	4.23	1.84
3　人　以　上	837.2	673.2	154.3	426.9	5.43	1.83
児童のいない世帯	503.3	390.0	242.4	302.1	2.08	1.17

資料：政策統括官（統計・情報政策、政策評価担当）「平成29年国民生活基礎調査」
注：1）所得は，平成28年1年間の所得である。
　　2）「平均可処分所得金額」には，金額不詳の世帯は含まない。

第3－14表　児童相談所の受付・対応件数；福祉事務所の児童福祉関係処理件数，年度別

年　　度	児　童　相　談　所		福祉事務所の児童福祉関係処理件数
	受　付　件　数	対　応　件　数	
平成12年度　(FY2000)	362 142	361 124	549 497
17　(FY2005)	349 875	349 911	564 825
22　(FY2010)	370 848	373 528	551 450
27　(FY2015)	434 245	439 200	641 082
28　(FY2016)	454 640	457 472	639 696
29　(FY2017)	463 190	466 880	659 868

資料：政策統括官（統計・情報政策、政策評価担当）「福祉行政報告例」
注：平成22年度は，東日本大震災の影響により，「児童相談所　受付件数」及び「児童相談所　対応件数」は福島県を除いて，「福祉事務所の児童福祉関係処理件数」は，福島県（郡山市及びいわき市以外）を除いて集計した数値である。

児童福祉・母子福祉　193

第3－15表　児童相談所における対応件数（虐待相談），年度別

相談種別	平成12年度 (FY2000)	平成17年度 (FY2005)	平成22年度 (FY2010)	平成27年度 (FY2015)	平成28年度 (FY2016)	平成29年度 (FY2017)
総数	361 124	349 911	373 528	439 200	457 472	466 880
養護相談総数	52 851	75 668	101 323	162 119	184 314	195 786
棄児	196	·	·	·	·	·
家出	1 875	1 299	833	694	618	589
死亡	417	401	428	572	469	544
離婚	1 904	1 391	943	630	631	563
傷病	6 897	7 443	7 404	8 697	7 826	7 030
家族環境	30 924	55 184	79 536	134 716	157 434	170 199
虐待	17 725	34 531	57 154	103 915	124 083	135 152
その他	13 199	20 653	22 382	30 901	33 351	35 047
その他	10 638	9 950	12 179	16 810	17 336	16 861
保健相談	8 644	4 430	2 608	2 112	1 807	1 842
障害相談総数	189 581	162 982	181 108	185 283	185 186	185 032
肢体不自由相談	11 411	6 868	6 568	3 113	2 955	3 008
視聴覚障害相談	1 486	900	1 051	488	413	416
言語発達障害相談	23 233	16 461	13 618	13 126	12 641	11 620
重症心身障害相談	23 094	10 191	11 781	4 315	3 944	3 787
知的障害相談	121 626	115 226	134 646	147 781	149 964	151 810
発達障害相談	8 731	13 336	13 444	16 460	15 269	14 391
非行相談総数	17 073	17 571	17 345	15 737	14 398	14 110
ぐ犯行為等相談	10 830	9 480	8 885	8 752	8 214	8 016
触法行為等相談	6 243	8 091	8 460	6 985	6 184	6 094
育成相談総数	68 357	61 304	50 993	49 978	45 830	43 446
性格行動相談	31 263	33 730	27 537	26 249	24 255	22 398
不登校相談	12 316	9 400	6 431	6 146	5 489	5 371
適性相談	9 906	9 158	9 237	7 833	7 910	7 978
育児・しつけ相談	14 872	9 016	7 788	9 750	8 176	7 699
その他の相談	24 618	27 956	20 151	23 971	25 937	26 664
（再掲）いじめ相談	2 719	1 565	948	946	901	724
（再掲）児童虐待等被害相談	·	52	44	45	23	36

a)

虐待相談の対応種別	総数	児童福祉施設に入所	里親委託	面接指導	その他
平成29年度 (FY2017)	135 152	3 977	593	121 182	9 400
平成28年度 (FY2016)	124 083	4 267	568	112 038	7 210
平成27年度 (FY2015)	103 915	4 100	464	93 040	6 311

b)

被虐待者の年齢別	総数	0～2歳	3～6歳	7～12歳	13～15歳	16～18歳
平成29年度	133 778	27 046	34 050	44 567	18 677	9 438
平成28年度	122 575	23 939	31 332	41 719	17 409	8 176
平成27年度	103 286	20 324	23 735	35 860	14 807	8 560

c)

相談の経路別	総数	家族	親戚	近隣・知人	児童本人	福祉事務所
平成29年度	133 778	9 664	2 171	16 982	1 118	7 626
平成28年度	122 575	9 538	1 997	17 428	1 108	7 673
平成27年度	103 286	8 877	2 059	17 415	930	7 136

児童委員	保健所	医療機関	児童福祉施設等	警察等	学校等	その他
218	168	3 199	2 063	66 055	9 281	15 233
235	203	3 109	1 807	54 812	8 850	15 815
246	192	3 078	1 775	38 524	8 183	14 871

d)

主な虐待者別	総数	実父	実父以外の父親	実母	実母以外の母親	その他
平成29年度	133 778	54 425	8 175	62 779	754	7 645
平成28年度	122 575	47 724	7 629	59 401	739	7 082
平成27年度	103 286	37 486	6 230	52 506	718	6 346

e)

相談の種類別	総数	身体的虐待	保護の怠慢・拒否（ネグレクト）	性的虐待	心理的虐待
平成29年度	133 778	33 223	26 821	1 537	72 197
平成28年度	122 575	31 925	25 842	1 622	63 186
平成27年度	103 286	28 621	24 444	1 521	48 700

資料：政策統括官（統計・情報政策，政策評価担当）「福祉行政報告例」

注：1）a）において対応が2つ以上行われた場合は複数計上している。
　　2）平成22年度は，東日本大震災の影響により，福島県を除いて集計した数値である。
　　3）c）の平成27年度までの「0～2歳」「3～6歳」「7～12歳」「13～15歳」「16～18歳」は，それぞれ
　　　　「0～3歳未満」「3歳～学齢前」「小学生」「中学生」「高校生・その他」の区分の数である。

194 児童福祉・母子福祉

第3−16表 里親数・委託児童数，年度別

各年度末現在

年 次		里 親		委 託 児 童 数
		登 録 里 親 数	児童が委託され ている里親数	
昭和45年度	(FY1970)	13 621	4 075	4 729
50	(FY1975)	10 230	3 225	3 851
55	(FY1980)	8 933	2 646	3 188
60	(FY1985)	8 659	2 627	3 322
平成2年度	(FY1990)	8 046	2 312	2 876
7	(FY1995)	8 059	1 940	2 377
12	(FY2000)	7 403	1 699	2 157
17	(FY2005)	7 737	2 370	3 293
22	(FY2010)	7 504	2 922	3 816
27	(FY2015)	10 679	3 817	4 973
28	(FY2016)	11 405	4 038	5 190
29	(FY2017)	11 730	4 245	5 424

資料：政策統括官（統計・情報政策、政策評価担当）「福祉行政報告例」
注：平成22年度末は，東日本大震災の影響により，福島県を除いて集計した数値である。

第3−17表 保育所等数・定員・在所児数・在所率・就学前児童人口千対定員及び在所児数，公営−私営×年次別

各年10月1日現在

	平成12年 (2000)	平成17年 (2005)	平成26年 (2014)	平成27年 (2015)	平成28年 (2016)
施 設 数	22 199	22 624	22 992	24 234	24 771
公 営	12 707	11 752	8 973	8 854	8 533
私 営	9 492	10 872	14 019	15 380	16 238
定 員 （人）	1 925 641	2 060 938	2 198 830	2 351 796	2 409 496
公 営	1 093 012	1 059 553	871 117	866 645	848 278
私 営	832 629	1 001 385	1 327 713	1 485 151	1 561 218
在所児数 （人）	1 904 067	2 118 079	2 230 552	2 295 346	2 332 766
公 営	996 083	1 006 544	792 553	770 461	748 142
私 営	907 984	1 111 535	1 437 999	1 524 885	1 584 624
在 所 率（%） 3)	98.9	102.8	101.6	97.7	96.9
就学前児童人口千対 定員（人） 4)	249.7	280.4	…	…	…
就学前児童人口千対 在所児（人） 4)	246.9	288.1	…	…	…

資料：政策統括官（統計・情報政策、政策評価担当）「社会福祉施設等調査報告」
注：1）平成21年以降は調査方法等の変更による回収率変動の影響を受けていることに留意する必要がある。
　　2）調査票が回収された施設のうち，活動中の施設について集計している。
　　3）在所率＝在所児数÷定員×100　ただし，平成20年以降は在所児数不詳の施設を除いた定員数で計算している。
　　4）就学前児童人口は0〜5歳人口に6歳人口の1/2を加えた数であり，人口については平成12年，平成17年は総務省統計局の国勢調査報告（総人口）による。

児童福祉・母子福祉　195

第3－18表　**保育所等数，公営－私営×開所時刻・閉所時刻・開所時間別**

平成28年（2016）10月1日現在

		施　　　設　　　数		
		総　　数	公　　営	私　　営
		24 771	8 533	16 238
開所時刻	6：59以前	107	4	103
	7：00～7：59	24 154	8 180	15 974
	8：00～8：59	481	349	132
	9：00～9：59	5	－	5
	10：00以降	24	－	24
閉所時刻	18：00 以前	3 797	1 592	2 205
	18：01～19：00	16 371	6 214	10 157
	19：01～20：00	4 011	703	3 308
	20：01～21：00	421	21	400
	21：01～22：00	120	3	117
	22：01 以降	51	－	51
開所時間	9時間以下	143	133	10
	9時間超9.5時間以下	63	58	5
	9.5 ～10	262	191	71
	10 ～10.5	29	23	6
	10.5～11	8 091	3 778	4 313
	11 ～11.5	714	170	544
	11.5～12	12 444	4 028	8 416
	12時間超	3 025	152	2 873

資料：政策統括官（統計・情報政策、政策評価担当）「平成28年社会福祉施設等調査報告」
注：調査票が回収された施設のうち，活動中の施設について集計している。

第3－19表　**認可外保育施設の施設数・利用児童数・
保育従事者数，類型別**

平成27年（2015）10月1日現在

	事業所内保育施設	ベビーホテル	ベビーシッター事業者	その他の認可外保育施設
施　設　数（箇所）	912	536	63	3 651
利用児童数（人）	18 317	12 080	1 357	122 210
保育従事者数（人）	6 142	4 429	537	29 575
（再掲）保育士数（人）	4 335	2 371	263	16 770

資料：子ども家庭局「平成27年地域児童福祉事業等調査」

196　児童福祉・母子福祉

第3－20表　児童扶養手当受給者数，受給対象児童数・世帯類型別

各年度末現在

受給対象児童数	平成29年度 (FY2017)	平成28年度 (FY2016)	世帯類型別	平成29年度 (FY2017)	平成28年度 (FY2016)
総　　　　　　数	973 188	1 006 332	総　　　　　数	973 188	1 006 332
1　　　　　　人	587 803	606 717	母 子 世 帯 総 数	886 973	916 589
2　　　　　　人	293 968	306 395	生別母子世帯	773 853	802 773
3　　　　　　人	74 732	76 708	離　　　　婚	772 202	801 072
4　　　　　　人	13 268	13 164	そ　の　他	1 651	1 701
5　　　　　　人	2 686	2 621	死別母子世帯	6 148	6 585
6　人　以　上	731	727	未婚の母子世帯	100 308	100 192
			障 害 者 世 帯	4 789	4 994
			遺 棄 世 帯	1 875	2 045
			父 子 世 帯 総 数	53 470	57 030
			生別父子世帯	47 149	50 089
			離　　　　婚	47 126	50 059
			そ　の　他	23	30
			死別父子世帯	3 989	4 568
			未婚の父子世帯	644	647
			障 害 者 世 帯	1 548	1 577
			遺 棄 世 帯	140	149
			そ の 他 の 世 帯	32 745	32 713

資料：政策統括官（統計・情報政策，政策評価担当）「福祉行政報告例」
注：「生別母子世帯　その他」「生別父子世帯　その他」に，それぞれの「ＤＶ保護命令世帯」を含む。

第3－21表　特別児童扶養手当受給者数・支給対象障害児数，年度別

各年度末現在

年　　　次	受給者数	総　数	身 体 障 害			精 神 障 害							重複障害
			総　数	外部障害	内部障害	総　数	知的障害のみ	知的障害及び知的障害以外の精神障害	知的障害以外の精神障害のみ	(旧区分)知的障害	(旧区分)知的障害以外の精神障害		
昭和45年度　(FY1970)	18 702	19 281	9 939	9 939		9 342	・	・	・	9 342			
50　　(FY1975)	69 386	70 704	41 980	39 402	2 578	26 974	・	・	・	25 442	1 532		1 75
55　　(FY1980)	103 237	105 364	52 104	45 301	6 803	51 343	・	・	・	48 268	3 075		1 91
60　　(FY1985)	122 162	124 861	56 394	45 573	10 821	65 771	・	・	・	62 195	3 576		2 69
平成2年度　(FY1990)	125 314	128 131	55 149	43 258	11 891	70 381	・	・	・	67 162	3 219		2 60
7　　(FY1995)	124 654	127 554	53 439	40 271	13 168	71 619	・	・	・	69 336	2 283		2 49
12　　(FY2000)	141 400	145 159	57 305	41 399	15 906	85 541	・	・	・	83 210	2 331		2 31
17　　(FY2005)	163 670	168 819	59 834	42 497	17 337	105 987	・	・	・	100 948	5 039		2 99
22　　(FY2010)	190 162	198 240	59 865	41 814	18 051	134 684	64 367	10 780	4 893	48 910	5 734		3 69
25　　(FY2013)	214 542	225 014	59 884	40 931	18 455	161 021	40 652	19 779	・				4 17
26　　(FY2014)	220 238	232 396	58 621	40 237	18 384	169 757	99 212	45 470	25 075	・			4 01
27　　(FY2015)	224 793	238 293	56 924	39 188	17 736	177 469	97 014	51 438	29 017	・			3 90
28　　(FY2016)	228 764	243 472	55 055	38 030	17 025	184 804	95 497	56 744	32 563	・			3 61
29　　(FY2017)	232 055	249 069	53 606	37 005	16 601	192 853	95 025	61 285	36 543	・			3 61

資料：政策統括官（統計・情報政策，政策評価担当）「福祉行政報告例」
注：1）平成22年度から，精神障害の区分を変更し，平成24年度から旧区分は削除した。
　　2）平成22年度末は，東日本大震災の影響により，福島県を除いて集計した数値である。

児童福祉・母子福祉　197

第3-22表　身体障害児童・未熟児・結核児童の認定・決定件数，年度別

年　　次	育成医療支給認定件数			未熟児の養育医療給付決定件数	結核児童の療育の給付決定件数
	総　　数	入　　院	入院外		
昭和45年度 (FY1970)	13 680	12 023	1 657	13 687	1 374
50　　 (FY1975)	24 801	22 904	1 897	15 658	486
55　　 (FY1980)	38 863	36 151	2 712	18 195	259
60　　 (FY1985)	50 050	41 402	8 648	19 289	216
平成2年度 (FY1990)	52 235	40 759	11 476	21 178	71
7　　 (FY1995)	52 086	37 692	14 394	21 508	45
12　　 (FY2000)	61 852	42 630	19 215	27 524	42
17　　 (FY2005)	69 144	41 970	27 167	31 485	22
22　　 (FY2010)	53 784	25 075	28 691	30 264	9
25　　 (FY2013)	56 062	23 028	32 970	32 398	4
26　　 (FY2014)	48 925	20 665	28 218	31 515	6
27　　 (FY2015)	46 680	19 180	27 487	30 470	4
28　　 (FY2016)	43 076	17 680	25 368	31 242	2
29　　 (FY2017)	38 038	15 741	22 267	30 628	4

資料：政策統括官（統計・情報政策、政策評価担当）「福祉行政報告例」
注：1）「育成医療支給認定件数」について，総数には訪問看護を含む。平成18年度は障害者自立支援法施行後の
　　　平成18年4月1日から平成19年2月末日までを対象とし，平成19年度以降は前年度3月1日から当該年度
　　　2月末日までを対象とした。
　　　平成22年度から「肝臓機能障害」を含む。
　　　平成27年度までは「育成医療給付決定件数」である。
　　2）平成22年度の「育成医療給付決定件数」は，東日本大震災の影響により，岩手県（盛岡市以外）の一部，
　　　宮城県（仙台市以外）及び，福島県（郡山市及びいわき市以外）を除いて集計した数値である。
　　3）平成22年度の「未熟児の養育医療給付決定件数」及び「結核児童の療育の給付決定件数」は，東日本大震
　　　災の影響により，福島県（郡山市及びいわき市以外）を除いて集計した数値である。

198　児童福祉・母子福祉

第3－23表　児童手当支給状況，年度別

（単位：千円）

区　　分	支　給　額		増　　減
	平成28年度 （FY2016）	平成27年度 （FY2015）	
合　　　　　　計	2 161 686 468	2 190 093 589	△28 407 121
児　童　手　当	2 078 743 617	2 111 628 678	△32 885 061
特　例　給　付	82 942 851	78 464 911	4 477 940

区　　分	支　給　額		増　　減
	平成28年度 （FY2016）	平成27年度 （FY2015）	
一 般 受 給 資 格 者 計	2 157 169 973	2 185 515 234	△28 345 261
児　童　手　当	2 074 227 122	2 107 050 323	△32 823 201
特　例　給　付	82 942 851	78 464 911	4 477 940
施 設 等 受 給 資 格 者	4 516 495	4 578 355	△　61 860
児　童　手　当	4 516 495	4 578 355	△　61 860

区　　分	支　給　額		増　　減
	平成28年度 （FY2016）	平成27年度 （FY2015）	
被　　用　　者	1 558 969 479	1 558 250 402	719 077
児　童　手　当	1 487 399 108	1 490 777 404	△ 3 378 296
特　例　給　付	71 570 371	67 472 998	4 097 373
非　被　用　者	403 000 669	431 625 047	△28 624 378
児　童　手　当	395 537 404	424 348 374	△28 810 970
特　例　給　付	7 463 265	7 276 673	186 592
公　　務　　員	199 716 320	200 218 140	△　501 820
児　童　手　当	195 807 105	196 502 900	△　695 795
特　例　給　付	3 909 215	3 715 240	193 975

資料：内閣府子ども・子育て本部「平成28年度児童手当事業年報」
注：支給額とは，各年度中に市町村及び公務員の所属庁において支払われた総額であり，決算ベースの額と若干異なる。

第3章　障害者福祉

第3-24表　障害者(児)関係施設の状況，年次別

各年10月1日現在

施　設　の　種　類	平成12年 (2000)	平成17年 (2005)	平成26年 (2014)	平成27年 (2015)	平成28年 (2016)
	施		設	数	
総　　　　　　　　　　　　　数	6 123	9 381	6 697	6 531	6 513
障　害　者　支　援　施　設　等[4]	・	・	5 376	5 221	5 191
身 体 障 害 者 更 生 援 護 施 設	1 050	1 466	・	・	・
知 的 障 害 者 援 護 施 設	3 002	4 525	・	・	・
精 神 障 害 者 社 会 復 帰 施 設	521	1 687	・	・	・
身体障害者社会参加支援施設[5]	716	828	318	311	299
児 童 福 祉 施 設（障害児関係）[6]	834	875	1 003	999	1 023
	定		員	（人）	
総　　　　　　　　　　　　　数	262 793	327 253	230 479	225 562	224 276
障　害　者　支　援　施　設　等[4]	・	・	182 997	180 159	177 317
身 体 障 害 者 更 生 援 護 施 設	52 160	61 788	・	・	・
知 的 障 害 者 援 護 施 設	153 885	195 395	・	・	・
精 神 障 害 者 社 会 復 帰 施 設	10 200	24 293	・	・	・
身体障害者社会参加支援施設[5]	620	520	360	360	360
児 童 福 祉 施 設（障害児関係）[6]	45 928	45 257	47 122	45 043	46 599
	在	所 者	（児） 数	（人）	
総　　　　　　　　　　　　　数	247 840	308 234	193 098	192 892	192 669
障　害　者　支　援　施　設　等[4]	・	・	151 349	150 006	147 890
身 体 障 害 者 更 生 援 護 施 設	48 905	57 507	・	・	・
知 的 障 害 者 援 護 施 設	150 873	188 646	・	・	・
精 神 障 害 者 社 会 復 帰 施 設	9 640	23 899	・	・	・
児 童 福 祉 施 設（障害児関係）[6]	39 422	38 182	41 749	42 886	44 779

資料：政策統括官（統計・情報政策、政策評価担当）「社会福祉施設等調査報告」
注：1）平成21年以降は調査方法等の変更による回収率変動の影響を受けていることに留意する必要がある。
　　2）調査票が回収された施設のうち，活動中の施設について集計している。
　　3）定員，在所者数については，調査を実施した施設のみ集計している。
　　4）障害者支援施設等とは，障害者総合支援法による，障害者支援施設，地域活動支援センター，福祉ホームである。
　　5）身体障害者社会参加支援施設とは，身体障害者福祉法による，身体障害者福祉センター（A型），身体障害者福祉センター（B型），障害者更生センター，補装具製作施設，盲導犬訓練施設，点字図書館，点字出版施設，聴覚障害者情報提供施設である。
　　6）児童福祉施設（障害児関係）とは，平成23年までは知的障害児施設，自閉症児施設，知的障害児通園施設，盲児施設，ろうあ児施設，難聴幼児通園施設，肢体不自由児施設，肢体不自由児通園施設，肢体不自由児療護施設，重症心身障害児施設及び情緒障害児短期治療施設であり，平成24年以降は，障害児入所施設（福祉型），障害児入所施設（医療型），児童発達支援センター（福祉型），児童発達支援センター（医療型）及び情緒障害児短期治療施設である。

200　障害者福祉

第3−25表　身体障害者の更生援護状況，年度別

年　　次	更生援護取扱実人員	相談指導及び措置件数	補　装　具 交付・購入決定件数	修理決定件数	更生医療支給認定件数	身体障害者更生相談所取扱実人員
昭和55年度 (FY1980)	800 331	1 025 742	112 645	29 614	32 549	210 590
60　　(FY1985)	968 767	1 332 039	209 235	40 048	57 252	241 114
平成2年度 (FY1990)	1 183 000	1 707 169	414 127	46 601	91 720	214 328
7　　(FY1995)	1 515 616	2 213 044	681 094	69 047	50 463	257 733
12　　(FY2000)	1 824 652	2 663 363	979 601	112 700	102 180	238 303
17　　(FY2005)	2 261 936	3 382 771	1 425 255	120 710	204 984	270 868
22　　(FY2010)	…	…	164 395	120 242	261 994	277 251
25　　(FY2013)	…	…	165 528	124 755	309 489	307 414
26　　(FY2014)	…	…	161 720	123 162	317 574	276 832
27　　(FY2015)	…	…	161 923	122 843	341 976	271 098
28　　(FY2016)	…	…	161 815	121 375	351 330	274 497
29　　(FY2017)	…	…	159 473	116 656	348 955	271 674

資料：政策統括官（統計・情報政策、政策評価担当）「福祉行政報告例」
注：1）「補装具」の件数について，特例補装具を含む件数である。
　　2）「更生医療支給認定件数」について，前年度3月1日から当該年度2月末日までを対象とする。
　　　平成27年度までは，「更生医療給付決定件数」である。
　　3）「補装具」及び「更生医療支給認定件数」について，東日本大震災の影響により，平成22年度は，岩手県（盛岡市以外）の一部，宮城県（仙台市以外），福島県（郡山市及びいわき市以外）を除いて，平成23年度は，福島県（郡山市及びいわき市以外）を除いて集計した数値である。
　　4）「身体障害者更生相談所取扱実人員」について，平成22年度は，東日本大震災の影響により，福島県を除いて集計した数値である。

第3−26表　身体障害者手帳交付台帳登載数，障害の種類×年度別

各年度末現在

年　　次	総　　　　数 総　数	18歳未満	18歳以上	視覚障害	聴覚・平衡機能障害	音声・言語・そしゃく機能障害	肢体不自由	内部障害
昭和55年度 (FY1980)	2 585 829	122 204	2 463 625	421 503	414 362	29 848	1 576 763	143 353
60　　(FY1985)	3 004 780	123 802	2 880 978	436 508	440 412	34 262	1 800 491	293 107
平成2年度 (FY1990)	3 441 643	121 298	3 320 345	437 887	447 038	41 563	2 016 960	498 195
7　　(FY1995)	3 846 352	113 236	3 733 116	418 619	446 297	48 727	2 215 267	717 442
12　　(FY2000)	4 292 761	108 955	4 183 806	396 527	437 765	52 331	2 448 445	957 693
17　　(FY2005)	4 795 033	108 901	4 686 132	389 099	444 381	57 844	2 670 928	1 232 781
22　　(FY2010)	5 109 282	107 296	5 001 986	371 700	449 604	59 503	2 818 652	1 409 823
25　　(FY2013)	5 252 242	106 461	5 145 781	355 957	450 760	60 995	2 890 333	1 494 197
26　　(FY2014)	5 227 529	105 318	5 122 211	349 328	451 073	60 968	2 855 435	1 510 725
27　　(FY2015)	5 194 473	103 969	5 090 504	344 038	450 952	60 802	2 810 270	1 528 411
28　　(FY2016)	5 148 082	102 391	5 045 691	337 997	448 465	60 749	2 755 307	1 545 564
29　　(FY2017)	5 107 526	101 442	5 005 420	334 447	447 374	60 755	2 701 323	1 565 652

資料：政策統括官（統計・情報政策、政策評価担当）「福祉行政報告例」
注：1）平成22年度から，「内部障害」に「肝臓機能障害」が追加された。
　　2）平成22年度は，東日本大震災の影響により，福島県（郡山市及びいわき市以外），仙台市を除いて集計した数値である。

第３－27表　身体障害者・児及び難病患者等の補装具費の支給（購入・修理件数），補装具の種類別

平成29年度（2017）

補装具の種類	購入		修理	
	申請件数	決定件数	申請件数	決定件数
総　　　　　　　　　数	157 553	155 835	115 693	114 671
義　　　　　　　　　肢	5 795	5 748	7 689	7 575
義　　　　　　　　　手	1 082	1 080	526	516
義　　　　　　　　　足	4 713	4 668	7 163	7 059
装　　　　　　　　　具	46 066	45 315	17 581	17 451
下　　　　　　　　　肢	34 537	34 099	12 328	12 245
靴　　　　　　　　　型	9 562	9 292	4 894	4 848
体　　　　　　　　　幹	1 268	1 243	238	236
上　　　　　　　　　肢	699	681	121	122
座　位　保　持　装　置	9 467	9 374	8 657	8 620
姿 勢 保 持 機 能 付 車 椅 子	2 981	2 961	3 359	3 343
姿勢保持機能付電動車椅子	322	312	771	766
そ　　　の　　　他	6 164	6 101	4 527	4 511
盲　人　安　全　つ　え	8 887	8 860	127	126
義　　　　　　　　　眼	1 163	1 159	35	35
普　　通　　義　　眼	171	171	2	2
特　　殊　　義　　眼	931	929	33	33
コ ン タ ク ト 義 眼	61	59	–	–
眼　　　　　　　　　鏡	6 818	6 777	351	349
矯　　正　　眼　　鏡	1 592	1 574	120	120
遮　　光　　眼　　鏡	4 550	4 531	177	175
コ ン タ ク ト レ ン ズ	180	180	1	1
弱　　視　　眼　　鏡	496	492	53	53
補　　　聴　　　器	44 325	44 136	25 694	25 467
高 度 難 聴 用 ポ ケ ッ ト 型	1 942	1 936	577	577
高 度 難 聴 用 耳 掛 け 型	25 409	25 295	10 080	10 000
重 度 難 聴 用 ポ ケ ッ ト 型	1 020	1 013	575	556
重 度 難 聴 用 耳 掛 け 型	14 800	14 746	13 333	13 224
耳 あ な 型 （ レ デ ィ メ イ ド ）	75	76	43	42
耳 あ な 型 （ オ ー ダ ー メ イ ド ）	953	944	762	754
骨 導 式 ポ ケ ッ ト 型	54	54	199	199
骨 導 式 眼 鏡 型	72	72	125	115
車　　　椅　　　子	22 222	21 845	39 745	39 491
普　　　通　　　型	11 891	11 691	28 159	27 979
リ ク ラ イ ニ ン グ 式 普 通 型	255	246	514	514
テ ィ ル ト 式 普 通 型	198	197	282	279
リクライニング・ティルト式普通型	365	358	430	429
手 動 リ フ ト 兼 用 型	9	9	43	43
前 方 大 車 輪 型	19	19	14	14
リクライニング式前方大車輪型	2	2	4	4
片 手 駆 動 型	144	137	377	369
リ ク ラ イ ニ ン グ 式 片 手 駆 動 型	13	13	28	28
レ バ ー 駆 動 型	16	16	55	54
手　　押　　し　　型	2 417	2 391	2 784	2 775
リ ク ラ イ ニ ン グ 式 手 押 し 型	1 457	1 434	1 668	1 657
テ ィ ル ト 式 手 押 し 型	2 085	2 063	1 914	1 897
リクライニング・ティルト式手押し型	2 994	2 942	2 749	2 732
そ　　　の　　　他	357	327	724	717
電　動　車　椅　子	3 041	2 978	13 992	13 856
普　　通　　型　（4.5km/h）	296	279	1 727	1 708
普　　通　　型　（6km/h）	430	422	2 383	2 335
手　動　兼　用　型	1 291	1 273	5 105	5 072
リ ク ラ イ ニ ン グ 式 普 通 型	52	51	456	458
電 動 リ ク ラ イ ニ ン グ 式 普 通 型	71	70	430	425
電 動 リ フ ト 式 普 通 型	52	52	320	300
電 動 ティ ル ト 式 普 通 型	89	90	523	514
電動リクライニング・ティルト式普通型	195	192	754	755
そ　　　の　　　他	565	549	2 294	2 289
座　位　保　持　椅　子	2 137	2 099	455	451
起　立　保　持　具	226	224	130	131
歩　　行　　器	2 450	2 429	452	446
頭　部　保　持　具	486	481	6	6
排　便　補　助　具	24	24	1	1
歩　行　補　助　つ　え	3 834	3 806	172	167
重 度 障 害 者 用 意 思 伝 達 装 置	612	580	606	499

資料：政策統括官（統計・情報政策、政策評価担当）「福祉行政報告例」
注：基準の補装具費の支給について集計した数値である（特例補装具に係る補装具費の支給を除く）。

202　障害者福祉

第3－28表　身体障害児・者(在宅)の全国推計数，障害の種類×年齢階級別

(単位：千人)　　　　　　　　　　　　　　　　　　　　　　　平成28年（2016）12月1日現在

障害の種類＼年齢階級	総　数	視覚障害	聴覚・言語障害	肢体不自由	内部障害	不詳	重複障害(再掲)
総　　数	4 287(100.0)	312(7.3)	341(8.0)	1 931(45.0)	1 241(28.9)	462(10.8)	761(17.7)
年　齢　階　級　別							
0－9歳	31 (0.7)	1	4	21	5	－	8
10－17	37 (0.9)	4	1	15	10	6	15
18・19	10 (0.2)	－	1	6	－	3	6
20－29	74 (1.7)	8	6	42	13	6	21
30－39	98 (2.3)	8	6	52	24	9	28
40－49	186 (4.3)	18	14	96	31	28	42
50－59	314 (7.3)	29	16	181	59	28	64
60－64	331 (7.7)	25	21	162	94	28	69
65－69	576 (13.4)	40	34	300	154	48	123
70歳以上	2 537 (59.2)	175	228	1 019	821	293	369
不　　　　詳	93 (2.2)	5	9	37	29	14	15
(参考)							
平成23年（2011）	3 864(100.0)	316(8.2)	324(8.4)	1 709(44.2)	930(24.1)	585(15.1)	176(4.6)

資料：障害保健福祉部「平成28年生活のしづらさなどに関する調査（全国在宅障害児・者等実態調査）」
注：括弧内は構成比（％）である。又，総数には不詳を含む。

障害者福祉　203

第3-29表　身体障害児・者（在宅）の全国推計数，性・障害等級×年齢階級別

（単位：千人）　　　　　　　　　　　　　　　　　　　　　　　　　　　平成28年（2016）12月1日現在

性・障害等級 年齢階級	総　数	男　性	女　性	不　詳	1　級	2　級	3　級	4　級	5　級	6　級	不　詳
総　数	4 287	2 220	2 052	15	1 392	651	733	884	241	160	227
	(100.0%)	(51.8%)	(47.9%)	(0.3%)	(32.5%)	(15.2%)	(17.1%)	(20.6%)	(5.6%)	(3.7%)	(5.3%)
0 ～ 9 歳	31	11	19	1	18	4	3	3	1	4	–
	(100.0%)	(35.5%)	(61.3%)	(3.2%)	(58.1%)	(12.9%)	(9.7%)	(9.7%)	(3.2%)	(12.9%)	
10 ～ 17 歳	37	21	15	–	18	5	6	3	–	–	5
	(100.0%)	(56.8%)	(40.5%)		(48.6%)	(13.5%)	(16.2%)	(8.1%)			(13.5%)
18 ～ 19 歳	10	5	5	–	4	4	–	–	–	–	3
	(100.0%)	(50.0%)	(50.0%)		(40.0%)	(40.0%)					(30.0%)
20 ～ 29 歳	74	44	30	–	30	16	9	9	4	3	4
	(100.0%)	(59.5%)	(40.5%)		(40.5%)	(21.6%)	(12.2%)	(12.2%)	(5.4%)	(4.1%)	(5.4%)
30 ～ 39 歳	98	59	39	–	43	11	19	14	5	4	3
	(100.0%)	(60.2%)	(39.8%)		(43.9%)	(11.2%)	(19.4%)	(14.3%)	(5.1%)	(4.1%)	(3.1%)
40 ～ 49 歳	186	92	93	1	59	50	26	25	10	4	11
	(100.0%)	(49.5%)	(50.0%)	(0.5%)	(31.7%)	(26.9%)	(14.0%)	(13.4%)	(5.4%)	(2.2%)	(5.9%)
50 ～ 59 歳	314	179	135	–	94	62	48	60	25	10	14
	(100.0%)	(57.0%)	(43.0%)		(29.9%)	(19.7%)	(15.3%)	(19.1%)	(8.0%)	(3.2%)	(4.5%)
60 ～ 64 歳	331	181	150	–	103	53	62	64	23	11	15
	(100.0%)	(54.7%)	(45.3%)		(31.1%)	(16.0%)	(18.7%)	(19.3%)	(6.9%)	(3.3%)	(4.5%)
65 ～ 69 歳	576	335	241	–	175	88	99	132	35	26	19
	(100.0%)	(58.2%)	(41.8%)		(30.4%)	(15.3%)	(17.2%)	(22.9%)	(6.1%)	(4.5%)	(3.3%)
70 ～ 74 歳	577	343	234	–	186	87	89	128	38	15	33
	(100.0%)	(59.4%)	(40.6%)		(32.2%)	(15.1%)	(15.4%)	(22.2%)	(6.6%)	(2.6%)	(5.7%)
75 ～ 79 歳	690	344	345	1	227	97	132	144	40	16	34
	(100.0%)	(49.9%)	(50.0%)	(0.1%)	(32.9%)	(14.1%)	(19.1%)	(20.9%)	(5.8%)	(2.3%)	(4.9%)
80 ～ 89 歳	1 044	497	545	1	336	134	189	230	48	44	63
	(100.0%)	(47.6%)	(52.2%)	(0.1%)	(32.2%)	(12.8%)	(18.1%)	(22.0%)	(4.6%)	(4.2%)	(6.0%)
90 歳 以 上	225	79	146	–	69	31	34	50	6	19	15
	(100.0%)	(35.1%)	(64.9%)		(30.7%)	(13.8%)	(15.1%)	(22.2%)	(2.7%)	(8.4%)	(6.7%)
年 齢 不 詳	93	29	54	10	29	9	16	21	5	4	9
	(100.0%)	(31.2%)	(58.1%)	(10.8%)	(31.2%)	(9.7%)	(17.2%)	(22.6%)	(5.4%)	(4.3%)	(9.7%)

資料：障害保健福祉部「平成28年生活のしづらさなどに関する調査（全国在宅障害児・者等実態調査）」
注：括弧内は構成比（％）である。

第3-30表　知的障害者の更生援護状況，年度別

年　　次	市町村		知的障害者更生相談所	
	知的障害者相談実人員	相 談 件 数	取扱実人員	相 談 件 数
昭和60年度　（FY1985)	131 682	206 884	48 191	76 295
平成2年度　（FY1990)	149 647	251 913	58 494	77 329
7　（FY1995)	177 521	327 571	75 014	89 824
12　（FY2000)	206 415	337 227	86 860	103 098
17　（FY2005)	339 847	569 025	71 649	85 097
22　（FY2010)	…	…	80 289	92 783
25　（FY2013)	…	…	88 162	101 679
26　（FY2014)	…	…	88 671	101 908
27　（FY2015)	…	…	88 408	102 331
28　（FY2016)	…	…	89 699	105 018
29　（FY2017)	…	…	89 727	106 655

資料：政策統括官（統計・情報政策、政策評価担当）「福祉行政報告例」
注：1）「市町村」欄について，平成12年度までは福祉事務所における相談実人員及び相談件数である。
　　2）平成22年度は，東日本大震災の影響により，福島県を除いて集計した数値である。

204 障害者福祉

第3−31表 療育手帳交付台帳登載数, 障害の程度×年度別

各年度末現在

年　　次	総　　数		A （重　度）		B （中軽度）	
	18歳未満	18歳以上	18歳未満	18歳以上	18歳未満	18歳以上
昭和60年度 (FY1985)	122 300	183 867	59 814	93 192	62 486	90 675
平成２年度 (FY1990)	115 602	273 075	55 892	131 930	59 710	141 145
７ (FY1995)	113 700	363 576	53 604	175 068	60 096	188 508
12 (FY2000)	131 327	438 291	61 173	209 436	70 154	228 855
17 (FY2005)	173 438	525 323	73 761	248 047	99 677	277 276
22 (FY2010)	215 458	617 515	73 455	282 879	142 003	334 636
24 (FY2012)	232 094	676 894	73 416	302 243	158 678	374 651
25 (FY2013)	238 987	702 339	72 530	309 157	166 457	393 182
26 (FY2014)	246 336	728 562	71 637	316 467	174 699	412 095
27 (FY2015)	254 929	754 303	71 455	322 791	183 474	431 512
28 (FY2016)	262 702	781 871	71 444	329 447	191 258	452 424
29 (FY2017)	271 270	808 668	71 653	335 487	199 617	473 181

資料：政策統括官（統計・情報政策、政策評価担当）「福祉行政報告例」
注：平成22年度末は，東日本大震災の影響により，福島県を除いて集計した数値である。

第3−32表 知的障害児・者（在宅）の全国推計数, 性・障害の程度×年齢階級別

（単位：千人）　　　　　　　　　　　　　　　　　　　平成28年（2016）12月１日現在

年　　齢	総　数	男	女	不　詳	重　度	その他	不　詳
総　　数	962	587	368	8	373	555	34
	(100.0)	(61.0)	(38.3)	(0.8)	(38.8)	(57.7)	(3.5)
0 ～ 9 歳	97	63	33	1	30	64	3
10 ～ 17	117	77	40	–	39	74	4
18 ～ 19	43	21	21	–	14	28	1
20 ～ 29	186	126	59	1	73	107	6
30 ～ 39	118	76	43	–	42	73	4
40 ～ 49	127	74	53	–	45	76	6
50 ～ 59	72	43	29	–	28	39	5
60 ～ 64	34	18	16	–	11	23	–
65 ～ 69	31	19	15	–	15	15	1
70 ～ 74	35	20	15	–	21	14	–
75 ～ 79	29	18	11	–	16	11	1
80 ～ 89	49	25	24	–	28	20	1
90 歳 以 上	5	1	4	–	4	1	–
年 齢 不 詳	18	6	6	5	6	10	1

資料：障害保健福祉部「平成28年生活のしづらさなどに関する調査（全国在宅障害児・者等実態調査）」
注：括弧内は構成比（％）である。

206　その他の福祉

第4章　その他の福祉

第3－33表　社会福祉施設等の施設数・定員・

施設の種類	施設数	定員（人）	在所者数（人）	従事者数（人）
総　　　　　　　　　数	56 571	3 313 127	3 108 031	960 031
保　　護　　施　　設	228	19 036	18 692	6 199
救　　護　　施　　設	181	16 323	16 652	5 820
更　　生　　施　　設	21	1 513	1 409	269
医　療　保　護　施　設	…	…		…
授　　産　　施　　設	17	540	334	76
宿　所　提　供　施　設	9	660	297	33
老　人　福　祉　施　設	5 004	150 962	139 013	44 121
養　護　老　人　ホ　ー　ム	923	62 042	56 264	16 464
養　護　老　人　ホ　ー　ム（一般）	875	59 308	53 719	15 488
養　護　老　人　ホ　ー　ム（盲）	48	2 734	2 545	976
軽　費　老　人　ホ　ー　ム	2 151	88 920	82 749	20 915
軽　費　老　人　ホ　ー　ム　A　型	198	11 696	10 978	2 730
軽　費　老　人　ホ　ー　ム　B　型	14	618	425	40
軽費老人ホーム（ケアハウス）	1 884	75 673	70 464	17 828
都　市　型軽費老人ホーム	55	933	882	316
老　人　福　祉　セ　ン　タ　ー	1 930	・	・	6 742
老人福祉センター（特A型）	223	・	・	842
老人福祉センター（A型）	1 298	・	・	4 633
老人福祉センター（B型）	409	・	・	1 266
障　害　者　支　援　施　設　等	5 191	177 317	147 890	100 448
障　害　者　支　援　施　設	2 373	130 547	146 479	90 277
地　域　活　動　支　援　セ　ン　タ　ー	2 688	45 052	…	9 930
福　　祉　　ホ　　ー　　ム	130	1 718	1 411	241
身体障害者社会参加支援施設	299	360	…	2 667
身　体　障　害　者　福　祉　セ　ン　タ　ー	144	・	・	1 192
身体障害者福祉センター（A型）	35	・	・	573
身体障害者福祉センター（B型）	109	・	・	619
障　害　者　更　生　セ　ン　タ　ー	5	360	・	84
補　装　具　製　作　施　設	15	・	・	191
盲　導　犬　訓　練　施　設	11	…	・	202
点　字　図　書　館	70	・	・	549
点　字　出　版　施　設	10	・	・	107
聴　覚　障　害　者　情　報　提　供　施　設	44	・	・	342
婦　人　保　護　施　設	47	1 270	349	363

資料：政策統括官（統計・情報政策、政策評価担当）「平成28年社会福祉施設等調査報告」
注：1）調査票が回収された施設のうち，活動中の施設について集計している。
　　2）母子生活支援施設の定員は世帯数，在所者数は世帯人員であり，定員と在所者の総数に含まない。
　　3）従事者数は常勤換算従事者数であり，小数点以下第1位を四捨五入している。

在所者数・従事者数, 施設の種類別

平成28年 (2016) 10月1日現在

施設の種類	施 設 数	定 員 (人)	在所者数 (人)	従事者数 (人)
児 童 福 祉 施 設	33 490	2 530 471	2 441 544	644 659
助 産 施 設	…	…	…	…
乳 児 院	134	3 852	3 089	4 793
母 子 生 活 支 援 施 設 2)	221	4 635	8 625	2 080
保 育 所 等	24 771	2 409 496	2 332 766	546 628
幼保連携型認定こども園	2 597	251 564	251 431	69 578
保育所型認定こども園	444	47 298	39 571	9 652
保 育 所	21 730	2 110 634	2 041 764	467 398
小 規 模 保 育 事 業 所	2 216	35 753	33 859	17 149
小規模保育事業所A型	1 575	26 034	24 645	12 346
小規模保育事業所B型	547	8 776	8 316	4 227
小規模保育事業所C型	94	943	898	576
児 童 養 護 施 設	579	31 174	25 722	17 137
障 害 児 入 所 施 設 (福祉型)	244	9 026	6 865	5 960
障 害 児 入 所 施 設 (医療型)	190	18 150	8 156	20 497
児童発達支援センター (福祉型)	461	14 703	26 104	7 934
児童発達支援センター (医療型)	87	2 878	2 315	1 293
情 緒 障 害 児 短 期 治 療 施 設	41	1 842	1 339	1 165
児 童 自 立 支 援 施 設	55	3 597	1 329	1 743
児 童 家 庭 支 援 セ ン タ ー	104	・	・	342
児 童 館	4 387	・	・	17 937
小 型 児 童 館	2 565	・	・	9 322
児 童 セ ン タ ー	1 693	・	・	7 901
大 型 児 童 館 A 型	17	・	・	293
大 型 児 童 館 B 型	4	・	・	68
大 型 児 童 館 C 型	–	・	・	–
そ の 他 の 児 童 館	108	・	・	354
児 童 遊 園	…	・	・	…
母 子 ・ 父 子 福 祉 施 設	51	…	…	192
母 子 ・ 父 子 福 祉 セ ン タ ー	51	・	・	192
母 子 ・ 父 子 休 養 ホ ー ム	–	・	…	–
そ の 他 の 社 会 福 祉 施 設 等	12 261	433 711	360 543	161 382
授 産 施 設	68	2 099	1 732	379
宿 所 提 供 施 設	314	10 102	8 503	760
盲 人 ホ ー ム	17	340	…	33
無 料 低 額 診 療 施 設	…	…	…	…
隣 保 館	998	・	・	2 472
へ き 地 保 健 福 祉 館	18	・	・	6
有 料 老 人 ホ ー ム (サービス付き高齢者向け住宅以外)	10 846	421 170	350 308	157 732
有 料 老 人 ホ ー ム (サービス付き高齢者向け住宅であるもの)	…	…	…	…

208 その他の福祉

第３−34表　社会福祉施設等の施設数・定員・

施 設 の 種 類	平成12年 (2000)	平成17年 (2005)	平成26年 (2014)	平成27年 (2015)	平成28年 (2016)
	施	設	数		
総　　　　　　　　　数	58 860	65 209	53 154	53 540	56 571
保　護　施　設	296	298	225	231	228
老 人 福 祉 施 設	11 628	13 882	5 026	5 103	5 004
障 害 者 支 援 施 設 等 [3]	・	・	5 376	5 221	5 191
身体障害者更生援護施設	1 050	1 466	・	・	・
知 的 障 害 者 援 護 施 設	3 002	4 525	・	・	・
精神障害者社会復帰施設	521	1 687	・	・	・
身体障害者社会参加支援施設 [4]	716	828	318	311	299
婦 人 保 護 施 設	50	50	47	47	47
児 童 福 祉 施 設	33 089	33 545	29 565	32 089	33 490
（再掲）保 育 所 等 [8]	22 199	22 624	22 992	24 234	24 771
母 子 ・ 父 子 福 祉 施 設 [9]	90	80	56	58	51
その他の社会福祉施設等	8 418	8 848	12 541	10 480	12 261
	定	員	(人)		
総　　　　　　　　　数	2 472 649	2 742 807	3 087 109	3 189 673	3 313 127
保　護　施　設	19 881	20 637	18 770	19 488	19 036
老 人 福 祉 施 設	128 227	149 431	150 767	152 990	150 962
障 害 者 支 援 施 設 等 [3]	・	・	182 997	180 159	177 317
身体障害者更生援護施設	52 160	61 788	・	・	・
知 的 障 害 者 援 護 施 設	153 885	195 395	・	・	・
精神障害者社会復帰施設	10 200	24 293	・	・	・
身体障害者社会参加支援施設 [4]	620	520	360	360	360
婦 人 保 護 施 設	1 578	1 455	1 270	1 270	1 270
児 童 福 祉 施 設 [7]	2 013 356	2 147 767	2 286 547	2 457 146	2 530 471
（再掲）保 育 所 等 [8]	1 925 641	2 060 938	2 198 830	2 351 796	2 409 496
その他の社会福祉施設等	92 742	141 521	446 398	378 260	433 711
	在 所 者	数	(人)		
総　　　　　　　　　数	2 382 632	2 718 474	2 966 611	3 008 594	3 108 031
保　護　施　設	19 891	19 935	18 055	19 112	18 692
老 人 福 祉 施 設	120 094	140 760	138 635	141 033	139 013
障 害 者 支 援 施 設 等 [3]	・	・	151 349	150 006	147 890
身体障害者更生援護施設	48 905	57 507	・	・	・
知 的 障 害 者 援 護 施 設	150 873	188 646	・	・	・
精神障害者社会復帰施設	8 640	23 899	・	・	・
婦 人 保 護 施 設	722	669	409	374	349
児 童 福 祉 施 設 [7]	1 976 976	2 191 996	2 304 401	2 388 023	2 441 544
（再掲）保 育 所 等 [8]	1 904 067	2 118 079	2 230 552	2 295 346	2 332 766
その他の社会福祉施設等	56 531	95 062	353 762	310 046	360 543
	在 所	率	(%)		
総　　　　　　　　　数	96.4	99.2	97.2	95.2	94.5
保　護　施　設	100.1	96.6	96.4	98.1	98.2
老 人 福 祉 施 設	93.7	94.2	92.1	92.3	92.1
障 害 者 支 援 施 設 等 [3]	・	・	94.3	94.6	94.3
身体障害者更生援護施設	93.8	93.1	・	・	・
知 的 障 害 者 援 護 施 設	98.0	96.5	・	・	・
精神障害者社会復帰施設	84.7	98.4	・	・	・
婦 人 保 護 施 設	45.8	46.0	35.7	34.8	33.1
児 童 福 祉 施 設	98.2	102.1	101.0	97.3	96.6
（再掲）保 育 所 等 [8]	98.9	102.8	101.6	97.7	96.9
その他の社会福祉施設等	61.3	67.4	80.2	82.7	83.5

その他の福祉　209

生所者数・在所率・従事者数，年次別

各年10月1日現在

施 設 の 種 類	平成12年 (2000)	平成17年 (2005)	平成26年 (2014)	平成27年 (2015)	平成28年 (2016)
	従　事　者　数　（人）				
総　　　　　　　　　　　数	723 364	739 181	878 413	899 172	960 031
保　　護　　施　　設	6 408	6 222	6 055	6 306	6 199
老　人　福　祉　施　設	72 970	61 578	43 146	44 355	44 121
障害者支援施設等 [3]	・	・	100 065	99 547	100 448
身体障害者更生援護施設	29 513	31 086	・	・	・
知的障害者援護施設	71 732	84 020	・	・	・
精神障害者社会復帰施設	3 365	8 386	・	・	・
身体障害者社会参加支援施設 [4]	8 653	6 611	2 598	2 623	2 667
婦　人　保　護　施　設	569	423	385	379	363
児　童　福　祉　施　設	493 300	489 803	570 794	603 769	644 659
（再　掲）保　育　所　等 [8]	409 270	416 542	492 788	517 183	546 628
母　子・父　子　福　祉　施　設 [9]	537	304	174	201	192
その他の社会福祉施設等	36 317	50 748	155 196	141 992	161 382

資料：政策統括官（統計・情報政策、政策評価担当）「社会福祉施設等調査報告」
注：1）平成21年以降は調査方法等の変更による回収率変動の影響を受けていることに留意する必要がある。
　　2）調査票が回収された施設のうち，活動中の施設について集計している。
　　3）障害者支援施設等とは，障害者総合支援法による，障害者支援施設，地域活動支援センター，福祉ホームである。
　　4）身体障害者社会参加支援施設とは，身体障害者福祉法による，身体障害者福祉センター（A型），身体障害者福祉センター（B型），障害者更生センター，補装具製作施設，盲導犬訓練施設，点字図書館，点字出版施設，聴覚障害者情報提供施設をいう。
　　5）定員，在所者数，従事者数については，調査を実施した施設のみ集計している。
　　6）在所率＝在所者数÷定員×100（在所率の計算は在所者数について調査を行っていない施設を除いた。）ただし，平成20年以降は在所者数不詳の施設を除いた定員数で計算している。なお，障害者支援施設等のうち障害者支援施設の定員及び在所者数は平成21年から入所者分のみである。
　　7）児童福祉施設の定員，在所者数については，母子生活支援施設を含まない。
　　8）保育所等は，幼保連携型認定こども園，保育所型認定こども園及び保育所である。
　　9）母子・父子福祉施設（母子・父子福祉センター・母子・父子休養ホーム）については，定員，在所者数について調査を行っていない。
　　10）平成12年の従事者数は実人員である。平成17年以降の従事者数は常勤換算数であり，小数点以下第1位を四捨五入している。

210　その他の福祉

第3－35表　社会福祉施設等の従事者数，施設の種類×職種別

（単位：人）　　　　　　　　　　　　　　　　　　　　　　　　　　　　平成28年（2016）10月1日現在

職　　種	総　　数	保護施設 1)	老人福祉施設	障害者支援施設等	身体障害者社会参加支援施設	婦人保護施設	児童福祉施設等（保育所等を除く）1)	保育所等 2)	母子・父子福祉施設	その他の社会福祉施設等（有料老人ホーム（サービス付き高齢者向け住宅以外）を除く）1)	有料老人ホーム（サービス付き高齢者向け住宅以外） 1)
				従	事	者	数（人）				
総　　　　数	960 031	6 199	44 121	100 448	2 667	363	98 031	546 628	192	3 650	157 73?
施設長・園長・管理者	46 710	211	3 286	3 686	210	28	6 203	24 345	22	1 042	7 67?
サービス管理責任者	3 806	…	…	3 806	…		…	…			
生活指導・支援員 4)	83 480	770	4 559	56 960	279	135	13 792	…	3	735	6 24?
職業・作業指導員	3 835	88	112	2 678	90	12	274	…	4	288	29?
セラピスト	6 146	5	123	896	84	6	3 602			3	1 42?
理学療法士	2 070		3	35	436	29	−	1 028			54?
作業療法士	1 443	2	20	301	26	−	839				25?
その他の療法員	2 633	1	69	159	30	−	1 735			3	63?
心理・職能判定員	59				59						
医　　　　師	3 072	27	143	296	7	5	1 275	1 243		2	?
歯　科　医　師	1 162						58	1 103			
保健師・助産師・看護師	41 860	408	2 793	4 668	87	18	10 374	8 593		35	14 88?
精神保健福祉士	1 116	107	26	930	1					1	5?
保　　育　　士	373 586	…	…	…			16 630	356 952	4		
保　育　教　諭 5)	50 328							50 328			
うち保育士資格所有者	44 687							44 687			
保　育　従　事　者 5)	11 652						11 652				
家　庭　的　保　育　者 5)	289						289				
家庭的保育補助者 5)	108						108				
児　童　生　活　支　援　員	631						631				
児　童　厚　生　員	10 442						10 442				
母　子　支　援　員	700						700				
介　　護　　職　　員	129 956	3 183	17 432	11 877	58	−		…		37	97 36?
栄　　養　　士	23 509	195	2 062	2 241	6	17	1 909	15 645		2	1 43?
調　　理　　員	72 301	524	4 842	4 738	16	53	5 407	45 799	8	149	10 76?
事　　務　　員	35 237	434	4 872	4 880	578	46	4 172	11 985	74	864	7 33?
児童発達支援管理責任者	953						953				
その他の教諭 6)	2 439							2 439			
その他の職員 7)	56 655	248	5 673	2 734	1 208	46	9 560	28 196	77	493	10 17?

資料：政策統括官（統計・情報政策，政策評価担当）「平成28年社会福祉施設等調査報告」
注：調査票が回収された施設のうち，活動中の施設について集計している。
　　従事者数は常勤換算従事者数であり，小数点以下第1位を四捨五入している。なお，「0」は常勤換算従事者数が0.5人未満である。
　　従事者数は詳細票により調査した職種についてのものであり，調査した職種以外は「…」とした。
　1）保護施設には医療保護施設，児童福祉施設等（保育所等を除く。）には助産施設及び児童遊園，その他の社会福祉施設等（有料老人ホーム（サービス付き高齢者向け住宅以外）を除く。）には無料低額診療施設及び有料老人ホーム（サービス付き高齢者向け住宅であるもの）をそれぞれ含まない。
　2）保育所等は，幼保連携型認定こども園，保育所型認定こども園及び保育所である。
　3）生活指導・支援員等には，生活指導員，生活相談員，生活支援員，児童指導員及び児童自立支援専門員を含むが，保護施設及び婦人保護施設は生活指導員のみである。
　4）保育教諭には主幹保育教諭，指導保育教諭，助保育教諭及び講師を含む。また，就学前の子どもに関する教育，保育等の総合的な提供の推進に関する法律の一部を改正する法律（平成24年法律第66号）附則による保育教諭等の資格の特例のため，保育士資格を有さない者を含む。
　5）保育従事者，家庭的保育者及び家庭的保育補助者は小規模保育事業所の従事者である。なお，保育士資格を有さない者を含む。
　6）その他の教諭は，就学前の子どもに関する教育，保育等の総合的な提供の推進に関する法律（平成18年法律第77号）第14条にもとづき採用されている，園長及び保育教諭（主幹保育教諭，指導保育教諭，助保育教諭及び講師を含む）以外の教諭である。
　7）その他の職員には，幼保連携型認定こども園の教育・保育補助員及び養護職員（看護師等を除く）を含む

その他の福祉　211

第3－36表　社会福祉法人数，法人の種類×年度別

各年度末現在

年　　　度	総　　　数	社会福祉協議会	共同募金会	社会福祉事業団	施設経営法人	そ　の　他
平成23年度(FY2011)	19 246	1 901	47	133	16 842	323
24　(FY2012)	19 407	1 901	47	131	16 981	347
25　(FY2013)	19 636	1 901	47	129	17 199	360
26　(FY2014)	19 823	1 901	47	129	17 375	371
27　(FY2015)	19 969	1 900	47	129	17 482	411
28　(FY2016)	20 625	1 900	47	125	18 101	452
29　(FY2017)	20 798	1 900	47	125	18 186	540

資料：政策統括官（統計・情報政策、政策評価担当）「福祉行政報告例」
注：平成27年度までは2つ以上の都道府県の区域にわたり事業を行っている法人（厚生労働大臣及び地方厚生局長所管分）は含まれていないが，そのうち地方厚生局長所管分については平成28年度から都道府県に権限移譲されたため，対象となった当該法人が含まれている。

第3－37表　消費生活協同組合数・組合員数，年度別

各年度末現在

年　　　度	総　　　数		地　　　域		職　　　域		連　合　会
	組　合　数	組合員数	組　合　数	組合員数	組　合　数	組合員数	組　合　数
		千人		千人		千人	
平成21年度(FY2009)	934	59 712	455	51 701	398	8 011	81
22　(FY2010)	947	64 980	455	56 819	413	8 160	79
23　(FY2011)	963	66 799	455	58 601	420	8 198	88
24　(FY2012)	920	61 737	435	53 626	399	8 111	86
25　(FY2013)	969	67 829	452	59 647	430	8 183	87
26　(FY2014)	955	64 325	448	56 200	421	8 125	86
27　(FY2015)	976	66 629	474	58 219	416	8 410	86
28　(FY2016)	938	66 357	457	58 526	398	7 831	83

資料：社会・援護局「平成29年度消費生活協同組合（連合会）実態調査」

第3－38表　婦人相談所・婦人相談員の受付件数・処理済実人員等，年度別

年　　　度	婦　人　相　談　所		婦　人　相　談　員		一時保護延人員
	受　付　件　数	処理済実人員	受　付　件　数	処理済実人員	延　人　員
平成20年度(FY2008)	41 414	41 076	218 814	218 994	93 797
21　(FY2009)	45 253	45 277	224 883	225 273	97 284
22　(FY2010)	46 940	46 988	226 268	226 206	89 584
23　(FY2011)	47 583	47 593	240 730	240 162	88 310
24　(FY2012)	47 104	47 082	255 093	255 466	90 077
25　(FY2013)	46 607	46 742	256 725	256 220	88 820
26　(FY2014)	44 128	44 115	256 526	256 494	87 428
27　(FY2015)	46 169	46 134	267 488	267 408	77 321
28　(FY2016)	46 008	46 010	263 624	263 427	71 752
29　(FY2017)	48 237	46 316	256 116	256 438	64 559

資料：政策統括官（統計・情報政策、政策評価担当）「福祉行政報告例」
注：1）「婦人相談所」とは婦人相談所における婦人相談員以外の職員が受付した件数をいう。
　　2）「一時保護延人員」には同伴した家族を除く。
　　3）平成22年度は，東日本大震災の影響により，宮城県の一部，福島県を除いて集計した数値である。

212　その他の福祉

第3－39表　社会福祉士数・介護福祉士数，年度別

各年度9月末現在

年　　度	社会福祉士数	介護福祉士数	養成施設卒業	国家試験合格
平成20年度 (FY2008)	108 877	729 101	241 169	487 932
21　(FY2009)	122 138	811 440	255 343	556 097
22　(FY2010)	134 066	898 429	265 863	632 566
23　(FY2011)	146 220	984 466	277 491	706 975
24　(FY2012)	157 463	1 085 994	291 575	794 419
25　(FY2013)	165 494	1 183 979	302 901	881 078
26　(FY2014)	177 896	1 293 486	314 106	979 380
27　(FY2015)	189 903	1 398 315	325 884	1 072 431
28　(FY2016)	201 433	1 494 460	334 614	1 159 846
29　(FY2017)	213 145	1 557 352	342 279	1 215 073
30　(FY2018)	226 283	1 623 451	…	…

資料：社会・援護局福祉基盤課調べ
注：各年度9月末の登録者数である。

第3－40表　民生（児童）委員の定数・現在数，年度別

区　　分	平成23年度 (FY2011)	平成24年度 (FY2012)	平成25年度 (FY2013)	平成26年度 (FY2014)	平成27年度 (FY2015)	平成28年度 (FY2016)	平成29年度 (FY2017)
定　　　　数	233 526	233 911	236 272	236 296	236 490	238 349	238 416
年度末現在数	229 510	230 199	230 060	231 339	231 689	230 739	232 041
男	91 729	91 593	91 507	91 598	91 483	90 273	90 522
女	137 781	138 606	138 553	139 741	140 206	140 466	141 519

資料：政策統括官（統計・情報政策、政策評価担当）「福祉行政報告例」

その他の福祉　213

第3－41表　民生（児童）委員の相談・支援等の取扱件数，年度別

区　　　　分	平成29年度（FY2017）	平成28年度（FY2016）
内 容 別 相 談 支 援 件 数	5 770 653	6 051 342
在　　宅　　福　　祉	436 180	471 748
介　　護　　保　　険	174 529	174 703
健 康 ・ 保 健 医 療	392 151	416 981
子 育 て ・ 母 子 保 健	187 573	199 398
子 ど も の 地 域 生 活	501 369	542 558
子 ど も の 教 育 ・ 学 校 生 活	336 660	355 511
生　　　　活　　　　費	152 454	168 435
年　　金　　・　　保　　険	35 079	37 783
仕　　　　　　　　事	42 510	46 497
家　　族　　関　　係	169 215	177 707
住　　　　　　　　居	92 786	95 934
生　　活　　環　　境	271 402	270 591
日 常 的 な 支 援	1 479 100	1 563 281
そ　　　　の　　　　他	1 499 645	1 530 215
分 野 別 相 談 ・ 支 援 件 数	5 770 653	6 051 342
高 齢 者 に 関 す る こ と	3 278 969	3 409 081
障 害 者 に 関 す る こ と	272 235	297 084
子 ど も に 関 す る こ と	1 192 875	1 263 785
そ　　　　の　　　　他	1 026 574	1 081 392
そ の 他 の 活 動 件 数	26 674 758	26 399 148
調 査 ・ 実 態 把 握	5 123 570	4 620 115
行 事 ・ 事 業 ・ 会 議 へ の 参 加 協 力	6 095 469	6 083 234
地 域 福 祉 活 動 ・ 自 主 活 動	8 917 897	8 933 294
民 児 協 運 営 ・ 研 修	5 991 748	6 215 358
証　　明　　事　　務	482 947	487 190
要保護児童の発見の通告・仲介	63 127	59 957
訪　　問　　回　　数	38 228 011	37 119 205
訪 問 ・ 連 絡 活 動	24 443 930	23 622 019
そ　　　　の　　　　他	13 784 081	13 497 186
連　絡　調　整　回　数	16 162 547	16 799 113
委　　員　　相　　互	9 726 828	10 137 531
そ の 他 の 関 係 機 関	6 435 719	6 661 582
活　　動　　日　　数	30 299 560	30 064 932

資料：政策統括官（統計・情報政策、政策評価担当）「福祉行政報告例」

第3－42表　**共同募金額，年次推移・分野別配分状況**

a) 年次推移

年　　　　次	共同募金額　（千円）
昭和45年（'70）	4 579 216
50　（'75）	9 448 141
55　（'80）	17 771 303
60　（'85）	21 745 675
平成２年（'90）	24 772 738
7　（'95）	26 579 351
12　（'00）	24 803 164
17　（'05）	22 100 114
18　（'06）	21 705 267
19　（'07）	21 318 850
20　（'08）	20 865 325
21　（'09）	20 142 521
22　（'10）	19 710 913
23　（'11）	19 546 237
24　（'12）	19 098 691
25　（'13）	18 990 112
26　（'14）	18 723 326
27　（'15）	18 462 737
28　（'16）	18 144 261
29　（'17）	17 910 158

b) 分野別配分状況　　　　　　　　　　　　　　　　　　平成29年（2017）

分　　野　　別	金額（千円）	構成割合（％）
総数	17 910 158	100.0
老人福祉	2 261 143	12.6
障害児・者福祉	1 558 500	8.7
児童・青少年福祉	1 365 020	7.6
課題を抱える人への活動	356 793	2.0
その他の福祉団体・施設	94 154	0.5
住民全般	4 938 135	27.6
更生保護	19 100	0.1
歳末たすけあい	4 424 390	24.7
災害等準備金	503 607	2.8
経費（報告のための広報費等）	2 389 316	13.3

資料：中央共同募金会調べ

第 4 編
老 人 保 健 福 祉

老人保健福祉

老人保健・医療　217

第1章　老人保健・医療

第4－1表　介護保険施設の施設数の構成割合，開設主体別

(単位：%)　　　　　　　　　　　　　　　　　　　平成28年（2016）10月1日現在

開　設　主　体	介護老人福祉施設	介護老人保健施設	介護療養型医療施設
総　　数	100.0	100.0	100.0
都道府県	0.6	0.0	-
市区町村	3.3	3.7	4.6
広域連合・一部事務組合	1.4	0.5	0.2
日本赤十字社・社会保険関係団体・独立行政法人	0.1	1.7	0.9
社会福祉協議会	0.2	－	－
社会福祉法人(社会福祉協議会以外)	94.5	15.3	1.0
医療法人	・	75.1	83.3
社団・財団法人	・	2.7	2.4
その他の法人	0.0	0.9	0.5
そ　の　他		0.2	7.0

資料：政策統括官（統計・情報政策、政策評価担当）「平成28年介護サービス施設・事業所調査（詳細票）」

第4－2表　介護保険施設の施設数の構成割合，定員（病床数）規模別

(単位：%)　　　　　　　　　　　　　　　　　　　　　　　各年10月1日現在

定員（病床数）階　　　級	介護老人福祉施設		介護老人保健施設		介護療養型医療施設	
	平成28年(2016)	平成27年(2015)	平成28年(2016)	平成27年(2015)	平成28年(2016)	平成27年(2015)
総　　　数	100.0	100.0	100.0	100.0	100.0	100.0
1～9人	・	・	0.0	0.0	17.3	17.8
10～19	・	・	2.0	1.9	19.2	19.3
20～29	・	・	4.5	4.1	9.4	9.6
30～39	7.7	7.6	1.2	1.0	10.4	10.3
40～49	4.9	4.8	2.4	2.2	10.0	10.1
50～59	32.2	33.0	7.9	8.1	9.5	9.1
60～69	8.9	8.5	5.0	4.9	7.9	7.9
70～79	8.6	8.7	5.8	5.8	1.4	1.3
80～89	16.3	16.3	14.3	14.5	1.7	1.7
90～99	4.6	4.6	7.7	7.8	3.2	3.0
100～109	10.0	9.9	37.9	38.0	2.0	2.1
110～119	2.1	2.0	1.2	1.1	2.0	1.7
120～129	1.8	1.8	2.4	2.5	1.6	1.8
130～139	0.9	0.9	1.1	1.1	0.4	0.4
140～149	0.4	0.4	1.1	1.1	0.3	0.4
150人以上	1.6	1.6	5.6	5.7	3.6	3.6

資料：政策統括官（統計・情報政策、政策評価担当）「介護サービス施設・事業所調査（基本票）」
注：介護療養型医療施設における「定員」は介護指定病床数である。

218　老人保健・医療

第4－3表　介護保険施設の在所者の構成割合，要介護度，年次別

（単位：%）　　　　　　　　　　　　　　　　　　　　　　　　　　　　　　　　　　各年9月末現在

要　介　護　度		介護老人福祉施設		介護老人保健施設		介護療養型医療施設	
		平成28年 (2016)	平成27年 (2015)	平成28年 (2016)	平成27年 (2015)	平成28年 (2016)	平成27年 (2015)
総　　　数		100.0	100.0	100.0	100.0	100.0	100.
要　介　護	1	2.2	2.7	11.3	10.8	1.2	1.
要　介　護	2	6.1	7.7	18.6	18.4	2.8	2.
要　介　護	3	23.0	22.3	24.1	24.2	8.0	7.
要　介　護	4	35.7	34.2	26.8	26.9	33.9	33.
要　介　護	5	32.9	33.0	18.7	19.4	53.6	54.
そ　の　他		0.2	0.2	0.4	0.4	0.5	0.

資料：政策統括官（統計・情報政策、政策評価担当）「介護サービス施設・事業所調査（詳細票）」

第4－4表　介護保険施設の室数の構成割合，室定員別

（単位：%）　　　　　　　　　　　　　　　　　　　　　　　　　　　　　　　　　各年10月1日現在

室　　定　　員	介護老人福祉施設		介護老人保健施設		介護療養型医療施設	
	平成28年 (2016)	平成27年 (2015)	平成28年 (2016)	平成27年 (2015)	平成28年 (2016)	平成27年 (2015)
総　　　数	100.0	100.0	100.0	100.0	100.0	100.0
個　　　室	73.4	72.5	45.1	45.3	21.0	21.0
ユニット型	59.1	57.9	15.6	15.8	0.9	0.9
その他	14.3	14.6	29.5	29.5	20.1	20.2
2　人　室	7.9	8.2	12.1	12.0	17.6	17.7
ユニット型	0.0	0.0	0.0	0.0	-	-
その他	7.9	8.2	12.1	12.0	17.6	17.7
3　人　室	0.8	0.8	2.1	2.1	10.1	9.9
4　人　室	17.8	18.3	40.7	40.6	51.1	51.1
5人以上室	0.1	0.1	・	・	0.1	0.1

資料：政策統括官（統計・情報政策、政策評価担当）「介護サービス施設・事業所調査（詳細票）」
注：「ユニット型」とはユニットの中の居室（療養室）であり、「その他」とはユニット型以外の居室（療養室）
　　である。

老人保健・医療　219

第4－5表　介護保険施設の1施設当たり常勤換算従事者数，職種別

単位：人　　　　　　　　　　　　　　　　　　　　　　　　　　　　　　　平成28年（2016）10月1日現在

職　種	介護老人福祉施設			介護老人保健施設			介護療養型医療施設		
	総　数	常　勤	非常勤	総　数	常　勤	非常勤	総　数	常　勤	非常勤
総　数	44.9	38.0	6.9	52.2	46.1	6.1	35.7	32.1	3.6
施設長	0.8	0.8	0.0	…	…	…	…	…	…
医師	0.2	0.0	0.2	1.1	0.9	0.2	2.7	1.9	0.8
歯科医師	0.0	0.0	0.0	0.0	0.0	0.0	0.0	0.0	0.0
薬剤師	…	…	…	0.3	0.1	0.2	0.9	0.8	0.1
生活相談員・支援相談員	1.3	1.3	0.0	1.6	1.6	0.0	…	…	…
社会福祉士(再掲)	0.4	0.4	0.0	0.6	0.6	0.0	…	…	…
看護師	2.2	1.8	0.5	5.1	4.3	0.8	6.7	6.0	0.7
准看護師	1.7	1.4	0.3	4.8	4.1	0.7	6.1	5.5	0.6
介護職員(訪問介護員)	29.9	25.9	4.0	27.8	25.2	2.6	13.8	12.6	1.2
介護福祉士(再掲)	17.7	16.4	1.3	18.3	17.3	1.0	6.6	6.4	0.2
管理栄養士	0.9	0.9	0.0	1.0	1.0	0.0	0.9	0.9	0.0
栄養士	0.2	0.2	0.0	0.2	0.2	0.0	0.2	0.2	0.0
機能訓練指導員	0.8	0.7	0.1	…	…	…	…	…	…
看護師（再掲）	0.2	0.2	0.0	…	…	…	…	…	…
准看護師(再掲)	0.2	0.2	0.0	…	…	…	…	…	…
理学療法士	※ 0.1	※ 0.1	※ 0.0	1.8	1.7	0.1	1.7	1.7	0.0
作業療法士	※ 0.1	※ 0.1	※ 0.0	1.3	1.2	0.1	0.9	0.9	0.0
言語聴覚士	※ 0.0	※ 0.0	※ 0.0	0.3	0.2	0.0	0.4	0.4	0.0
柔道整復師	※ 0.1								
あん摩マッサージ指圧師	※ 0.1								
歯科衛生士	0.0	0.0	0.0	0.1	0.0	0.0	0.1	0.1	0.0
障害者生活支援員	0.0	0.0	0.0	…	…	…	…	…	…
介護支援専門員	1.2	1.2	0.0	1.5	1.5	0.0	1.1	1.1	0.0
精神保健福祉士等	…	…	…	…	…	…	0.1	0.1	0.0
調理員	2.0	1.5	0.5	1.5	1.2	0.3	…	…	…
その他の職員	3.6	2.3	1.3	3.8	2.8	1.0	…	…	…

資料：政策統括官（統計・情報政策、政策評価担当）「平成28年介護サービス施設・事業所調査（詳細票）」

注：1）常勤換算従事者数は調査した職種分のみであり，調査した職種以外は「…」とした。
　　2）従事者不詳の事業所を除いて算出した。
　　3）「常勤」は兼務者の常勤換算数と専従者数との合計であり，「非常勤」は常勤換算数である。
　　4）※は機能訓練指導員の再掲である。
　　5）介護療養型医療施設は，介護療養病床を有する病棟の従事者を含む。
　　6）介護老人福祉施設，介護老人保健施設，介護療養型医療施設の看護師は，保健師を含む。

220　老人保健・医療

第４－６表　介護サービス事業所数の構成割合，開設（経営）主体別

（単位：％）　　　　　　　　　　　　　　　　　　　　　　　　　　　　平成28年（2016）10月1日現在

事　業　所　の　種　類	総数	地方公共団体	日本赤十字社・社会保険関係団体・独立行政法人	社会福祉法人	医療法人	社団・財団法人	協同組合	営利法人（会社）	特定非営利活動法人（NPO）	その他
居宅サービス事業所										
（訪問系）										
訪問介護	100.0	0.3	…	18.7	6.2	1.3	2.3	65.5	5.2	0.
訪問入浴介護	100.0	0.2	…	37.3	2.1	0.7	0.6	58.7	0.5	
訪問看護ステーション	100.0	2.2	2.1	7.0	28.4	8.9	2.1	47.2	1.7	0.
（通所系）										
通所介護	100.0	0.7	…	39.7	8.4	0.5	1.6	47.3	1.7	0.
通所リハビリテーション	100.0	2.8	1.3	8.7	77.0	2.7	…	0.1	…	7.
介護老人保健施設	100.0	3.6	2.0	16.5	74.0	2.5	…	-	…	
医療施設	100.0	2.0	0.7	1.4	79.7	2.5	…	0.1	…	13.
（その他）										
短期入所生活介護	100.0	1.9	…	83.0	3.6	0.1	0.4	10.4	0.4	0.
短期入所療養介護	100.0	3.9	1.6	12.0	77.4	2.8	…	-	…	2.
介護老人保健施設	100.0	3.6	1.9	15.6	75.0	2.9	…	-	…	1.
医療施設	100.0	4.7	0.9	0.5	84.9	2.3	…	-	…	6.
特定施設入居者生活介護	100.0	0.8	…	23.7	5.9	0.6	0.3	67.7	0.4	0.
福祉用具貸与	100.0	0.0	…	2.3	1.2	0.4	1.7	93.3	0.7	0.
特定福祉用具販売	100.0	…	…	1.7	0.9	0.3	1.7	94.4	0.7	0.
地域密着型サービス事業所										
定期巡回・随時対応型訪問介護看護	100.0	-	…	31.6	17.3	1.8	2.4	45.2	1.3	0.
夜間対応型訪問介護	100.0	0.5	…	36.3	8.2	2.2	0.5	50.5	1.6	
地域密着型通所介護	100.0	0.3	…	11.5	3.8	0.9	1.1	75.6	6.3	0.
認知症対応型通所介護	100.0	0.1	…	44.2	12.1	0.9	1.4	35.0	5.7	0.
小規模多機能型居宅介護	100.0	0.1	…	31.7	12.9	0.8	2.0	46.2	6.0	0.
認知症対応型共同生活介護	100.0	0.1	…	24.4	16.8	0.4	0.6	53.2	4.4	0.
地域密着型特定施設入居者生活介護	100.0	-	…	32.9	15.9	0.7	0.7	47.4	2.1	0.
複合型サービス（看護小規模多機能型居宅介護）	100.0	-	…	20.0	20.7	4.4	2.2	49.1	3.6	
地域密着型介護老人福祉施設	100.0	4.5	…	95.5	・	・	・	・	・	・
介護予防支援事業所(地域包括支援センター)	100.0	25.6	…	54.1	13.5	3.5	1.0	1.4	0.6	
居宅介護支援事業所	100.0	0.8	…	25.2	16.0	2.4	2.3	49.5	3.2	0.

資料：政策統括官（統計・情報政策、政策評価担当）「平成28年介護サービス施設・事業所調査（詳細票）」
注：訪問看護ステーション，通所リハビリテーション，短期入所療養介護及び地域密着型介護老人福祉施設については，開設主体であり，それ以外は，経営主体である。

老人保健・医療　221

第4－7表　介護予防サービス・介護サービス事業所の利用者の構成割合，要介護（要支援）度別

（介護予防サービス）　　　　　　　　　　　　　　　　　　　　　　　　　　　平成28年（2016）9月

事 業 所 の 種 類	構 成 割 合 (%)			
	総　数	要支援1	要支援2	その他
介護予防サービス事業所				
（訪問系）				
介護予防訪問介護	100.0	44.6	53.7	1.7
介護予防訪問入浴介護	100.0	15.2	82.7	2.0
介護予防訪問看護ステーション	100.0	32.6	66.5	0.9
（通所系）				
介護予防通所介護	100.0	44.3	54.6	1.1
介護予防通所リハビリテーション	100.0	38.9	60.5	0.6
（その他）				
介護予防特定施設入居者生活介護	100.0	51.5	46.6	2.0
介護予防支援事業所（地域包括支援センター）	100.0	44.8	54.2	1.0

（介護サービス）

事 業 所 の 種 類	構 成 割 合 (%)						
	総　数	要介護1	要介護2	要介護3	要介護4	要介護5	その他
居宅サービス事業所							
（訪問系）							
訪問介護	100.0	31.0	28.8	16.3	12.1	10.2	1.5
訪問入浴介護	100.0	2.4	8.0	12.3	25.9	49.6	1.9
訪問看護ステーション	100.0	20.8	24.9	17.2	16.8	18.1	2.1
（通所系）							
通所介護	100.0	35.7	30.6	17.6	10.3	5.6	0.3
通所リハビリテーション	100.0	32.4	32.7	18.4	11.0	5.2	0.2
（その他）							
特定施設入居者生活介護	100.0	25.9	21.9	18.8	19.2	13.8	0.5
居宅介護支援事業所	100.0	33.9	30.1	17.1	11.1	7.1	0.7

資料：政策統括官（統計・情報政策、政策評価担当）「平成28年介護サービス施設・事業所調査（詳細票）」
注：1）「その他」は要支援認定申請中，要介護認定申請中等である。
　　2）「介護予防訪問看護ステーション」「訪問看護ステーション」は，健康保険法等のみによる利用者を含まない。
　　3）訪問看護ステーションの「その他」は，定期巡回・随時対応型訪問介護看護事業所との連携による利用者も含む。
　　4）「介護予防特定施設入居者生活介護」「特定施設入居者生活介護」は9月末日の利用者である。

第4－8表　介護予防サービス・介護サービスの種類別にみた9月中の利用者1人当たり利用回（日）数

各年9月

		平成28年 (2016)	平成27年 (2015)
介護予防サービス	介護予防サービス事業所		
	（訪問系）		
	介護予防訪問介護	6.0	5.●
	介護予防訪問入浴介護	4.3	4.●
	介護予防訪問看護ステーション	4.8	4.●
	（通所系）		
	介護予防通所介護	5.3	5.●
	介護予防通所リハビリテーション	5.8	5.●
	介護老人保健施設	6.0	6.●
	医療施設	5.6	5.●
	（その他）		
	介護予防短期入所生活介護	5.4	5.●
	介護予防短期入所療養介護	4.9	5.●
	介護老人保健施設	4.9	5.●
	医療施設	5.6	4.●
	地域密着型介護予防サービス事業所		
	介護予防認知症対応型通所介護	5.4	5.●
	介護予防小規模多機能型居宅介護	18.2	17.●
介護サービス	居宅サービス事業所		
	（訪問系）		
	訪問介護	19.3	18.●
	訪問入浴介護	5.0	4.●
	訪問看護ステーション	6.8	6.●
	（通所系）		
	通所介護	9.0	8.7
	通所リハビリテーション	8.2	8.●
	介護老人保健施設	8.4	8.3
	医療施設	8.0	7.8
	（その他）		
	短期入所生活介護	10.3	10.2
	短期入所療養介護	7.4	7.●
	介護老人保健施設	7.3	7.●
	医療施設	9.8	9.●
	地域密着型サービス事業所		
	定期巡回・随時対応型訪問介護看護	106.3	116.●
	夜間対応型訪問介護	5.2	5.7
	地域密着型通所介護	8.2	・
	認知症対応型通所介護	9.8	9.7
	小規模多機能型居宅介護	35.6	34.●
	複合型サービス	42.9	39.9

資料：政策統括官（統計・情報政策、政策評価担当）「介護サービス施設・事業所調査（詳細票）」

注：1）介護予防訪問看護ステーションは、健康保険法等のみによる利用者を含まない。
　　2）（介護予防）短期入所生活介護は、空床利用型の利用者を含まない。
　　3）（介護予防）短期入所生活介護、（介護予防）短期入所療養介護は「1人当たり利用日数」である。
　　4）訪問看護ステーションは、健康保険法等の利用者を含む。
　　5）定期巡回・随時対応型訪問介護看護は、健康保険法等の利用者を含み、連携型事業所の訪問看護利用者を含まない。

老人保健・医療　223

第4－9表　訪問看護ステーションの利用者1人当たり訪問回数、1事業所当たり
利用者数、1事業所当たり延利用者数，要介護（要支援）度別

平成28年（2016）9月

要 介 護 度	利用者1人当たり 訪問回数(回)	1事業所当たり 利用者数(人)	1事業所当たり 延利用者数(人)
総　　　数	6.1	…	…
介護予防サービス	4.8	7.7	37.1
要 支 援 1	4.1	2.5	10.2
要 支 援 2	5.2	5.1	26.6
介護サービス	6.3	42.6	270.2
要 介 護 1	5.5	8.9	48.3
要 介 護 2	5.9	10.6	62.6
要 介 護 3	6.1	7.4	44.7
要 介 護 4	6.7	7.2	48.2
要 介 護 5	7.9	7.7	60.7

資料：政策統括官（統計・情報政策、政策評価担当）「平成28年介護サービス施設・事業所調査（詳細票）」
注：1）健康保険法等のみによる利用者を含まない。
　　2）「1事業所当たり利用者数」及び「1事業所当たり延利用者数」は，利用者なしの事業所を除いて算出した。
　　3）「総数」は，要支援認定申請中，要介護認定申請中，定期巡回・随時対応型訪問介護看護事業所との連携による利用者等を含む。
　　4）「介護予防サービス」は，要支援認定申請中を含む。
　　5）「介護サービス」は，要介護認定申請中，定期巡回・随時対応型訪問介護看護事業所との連携による利用者等を含む。

224 老人保健・医療

第4－10表　居宅サービス事業所の1事業所当たり常勤換算従事者数，職種別

（単位：人）　　　　　　　　　　　　　　　　　　　　　　　　平成28年（2016）10月1日現在

職　　種	訪問介護	訪問入浴介護	訪問看護ステーション	通所介護	地域密着型通所介護	通所リハビリテーション		短期入所生活介護	特定施設入居者生活介護	認知症対応型共同生活介護	福祉用具貸与	居宅介護支援事業所
						介護老人保健施設	医療施設					
総　数	7.9	5.7	6.7	11.3	5.6	12.6	9.6	19.0	25.6	13.1	4.8	2
医師	···	···	···	0.0	···	0.6	0.7	0.2	···	···	···	
看護師	···	1.0	4.3	0.6	0.3	0.6	0.7	1.0	1.8	＊ 0.2	···	
准看護師	···	0.8	0.5	0.6	0.2	0.5	0.4	0.8	1.1	＊ 0.1	···	
機能訓練指導員	···	···	···	1.0	0.6	···	···	0.4	0.6	···	···	
看護師（再掲）	···	···	···	0.3	0.2	···	···	0.1	0.1	···	···	
准看護師（再掲）	···	···	···	0.3	0.1	···	···	0.1	0.1	···	···	
理学療法士	···	···	0.9	※ 0.1	※ 0.1	1.4	1.6	※ 0.1	※ 0.1	···	···	
作業療法士	···	···	0.4	※ 0.1	※ 0.0	0.8	0.6	※ 0.0	※ 0.1	···	···	
言語聴覚士	···	···	0.1	※ 0.0	※ 0.0	0.1	0.1	※ 0.0	※ 0.0	···	···	
柔道整復師	···	···	···	※ 0.1	※ 0.1	···	···	※ 0.0	※ 0.1	···	···	
あん摩マッサージ指圧師	···	···	···	※ 0.1	※ 0.0	···	···	※ 0.0	※ 0.0	···	···	
介護支援専門員	···	···	···	···	···	···	···	0.4	···	＊＊ 0.6	···	2
計画作成担当者	···	···	···	···	···	···	···	···	0.9	0.9	···	
生活相談員・支援相談員	···	···	···	1.4	1.2	···	···	0.9	1.1	···	···	
社会福祉士（再掲）	···	···	···	0.2	0.1	···	···	0.2	0.2	···	···	
介護職員（訪問介護員）	7.3	3.5	···	6.2	2.6	8.0	5.4	12.5	17.0	11.5	···	
介護福祉士（再掲）	3.6	1.4	···	2.6	0.8	5.1	3.0	7.0	6.8	4.6	···	
実務者研修修了者(再掲)	0.3	0.1										
旧基礎研修課程修了者(再掲)	0.2	0.0										
旧ヘルパー1級課程修了者(再掲)	0.2	0.1										
初任者研修修了者(再掲)	3.0	1.0										
福祉用具専門相談員	···	···	···	···	···	···	···	···	···	···	3.7	
管理栄養士	···	···	···	0.0	0.0	0.3	0.1	0.4	···	···	···	
栄養士	···	···	···	0.0	0.0	0.1	0.0	0.2	···	···	···	
歯科衛生士	···	···	···	0.0	0.0	0.0	0.0	···	···	···	···	
調理員	···	···	···	0.4	0.2	···	···	0.9	···	···	···	
その他の職員	0.5	0.4	0.5	0.9	0.5	···	···	1.5	3.2	0.8	1.1	0.

資料：政策統括官（統計・情報政策、政策評価担当）「平成28年介護サービス施設・事業所調査（詳細票）」

注：1）常勤換算従事者数は調査した職種分のみであり，調査した職種以外は「…」とした。
　　2）介護予防のみ行っている事業所は対象外とした。
　　3）従事者数不詳の事業所を除いて算出した。
　　4）短期入所生活介護は，空床利用型のみの従事者を含まない。
　　5）看護師は，保健師及び助産師を含む。
　　6）※は機能訓練指導員の再掲である。
　　7）＊は介護職員の再掲である。
　　8）＊＊は計画作成担当者の再掲である。

老人保健・医療　225

第4－11表　同居している主な介護者と要介護者等の構成割合，性・年齢階級別

(単位：%)　　　　　　　　　　　　　　　　　　　　　　　　　　　　　　　　　　平成28年（2016）

同居の主な介護者の性・年齢階級	要　介　護　者　等								
	総数	40～64歳	65～69	70～79	80～89	90歳以上	(再掲)60歳以上	(再掲)65歳以上	(再掲)75歳以上
総　　数	[100.0]	[4.4]	[4.6]	[22.6]	[47.1]	[21.4]	[97.5]	[95.6]	[83.1]
	100.0	100.0	100.0	100.0	100.0	100.0	100.0	100.0	100.0
40歳未満	1.8	8.3	6.6	1.6	0.9	1.3	1.6	1.5	1.1
40～49歳	7.0	3.8	14.5	15.6	4.9	1.5	7.0	7.1	5.7
50～59	21.2	31.3	2.0	8.6	32.9	10.8	21.0	20.7	23.3
60～69	31.5	35.7	62.0	13.1	22.6	63.2	31.8	31.3	30.1
70～79	22.3	11.3	14.7	48.4	15.2	14.4	22.4	22.8	21.0
80歳以上	16.1	9.6	0.2	12.4	23.4	8.8	16.1	16.4	18.6
(再掲)60歳以上	70.0	56.6	76.9	73.9	61.2	86.4	70.3	70.6	69.8
(再掲)65歳以上	53.9	35.9	54.0	72.5	43.8	60.1	54.2	54.7	53.1
(再掲)75歳以上	27.3	14.1	0.8	34.6	34.8	11.3	27.3	27.9	30.2
男	34.0	36.7	37.1	39.9	32.8	29.0	33.9	33.8	32.8
40歳未満	0.6	4.3	1.4	0.3	0.4	0.4	0.5	0.4	0.4
40～49歳	2.3	1.2	6.1	6.3	1.2	0.2	2.3	2.4	1.8
50～59	7.2	7.2	-	3.6	11.3	3.8	7.1	7.3	8.1
60～69	9.7	20.8	18.3	1.8	7.2	19.3	9.7	9.2	9.2
70～79	5.7	0.5	11.3	16.8	1.3	3.6	5.9	6.0	3.7
80歳以上	8.4	2.8	-	11.1	11.4	1.7	8.5	8.6	9.7
(再掲)60歳以上	23.8	24.0	29.6	29.8	20.0	24.6	24.0	23.8	22.6
(再掲)65歳以上	19.1	14.9	25.2	29.4	14.8	17.2	19.4	19.3	17.7
(再掲)75歳以上	11.4	3.3	0.6	21.6	12.4	2.4	11.6	11.8	12.0
女	66.0	63.3	62.9	60.1	67.2	71.0	66.1	66.2	67.2
40歳未満	1.2	4.0	5.1	1.3	0.6	1.0	1.1	1.1	0.7
40～49歳	4.6	2.6	8.5	9.3	3.7	1.4	4.7	4.7	3.9
50～59	14.0	24.1	2.0	5.0	21.7	6.9	13.8	13.5	15.2
60～69	21.8	14.9	43.7	11.3	15.4	44.0	22.2	22.2	20.9
70～79	16.6	10.9	3.3	31.5	13.9	10.7	16.5	16.8	17.4
80歳以上	7.8	6.8	0.2	1.3	12.0	7.1	7.6	7.8	8.9
(再掲)60歳以上	46.2	32.6	47.3	44.1	41.2	61.8	46.3	46.8	47.2
(再掲)65歳以上	34.8	21.0	28.9	43.0	29.0	43.0	34.8	35.4	35.4
(再掲)75歳以上	15.9	10.8	0.2	13.0	22.4	9.0	15.8	16.1	18.2

資料：政策統括官（統計・情報政策，政策評価担当）「平成28年国民生活基礎調査」
注：1）熊本県を除いたものである。
　　2）「総数」には，主な介護者の年齢不詳を含む。
　　3）国民生活基礎調査（介護票）は，大規模調査年のみ実施。

第4－12表　同居している主な介護者数の構成割合，介護時間×要介護者等の要介護度別

(単位：%)　　　　　　　　　　　　　　　　　　　　　　　　　　　　　　　　　　平成28年（2016）

要介護度	総数	ほとんど終日	半日程度	2～3時間程度	必要な時に手をかす程度	その他	不詳
総　数	100.0	22.1	10.9	10.7	44.5	8.0	3.8
要支援者	100.0	7.4	5.7	6.9	63.1	13.8	3.1
要支援1	100.0	6.1	3.3	4.6	67.7	15.3	2.9
要支援2	100.0	8.4	7.5	8.6	59.5	12.7	3.3
要介護者	100.0	27.8	13.0	12.3	37.7	6.1	3.1
要介護1	100.0	14.6	8.9	8.4	60.1	7.2	0.7
要介護2	100.0	20.7	12.3	14.8	43.8	4.4	4.1
要介護3	100.0	32.6	16.4	14.4	28.5	5.1	3.1
要介護4	100.0	45.3	19.8	12.5	10.1	8.3	4.0
要介護5	100.0	54.6	10.8	11.2	10.8	7.0	5.7

資料：政策統括官（統計・情報政策，政策評価担当）「平成28年国民生活基礎調査」
注：1）熊本県を除いたものである。
　　2）「総数」には，要介護度不詳を含む。
　　3）国民生活基礎調査（介護票）は，大規模調査年のみ実施。

226　老人保健・医療

第4−13表　介護を要する者の構成割合，介護者の組合せ×介護内容別

（単位：％）　　　　　　　　　　　　　　　　　　　　　　　　　　　　　　　平成28年（2016）

介　護　内　容	総　　　数	事業者のみ	事業者と家族等介護者	主な家族等介護者のみ	そ　の　他	不　　　詳
洗　　髪	100.0	65.5	4.9	23.1	5.6	1.0
入浴介助	100.0	64.8	4.8	24.4	4.5	1.4
身体の清拭（体をふく）	100.0	51.0	8.5	35.2	4.4	0.9
口腔清掃（はみがき等）	100.0	35.8	10.0	48.0	5.4	0.8
散　　歩	100.0	33.4	5.9	50.1	8.7	2.0
洗　　顔	100.0	32.7	9.0	52.5	5.3	0.5
体位交換・起居（寝返りや体を起こす等）	100.0	31.1	11.3	48.1	7.6	1.9
排泄介助	100.0	28.6	20.1	45.0	6.0	0.4
掃　　除	100.0	28.1	4.1	58.1	8.1	1.6
着　　替	100.0	25.4	14.2	53.4	6.6	0.5
食事介助	100.0	23.6	14.5	53.2	6.9	1.3
食事の準備・後始末（調理を含む）	100.0	19.1	10.7	60.8	7.6	1.8
服薬の手助け	100.0	18.5	9.6	63.1	7.4	1.4
洗　　濯	100.0	17.6	3.3	69.8	8.0	1.3
話し相手	100.0	16.6	16.5	54.1	11.1	1.6
買い物	100.0	16.3	2.6	68.0	10.9	2.0

資料：政策統括官（統計・情報政策，政策評価担当）「平成28年国民生活基礎調査」
注：1）熊本県を除いたものである。
　　2）「その他」とは，「主な家族等介護者とその他の家族等介護者」，「その他の家族等介護者のみ」をいう
　　3）国民生活基礎調査（介護票）は，大規模調査年のみ実施。

第4−14表　介護を要する者の構成割合，世帯構造×居宅サービスの利用状況（複数回答）別

（単位：％）　　　　　　　　　　　　　　　　　　　　　　　　　　　　　　　平成28年（2016）

利　用　の　有　無居宅サービスの種類	総　　　数	単独世帯	核家族世　帯	（再　掲）夫婦のみの世帯	三世代世　帯	その他の世帯	（再　掲）高齢者世帯
総　　　　　数	100.0	100.0	100.0	100.0	100.0	100.0	100.0
利用した	77.0	83.3	70.0	70.2	79.3	80.8	77.3
訪問系サービス	49.3	64.4	40.9	40.3	45.0	48.4	52.5
通所系サービス	48.5	38.3	46.6	46.5	60.7	58.0	43.6
短期入所系サービス	9.8	4.8	7.2	7.0	16.9	17.1	7.6
居住系サービス	5.1	13.3	1.4	1.4	2.8	2.5	7.4
小規模多機能型サービス等	2.2	1.6	2.1	2.0	2.6	3.2	2.0
配食サービス	6.0	11.6	5.3	5.1	1.8	2.5	7.9
外出支援サービス	3.0	4.9	3.3	3.9	0.9	1.3	4.0
寝具類等洗濯乾燥消毒サービス	1.7	2.9	1.0	1.1	1.3	1.4	2.1
利用しなかった	23.0	16.7	30.0	29.8	20.7	19.2	22.7

資料：政策統括官（統計・情報政策，政策評価担当）「平成28年国民生活基礎調査」
注：1）熊本県を除いたものである。
　　2）「訪問系サービス」には，訪問介護，訪問入浴介護，訪問看護，訪問リハビリテーション，介護予防訪問介護（介護予防・日常生活支援総合事業における訪問系サービスを含む），介護予防訪問入浴介護，介護予防訪問看護，介護予防訪問リハビリテーション，夜間対応型訪問介護，定期巡回・随時対応型訪問介護看護を含む。
　　　「通所系サービス」には，通所介護，通所リハビリテーション，介護予防通所介護（介護予防・日常生活支援総合事業における通所系サービスを含む），介護予防通所リハビリテーション，認知症対応型通所介護，介護予防認知症対応型通所介護を含む。
　　　「短期入所系サービス」には，短期入所生活介護，短期入所療養介護，介護予防短期入所生活介護，介護予防短期入所療養介護を含む。
　　　「居住系サービス」には，認知症対応型共同生活介護，介護予防認知症対応型生活介護を含む。
　　　「小規模多機能型サービス等」には，小規模多機能型居宅介護，介護予防小規模多機能型居宅介護，複合型サービスを含む。
　　3）国民生活基礎調査（介護票）は，大規模調査年のみ実施。

228 老人保健・医療

第４－15表　健康増進事業，事業の種類×都道府県一

（2－1）

都 道 府 県	健 康 手 帳 交 付 件 数		
	総　　数	40歳　～　74歳	75　歳　以　上
全　　　　　国	853 232	673 556	136 796
北　海　道	14 000	12 147	1 853
青　　　森	7 015	5 742	1 273
岩　　　手	13 974	11 115	2 859
宮　　　城	18 068	12 257	5 811
秋　　　田	5 550	4 538	1 012
山　　　形	4 377	3 309	1 068
福　　　島	7 822	6 515	1 307
茨　　　城	15 272	13 602	1 670
栃　　　木	12 570	11 107	1 463
群　　　馬	11 276	8 291	2 985
埼　　　玉	33 119	27 951	4 168
千　　　葉	58 821	47 624	11 197
東　　　京	133 608	110 332	12 359
神　奈　川	22 095	12 125	4 325
新　　　潟	12 010	10 026	1 984
富　　　山	8 423	7 130	1 293
石　　　川	2 169	1 697	472
福　　　井	939	520	419
山　　　梨	4 328	4 060	268
長　　　野	9 606	5 484	4 122
岐　　　阜	11 511	10 725	786
静　　　岡	15 403	13 435	1 968
愛　　　知	32 799	22 126	3 789
三　　　重	17 139	13 357	3 782
滋　　　賀	6 941	6 267	674
京　　　都	16 131	13 876	2 255
大　　　阪	114 577	75 722	24 374
兵　　　庫	37 900	31 447	6 453
奈　　　良	15 216	13 264	1 952
和　歌　山	9 973	9 735	238
鳥　　　取	4 230	2 428	1 288
島　　　根	4 421	3 541	880
岡　　　山	17 385	14 128	3 257
広　　　島	20 812	18 106	2 706
山　　　口	9 026	7 397	1 629
徳　　　島	6 638	5 478	1 160
香　　　川	11 675	10 991	684
愛　　　媛	2 661	2 216	445
高　　　知	2 578	1 549	1 029
福　　　岡	41 403	33 938	4 026
佐　　　賀	7 987	7 610	377
長　　　崎	8 454	6 983	1 471
熊　　　本	8 343	5 708	2 635
大　　　分	13 029	11 626	1 403
宮　　　崎	10 509	7 599	2 910
鹿　児　島	9 222	7 075	2 147
沖　　　縄	2 227	1 657	570

指定都市・特別区－中核市－その他政令市（再掲）別

平成28年度　(FY2016)

	受　　診　　者　　数					受　　診　　率					
健康診査	胃 が ん	肺 が ん	大腸がん	子宮頸がん	乳 が ん	健康診査	胃 が ん	肺 が ん	大腸がん	子宮頸がん	乳 が ん
118 956	1 998 387	4 071 463	4 639 186	3 805 018	2 563 703	7.4	8.6	7.7	8.8	16.4	18.2
1 885	79 041	110 737	145 373	139 420	96 337	1.7	8.8	4.8	6.3	14.3	16.6
1 970	48 784	64 325	78 583	40 979	31 287	8.1	16.9	11.2	13.6	17.9	20.8
1 372	41 574	71 488	73 378	42 820	37 695	12.9	15.8	13.4	13.7	19.9	30.0
2 033	75 076	146 815	142 210	127 312	73 271	9.7	15.9	15.4	14.9	25.4	29.2
384	26 436	45 433	57 324	26 834	24 099	3.6	11.6	10.3	12.9	14.4	18.1
395	51 018	85 076	84 295	48 643	38 069	6.3	25.7	19.8	19.6	26.3	32.2
1 502	68 822	110 482	98 337	58 305	44 449	11.3	16.6	13.7	12.2	17.7	20.8
665	45 614	133 651	109 255	92 011	53 674	3.1	8.4	10.8	8.8	14.4	16.3
836	51 976	95 384	102 561	79 235	64 137	2.4	13.1	11.6	12.4	20.9	23.2
1 537	48 164	91 008	88 357	83 687	51 137	12.7	10.6	10.9	10.6	20.5	21.7
6 749	103 735	220 208	271 012	201 094	137 603	9.4	6.9	7.7	8.8	14.9	16.6
5 433	96 714	277 854	278 976	221 919	177 544	8.6	8.7	10.6	10.6	18.4	22.2
50 851	119 177	265 452	533 446	354 446	245 781	22.8	6.2	4.8	9.7	15.2	18.2
7 826	78 807	201 059	233 710	259 258	142 876	6.8	5.1	5.3	6.1	16.0	15.2
1 767	70 134	109 331	108 679	62 179	54 650	11.0	12.8	11.4	11.4	17.6	25.2
265	28 730	47 576	41 337	34 287	25 991	11.5	11.9	10.6	9.2	17.1	19.1
905	30 959	50 118	48 273	37 226	28 065	16.4	12.3	10.5	10.2	20.3	20.4
137	12 851	26 378	28 208	28 115	17 528	4.2	9.4	8.4	9.0	23.4	22.4
199	25 191	62 601	56 396	35 812	28 833	3.7	13.0	17.7	16.0	20.3	25.8
815	27 002	36 615	78 064	61 319	37 712	10.3	6.8	4.2	9.0	15.5	16.8
353	32 311	68 071	74 936	67 352	57 858	5.8	8.0	8.0	8.8	17.0	22.1
1 522	73 782	161 031	156 454	122 515	74 180	6.2	9.4	10.4	10.1	18.5	19.2
3 727	128 763	276 515	270 223	229 149	139 943	6.1	10.1	9.1	8.9	15.0	15.6
1 837	44 777	63 828	73 500	79 174	44 926	15.9	10.8	8.4	9.7	20.2	18.8
504	11 413	26 222	37 087	39 550	22 172	6.7	4.8	4.6	6.5	16.6	15.9
1 524	18 369	48 281	58 691	53 428	41 005	4.0	7.8	4.6	5.6	12.0	20.0
4 927	68 117	189 414	219 727	224 546	124 561	1.9	5.4	5.2	6.0	15.1	14.3
1 702	49 444	126 445	176 219	101 055	88 358	2.3	5.2	5.8	8.1	12.1	16.4
678	14 593	23 467	46 165	30 952	25 450	4.8	6.0	4.1	8.0	14.7	17.5
161	22 413	42 154	42 407	37 733	26 929	1.2	11.4	10.4	10.4	21.5	21.5
569	23 548	28 265	31 861	26 377	14 737	10.6	15.2	12.1	13.6	22.1	24.6
413	7 317	13 820	26 865	17 475	13 843	9.0	6.2	5.0	9.6	16.4	18.9
1 248	27 488	69 658	59 417	57 495	40 718	6.7	9.0	9.1	7.8	14.5	15.8
961	38 281	78 402	86 942	81 459	49 383	2.9	7.0	6.8	7.5	16.3	14.3
210	14 516	28 668	32 471	36 657	20 846	2.2	4.7	5.0	5.6	16.4	14.3
240	9 183	15 983	18 787	20 883	12 313	2.3	6.3	5.0	5.9	17.0	14.9
1 140	17 491	41 641	47 779	30 244	24 819	14.8	8.9	10.2	11.7	18.3	22.5
195	21 180	34 573	43 494	34 291	28 505	1.1	8.4	6.0	7.5	13.4	17.3
137	12 929	30 469	25 486	15 422	14 117	0.9	9.3	10.0	8.4	13.1	16.9
1 523	66 234	97 642	117 260	141 182	79 107	2.6	7.4	4.7	5.7	15.2	14.7
232	16 110	32 268	32 157	32 284	21 260	4.6	10.2	9.6	9.6	20.7	21.1
1 573	29 406	55 568	44 774	43 533	26 349	6.6	12.3	9.6	7.7	18.3	15.7
910	32 971	71 409	71 284	56 766	42 281	4.6	9.5	9.9	9.9	16.2	18.1
740	18 575	49 542	35 668	35 280	26 110	4.4	8.1	10.4	7.5	15.0	18.1
846	12 881	21 735	39 485	35 077	18 242	6.2	6.4	4.7	8.6	17.0	12.4
933	31 323	67 415	64 235	73 430	49 426	4.2	10.1	9.9	9.5	20.7	26.2
2 625	25 167	57 386	46 921	46 808	25 527	9.3	10.7	10.0	8.2	17.9	16.6

230　老人保健・医療

第4-15表（続）　健康増進事業，事業の種類×都道府県―

（2-2）

指定都市・特別区 中核市 その他政令市	健康手帳交付件数		
	総数	40歳 ～ 74歳	75歳以上
指定都市・特別区（再掲）			
東京都の区部	103 301	90 580	9 986
札幌市	-	-	-
仙台市	8 183	6 237	1 946
さいたま市	421	315	106
千葉市	6 761	5 843	918
横浜市	5 645	...	...
川崎市	505	315	190
相模原市	2 987	2 513	474
新潟市	1 740	1 312	428
静岡市	427	276	151
浜松市	901	628	273
名古屋市	1 203	996	207
京都市	580	525	55
大阪市	16 641	7 877	8 764
堺市	7 624	...	...
神戸市	9 786	7 895	1 891
岡山市	10 464	8 545	1 919
広島市	14 496	12 381	2 115
北九州市	3 244	2 648	596
福岡市	11 021	10 702	319
熊本市	1 338	947	391
中核市（再掲）			
旭川市	598	588	10
函館市	236	152	84
青森市	30	30	-
八戸市	354	170	184
盛岡市	4 050	3 407	643
秋田市	938	641	297
郡山市	394	267	127
いわき市	841	555	286
宇都宮市	2 810	2 721	89
前橋市	2 990	1 414	1 576
高崎市	498	432	66
川越市	2 949	2 327	622
越谷市	1 485	1 394	91
柏市	1 276	789	487
船橋市	826	578	248
八王子市	59	43	16
横須賀市	340	283	57
富山市	3 253	2 685	568
金沢市	45	19	26
長野市	974	818	156
岐阜市	5 292	5 183	109
豊橋市	3 256	2 767	489
豊田市	77	26	51
岡崎市	4 888	4 624	264
大津市	662	526	136
高槻市	15 282	9 669	5 613
東大阪市	7 000	5 946	1 054
豊中市	1 065	794	271
枚方市	11 027	8 597	2 430
姫路市	1 682	1 114	568
西宮市	7 569	7 557	12
尼崎市	-	-	-
奈良市	1 787	1 519	268
和歌山市	4 770	4 756	14
倉敷市	822	792	30
福山市	3 345	3 305	40
呉市	1 639	1 447	192
下関市	687	541	146
高松市	6 734	6 734	-
高知市	-	-	-
久留米市	6 253	5 980	273
長崎市	249	168	81
佐世保市	763	698	65
大分市	7 161	6 891	270
宮崎市	499	273	226
鹿児島市	800	548	252
那覇市	-	-	-
その他政令市（再掲）			
小樽市	250	193	57
町田市	6 505	...	...
藤沢市	256	111	145
四日市市	1 387	1 104	283
大牟田市	3 164	2 311	853

資料：政策統括官（統計・情報政策担当）「平成28年度地域保健・健康増進事業報告」

老人保健・医療　231

指定都市・特別区－中核市－その他政令市（再掲）別

平成28年度 (FY2016)

受　診　者　数						受　診　率					
健康診査	胃がん	肺がん	大腸がん	子宮頸がん	乳がん	健康診査	胃がん	肺がん	大腸がん	子宮頸がん	乳がん
39 076	89 672	215 506	371 224	263 793	174 066	23.0	7.2	5.7	9.9	16.4	19.0
400	18 558	10 465	40 657	59 759	34 040	0.7	...	1.2	4.8	...	...
1 364	23 761	38 846	45 601	42 991	28 962	33.2	12.2	9.0	10.6	20.9	26.2
2 336	35 559	57 098	54 710	36 969	27 050	15.0	12.8	10.8	10.3	16.0	17.5
821	17 207	42 627	40 919	26 751	21 030	5.2	10.7	10.5	10.0	17.9	22.1
1 700	29 697	47 451	77 444	106 023	59 421	3.1	5.2	5.2	3.0	5.0	16.1
2 820	15 127	30 243	31 669	33 728	18 410	11.4	6.0	5.1	5.3	14.5	14.3
544	9 489	19 289	20 394	25 651	11 784	5.7	6.9	6.4	6.7	18.5	16.5
1 060	30 676	21 240	34 311	19 212	14 881	11.6	...	6.3	10.3	...	...
206	9 113	19 529	20 186	18 221	11 237	2.9	6.3	6.6	6.8	16.5	15.5
437	18 528	33 385	32 215	22 102	12 259	7.5	10.1	10.1	9.8	13.6	16.0
1 195	28 099	63 979	74 502	85 652	45 389	3.1	7.3	6.9	8.1	...	...
643	3 533	17 074	15 552	18 273	15 634	2.3	...	3.0	2.7	7.9	...
806	14 007	30 598	38 170	47 550	19 576	0.7	...	2.8	3.5	10.5	9.2
156	3 462	7 183	17 673	22 691	8 911	0.8	2.9	2.1	5.1	16.6	13.2
264	9 300	14 000	58 105	24 435	23 108	0.7	3.3	2.2	9.2	10.3	...
691	7 207	22 888	18 829	16 501	10 987	7.0	9.1	8.1	6.7	11.5	13.4
758	11 632	32 985	32 533	32 622	20 933	4.1	6.2	6.8	6.7	...	14.9
67	4 540	6 518	11 920	24 952	11 558	0.5	2.9	1.7	3.1	14.1	12.4
155	17 721	10 871	20 262	44 761	17 023	...	...	1.8	3.4	17.3	12.1
572	4 592	10 964	11 210	12 973	7 983	4.7	3.8	3.8	3.8	11.3	11.0
73	4 606	6 636	8 810	16 014	7 424	4.6	7.4	4.5	6.0	22.7	19.7
123	1 728	4 489	3 656	4 841	3 380	1.3	3.3	3.8	3.1	12.1	13.5
802	6 596	5 757	13 214	4 763	4 645	10.9	11.3	4.5	10.3	10.5	14.9
206	7 462	9 789	9 848	8 000	4 379	8.1	15.7	9.6	9.7	17.5	16.7
567	5 805	11 903	8 571	9 138	5 671	15.9	10.9	9.7	7.0	14.3	...
22	2 903	5 073	8 920	6 792	4 755	0.5	4.4	3.7	6.6	11.9	12.2
229	12 302	15 900	15 668	7 889	5 824	8.5	14.4	11.7	11.5	14.7	16.3
275	6 266	10 552	7 805	3 822	3 399	9.2	7.3	7.6	5.6	7.8	10.3
263	11 116	20 690	20 338	20 867	7 210	3.8	11.0	9.6	9.5	20.0	14.8
545	15 567	24 428	23 045	19 876	15 068	16.9	18.6	17.4	16.4	26.1	28.9
335	2 355	10 255	11 403	14 482	6 159	12.2	3.4	6.7	7.4	18.4	17.4
42	1 252	1 725	11 209	4 306	4 922	1.2	2.1	1.2	7.7	7.8	13.9
287	4 688	8 446	8 953	10 305	7 439	9.9	5.7	6.0	6.4	12.9	19.0
1 381	6 208	36 020	33 985	21 001	12 563	19.9	...	14.1	13.3	...	20.4
239	4 287	8 573	10 222	8 947	15 549	5.1	5.7	5.0	6.0	16.8	22.5
1 787	3 749	12 848	25 278	18 043	11 602	24.2	3.6	5.5	10.8	15.6	18.3
187	—	13 413	12 795	11 693	5 294	4.3	—	7.8	7.4	15.6	13.9
145	10 487	15 751	13 902	7 871	6 480	9.7	...	9.1	8.0	12.7	15.1
696	14 932	19 991	18 184	10 186	9 147	19.7	13.7	10.7	9.8	...	17.1
214	1 698	5 144	8 732	10 697	3 526	8.2	2.6	3.3	5.6	14.2	9.6
165	2 084	5 552	7 324	13 445	8 175	7.6	3.0	3.3	4.3	17.7	16.8
15	6 410	11 935	11 108	9 370	5 106	0.8	9.5	7.7	7.2	15.2	14.0
70	7 987	9 581	13 196	7 059	4 120	4.0	13.1	5.7	7.8	11.2	10.2
325	9 418	15 119	18 788	8 308	6 329	20.6	13.6	9.7	12.1	13.7	16.6
279	1 005	9 525	10 657	15 999	3 690	11.5	1.7	6.6	7.4	22.2	11.6
336	3 963	18 836	14 051	12 547	6 257	7.9	6.8	12.9	9.7	22.5	17.2
433	7 389	13 002	13 408	12 018	7 616	3.1	8.7	6.3	6.5	16.3	16.1
359	2 159	3 177	10 970	10 769	5 386	...	3.8	1.9	6.6	16.9	12.7
442	2 886	13 177	14 164	12 876	6 811	7.6	4.4	7.7	8.3	16.6	16.0
29	4 208	6 941	8 450	13 515	11 563	3.5	5.1	3.2	3.9	19.0	21.2
97	2 552	4 224	6 687	5 254	5 931	1.6	3.3	2.1	3.3	9.4	14.4
814	1 975	6 042	9 485	2 945	3 368	6.3	...	8.6	13.5	9.6	16.6
429	1 548	1 983	15 910	9 849	7 443	7.6	2.3	1.3	10.4	18.3	19.6
60	2 688	6 170	6 007	10 499	6 240	0.8	3.6	4.1	4.0	17.9	15.6
244	6 194	14 642	13 064	17 838	11 461	4.6	7.9	7.7	6.9	17.7	17.7
52	3 352	10 902	12 932	10 267	4 701	1.0	4.2	5.8	6.8	10.8	10.5
28	2 045	4 212	4 465	9 770	4 001	0.9	4.9	4.5	4.8	22.6	13.2
29	1 660	2 639	4 241	9 371	3 282	7.3	2.0	2.4	3.8	18.6	10.8
735	4 214	10 781	18 133	12 255	9 465	17.1	5.3	6.1	10.3	17.6	20.6
68	4 540	8 491	9 001	12 215	7 638	0.7	7.0	4.0	4.2	13.8	13.4
19	2 760	4 965	8 194	6 285	6 186	0.2	5.3	3.6	5.9	14.0	14.5
98	2 301	10 374	10 763	12 463	5 652	2.0	4.3	8.5	8.8	19.8	17.9
762	4 523	7 722	5 418	11 693	5 000	7.0	...	4.2	2.9	17.7	11.4
27	7 504	10 430	8 330	9 948	5 949	0.6	15.7	10.1	8.1	20.7	16.9
84	2 431	14 743	7 314	8 438	8 337	1.2	3.0	7.5	3.7	10.2	14.3
395	2 954	10 610	12 647	16 619	5388	5.8	4.0	6.4	7.6	20.5	6.6
494	5 056	11 990	10 933	24 248	12 162	4.2	5.7	4.8	4.4	19.0	...
969	6 415	11 730	11 785	8 208	5 145	9.9	10.5	9.1	9.1	14.6	14.8
32	776	1 098	1 868	1 607	1 373	0.8	3.1	2.1	3.5	9.3	11.3
1 545		9 276	9 875	8 757		29.0		5.2	12.9	13.3	
957	2 794	19 798	18 823	15 633	10 167	24.3	4.2	11.0	10.5	17.8	16.3
581	7 634	6 478	10 614	13 114	5 755	23.0	11.1	5.1	8.3	20.1	14.0
5	749	741	1 922	2 048	1 462	100.0	3.5	1.5	3.9	12.0	12.1

232　老人保健・医療

第4-16表　健康増進事業の実施状況，年度別

事　業　内　容　等	平成21年度 (FY2009)	平成22年度[1] (FY2010)	平成23年度 (FY2011)	平成24年度 (FY2012)	平成25年度 (FY2013)	平成26年度 (FY2014)	平成27年度 (FY2015)	平成28年度 (FY2016)
健　康　手　帳　の　交　付								
新　規　交　付　数（千人）	1 180	1 049	1 089	1 028	977	1 002	943	853
健　　康　　教　　育								
個別　指導を開始した者（人）	8 758	9 313	8 344	10 004	12 074	16 302	17 295	11 600
指導を終了した者（人）	5 135	5 441	5 440	6 843	7 446	10 199	12 191	7 389
集団　開　催　回　数（千回）	153	146	150	151	150	147	145	142
参加延人員（千人）	3 153	3 050	3 025	2 981	2 951	2 876	2 799	2 677
健　　康　　相　　談								
開　催　回　数（千回）	241	221	223	217	212	210	202	206
被　指　導　延　人　員（千人）	1 659	1 538	1 541	1 444	1 432	1 391	1 337	1 296
健　　康　　診　　査								
健康診査受診者数（千人）	78	85	92	100	106	110	116	119
受　　診　　率（％）	6.1	5.4	6.2	7.0	6.6	7.1	8.0	7.4
胃がん検診受診者数[2]（千人）	2 603	2 470	2 459	2 430	2 364	2 325	2 373	1 998
受診率[2,3]（％）	10.4	10.1	9.7	9.9	9.6	9.3	6.3	8.6
肺がん検診受診者数[2]（千人）	3 973	3 863	3 928	3 979	3 961	4 027	4 209	4 071
受診率[2,3]（％）	16.1	15.7	15.4	16.2	16.0	16.1	11.2	7.7
大腸がん検診受診者数[2]（千人）	3 955	3 916	4 584	4 704	4 780	4 867	5 242	4 639
受診率[2]（％）	15.2	15.5	17.6	18.7	19.0	19.2	13.8	8.8
子宮頸がん検診受診者数[2,4]（千人）	3 990	4 113	4 059	4 022	3 933	4 196	3 924	3 805
受診率[2,3]（％）	26.2	30.1	30.6	31.2	31.1	32.0	23.3	16.4
乳がん検診受診者数[2]（千人）	2 277	2 181	2 189	2 038	2 073	2 184	2 116	2 564
受診率[2,3]（％）	22.8	26.6	26.3	25.9	25.3	26.1	20.0	18.2
歯周疾患検診受診者数（人）	225 158	228 875	253 545	266 606	283 274	291 484	286 264	299 266
骨粗鬆症検診受診者数（人）	279 024	259 761	277 489	312 144	312 450	313 978	304 535	305 434
機　　能　　訓　　練								
実　施　施　設　数（カ所）	511	459	369	341	391	297	258	231
被　指　導　延　人　員（千人）	75	71	55	54	48	44	37	34
訪　　問　　指　　導								
被　指　導　実　人　員（千人）	216	218	270	251	251	233	228	208

資料：政策統括官（統計・情報政策担当）「平成28年度地域保健・健康増進事業報告」
注：1）平成22年度は，東日本大震災の影響により，岩手県の一部の市町村（釜石市，大槌町，宮古市，陸前高田市），宮城県のうち仙台市以外の市町村，福島県の一部の市町村（南相馬市，楢葉町，富岡町，川内村，大熊町，双葉町，飯舘村，会津若松市）が含まれていない。
　　2）がん検診の受診者数，受診率は下記のとおりである。
　　　平成21〜28年度　40歳から（子宮頸がんは20歳から）69歳までで算出
　　　「がん対策推進基本計画」（平成24年6月8日閣議決定）に基づき，受診率算定対象年齢を変更したため平成21年度〜平成24年度調査については算出し直している。
　　3）以下の制度変更等により，対象者数及び受診者数に変動があるため，平成26年度以前，平成27年度，平成28年度の対象者数，受診者数及び受診率の比較にあたっては留意が必要である。
　　　・平成27年度はがん検診の対象者数について報告内容の精査を行い，さらに平成28年度は「市町村におけるがん検診の受診率の算定方法について」に基づき，対象者数は各がん検診の対象年齢の「全住民」を報告するよう徹底した。そのため，対象者数の報告数が平成26年度までとは異なっている部分がある。
　　　・平成28年2月に「がん予防重点健康教育及びがん検診実施のための指針」の改正が行われ，胃がん検診及び乳がん検診について，検診方法，受診対象，受診間隔等に変更があったため，受診者数が平成27年度までとは異なっている部分がある。
　　4）子宮頸がん検診は，平成24年度までは「子宮がん検診」として調査している。

老人保健・医療　233

第4−17表　後期高齢者医療制度被保険者数，年度別

| 年　　度 | 実　　数　　（人） | | | | 構　成　比　（%） | | |
	計	対前年度　比	75歳以上の　者	65歳以上75歳未満の障害認定者	計	75歳以上の　者	65歳以上75歳未満の障害認定者
		%					
平成2年度(FY1990)	9 732 390	3.9	9 522 806	209 584	100.0	97.8	2.2
7　(FY1995)	11 852 647	4.5	11 575 931	276 716	100.0	97.7	2.3
12　(FY2000)	14 778 127	4.2	14 459 786	318 341	100.0	97.8	2.2
17　(FY2005)	14 176 160	△ 4.5	13 685 840	490 321	100.0	96.5	3.5
22　(FY2010)	14 059 915	3.3	13 622 057	437 857	100.0	96.9	3.1
25　(FY2013)	15 266 362	2.4	14 894 188	372 174	100.0	97.6	2.4
26　(FY2014)	15 545 307	1.8	15 179 538	365 769	100.0	97.6	2.4
27　(FY2015)	15 944 315	2.6	15 591 469	352 846	100.0	97.8	2.2
28　(FY2016)	16 457 820	3.2	16 119 517	338 303	100.0	97.9	2.1

資料：保険局「平成28年度後期高齢者医療事業状況報告（年報：確報）」
注：1）各年度における各月末平均である。
　　2）平成20年3月以前は老人保健法による老人医療受給対象者数である。平成14年10月から平成19年10月にかけて，老人医療受給対象者の年齢は70歳以上から75歳以上へ段階的に引き上げられている。

234　老人保健・医療

第4−18表　後期高齢者医療費の状況，

	年　度	計	対前年度比	診　療　費	対前年度比	調　剤	対前年度比
			％		％		％
実　額 （億　円）	平成 2 年度（FY1990）	59 269	6.6	55 669	5.9	1 457	11.1
	7　（FY1995）	89 152	9.3	75 910	4.7	3 909	24.7
	12　（FY2000）	111 997	△ 5.1	94 640	△ 0.0	10 569	20.0
	17　（FY2005）	116 444	0.6	94 441	0.0	15 777	4.2
	22　（FY2010）	127 213	5.9	101 630	6.2	19 631	4.9
	25　（FY2013）	141 912	3.6	111 837	2.8	23 798	7.6
	26　（FY2014）	144 927	2.1	114 063	2.0	24 488	2.9
	27　（FY2015）	151 323	4.4	118 083	3.5	26 698	9.0
	28　（FY2016）	153 806	1.6	121 143	2.6	26 017	△ 2.6
件　数 （千　件）	平成 2 年度（FY1990）	160 519	7.0	140 542	6.3	15 160	12.4
	7　（FY1995）	228 431	7.7	188 270	6.0	32 329	18.2
	12　（FY2000）	356 934	6.8	262 082	5.7	87 354	18.7
	17　（FY2005）	383 810	△ 2.2	261 552	△ 3.1	113 999	△ 0.3
	22　（FY2010）	404 737	2.9	259 901	1.0	134 380	6.2
	25　（FY2013）	456 903	3.6	288 206	3.1	156 315	4.5
	26　（FY2014）	469 882	2.8	294 834	2.3	162 400	3.9
	27　（FY2015）	485 855	3.4	303 999	3.1	168 899	4.0
	28　（FY2016）	503 043	3.5	313 912	3.3	175 923	4.2

資料：保険局「平成28年度後期高齢者医療事業状況報告（年報：確報）」
注：1）用語の定義は次のとおりである。
　　　ア　診療費　　　　　　　：保険医療機関等（保険薬局等を除く。）において医療を受けた場合に支払
　　　イ　調剤　　　　　　　　：保険薬局において薬剤の支給を受けた場合に支払われる費用をいう。（現
　　　ウ　食事療養・生活療養　：入院中の食費・居住費をいう。（現物給付）
　　　エ　訪問看護　　　　　　：訪問看護事業者から当該指定に係る訪問看護を行う事業所により行われる
　　　オ　療養費等　　　　　　：高齢者の医療の確保に関する法律第77条及び第83条に基づき補装具の支給
　　　カ　費用には一部負担金，食事療養・生活療養の標準負担額及び訪問看護に係る基本利用料を含む。
　　2）平成20年 3 月以前は老人保健法による老人医療受給対象者に係るものである。
　　3）平成28年度は，熊本地震に係る医療費等（概算請求支払分及び保険者不明医療費分計0.5億円）を含まない。

老人保健・医療　235

診療種別×年度別

食事療養・生活療養	対前年度比	訪問看護	対前年度比	療養費等	対前年度比	老人保健施設療養	対前年度比
	%		%			%	%
・	・	・	・	1 523	5.7	619	145.1
4 678	152.2	174	101.7	1 224	△ 14.9	3 259	26.2
4 612	△ 9.8	235	△ 72.6	1 271	8.8	670	△ 91.0
4 679	0.5	205	7.5	1 342	△ 0.4	△ 0	…
4 015	2.6	318	10.0	1 620	6.8	・	・
4 028	0.4	461	14.3	1 788	1.2	・	・
4 024	△ 0.1	529	14.7	1 823	2.0	・	・
4 063	1.0	616	16.5	1 862	2.1	・	・
4 058	△ 0.1	723	17.2	1 865	0.2	・	・
・	・	・	・	4 470	7.5	347	127.6
10 302	147.7	406	92.0	5 631	2.9	1 795	29.6
11 206	△ 5.3	423	△ 74.9	6 675	4.4	400	△ 91.1
11 484	△ 0.1	296	4.3	7 963	△ 0.0	△ 0	…
11 609	3.8	401	8.4	10 055	8.7	・	・
12 012	1.1	525	10.6	11 856	1.4	・	・
12 132	1.0	592	12.7	12 055	1.7	・	・
12 340	1.7	672	13.4	12 285	1.9	・	・
12 702	2.9	768	14.3	12 441	1.3	・	・

われる費用をいう。（現物給付）
物給付）

訪問看護を受けた場合に支払われる費用をいう。（現物給付）
柔道整復師の施術を受けた場合等に支払われる費用をいう。（現金支給）

第4－19表　1人当たり後期高齢者医療費の状況，年度別

年　度	計	対前年度比	入院及び食事療養・生活療養（医科）	対前年度比	入院外及び調剤	対前年度比	歯科及び食事療養・生活療養（歯科）	対前年度比	訪問看護	対前年度比	療養費等	対前年度比
	円	％	円	％	円	％	円	％	円	％	円	％
平成2年度（FY1990）	608 983	2.6	315 692	0.5	254 539	3.4	16 744	9.6	・	・	15 645	1.7
7　　（FY1995）	752 169	4.6	367 489	4.0	322 522	4.8	22 875	4.8	1 465	93.0	10 324	△ 18.6
12　　（FY2000）	757 856	△ 8.9	359 831	△ 6.6	354 850	0.7	28 449	3.0	1 588	△ 73.7	8 603	4.4
17　　（FY2005）	821 405	5.3	405 905	6.2	377 413	4.6	27 176	0.5	1 443	12.5	9 469	4.2
22　　（FY2010）	904 795	2.6	455 232	4.2	407 436	0.7	28 342	4.3	2 263	6.6	11 522	3.4
25　　（FY2013）	929 573	1.1	456 062	△ 0.2	427 622	2.4	31 158	2.7	3 023	11.6	11 709	△ 1.2
26　　（FY2014）	932 290	0.3	457 639	0.3	427 566	△ 0.0	31 951	2.5	3 405	12.6	11 730	0.2
27　　（FY2015）	949 070	1.8	459 585	0.4	441 170	3.2	32 772	2.6	3 866	13.6	11 677	△ 0.4
28　　（FY2016）	934 547	（△ 1.5）	458 426	△ 0.3	427 008	（△ 3.2）	33 390	1.9	4 390	13.5	11 332	△ 3.0

資料：保険局「平成28年度後期高齢者医療事業状況報告（年報：確報）」
注：1）平成20年3月以前は老人保健法による老人医療受給対象者に係るものである。
　　2）平成28年度は，熊本地震に係る医療費等（概算請求支払分及び保険者不明医療費分）を含まない。

老人保健・医療　237

第4－20表　後期高齢者医療費（入院・入院外・歯科）の状況，年度別

年度別入院の状況

年　度	1人当たり入院医療費（円）	対前年度比	入　院受診率（件/百人）	対前年度比	入院1件当たり日数（日）	対前年度比	入院1日当たり医療費（円）	対前年度比
		％		％		％		％
平成2年度 (FY1990)	315 692	0.5	97.84	△ 0.5	23.00	△ 0.5	14 028	1.6
7 (FY1995)	367 489	4.0	91.71	△ 1.5	21.58	△ 0.7	18 573	6.3
12 (FY2000)	359 831	△ 6.6	80.94	△ 8.6	19.45	△ 4.6	22 853	7.1
17 (FY2005)	405 905	6.2	86.99	4.6	18.96	0.1	24 613	1.4
22 (FY2010)	455 232	4.2	88.16	0.5	18.60	△ 0.8	27 768	4.5
25 (FY2013)	456 062	△ 0.2	83.57	△ 1.6	18.20	△ 0.3	29 990	1.8
26 (FY2014)	457 639	0.3	82.80	△ 0.9	18.02	△ 1.0	30 667	2.3
27 (FY2015)	459 585	0.4	82.17	△ 0.8	17.89	△ 0.7	31 263	1.9
28 (FY2016)	458 426	△ 0.3	81.76	△ 0.5	17.68	△ 1.2	31 712	1.4

年度別入院外の状況

年　度	1人当たり入院外医療費（円）	対前年度比	入院外受診率（件/百人）	対前年度比	入院外1件当たり日数（日）	対前年度比	入院外1日当たり医療費（円）	対前年度比
		％		％		％		％
平成2年度 (FY1990)	254 539	3.4	1 252.46	2.4	3.37	△ 2.3	6 034	3.3
7 (FY1995)	322 522	4.8	1 386.21	1.5	3.14	△ 2.0	7 421	5.3
12 (FY2000)	354 850	0.7	1 553.37	1.9	2.66	△ 3.4	8 592	2.4
17 (FY2005)	377 413	4.6	1 600.46	1.1	2.31	△ 1.9	10 187	5.5
22 (FY2010)	407 436	0.7	1 582.22	△ 3.0	2.11	0.8	12 184	2.9
25 (FY2013)	427 622	2.4	1 598.31	0.3	1.97	△ 2.3	13 612	4.5
26 (FY2014)	427 566	(△ 0.0)	1 598.31	△ 0.0	1.92	△ 2.1	13 904	2.1
27 (FY2015)	441 170	△ 3.2	1 599.88	△ 0.1	1.88	△ 2.0	14 629	5.2
28 (FY2016)	427 008	(△ 3.2)	1 595.46	△ 0.3	1.85	△ 2.0	14 486	△ 1.0

年度別歯科の状況

年　度	1人当たり歯科医療費（円）	対前年度比	歯科受診率（件/百人）	対前年度比	歯科1件当たり日数（日）	対前年度比	歯科1日当たり医療費（円）	対前年度比
		％		％		％		％
平成2年度 (FY1990)	16 744	9.6	93.77	4.0	3.11	△ 1.5	5 739	7.1
7 (FY1995)	22 875	4.8	110.51	3.2	3.07	0.0	6 753	1.5
12 (FY2000)	28 449	3.0	139.13	3.7	2.79	△ 1.6	7 340	0.9
17 (FY2005)	27 176	0.5	157.56	3.2	2.50	△ 2.5	6 894	△ 0.2
22 (FY2010)	28 342	4.3	178.15	4.2	2.30	△ 1.2	6 919	1.2
25 (FY2013)	31 158	2.7	205.97	4.9	2.16	△ 1.8	6 999	△ 0.3
26 (FY2014)	31 951	2.5	215.50	4.6	2.11	△ 2.5	7 040	0.6
27 (FY2015)	32 772	2.6	224.58	4.2	2.06	△ 2.2	7 072	0.5
28 (FY2016)	33 390	1.9	230.16	2.5	2.02	△ 2.2	7 187	1.6

資料：保険局「平成28年度後期高齢者医療事業状況報告（年報：確報）」
注：1）1人当たり入院医療費及び1日当たり医療費は，食事療養・生活療養（医科）費用額を合算した場合の数値である。
　　2）1人当たり入院外医療費及び1日当たり医療費は，調剤費用額を合算した場合の数値である。
　　3）1人当たり歯科医療費及び1日当たり医療費は，食事療養・生活療養（歯科）費用額を合算した場合の数値である。
　　4）平成20年3月以前は老人保健法による老人医療受給対象者に係るものである。
　　5）平成22年4月診療分より，旧総合病院の外来のレセプトが診療科ごとから病院単位に変更されており，その影響により，入院外の受診率の減少がある。

238 老人保健・医療

第4－1図 1人当たり後期高齢者医療費の状況，都道府県別

平成28年度（FY2016）

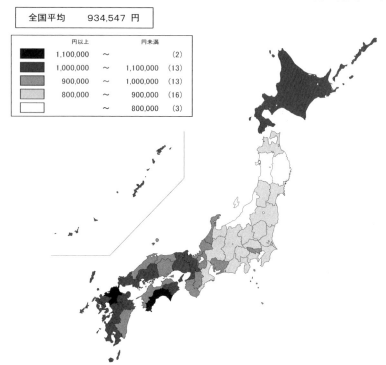

資料：保険局「平成28年度後期高齢者医療事業状況報告（年報：確報）」

老人保健・医療　239

第4-21表　受給者数の状況，介護予防サービスの種類別

（単位：千人）

サービス種類	平成29年度（FY2017）	
	年間累計受給者数[1]	年間実受給者数[2]
総　数	9 737.9	1 228.1
介護予防居宅サービス	9 518.4	1 210.3
訪問通所	8 926.9	1 137.9
介護予防訪問介護	1 228.3	230.2
介護予防訪問入浴介護	5.5	1.3
介護予防訪問看護	807.2	113.6
介護予防訪問リハビリテーション	194.2	28.6
介護予防通所介護	1 626.5	307.8
介護予防通所リハビリテーション	1 886.1	228.0
介護予防福祉用具貸与	5 459.4	650.5
短期入所	135.0	47.5
介護予防短期入所生活介護	122.0	42.4
介護予防短期入所療養介護（老健）	12.6	5.4
介護予防短期入所療養介護（病院等）	0.5	0.2
介護予防居宅療養管理指導	556.5	82.3
介護予防特定施設入居者生活介護	357.6	43.7
介護予防支援	8 855.9	1 145.7
地域密着型介護予防サービス	161.3	22.9
介護予防認知症対応型通所介護	11.7	2.0
介護予防小規模多機能型居宅介護（短期利用以外）	137.3	18.7
介護予防小規模多機能型居宅介護（短期利用）	0.2	0.2
介護予防認知症対応型共同生活介護（短期利用以外）	12.1	2.1
介護予防認知症対応型共同生活介護（短期利用）	0.0	0.0

資料：政策統括官（統計・情報政策，政策評価担当）「介護給付費等実態調査報告」
注：1　1年間のうち介護予防サービスと介護サービスの両方を受けた者は，それぞれに計上される。
　　1）5月から翌年4月の各審査月の介護予防サービス受給者数の合計である。
　　2）4月から翌年3月の1年間において一度でも介護予防サービスを受給したことのある者の数であり，同一人が2回以上受給した場合は1人として計上している。ただし，当該期間中に被保険者番号の変更があった場合には，別受給者として計上している。

第4-22表　受給者数の状況，介護サービスの種類別

（単位：千人）

サービス種類	平成29年度（FY2017）	
	年間累計受給者数[1]	年間実受給者数[2]
総　数	50 705.5	5 095.8
居宅サービス	35 738.3	3 850.7
訪問通所	30 589.2	3 372.2
訪問介護	12 099.7	1 457.8
訪問入浴介護	791.0	125.5
訪問看護	5 086.3	662.3
訪問リハビリテーション	1 058.9	142.3
通所介護	13 627.1	1 579.1
通所リハビリテーション	5 247.0	617.8
福祉用具貸与	19 950.4	2 335.6
短期入所	4 498.8	851.6
短期入所生活介護	3 940.1	735.3
短期入所療養介護（老健）	573.6	144.2
短期入所療養介護（病院等）	24.6	5.8
居宅療養管理指導	7 933.8	970.2
特定施設入居者生活介護（短期利用以外）	2 341.7	261.5
特定施設入居者生活介護（短期利用）	16.1	5.9
居宅介護支援	31 656.3	3 532.0
地域密着型サービス	10 134.1	1 150.9
定期巡回・随時対応型訪問介護看護	233.7	31.2
夜間対応型訪問介護	94.5	12.9
地域密着型通所介護	4 869.3	589.1
認知症対応型通所介護	682.2	83.6
小規模多機能型居宅介護（短期利用以外）	1 124.8	135.7
小規模多機能型居宅介護（短期利用）	4.5	2.1
認知症対応型共同生活介護（短期利用以外）	2 383.8	249.2
認知症対応型共同生活介護（短期利用）	3.9	1.9
地域密着型特定施設入居者生活介護（短期利用以外）	86.9	9.6
地域密着型特定施設入居者生活介護（短期利用）	0.4	0.2
地域密着型介護老人福祉施設入所者生活介護	658.2	70.4
複合型サービス（看護小規模多機能型居宅介護・短期利用以外）	94.2	13.1
複合型サービス（看護小規模多機能型居宅介護・短期利用）	1.4	0.7
施設サービス	11 307.3	1 266.2
介護福祉施設サービス	6 399.1	672.6
介護保健施設サービス	4 334.4	559.1
介護療養施設サービス	611.2	84.1

資料：政策統括官（統計・情報政策、政策評価担当）「介護給付費等実態調査報告」
注：1）5月から翌年4月の各審査月の介護サービス受給者数の合計である。
　　2）4月から翌年3月の1年間において一度でも介護サービスを受給したことのある者の数であり、同一人が2回以上受給した場合は1人として計上している。ただし、当該期間中に被保険者番号の変更があった場合には、別受給者として計上している。

老人保健・医療　241

第4－23表　受給者数，要支援状態区分・介護予防サービス種類別

（単位：千人）　　　　　　　　　　　　　　　　　　　　　　　　　　平成30年（2018）4月審査分

サービス種類	総数	要支援1	要支援2
総数	698.0	268.4	427.0
介護予防居宅サービス	681.0	260.9	417.6
訪問通所	627.3	235.4	390.0
介護予防訪問介護	4.5	2.0	2.4
介護予防訪問入浴介護	0.5	0.1	0.4
介護予防訪問看護	70.4	23.2	46.8
介護予防訪問リハビリテーション	17.2	4.8	12.3
介護予防通所介護	6.6	3.2	3.3
介護予防通所リハビリテーション	159.7	63.3	96.1
介護予防福祉用具貸与	468.5	163.5	303.9
短期入所	11.3	2.8	8.3
介護予防短期入所生活介護	10.2	2.6	7.4
介護予防短期入所療養介護（老健）	1.1	0.2	0.8
介護予防短期入所療養介護（病院等）	0.1	0.0	0.0
介護予防居宅療養管理指導	48.5	20.0	28.2
介護予防特定施設入居者生活介護	31.0	16.2	14.6
介護予防支援	625.9	235.7	389.5
地域密着型介護予防サービス	13.7	5.6	8.0
介護予防認知症対応型通所介護	1.0	0.5	0.5
介護予防小規模多機能型居宅介護（短期利用以外）	11.7	5.1	6.5
介護予防小規模多機能型居宅介護（短期利用）	0.0	0.0	0.0
介護予防認知症対応型共同生活介護（短期利用以外）	1.0	－	1.0
介護予防認知症対応型共同生活介護（短期利用）	0.0	－	0.0

資料：政策統括官（統計・情報政策，政策評価担当）「介護給付費等実態調査報告」
注：1）受給者数とは，当該審査月に保険請求のあった者の数であり，同一被保険者が同一月に2種類以上のサービスを受けた場合，サービスごとにそれぞれ計上するが，総数，小計には1人と計上する。
　　2）総数には，月の途中で要支援から要介護に変更となった者を含む。

242　老人保健・医療

第4－24表　受給者数，要介護状態区分・介護サービス種類別

（単位：千人）　　　　　　　　　　　　　　　　　　　　　平成30年（2018）4月審査分

サ　ー　ビ　ス　種　類	総数	要介護1	要介護2	要介護3	要介護4	要介護5
総　　数	4 239.4	1 103.0	1 047.4	813.8	735.2	539.9
居宅サービス	2 991.8	944.7	881.6	537.7	380.9	246.8
訪問通所	2 552.5	848.4	784.0	437.3	293.7	189.0
訪問介護	1 007.6	319.7	296.3	166.2	126.9	98.5
訪問入浴介護	65.9	1.7	5.4	8.0	17.9	32.8
訪問看護	436.3	99.8	114.4	76.7	73.7	71.7
訪問リハビリテーション	90.5	17.6	25.2	18.0	16.1	13.6
通所介護	1 134.7	413.4	347.0	195.6	116.4	62.3
通所リハビリテーション	432.4	146.0	142.7	77.8	45.4	20.5
福祉用具貸与	1 683.0	373.1	537.6	343.6	257.5	171.3
短期入所	371.7	61.1	91.8	102.2	73.1	43.4
短期入所生活介護	327.8	54.5	81.2	91.4	64.1	36.5
短期入所療養介護（老健）	45.2	6.6	10.8	11.4	9.4	6.9
短期入所療養介護（病院等）	2.0	0.3	0.3	0.4	0.4	0.6
居宅療養管理指導	684.1	130.5	153.8	139.5	136.8	123.5
特定施設入居者生活介護（短期利用以外）	200.0	52.5	43.9	37.3	39.5	26.8
特定施設入居者生活介護（短期利用）	1.2	0.3	0.4	0.3	0.2	0.1
居宅介護支援	2 650.0	906.5	804.6	454.1	298.6	186.3
地域密着型サービス	848.2	244.1	227.6	174.9	121.6	80.1
定期巡回・随時対応型訪問介護看護	21.2	5.5	5.5	3.9	3.8	2.5
夜間対応型訪問介護	7.8	1.1	2.1	1.6	1.5	1.4
地域密着型通所介護	402.6	155.9	125.2	67.3	35.8	18.4
認知症対応型通所介護	55.7	13.7	14.1	13.7	8.0	6.2
小規模多機能型居宅介護（短期利用以外）	95.5	27.4	25.9	20.4	13.9	7.9
小規模多機能型居宅介護（短期利用）	0.4	0.1	0.1	0.1	0.1	0.0
認知症対応型共同生活介護（短期利用以外）	201.1	38.7	50.8	52.8	35.1	23.7
認知症対応型共同生活介護（短期利用）	0.3	0.1	0.1	0.1	0.0	0.0
地域密着型特定施設入居者生活介護（短期利用以外）	7.4	1.4	1.8	1.6	1.6	1.1
地域密着型特定施設入居者生活介護（短期利用）	0.0	0.0	0.0	0.0	0.0	0.0
地域密着型介護老人福祉施設入所者生活介護	56.4	0.8	2.4	13.9	21.5	17.9
複合型サービス（看護小規模多機能型居宅介護・短期利用以外）	8.6	1.4	1.9	1.7	1.8	1.8
複合型サービス（看護小規模多機能型居宅介護・短期利用）	0.1	0.0	0.0	0.0	0.0	0.0
施設サービス	946.9	52.2	95.4	220.9	313.9	264.4
介護福祉施設サービス	536.4	8.5	24.7	128.5	200.0	174.7
介護保健施設サービス	365.5	43.1	69.5	89.1	98.1	65.7
介護療養施設サービス	48.5	0.6	1.3	4.1	17.4	24.9

資料：政策統括官（統計・情報政策、政策評価担当）「介護給付費等実態調査報告」
注：1）受給者数とは，当該審査月に保険請求のあった者の数であり，同一被保険者が同一月に2種類以上のサービスを受けた場合，サービスごとにそれぞれ計上するが，総数，小計には1人と計上する。
　　2）総数には，月の途中で要介護から要支援に変更となった者を含む。

第4－25表　受給者1人当たり費用額，

（単位：千円）

都道府県	総数	介護予防居宅サービス	訪問通所	介護予防訪問介護	介護予防訪問入浴介護	介護予防訪問看護	介護予防訪問リハビリテーション	介護予防通所介護	介護予防通所リハビリテーション	介護予防福祉用具貸与	短期入所
全　国	27.5	22.3	18.5	15.6	38.8	33.3	32.4	24.5	34.7	6.3	39.6
北 海 道	27.2	21.9	17.0	15.1	40.4	29.1	28.1	26.6	33.5	4.9	40.6
青　森	29.5	23.7	23.1	19.3	35.3	29.2	30.1	28.6	33.4	5.6	47.0
岩　手	28.0	22.2	20.8	16.0	29.5	27.8	30.8	24.2	32.7	5.6	35.4
宮　城	25.3	20.2	17.0	16.5	35.5	31.1	28.5	26.3	33.6	5.6	41.7
秋　田	26.4	19.7	14.6	11.8	25.9	28.7	27.3	25.6	32.9	6.3	49.0
山　形	30.3	23.6	20.1	16.3	21.0	30.8	27.1	27.0	35.2	5.3	39.4
福　島	27.1	21.6	18.9	14.5	42.6	27.9	29.1	26.7	34.8	6.3	36.0
茨　城	29.7	24.3	21.7	16.4	36.3	30.8	31.1	26.8	36.2	6.5	36.4
栃　木	28.4	22.5	18.0	8.7	26.1	33.8	30.9	20.8	34.2	7.1	41.5
群　馬	28.5	23.2	20.6	14.9	34.9	33.8	29.9	25.1	33.7	5.7	35.8
埼　玉	28.9	24.4	18.7	12.9	40.4	31.6	33.6	20.6	35.8	6.1	38.6
千　葉	27.5	22.9	17.8	15.2	40.1	33.5	33.1	23.7	35.4	6.4	37.8
東　京	29.1	24.9	17.0	15.7	44.1	36.3	35.5	16.9	36.5	6.2	39.6
神 奈 川	28.6	23.8	16.6	13.4	34.8	36.3	34.0	19.6	37.1	6.1	38.9
新　潟	26.3	20.0	16.4	21.0	40.9	30.3	26.2	26.4	36.0	5.5	42.5
富　山	22.7	16.8	15.7	10.3	38.9	28.0	28.0	31.7	33.3	5.7	39.1
石　川	28.6	22.0	19.4	17.7	35.8	30.8	30.7	27.9	33.5	5.9	40.7
福　井	28.7	21.8	20.2	19.1	26.5	34.8	28.9	22.8	36.4	5.8	43.2
山　梨	24.7	19.9	18.6	9.0	47.1	29.4	29.7	29.7	37.0	5.1	41.6
長　野	24.2	19.4	17.3	17.3	28.5	25.7	28.1	28.8	35.6	5.6	38.1
岐　阜	23.7	18.1	16.2	31.8	43.2	31.8	30.1	18.6	34.4	6.2	38.5
静　岡	27.2	22.2	18.8	14.9	47.5	31.4	33.8	22.6	34.3	6.5	38.5
愛　知	28.3	23.3	19.5	15.6	41.2	35.6	34.3	21.1	36.0	6.5	40.6
三　重	24.2	19.3	16.8	14.2	46.6	31.9	31.9	23.8	34.6	6.4	39.3
滋　賀	23.0	17.8	16.5	12.0	34.6	29.4	30.1	17.7	34.6	6.2	32.3
京　都	22.2	17.5	16.0	19.0	44.1	31.2	31.7	24.4	36.3	6.7	35.4
大　阪	24.5	20.0	16.7	13.9	35.9	34.6	35.8	24.0	34.9	6.6	40.0
兵　庫	27.9	23.0	18.9	14.8	33.8	33.8	35.0	24.3	35.5	6.3	38.7
奈　良	28.6	23.6	19.0	18.8	29.9	32.8	31.2	29.3	37.2	5.9	40.9
和 歌 山	26.4	21.3	19.6	14.6	23.6	33.1	32.8	20.9	34.2	7.1	40.3
鳥　取	30.2	24.6	22.9	21.4	32.2	33.6	30.6	27.0	36.1	6.2	40.0
島　根	26.9	20.8	18.4	20.8	–	29.6	28.9	26.1	33.8	7.9	35.7
岡　山	29.0	23.0	19.6	12.0	40.8	32.9	33.4	21.2	34.0	7.0	39.6
広　島	28.6	22.9	20.1	17.4	42.3	33.2	29.6	25.2	33.3	8.5	41.3
山　口	25.2	20.1	17.9	15.1	35.3	29.9	31.7	22.6	32.4	6.3	38.4
徳　島	28.2	22.6	22.2	–	35.3	35.6	36.6	37.0	34.5	5.0	39.4
香　川	26.4	21.4	19.0	20.6	41.9	33.6	35.3	24.5	35.2	5.7	43.3
愛　媛	26.1	20.6	17.4	12.9	33.8	33.7	33.4	23.2	33.5	6.7	41.9
高　知	23.7	18.4	16.1	16.3	–	35.2	34.3	26.4	33.5	6.6	35.2
福　岡	28.0	22.7	18.9	13.5	47.2	33.5	37.4	24.1	34.0	6.0	38.0
佐　賀	35.2	26.5	24.1	16.1	18.4	32.3	34.5	21.6	33.5	7.0	38.7
長　崎	33.3	26.9	24.2	15.1	37.0	33.1	33.4	22.1	35.5	5.3	43.2
熊　本	29.6	24.2	22.8	19.5	25.7	32.3	32.3	27.1	34.3	5.1	40.3
大　分	29.5	24.2	22.1	11.0	65.3	28.5	31.3	21.7	33.0	5.7	34.6
宮　崎	30.2	23.9	20.2	16.3	39.2	34.4	42.2	28.5	33.8	5.9	41.2
鹿 児 島	30.2	24.3	23.0	15.2	–	32.0	35.9	20.2	33.7	7.1	41.3
沖　縄	26.2	21.4	20.0	13.1	–	32.3	38.5	11.5	35.1	5.6	46.4

資料：政策統括官（統計・情報政策、政策評価担当）「介護給付費等実態調査報告」
注：1）受給者1人当たり費用額＝費用額／受給者数
　　2）総数には，月の途中で要支援から要介護に変更となった者を含む。

介護予防サービス種類・都道府県別

平成30年（2018）　4月審査分

介護予防短期入所生活介護	介護予防短期入所療養介護(老健)	介護予防短期入所療養介護(病院等)	介護予防居宅療養管理指導	介護予防特定施設入居者生活介護	介護予防支援	地域密着型介護予防サービス					
						介護予防認知症対応型通所介護	介護予防小規模多機能型居宅介護(短期利用以外)	介護予防小規模多機能型居宅介護(短期利用)	介護予防認知症対応型共同生活介護(短期利用以外)	介護予防認知症対応型共同生活介護(短期利用以外)	介護予防認知症対応型共同生活介護(短期利用)
39.0	45.4	42.6	11.2	83.2	4.6	81.9	51.0	70.1	34.2	245.2	16.8
39.6	48.3	30.2	9.3	80.5	4.4	76.9	40.9	68.3	−	242.5	−
46.9	47.4	−	7.2	80.3	4.4	91.1	47.5	75.5	−	221.6	−
35.1	38.1	40.7	8.9	84.3	4.4	74.0	52.6	68.7	42.2	254.9	−
39.6	58.0	32.8	10.0	79.0	4.5	87.6	49.9	72.6	−	241.1	−
49.1	47.5	−	8.3	80.7	4.4	78.8	60.1	70.6	−	257.3	−
39.1	41.4	50.7	7.0	81.7	4.4	72.7	45.1	70.3	−	208.6	−
34.7	43.8	−	8.9	80.4	4.4	81.3	42.2	67.0	−	248.7	−
35.7	40.1	−	9.8	84.3	4.5	97.6	68.5	69.3	−	240.7	16.8
41.2	57.4	−	8.5	85.2	4.5	73.8	48.9	70.4	−	234.0	−
34.8	48.3	−	9.0	78.3	4.5	77.5	67.6	70.6	47.4	253.3	−
38.3	41.2	−	12.7	81.5	4.6	94.5	52.7	68.2	−	250.0	−
36.4	48.2	−	11.4	82.0	4.6	79.4	55.9	70.7	−	238.4	−
39.4	41.9	−	12.3	84.2	4.9	93.9	66.4	75.7	−	269.0	−
38.0	46.2	−	12.2	84.4	4.8	84.5	54.5	72.7	−	264.9	−
42.6	36.7	−	8.2	81.2	4.4	78.8	55.9	75.4	−	229.0	−
38.8	46.8	−	8.3	89.3	4.4	81.0	62.2	71.0	−	240.3	−
40.6	44.0	−	7.5	88.5	4.4	81.8	47.4	74.9	−	239.4	−
43.4	41.4	−	8.1	97.9	4.4	72.1	43.1	71.6	−	244.3	−
37.6	62.3	−	7.6	86.8	4.4	76.4	22.6	69.8	−	258.7	−
37.0	44.1	29.6	7.6	79.7	4.4	73.9	46.9	72.4	−	207.7	−
37.4	48.8	−	9.6	83.3	4.5	87.5	59.7	72.8	−	252.8	−
38.2	44.2	14.7	9.5	82.0	4.5	89.8	49.1	65.8	−	252.4	−
40.1	46.6	25.6	11.5	86.5	4.7	92.6	50.9	70.2	20.0	254.9	−
39.5	34.6	−	7.6	84.0	4.6	77.0	48.3	73.1	−	245.7	−
33.2	33.9	−	7.7	84.4	4.6	72.9	42.7	71.1	−	269.8	−
35.2	40.2	−	9.6	86.9	4.6	74.5	43.7	75.9	−	262.8	−
37.1	59.8	24.9	12.8	84.6	4.8	78.9	48.3	69.8	17.3	259.2	−
37.9	45.8	68.5	11.8	86.3	4.6	80.9	48.7	71.4	83.3	249.8	−
39.4	47.3	−	10.6	85.9	4.5	89.4	40.0	75.6	−	238.3	−
39.7	44.3	40.0	9.0	81.1	4.5	83.4	37.4	72.4	55.8	260.0	−
42.4	30.4	51.9	8.0	78.4	4.4	72.7	49.9	70.7	−	207.8	−
35.2	37.1	−	6.4	76.0	4.4	66.8	51.5	65.0	18.0	217.1	−
39.5	36.8	59.8	9.3	81.7	4.4	75.8	54.5	69.6	−	247.8	−
40.7	56.6	43.6	10.9	80.1	4.5	75.4	46.2	65.8	36.4	234.5	−
37.1	56.6	39.2	9.4	79.6	4.4	72.1	46.4	68.4	−	213.9	−
36.9	55.5	−	7.8	84.1	4.4	86.8	40.3	71.7	−	248.9	−
43.3	44.0	−	9.9	80.4	4.4	81.5	59.2	72.5	−	224.7	−
40.8	55.0	−	8.6	79.9	4.4	88.1	61.6	65.1	−	234.2	−
33.9	38.3	57.3	7.5	80.2	4.4	85.0	50.7	71.0	−	232.6	−
37.5	42.2	38.4	11.8	83.0	4.5	84.7	51.1	67.6	11.8	245.2	−
39.1	36.1	54.4	10.9	80.5	4.4	121.4	61.5	72.9	5.9	244.9	−
42.6	56.9	59.8	8.2	79.1	4.4	82.1	49.0	68.1	−	238.7	−
39.0	45.2	47.0	9.4	83.1	4.4	77.3	59.2	67.8	−	243.5	−
32.6	52.9	30.1	8.6	76.5	4.4	82.3	51.5	67.1	−	250.3	−
41.2	40.9	−	9.2	87.7	4.4	106.6	58.2	76.1	−	236.4	−
39.6	53.9	37.4	9.6	81.8	4.4	77.2	56.5	65.3	−	245.3	−
50.1	35.8	−	7.2	86.6	4.4	72.8	38.1	66.6	−	232.1	−

第4－26表　受給者1人当たり費用額,

(単位：千円)

都道府県	総数	居宅サービス 訪問通所 訪問介護	訪問入浴介護	訪問看護	訪問リハビリテーション			通所介護	通所リハビリテーション	福祉用具貸与	短期入所 短期入所生活介護	短期入所療養介護(老健)	短期入所療養介護(病院等)		居宅療養管理指導	特定施設入居者生活介護(短期利用以外)	特定施設入居者生活介護(短期利用)	居宅介支
全　　国	194.2	121.6	106.4	76.1	68.5	48.2	39.0	92.7	83.4	14.6	107.8	108.7	92.8	111.9	12.6	216.9	76.7	14
北　海　道	183.8	98.6	86.6	73.9	60.9	41.8	34.1	64.5	71.6	12.7	99.4	100.9	84.4	164.6	10.0	202.4	76.1	13
青　　森	196.4	130.7	122.7	104.2	71.2	50.2	38.5	77.9	83.8	14.0	141.2	145.3	101.1	72.4	8.1	203.0	48.9	14
岩　　手	190.2	113.5	96.9	76.7	58.8	37.8	36.4	81.1	70.4	14.3	99.0	98.4	94.0	107.6	8.4	210.9	–	14
宮　　城	191.4	115.0	100.5	76.9	61.9	46.7	34.3	92.8	80.1	14.3	98.6	99.0	88.6	106.6	11.0	209.8	86.1	14
秋　　田	191.2	124.8	81.1	68.8	58.4	42.3	30.8	73.4	74.1	13.5	176.3	177.5	110.4	–	7.3	199.1	223.2	15
山　　形	194.5	115.8	98.4	70.2	56.7	42.3	30.9	93.5	78.9	13.7	95.2	95.1	81.9	144.0	7.9	205.1	–	14
福　　島	185.8	109.0	90.7	62.0	58.2	40.3	35.7	81.4	74.2	15.1	93.0	90.8	96.8	87.6	8.9	209.3	38.8	14
茨　　城	189.9	111.7	96.3	54.3	67.0	45.3	37.8	91.0	83.9	14.3	122.1	124.0	99.7	137.5	10.1	214.0	102.0	13
栃　　木	192.7	123.0	102.9	62.5	63.6	47.2	40.3	101.3	84.8	15.3	107.5	108.0	90.0	76.4	8.3	208.8	68.6	13
群　　馬	199.8	128.2	114.8	56.4	65.1	49.5	37.1	116.6	82.6	13.5	116.9	117.9	104.3	–	9.2	209.1	76.2	13
埼　　玉	185.8	119.4	99.3	61.9	68.2	47.4	41.5	92.8	82.1	15.2	116.2	116.9	103.4	68.3	14.5	214.5	78.7	14
千　　葉	186.9	119.3	102.6	80.1	69.0	46.5	41.5	87.5	80.9	15.7	118.7	119.9	102.5	92.7	12.8	220.7	70.8	13
東　　京	192.5	129.9	109.2	76.9	71.8	52.6	42.8	89.0	77.9	16.2	93.2	91.6	98.5	114.8	13.9	228.0	76.1	14
神　奈　川	191.0	117.7	99.8	72.2	72.6	51.6	41.1	83.9	83.1	15.5	99.2	98.5	96.2	110.7	14.0	223.7	70.6	14
新　　潟	200.5	119.6	90.5	61.9	61.7	39.7	31.6	85.0	78.1	13.6	112.1	112.4	90.0	140.4	8.1	205.7	89.3	14
富　　山	197.5	110.1	98.1	77.7	59.1	43.2	33.7	85.4	80.8	13.8	89.6	89.0	86.0	85.1	8.4	199.1	–	13
石　　川	208.1	122.9	112.1	93.5	57.5	42.4	33.9	94.4	88.8	13.9	108.7	109.2	92.6	119.7	8.2	207.1	44.0	13
福　　井	201.8	121.8	103.8	51.4	63.1	46.5	37.5	98.2	93.9	13.9	109.4	112.6	77.9	97.6	7.2	209.4	49.2	13
山　　梨	193.2	121.5	102.6	60.1	65.6	43.5	37.4	105.3	82.2	13.3	134.8	135.9	91.0	182.8	8.7	217.9	67.7	13
長　　野	194.5	117.0	98.3	78.5	60.5	38.2	32.0	82.4	74.1	14.6	94.9	92.7	97.5	101.5	7.3	210.7	50.6	13
岐　　阜	196.2	122.3	110.3	85.5	65.6	47.7	34.5	95.3	87.4	14.0	110.4	110.6	98.7	103.9	10.5	215.1	107.7	14
静　　岡	193.9	117.0	102.6	66.3	69.0	46.1	40.5	97.7	88.1	14.1	90.7	90.9	79.8	92.6	9.9	211.0	94.0	14
愛　　知	203.4	133.9	121.7	99.1	75.6	55.6	40.6	100.4	89.0	14.9	103.1	103.7	90.6	111.1	13.1	220.5	93.1	14
三　　重	193.9	126.2	110.3	73.3	66.5	48.7	37.8	101.6	85.3	13.6	117.8	119.5	93.4	89.1	8.3	206.3	113.7	14
滋　　賀	191.2	114.3	103.0	72.8	74.0	42.6	34.2	92.5	73.4	15.2	82.2	79.4	90.0	–	9.5	214.0	–	14
京　　都	185.6	108.4	97.1	62.7	73.2	45.6	39.0	80.8	78.9	15.9	88.2	86.2	91.8	96.7	11.9	218.0	–	14
大　　阪	193.8	133.2	123.4	99.4	73.8	49.3	41.1	83.8	85.2	15.4	112.1	113.9	95.8	100.8	16.8	224.1	71.5	14
兵　　庫	196.3	125.8	109.0	80.6	69.1	49.2	40.8	86.0	84.5	14.7	110.5	110.1	103.9	100.8	13.3	218.2	76.6	14
奈　　良	188.6	117.8	102.0	61.6	66.3	47.6	36.7	86.0	85.7	14.6	116.1	116.1	85.6	98.0	12.4	212.8	63.8	13
和　歌　山	195.6	127.7	117.8	90.7	64.2	46.3	38.7	93.0	73.6	13.8	116.1	119.8	87.4	108.6	9.7	212.8	63.6	14
鳥　　取	207.9	121.7	112.5	73.3	64.5	43.8	37.0	107.1	90.3	14.6	100.0	102.1	80.8	114.3	6.9	203.3	–	14
島　　根	196.5	111.2	94.4	68.8	60.2	45.4	33.1	89.6	75.9	15.4	87.0	85.1	90.3	124.9	6.8	203.4	–	14
岡　　山	194.1	112.3	95.9	54.2	67.2	49.6	38.1	92.9	83.6	14.5	101.0	102.8	80.4	91.8	10.5	205.7	74.7	13
広　　島	198.1	120.5	103.2	66.8	70.4	50.9	36.7	87.7	84.9	15.2	117.6	119.3	91.9	127.9	12.3	205.9	55.5	14
山　　口	195.3	114.3	102.1	61.9	63.6	41.5	38.4	101.7	79.5	13.4	106.5	108.1	82.3	96.6	10.2	202.0	43.5	13
徳　　島	195.7	114.5	108.5	58.8	62.0	51.1	44.0	99.1	82.1	13.7	155.2	160.8	86.9	132.1	9.7	220.6	18.1	13
香　　川	195.9	125.4	106.7	63.8	66.2	58.5	43.8	99.9	89.3	14.3	138.7	142.6	85.8	67.3	11.7	215.5	–	13
愛　　媛	197.3	119.2	105.0	68.7	64.1	45.4	39.3	97.6	90.7	13.6	112.5	114.0	96.0	76.8	9.2	213.6	85.9	13
高　　知	202.3	106.6	94.6	53.6	53.9	45.3	40.6	95.3	93.6	12.7	84.1	82.4	86.2	132.7	9.1	204.2	–	13
福　　岡	201.1	122.6	111.8	56.3	73.2	50.0	42.7	105.9	87.3	13.2	100.6	103.4	76.9	66.8	11.4	213.3	58.2	14
佐　　賀	205.7	131.7	124.4	52.1	72.2	50.8	37.9	140.4	86.7	12.5	126.9	133.5	80.2	116.3	10.8	204.4	57.2	13
長　　崎	193.1	113.5	98.6	52.6	65.0	48.0	36.6	96.0	84.4	13.2	126.6	128.3	91.7	142.4	9.9	198.2	–	14
熊　　本	198.1	118.0	108.7	69.2	69.0	46.3	38.3	96.3	87.4	12.1	91.9	91.9	88.5		10.7	206.9	93.9	14
大　　分	202.2	138.9	130.5	82.0	63.5	46.5	37.1	124.4	85.3	12.3	101.8	103.9	74.7	102.8	9.6	204.9	85.1	13
宮　　崎	206.1	141.6	133.0	104.4	79.0	44.4	42.6	123.1	91.2	13.9	89.6	92.1	72.6	65.8	9.3	202.2	29.0	13
鹿　児　島	203.1	107.9	99.9	56.1	71.6	41.3	41.4	98.0	89.1	14.5	95.3	95.3	88.7	113.9	9.8	207.8	32.8	13
沖　　縄	212.6	157.4	150.0	84.4	69.0	42.0	43.7	98.6	92.5	14.8	112.4	112.5	92.5	27.5	6.9	221.2	32.2	14

資料：政策統括官（統計・情報政策、政策評価担当）「介護給付費等実態調査報告」
注：1）受給者1人当たり費用額＝費用額／受給者数
　　2）総数には、月の途中で要介護から要支援に変更となった者を含む。

介護サービス種類・都道府県別

平成30年 (2018) 4月審査分

地域密着型サービス															施設サービス		
定期巡回・随時対応型訪問介護看護	夜間対応型訪問介護	地域密着型通所介護	認知症対応型通所介護	小規模多機能型居宅介護（短期利用以外）	小規模多機能型居宅介護（短期利用）	認知症対応型共同生活介護（短期利用以外）	認知症対応型共同生活介護（短期利用）	地域密着型特定施設入居者生活介護（短期利用以外）	地域密着型特定施設入居者生活介護（短期利用）	地域密着型介護老人福祉施設入所者生活介護（短期利用以外）	地域密着型介護老人福祉施設入所者生活介護（短期利用）	複合型サービス（看護小規模多機能型居宅介護）（短期利用以外）	複合型サービス（看護小規模多機能型居宅介護）（短期利用）		介護福祉施設サービス	介護保健施設サービス	介護療養施設サービス
167.8	165.2	38.8	83.8	129.7	212.6	40.3	282.2	80.3	217.3	92.4	293.6	264.1	41.3	295.0	280.9	300.5	389.0
173.5	145.7	26.2	66.4	109.3	203.5	29.6	279.2	71.2	215.1	–	284.2	250.1	–	290.6	272.7	298.6	397.3
204.7	184.9	–	72.3	109.1	217.1	27.3	278.2	54.7	212.9	–	286.0	268.8	–	292.9	278.6	293.4	378.6
176.6	155.7	127.8	79.1	119.1	208.2	51.6	277.0	69.2	206.6	–	288.2	229.2	–	293.2	281.0	303.0	350.0
177.5	141.1	51.7	93.6	119.8	205.7	34.8	278.0	56.8	206.8	–	290.7	266.8	63.4	289.5	280.7	295.7	364.2
179.3	169.3	–	73.0	112.7	205.6	14.6	277.3	38.8	218.2	–	293.7	262.8	–	288.0	275.2	297.6	373.8
201.7	169.3	26.9	89.7	115.2	207.0	–	278.3	89.2	–	–	294.2	240.2	–	284.1	276.7	293.7	332.6
168.9	160.2	17.0	79.6	115.3	213.3	74.4	277.9	–	212.5	–	284.5	280.0	23.4	287.1	278.0	292.9	354.0
180.4	150.9	–	101.1	123.3	207.2	46.9	276.5	55.8	247.6	–	287.6	248.7	42.5	286.5	275.2	296.2	361.0
181.1	148.1	–	91.8	126.8	205.5	32.3	276.7	50.3	–	–	288.8	259.2	–	290.2	277.4	298.1	374.6
185.1	146.9	–	91.1	136.5	220.7	47.0	278.7	83.1	207.0	196.5	289.5	252.7	–	286.7	275.9	294.7	374.8
146.6	151.6	35.1	77.7	131.5	209.6	151.2	284.3	59.5	215.3	–	281.6	263.2	54.4	292.2	279.4	303.6	395.2
148.1	176.9	24.9	81.6	129.7	216.1	34.7	285.3	52.0	218.3	177.7	289.4	268.7	55.5	293.5	280.9	304.0	378.3
127.1	186.3	27.7	72.9	134.6	232.7	36.8	300.9	100.8	218.5	–	304.2	289.0	47.0	310.2	295.5	314.6	415.2
146.7	188.4	27.3	75.8	139.6	226.7	43.7	295.1	112.3	228.9	87.4	297.5	287.3	13.7	303.9	292.3	312.9	402.1
195.1	159.8	17.8	75.9	109.3	215.2	–	277.6	56.9	210.8	–	296.9	273.7	–	292.9	280.7	292.6	397.0
171.5	145.1	18.8	83.1	126.4	207.1	12.1	276.0	17.9	–	–	298.0	261.1	39.5	307.6	281.0	301.4	400.2
201.5	158.3	38.3	88.1	123.3	202.9	60.0	278.6	105.8	221.5	–	295.2	246.5	33.4	292.5	273.8	300.3	396.3
198.6	148.7	–	93.5	131.8	206.3	36.7	275.5	53.3	–	–	300.8	242.3	–	290.2	278.1	299.4	366.2
168.3	145.6	–	99.5	154.2	213.2	30.9	274.5	81.9	205.1	215.0	289.9	282.1	52.3	286.0	274.7	291.9	371.1
159.3	136.3	11.9	81.6	119.0	213.5	31.1	281.1	76.1	219.2	–	294.6	231.1	–	288.8	275.3	292.8	362.8
184.0	189.3	20.6	84.7	123.2	215.2	57.3	277.5	18.4	224.8	–	286.7	243.2	44.4	284.4	277.9	286.4	363.6
172.3	141.9	30.1	91.1	132.4	210.4	36.3	280.2	47.7	214.4	32.2	289.0	257.4	30.8	290.3	274.9	297.8	378.7
172.6	181.0	23.6	89.3	139.2	218.8	42.5	286.9	77.9	222.1	74.7	300.2	263.0	46.7	297.1	283.2	302.7	387.7
159.4	160.0	15.6	90.9	128.1	209.6	36.2	276.9	164.0	220.7	–	286.0	238.2	26.7	288.9	279.3	295.1	378.8
156.7	184.4	18.8	84.0	126.6	214.5	36.1	284.0	85.1	231.3	–	294.9	272.0	–	295.6	283.3	294.7	398.6
162.1	195.2	41.9	60.3	122.7	221.4	40.9	289.7	168.5	225.1	–	308.8	285.1		306.3			403.4
143.7	193.5	34.1	73.7	124.5	226.0	34.8	294.7	84.0	225.5	71.3	307.7	298.6	48.7	301.7	290.1	309.9	388.9
160.6	176.4	34.3	80.2	118.2	221.1	37.0	287.4	92.9	223.2	193.6	306.3	271.2	28.0	296.7	282.9	306.2	395.0
151.2	143.6	–	75.7	124.6	223.6	25.3	281.6	98.0	165.1	–	270.8	268.1	–	289.7	272.4	298.8	398.1
166.9	169.8	10.6	91.0	129.4	221.4	40.0	281.3	156.8	214.9	50.1	279.9	246.0	50.1	286.1	273.3	293.3	386.0
190.3	160.7	10.8	97.6	139.3	208.1	35.5	275.8	305.2	211.5	–	303.2	269.3	33.3	291.7		297.3	392.4
167.5	138.5	162.6	78.9	124.6	200.2	39.7	276.3	92.6	188.2	–	294.5	305.6	44.5	293.5	282.1	299.7	377.4
194.9	160.0	16.8	93.5	117.9	207.0	39.9	275.4	111.1	215.3	–	291.7	257.0	–	289.7	275.2	300.0	390.6
192.0	162.2	21.3	87.0	116.3	213.4	69.0	282.3	51.9	227.1	–	297.4	263.8	–	295.8	275.7	297.1	380.7
175.2	130.7	18.6	100.3	148.3	201.1	33.5	275.9	70.2	213.7	–	296.7	249.5	36.1	293.5	276.3	288.4	367.8
198.9	201.6	–	91.2	133.5	207.5	21.8	277.2	61.2	–	–	301.8	231.8	–	294.5	271.1	294.0	383.9
168.5	131.7	190.6	88.4	130.6	198.6	–	275.5	100.0	216.6	–	292.0	260.1	41.3	290.3	273.5	295.5	387.2
195.4	164.7	192.4	89.5	123.2	215.2	31.4	276.1	80.2	–	–	300.2	281.1	41.1	290.8	276.6	297.3	362.4
177.9	137.8	129.6	98.8	153.6	211.8	–	274.7	–	208.9	–	278.9	256.5	–	307.1	271.0	294.2	400.4
190.2	180.0	26.9	105.4	157.2	206.9	41.0	280.7	88.6	211.3	–	296.7	274.5			301.1		409.6
207.0	117.5	–	154.1	162.4	193.8	38.1	275.0	–	225.2	–	282.1	234.2	12.3	292.5	272.6	293.0	389.4
195.0	162.2	20.3	95.8	144.4	204.4	54.7	275.1	85.9	–	–	281.3	221.8	6.3	285.6	271.7	294.6	354.9
190.1	150.5	106.6	100.4	133.1	209.2	39.4	277.4	76.5	218.5	–	292.6	280.8	37.2	297.3	280.0		375.7
192.1	156.1	82.8	98.7	129.4	196.4	62.7	272.3	71.0	211.4	–	292.6	240.6	42.8	287.8	273.9	297.8	324.8
181.5	130.1	26.0	117.8	145.7	193.0	43.1	272.8	53.2	–	–	289.7	226.4	–	288.5	273.4	291.6	379.6
197.9	177.7	36.4	112.5	141.5	203.5	68.7	273.0	76.2	222.0	–	294.9	279.8	18.8	289.3	276.0	295.8	374.2
184.8	152.8	–	132.8	164.4	242.0	41.0	278.8	50.0	223.7	–	272.2	265.2	–	290.4	274.9	299.9	368.8

248　老人保健・医療

第4-27表　受給者数，要介護（要支援）状態区分・性・年齢階級別

（単位：千人）　　　　　　　　　　　　　　　　　　　　　　　　　　平成30年（2018）4月審査分

性 年齢階級	総数	介護予防サービス		介護サービス				
		要支援1	要支援2	要介護1	要介護2	要介護3	要介護4	要介護5
総数	4 935.9	268.4	427.1	1 103.2	1 047.7	814.0	735.4	540.1
40～64歳	121.1	5.6	13.5	21.9	30.0	19.4	15.1	15.6
65～69	193.6	10.8	19.8	40.5	45.2	30.5	24.8	21.9
70～74	322.8	21.0	33.6	70.3	72.9	49.9	41.6	33.8
75～79	577.8	42.3	60.6	136.9	123.3	87.1	71.8	55.9
80～84	1 035.0	73.6	105.1	259.3	216.7	154.5	129.7	96.1
85～89	1 316.9	74.6	117.3	319.2	279.9	210.9	184.5	130.5
90～94	960.2	34.2	63.1	198.7	204.6	176.8	168.1	114.9
95歳以上	408.4	6.2	14.0	56.5	75.2	84.9	99.7	71.7
男	1 505.3	75.1	113.0	349.8	354.7	265.8	208.7	138.2
40～64歳	69.2	3.1	7.2	13.1	17.5	11.5	8.4	8.3
65～69	107.3	5.1	9.2	22.7	26.3	18.2	14.2	11.6
70～74	158.5	7.8	13.0	34.3	38.6	27.3	21.5	16.0
75～79	234.4	11.9	17.8	54.0	55.7	40.7	31.8	22.4
80～84	334.7	17.8	24.6	82.1	78.1	57.7	44.8	29.6
85～89	343.6	18.2	24.8	85.7	79.1	60.2	47.4	28.2
90～94	200.7	9.4	13.5	46.9	46.6	38.0	29.9	16.3
95歳以上	57.0	1.8	2.9	10.9	12.9	12.0	10.7	5.8
女	3 430.6	193.3	314.0	753.4	693.0	548.3	526.7	401.8
40～64歳	51.9	2.5	6.3	8.8	12.5	7.8	6.7	7.3
65～69	86.3	5.7	10.6	17.8	19.0	12.2	10.6	10.3
70～74	164.4	13.3	20.6	35.9	34.3	22.6	20.1	17.5
75～79	343.4	30.4	42.7	82.8	67.6	46.4	40.0	33.5
80～84	700.4	55.8	80.5	177.2	138.5	96.9	85.0	66.5
85～89	973.4	56.4	92.5	233.5	200.8	150.7	137.1	102.3
90～94	759.5	24.8	49.6	151.8	158.0	138.7	138.2	98.5
95歳以上	351.4	4.5	11.1	45.6	62.4	72.9	89.0	65.9

資料：政策統括官（統計・情報政策、政策評価担当）「介護給付費等実態調査報告」

第2章 老 人 福 祉

第4−28表 高齢者世帯数−指数，年次別

年　　　次	全 世 帯		高齢者世帯（再掲）		全世帯に占める
	推 計 数 （単位：千世帯）	指 数 （昭和50年＝100）	推 計 数 （単位：千世帯）	指 数 （昭和50年＝100）	高齢者世帯の割合 （単位：％）
昭和50年 （1975）	32 877	100.0	1 089	100.0	3.3
60　 （1985）	37 226	113.2	2 192	201.3	5.9
平成7年 （1995）	40 770	…	4 390	…	10.8
12　 （2000）	45 545	138.5	6 261	574.9	13.7
17　 （2005）	47 043	143.1	8 349	766.6	17.7
22　 （2010）	48 638	147.9	10 207	937.2	21.0
26　 （2014）	50 431	153.4	12 214	1 121.6	24.2
27　 （2015）	50 361	153.2	12 714	1 167.5	25.2
28　 （2016）	49 945	…	13 271	…	26.6
29　 （2017）	50 425	153.4	13 223	1 214.2	26.2

資料：政策統括官（統計・情報政策、政策評価担当）「平成29年国民生活基礎調査」
注：1）平成7年の数値は，兵庫県を除いたものである。
　　2）平成28年の数値は，熊本県を除いたものである。

第4−29表 高齢者世帯の1世帯当たり平均所得金額，所得の種類×年次別

（単位：万円）

年　　　次	総 所 得	稼 働 所 得	財 産 所 得	公的年金・ 恩　　給	公的年金・ 恩給以外の 社 会 保 障 給 付 金	仕 送 り・ 企 業 年 金・ 個 人 年 金・ その他の所得
平成22 （2010）	307.2	53.5	27.2	207.4	2.4	16.7
23　 （2011）	303.6	59.2	17.6	209.8	2.3	14.6
24　 （2012）	309.1	55.7	22.2	211.9	2.5	16.8
25　 （2013）	300.5	55.0	22.9	203.3	3.4	16.0
26　 （2014）	297.3	60.2	15.3	200.6	4.5	16.6
27　 （2015）	308.1	64.9	22.8	201.5	1.9	16.9
28　 （2016）	318.6	70.9	16.8	211.2	2.5	17.2

資料：政策統括官（統計・情報政策、政策評価担当）「国民生活基礎調査」
注：1）所得は，表章年次1年間の所得である。
　　2）平成22年の数値は，岩手県，宮城県及び福島県を除いたものである。
　　3）平成23年の数値は，福島県を除いたものである。
　　4）平成27年の数値は，熊本県を除いたものである。

第4−30表 公的年金・恩給を受給している高齢者世帯数の構成割合，公的年金・恩給の総所得に占める割合×年次別

（単位：％）

年　　　次	総 数	20％未満	20〜40％未満	40〜60	60〜80	80〜100	100％
平成22 （2010）	100.0	3.3	6.0	8.6	11.4	14.1	56.7
23　 （2011）	100.0	2.9	6.2	10.0	11.6	12.5	56.8
24　 （2012）	100.0	3.0	6.2	9.3	11.7	11.9	57.8
25　 （2013）	100.0	3.5	6.6	9.7	12.0	11.4	56.7
26　 （2014）	100.0	3.2	5.8	11.5	11.5	13.0	55.0
27　 （2015）	100.0	3.5	7.2	10.7	12.4	12.0	54.2
28　 （2016）	100.0	3.8	6.2	10.8	13.5	13.6	52.2

資料：政策統括官（統計・情報政策、政策評価担当）「国民生活基礎調査」
注：1）所得は，表章年次1年間の所得である。
　　2）平成22年の数値は，岩手県，宮城県及び福島県を除いたものである。
　　3）平成23年の数値は，福島県を除いたものである。
　　4）平成27年の数値は，熊本県を除いたものである。

250　老人福祉

第4-31表　65歳以上の者のいる世帯数，年次×世帯構造別

世帯構造	平成23年(2011)	平成24年(2012)	平成25年(2013)	平成26年(2014)	平成27年(2015)	平成28年(2016)	平成29年(2017)
	推　計　数　(単位：千世帯)						
総　　　　　　数	19 422	20 930	22 420	23 572	23 724	24 165	23 787
全世帯に占める割合(%)	(41.6)	(43.4)	(44.7)	(46.7)	(47.1)	(48.4)	(47.2
単　　独　　世　　帯	4 697	4 868	5 730	5 959	6 243	6 559	6 274
夫婦のみの世帯	5 817	6 332	6 974	7 242	7 469	7 526	7 73
いずれかが65歳未満の世帯	1 221	1 315	1 461	1 441	1 471	1 330	1 292
ともに65歳以上の世帯	4 596	5 017	5 513	5 801	5 998	6 196	6 438
親と未婚の子のみの世帯	3 743	4 110	4 442	4 743	4 704	5 007	4 734
三　世　代　世　帯	2 998	3 199	2 953	3 117	2 906	2 668	2 62
そ　の　他　の　世　帯	2 166	2 420	2 321	2 512	2 402	2 405	2 427
(再掲)65歳以上の者のみの世帯	9 560	10 214	11 594	12 193	12 688	13 252	13 197
	構　成　割　合　(単位：%)						
総　　　　　　数	100.0	100.0	100.0	100.0	100.0	100.0	100.0
単　　独　　世　　帯	24.2	23.3	25.6	25.3	26.3	27.1	26.4
夫婦のみの世帯	30.0	30.3	31.1	30.7	31.5	31.1	32.5
いずれかが65歳未満の世帯	6.3	6.3	6.5	6.1	6.2	5.5	5.5
ともに65歳以上の世帯	23.7	24.0	24.6	24.6	25.3	25.6	27.1
親と未婚の子のみの世帯	19.3	19.6	19.8	20.1	19.8	20.7	19.9
三　世　代　世　帯	15.4	15.3	13.2	13.2	12.2	11.0	11.0
そ　の　他　の　世　帯	11.2	11.6	10.4	10.7	10.1	10.0	10.2
(再掲)65歳以上の者のみの世帯	49.2	48.8	51.7	51.7	53.5	54.8	55.5

資料：政策統括官（統計・情報政策、政策評価担当）「平成29年国民生活基礎調査」
注：1）平成23年の数値は，岩手県、宮城県及び福島県を除いたものである。
　　2）平成24年の数値は，福島県を除いたものである。
　　3）平成28年の数値は，熊本県を除いたものである。

第4-32表　65歳以上の者のいる世帯の1世帯当たり平均所得金額，所得の種類×世帯構造別

(単位：万円)　　　　　　　　　　　　　　　　　　　　　　　　平成29年（2017）調査

世帯構造	総所得	稼働所得	財産所得	公的年金・恩給	公的年金・恩給以外の社会保障給付金	仕送り・企業年金・個人年金等・その他の所得
総　　　　　　数	472.0	236.4	18.5	195.9	3.4	17.8
単　　独　　世　　帯	204.0	40.0	14.4	133.4	5.0	11.2
核　家　族　世　帯	468.9	193.5	18.7	233.8	1.1	21.7
(再掲)夫婦のみの世帯	415.2	117.0	18.5	253.8	0.8	25.0
三　世　代　世　帯	923.7	711.4	28.0	158.8	10.2	15.2
そ　の　他　の　世　帯	614.2	389.1	15.9	189.2	3.7	16.4

資料：政策統括官（統計・情報政策、政策評価担当）「平成29年国民生活基礎調査」
注：所得は，平成28年1年間の所得である。

老人福祉　251

第4-33表　65歳以上の者の数，家族形態×年次別

年　次	総　数	単独世帯	夫婦のみの世帯	子と同居	子夫婦と同居	配偶者のいない子と同居	その他の親族と同居	非親族と同居
		推　　　計　　　数（単位：千人）						
平成23 (2011)	27 979	4 697	10 413	11 799	4 639	7 160	1 040	29
24 (2012)	30 266	4 868	11 349	12 808	4 829	7 979	1 184	58
25 (2013)	32 394	5 730	12 487	12 950	4 498	8 452	1 193	33
26 (2014)	34 326	5 959	13 043	13 941	4 728	9 213	1 339	44
27 (2015)	34 658	6 243	13 467	13 526	4 347	9 179	1 370	52
28 (2016)	35 315	6 559	13 721	13 570	4 034	9 536	1 420	44
29 (2017)	35 195	6 274	14 166	13 243	3 988	9 255	1 454	58
		構　　　成　　　割　　　合（単位：％）						
平成23 (2011)	100.0	16.8	37.2	42.2	16.6	25.6	3.7	0.1
24 (2012)	100.0	16.1	37.5	42.3	16.0	26.4	3.9	0.2
25 (2013)	100.0	17.7	38.5	40.0	13.9	26.1	3.7	0.1
26 (2014)	100.0	17.4	38.0	40.6	13.8	26.8	3.9	0.1
27 (2015)	100.0	18.0	38.9	39.0	12.5	26.5	4.0	0.1
28 (2016)	100.0	18.6	38.9	38.4	11.4	27.0	4.0	0.1
29 (2017)	100.0	17.8	40.3	37.6	11.3	26.3	4.1	0.2

資料：政策統括官（統計・情報政策，政策評価担当）「平成29年国民生活基礎調査」
注：1）平成23年の数値は，岩手県，宮城県及び福島県を除いたものである。
　　2）平成24年の数値は，福島県を除いたものである。
　　3）平成28年の数値は，熊本県を除いたものである。

第4-34表　65歳以上の単独世帯の者数，年次別

単位：千人，％

年　次	65歳以上の者数（A）	単独世帯の者数			単独世帯の者の割合 B／A×100
		総　数（B）	男	女	
平成23 (2011)	27 979	4 697	1 303	3 394	16.8
24 (2012)	30 266	4 868	1 370	3 498	16.1
25 (2013)	32 394	5 730	1 659	4 071	17.7
26 (2014)	34 326	5 959	1 909	4 049	17.4
27 (2015)	34 658	6 243	1 951	4 292	18.0
28 (2016)	35 315	6 559	2 095	4 464	18.6
29 (2017)	35 195	6 274	2 046	4 228	17.8

資料：政策統括官（統計・情報政策，政策評価担当）「平成29年国民生活基礎調査」
注：1）平成23年の数値は，岩手県，宮城県及び福島県を除いたものである。
　　2）平成24年の数値は，福島県を除いたものである。
　　3）平成28年の数値は，熊本県を除いたものである。

第4-35表　老人クラブ数・会員数，年度別

各年度末現在

年　度	60歳以上人口（A）	クラブ数	会員数（B）	会員率（B／A×100）	1クラブ当たり会員数
	千人		人	％	人
平成12年度 (FY2000)	29 741	133 138	8 739 542	29.4	65.6
17 (FY2005)	34 217	126 245	8 035 078	23.5	63.6
22 (FY2010)	39 283	109 818	6 711 307	17.1	61.1
27 (FY2015)	42 418	103 821	5 906 292	13.9	56.9
28 (FY2016)	42 751	101 110	5 686 222	13.3	56.2
29 (FY2017)	42 956	98 592	5 488 258	12.8	55.7

資料：政策統括官（統計・情報政策，政策評価担当）「福祉行政報告例」
注：1）「60歳以上人口」については，総務省統計局「国勢調査報告」，「人口推計年報」による各年10月1日現在の総人口である。
　　2）平成22年度末は，東日本大震災の影響により，岩手県（盛岡市以外），宮城県（仙台市以外），福島県（郡山市及びいわき市以外）を除いて，集計した数値である。

252　老人福祉

第４－36表　100歳以上の高齢者数，年次別

年　　　次	総　数（人）	男　（人）	女　（人）	女性の割合（%）	（参　考）平均寿命（年）	
					男	女
昭和38年 (1963)	153	20	133	86.9	67.21	72.3
39 (1964)	191	31	160	83.8	67.67	72.8
40 (1965)	198	36	162	81.8	67.74	72.9
41 (1966)	252	46	206	81.7	68.35	73.6
42 (1967)	253	52	201	79.4	68.91	74.1
43 (1968)	327	67	260	79.5	69.05	74.3
44 (1969)	331	70	261	78.9	69.18	74.6
45 (1970)	310	62	248	80.0	69.31	74.6
46 (1971)	339	70	269	79.4	70.17	75.5
47 (1972)	405	78	327	80.7	70.50	75.9
48 (1973)	495	91	404	81.6	70.70	76.0
49 (1974)	527	96	431	81.8	71.16	76.3
50 (1975)	548	102	446	81.4	71.73	76.89
51 (1976)	666	113	553	83.0	72.15	77.3
52 (1977)	697	122	575	82.5	72.69	77.9
53 (1978)	792	132	660	83.3	72.97	78.3
54 (1979)	937	180	757	80.8	73.46	78.8
55 (1980)	968	174	794	82.0	73.35	78.7
56 (1981)	1 072	202	870	81.2	73.79	79.1
57 (1982)	1 200	233	967	80.6	74.22	79.6
58 (1983)	1 354	269	1 085	80.1	74.20	79.7
59 (1984)	1 563	347	1 216	77.8	74.54	80.1
60 (1985)	1 740	359	1 381	79.4	74.78	80.4
61 (1986)	1 851	361	1 490	80.5	75.23	80.9
62 (1987)	2 271	462	1 809	79.7	75.61	81.39
63 (1988)	2 668	562	2 106	78.9	75.54	81.30
平成元年 (1989)	3 078	630	2 448	79.5	75.91	81.77
2 (1990)	3 298	680	2 618	79.4	75.92	81.90
3 (1991)	3 625	749	2 876	79.3	76.11	82.1
4 (1992)	4 152	822	3 330	80.2	76.09	82.22
5 (1993)	4 802	943	3 859	80.4	76.25	82.5
6 (1994)	5 593	1 093	4 500	80.5	76.57	82.98
7 (1995)	6 378	1 255	5 123	80.3	76.38	82.85
8 (1996)	7 373	1 400	5 973	81.0	77.01	83.59
9 (1997)	8 491	1 570	6 921	81.5	77.19	83.82
10 (1998)	10 158	1 812	8 346	82.2	77.16	84.0
11 (1999)	11 346	1 973	9 373	82.6	77.10	83.99
12 (2000)	13 036	2 158	10 878	83.4	77.72	84.60
13 (2001)	15 475	2 541	12 934	83.6	78.07	84.93
14 (2002)	17 934	2 875	15 059	84.0	78.32	85.23
15 (2003)	20 561	3 159	17 402	84.6	78.36	85.33
16 (2004)	23 038	3 523	19 515	84.7	78.64	85.59
17 (2005)	25 554	3 779	21 775	85.2	78.56	85.52
18 (2006)	28 395	4 150	24 245	85.4	79.00	85.81
19 (2007)	32 295	4 613	27 682	85.7	79.19	85.99
20 (2008)	36 276	5 063	31 213	86.0	79.29	86.05
21 (2009)	40 399	5 447	34 952	86.5	79.59	86.44
22 (2010)	44 449	5 869	38 580	86.8	79.55	86.30
23 (2011)	47 756	6 162	41 594	87.1	79.44	85.90
24 (2012)	51 376	6 534	44 842	87.3	79.94	86.41
25 (2013)	54 397	6 791	47 606	87.5	80.21	86.61
26 (2014)	58 820	7 586	51 234	87.1	80.50	86.83
27 (2015)	61 568	7 840	53 728	87.3	80.79	87.05
28 (2016)	65 692	8 167	57 525	87.6	80.98	87.14
29 (2017)	67 771	8 192	59 579	87.9	81.09	87.26
30 (2018)	69 785	8 331	61 454	88.1	—	—

資料：老健局高齢者支援課調べ
　　　平均寿命は，政策統括官付参事官付人口動態・保健社会統計室「平成29年簡易生命表」より
注：1）９月15日時点における年齢を基礎として，百歳以上の者の数を計上している。（平成20年度までは９月3
　　　　日時点における年齢）
　　　〔調査時点〕９月１日現在
　　2）百歳以上の高齢者数は，住民基本台帳による報告数。
　　3）海外在留邦人を除く。
　　4）平成30年９月6日時点で都道府県・指定都市・中核市から報告があったものを集計。
　　5）平成29年度の公表人数は67,824人（男性8,197人，女性59,627人）であったが，一部自治体に集計誤りが
　　　　あったため，67,771人（男性8,192人，女性59,579人）に訂正している。

第 5 編
社 会 保 険

社会保険

医療保険　255

第1章　医療保険

第5-1表　医療保険適用者数，年度×制度区分別

単位：千人　　　　　　　　　　　　　　　　　　　　　　　　　　　　各年度末現在

制度区分	平成21年度(FY2009)	平成22年度(FY2010)	平成23年度(FY2011)	平成24年度(FY2012)	平成25年度(FY2013)	平成26年度(FY2014)	平成27年度(FY2015)	平成28年度(FY2016)
総数	127 048	126 907	126 678	126 452	126 339	126 207	126 141	126 091
被用者保険	74 055	73 797	73 632	73 605	73 976	74 503	75 217	76 373
全国健康保険協会管掌健康保険	34 846	34 863	34 895	35 122	35 662	36 411	37 184	38 091
一般被保険者	34 828	34 845	34 877	35 103	35 643	36 392	37 165	38 071
法第3条第2項被保険者	17	18	18	19	18	19	19	19
組合管掌健康保険	29 951	29 609	29 504	29 353	29 273	29 131	29 136	29 463
船員保険	141	136	132	129	127	125	124	122
共済組合	9 118	9 189	9 101	9 000	8 914	8 836	8 774	8 697
国民健康保険	39 098	38 769	38 313	37 678	36 927	35 937	34 687	32 940
後期高齢者医療制度	13 894	14 341	14 734	15 168	15 436	15 767	16 237	16 778

資料：保険局「健康保険・船員保険事業年報」「国民健康保険事業年報」「後期高齢者医療事業年報」
　　　財務省主計局編「国家公務員共済組合事業統計年報」
　　　総務省自治行政局公務員部福利課「地方公務員共済組合等事業年報」
　　　日本私立学校振興・共済事業団「私学共済制度事業統計」
注：法第3条第2項被保険者は有効被保険者手帳所有者数である。

第5-2表　被用者保険被保険者1人当たり平均標準報酬月額，制度区分別

単位：円　　　　　　　　　　　　　　　　　　　　　　　　　　　　各年度末現在

制度区分	平成21年度(FY2009)	平成22年度(FY2010)	平成23年度(FY2011)	平成24年度(FY2012)	平成25年度(FY2013)	平成26年度(FY2014)	平成27年度(FY2015)	平成28年度(FY2016)
全国健康保険協会管掌健康保険								
一般被保険者	276 892	276 392	275 151	276 414	277 116	279 789	282 001	284 285
法第3条第2項被保険者（標準賃金日額）	12 806	13 236	13 604	13 601	13 576	13 794	13 986	14 176
組合管掌健康保険	359 340	363 306	363 149	365 867	366 541	370 072	370 300	369 817
船員保険（普通保険）	390 620	388 287	387 115	388 989	394 456	397 567	407 025	412 609
国家公務員等共済組合（短期適用）	418 333	417 119	419 463	402 411	404 017	422 011	424 500	430 672
地方公務員等共済組合（給料月額）	348 425	345 220	342 646	341 047	328 268	340 128	421 023	423 579
私立学校教職員共済組合（短期標準給与平均月額）	378 763	378 113	376 762	375 903	374 515	374 675	372 779	371 725

資料：保険局「健康保険・船員保険事業年報」
　　　財務省主計局編「国家公務員共済組合事業統計年報」
　　　総務省自治行政局公務員部福利課「地方公務員共済組合等事業年報」
　　　日本私立学校振興・共済事業団「私学共済制度事業統計」

256　医療保険

第5－3表　全国健康保険協会管掌健康保険（一般被保険者）の事業所数・被保険者数・被扶養者数・平均標準報酬月額，年度別

各年度末現在

年　　度	事業所数	被 保 険 者 数 （単位：千人）			被扶養者数 （単位：千人）
		総　　数	男	女	
平成21年度 (FY2009)	1 624 549	19 517	12 070	7 447	15 31
22　　(FY2010)	1 622 704	19 580	12 064	7 516	15 265
23　　(FY2011)	1 621 100	19 631	12 054	7 577	15 240
24　　(FY2012)	1 636 155	19 871	12 162	7 709	15 23
25　　(FY2013)	1 680 537	20 303	12 413	7 890	15 340
26　　(FY2014)	1 749 928	20 902	12 773	8 129	15 49
27　　(FY2015)	1 858 887	21 577	13 162	8 415	15 58
28　　(FY2016)	1 994 022	22 428	13 621	8 807	15 643

年　　度	標 準 報 酬 月 額 （円）			1事業所当た り被保険者数	被保険者 1人当たり 被扶養者数
	平　　均	男	女		
平成21年度 (FY2009)	276 892	314 147	216 510	12.01	0.78
22　　(FY2010)	276 392	313 510	216 816	12.07	0.78
23　　(FY2011)	275 151	311 830	216 798	12.11	0.78
24　　(FY2012)	276 414	313 137	218 480	12.15	0.77
25　　(FY2013)	277 116	313 606	219 705	12.08	0.76
26　　(FY2014)	279 789	316 731	221 738	11.94	0.74
27　　(FY2015)	282 001	319 064	224 031	11.61	0.72
28　　(FY2016)	284 285	322 702	224 870	2.00	0.70

資料：保険局「健康保険・船員保険事業年報」
注：標準報酬月額の平均は，任意継続適用を含む。

第5－4表　全国健康保険協会管掌健康保険（法第3条第2項被保険者）の有効被保険者手帳所有者数・平均賃金日額等の状況，年度別

各年度末現在

年　　度	印 紙 購 入 通 帳 数 （事業所数）	平均標準 賃金日額	被 保 険 者 手帳交付数 （年度累計）	有効被保険者手帳所有者数			適 用 除 外 承 認 者 数 （年度累計）
		円		総　　数	男　子	女　子	
				人	人	人	人
平成21年度 (FY2009)	1 421	12 806	7 628	11 390	9 403	1 987	423 429
22　　(FY2010)	1 291	13 236	7 116	11 716	9 805	1 911	408 671
23　　(FY2011)	1 172	13 570	6 694	11 917	10 196	1 721	421 982
24　　(FY2012)	979	13 601	6 377	12 620	10 834	1 786	404 678
25　　(FY2013)	848	13 578	6 819	12 063	10 452	1 611	394 226
26　　(FY2014)	796	13 794	6 751	12 283	10 724	1 559	357 225
27　　(FY2015)	711	13 991	6 777	12 784	11 206	1 578	327 209
28　　(FY2016)	693	14 176	6 328	13 013	11 468	1 545	309 304

資料：全国健康保険協会「全国健康保険協会管掌健康保険事業年報　平成28年度」

第5－5表　全国健康保険協会管掌健康保険（一般被保険者）の給付件数・日数・給付費・医療費，被保険者－被扶養者・給付の種類別

（単位：件，日，千円）　平成28年度（FY 2016）

区分	種類	内訳	保険給付 件数	保険給付 日数（日）	保険給付 給付費（千円）	医療費（千円）
総計			452,470,278	…	5,526,603,079	6,564,408,835
法定給付 医療給付 療養の給付又は家族療養費（現物給付）	計		433,996,907	…	5,002,198,951	6,451,568,630
被保険者（70歳未満）	計		229,133,862	…	2,671,803,097	3,492,520,420
	診療費	計	156,742,605	248,862,544	2,147,821,298	2,760,097,655
		入院	1,816,553	16,481,588	808,045,384	920,509,960
		入院外	121,447,191	169,364,304	1,036,521,254	1,408,090,897
		歯科	33,478,861	63,016,652	303,254,659	431,496,797
	薬剤支給		72,359,551	◎ 85,315,289	510,418,894	705,013,079
	入院時食事・生活療養費（差額支給分除く）		1,667,996	○ 37,422,604	11,777,623	24,932,654
	訪問看護療養費		31,706	214,821	1,785,282	2,477,032
被扶養者（70歳未満）	計		187,247,307	…	1,986,886,088	2,556,534,083
	診療費	計	125,242,810	205,625,432	1,611,238,586	2,038,515,133
		入院	1,653,051	16,965,920	647,255,511	744,413,804
		入院外	100,465,087	149,932,176	780,595,749	1,037,827,702
		歯科	23,124,672	38,727,336	183,387,325	256,273,628
	未就学児（再掲）	計	31,209,435	51,776,417	382,662,790	459,209,597
		入院	451,752	2,938,117	161,722,119	183,425,145
		入院外	27,298,355	44,001,235	194,991,958	243,411,158
		歯科	3,459,328	4,837,065	25,948,713	32,373,295
	薬剤支給	計	61,846,606	◎ 79,980,111	355,269,526	481,308,724
		未就学児（再掲）	18,553,860	◎ 27,451,475	75,454,281	94,106,532
	入院時食事・生活療養費（差額支給分除く）	計	1,428,275	○ 39,215,833	12,313,147	25,650,423
		未就学児（再掲）	339,126	○ 5,123,975	1,516,827	3,295,135
	家族訪問看護療養費	計	157,891	970,216	8,064,830	11,059,802
		未就学児（再掲）	31,653	192,622	1,910,277	2,384,674
70歳以上	計		17,615,738	…	343,509,766	402,514,127
70歳以上 現役並み所得者	計		3,217,309	…	57,753,160	73,160,322
	診療費	計	2,136,795	3,827,308	46,497,075	57,434,365
		入院	42,132	436,902	22,393,148	25,084,072
		入院外	1,726,293	2,693,569	20,883,054	27,773,738
		歯科	368,370	696,837	3,220,873	4,576,555
	薬剤支給		1,078,818	◎ 1,301,123	10,807,668	14,872,973
	入院時食事・生活療養費（差額支給分除く）		40,155	○ 1,033,815	334,952	703,236
	（家族）訪問看護療養費		1,696	12,968	113,465	149,748
70歳以上 一般	計		14,398,429	…	285,756,607	329,353,805
	診療費	計	9,415,547	18,268,908	229,481,392	259,278,658
		入院	203,064	2,612,337	112,041,022	119,638,881
		入院外	7,802,119	12,840,364	101,526,977	120,012,150
		歯科	1,410,364	2,816,207	15,913,393	19,627,627
	薬剤支給		4,974,066	◎ 6,096,247	53,394,799	64,825,581
	入院時食事・生活療養費（差額支給分除く）		194,071	○ 6,546,513	2,156,654	4,439,805
	（家族）訪問看護療養費		8,816	71,049	723,762	809,761
前期高齢者（再掲） 被保険者被扶養者計	計		54,476,686	…	931,417,230	1,153,263,851
	診療費（再掲）	計	36,040,545	65,105,165	752,278,386	910,017,055
		入院	667,996	7,928,225	358,812,879	396,625,311
		入院外	29,290,983	45,316,421	334,614,581	432,703,006
		歯科	6,081,566	11,860,519	58,850,926	80,688,737
	薬剤支給		18,410,454	◎ 22,113,413	170,988,848	227,825,637
	入院時食事・生活療養費（差額支給分除く）		636,598	○ 19,443,851	6,386,872	13,168,996
	（家族）訪問看護療養費		25,687	199,611	1,763,124	2,252,163

資料：保険局「平成28年度健康保険・船員保険事業年報」

注：1）療養の給付又は家族療養費（現物給付）については当該年度診療分を，その他は当該年度決定分を表す。

2）◎印は処方箋枚数，○は食事回数である。

3）入院時食事・生活療養費（差額支給分除く）の件数は診療費の再掲であり，件数の合計には含まれていない。

第5－5表（続）　全国健康保険協会管掌健康保険（一般被保険者）の給付件数・日数・給付費・医療費，被保険者－被扶養者・給付の種類別

（単位：件，日，千円）　　　　　　　　　　　　　　　　　　　　　平成28年度（FY 2016）

区分				保険給付　件数	日数（日）	給付費（千円）	医療費（千円）
計				16,338,588	…	97,983,889	112,840,206
法定給付　医療給付　被保険者	計			10,882,662	…	61,068,255	72,479,183
	入院時食事・生活療養費（差額支給分）			1,057	○ 26,518	7,378	
	療養費			10,730,016	…	50,813,792	72,474,841
	移送費			88	…	4,342	4,342
	高額療養費	計		151,501	…	10,243,383	…
		一般分	入院	110,186	…	8,357,332	
		一般分	その他	10,850	…	551,190	
		多数該当分	入院	19,802	…	894,652	
		多数該当分	その他	10,663	…	440,210	
		前期高齢者（再掲） 一般分	入院	14,439	…	1,275,864	
		一般分	その他	2,010	…	93,942	
		多数該当分	入院	4,489	…	169,149	
		多数該当分	その他	1,719	…	60,687	
		70歳以上現役並み所得者（再掲） 一般分	入院	0	…	0	
		一般分	その他	45	…	428	
		多数該当分	入院	202	…	8,191	
		70歳以上一般（再掲） 一般分	入院	169	…	5,562	
		一般分	その他	68	…	330	
		多数該当分	入院	0	…	0	
法定給付　医療給付　被扶養者	計			5,455,926	…	36,914,994	40,361,022
	入院時食事・生活療養費（差額支給分）			791	○ 30,773	8,245	
	療養費			5,340,392	…	28,922,493	40,353,186
	家族移送費			116	…	7,837	7,837
	高額療養費	計		114,627	…	7,976,420	…
		一般分	入院	77,516	…	5,567,491	
		一般分	その他	5,578	…	324,890	
		多数該当分	入院	23,543	…	1,668,401	
		多数該当分	その他	7,990	…	415,638	
		前期高齢者（再掲） 一般分	入院	5,656	…	463,150	
		一般分	その他	726	…	26,509	
		多数該当分	入院	4,279	…	227,692	
		多数該当分	その他	731	…	23,049	
		70歳以上現役並み所得者（再掲） 一般分	入院	2	…	77	
		一般分	その他	1	…	10	
		多数該当分	入院	8	…	350	
		70歳以上一般（再掲） 一般分	入院	103	…	2,039	
		一般分	その他	48	…	183	
		多数該当分	入院	0	…	0	
		未就学児（再掲） 一般分	入院	18,572	…	1,176,808	
		一般分	その他	273	…	5,145	
		多数該当分	入院	1,296	…	163,074	
		多数該当分	その他	418	…	16,111	
その他の現金給付	計			1,673,805	…	410,425,610	…
	被保険者	計		1,439,442	…	317,658,850	…
		傷病手当金		1,053,303	33,145,535	179,820,408	
		埋葬料		23,161	…	1,156,341	
		出産育児一時金		167,215	…	70,194,600	
		出産手当金		195,763	13,433,277	66,487,501	
	被扶養者	計		234,363	…	92,766,760	…
		家族埋葬料		15,208	…	760,400	
		家族出産育児一時金		219,155	…	92,006,360	
世帯合算高額療養費	一般分			274,488	…	8,649,582	
	多数該当分			186,454	…	7,343,733	
高額介護合算療養費				36	…	1,315	

第5－6表　全国健康保険協会管掌健康保険（法第3条第2項被保険者）の給付件数・日数・給付費・医療費，被保険者－被扶養者・給付の種類別

（単位：件，日，千円）　　　　　　　　　　　　　　　　　　　　　平成28年度（FY 2016）

区分	保険給付 件数	保険給付 日数（日）	保険給付 給付費（千円）	医療費（千円）
総計	122,671	…	1,641,494	1,924,320
計	116,318	…	1,453,509	1,875,712
計	65,524	…	840,623	1,098,076
被保険者（70歳未満）診療費 計	42,356	71,606	649,624	833,126
入院	505	4,836	253,875	289,971
入院外	32,649	48,054	303,451	411,462
歯科	9,202	18,716	92,299	131,694
薬剤支給	21,875	◎25,805	172,571	237,266
入院時食事・生活療養費（差額支給分除く）	476	○10,639	3,509	7,169
訪問看護療養費	3	7	106	151
特別療養費	1,290	2,091	14,813	20,364
被扶養者（70歳未満）計	44,982	…	508,937	657,199
診療費 計	28,688	48,553	404,553	509,215
入院	356	3,680	158,673	180,799
入院外	22,680	34,687	197,629	260,700
歯科	5,652	10,186	48,251	67,717
未就学児（再掲）計	6,426	10,704	86,923	102,089
入院	75	624	42,067	46,101
入院外	5,554	8,927	38,531	48,109
歯科	797	1,153	6,325	7,878
薬剤支給 計	15,471	◎19,830	94,479	128,285
未就学児（再掲）	4,197	◎6,057	15,664	19,549
入院時食事・生活療養費（差額支給分除く）計	311	○8,644	2,780	5,732
未就学児（再掲）	59	○1,104	318	709
家族訪問看護療養費 計	48	225	1,989	2,658
未就学児（再掲）	11	81	816	1,020
特別療養費	775	1,153	5,136	11,310
70歳以上 被保険者被扶養者計 計	5,812	…	103,949	120,437
診療費 計	3,690	7,358	83,720	94,828
入院	77	742	40,686	43,321
入院外	3,093	5,583	36,439	43,420
歯科	520	1,033	6,595	8,087
薬剤支給	2,069	◎2,505	19,283	23,933
入院時食事・生活療養費（差額支給分除く）	75	○1,838	587	1,225
（家族）訪問看護療養費	0	0	0	0
特別療養費	53	77	359	450
前期高齢者（再掲）被保険者被扶養者計 計	22,834	…	366,414	457,939
診療費 計	14,463	26,176	291,733	354,847
入院（再掲）	262	2,749	141,969	158,289
入院外	11,847	18,702	125,317	162,995
歯科	2,354	4,725	24,447	33,562
薬剤支給	8,125	◎9,743	68,011	92,800
入院時食事・生活療養費（差額支給分除く）	251	○6,360	2,114	4,291
（家族）訪問看護療養費	1	1	14	20
特別療養費	245	473	4,543	5,981

（左側縦項目：法定給付＞医療給付＞療養の給付又は家族療養費（現物給付））

資料：保険局「平成28年度健康保険・船員保険事業年報」
注：1）療養の給付又は家族療養費については当該年度診療分を，その他は当該年度決定分を表す。
　　2）◎印は処方箋枚数，○は食事回数である。
　　3）入院時食事・生活療養費（差額支給分除く）の件数は診療費の再掲であり，件数の合計には含まれていない。

第5－6表（続） 全国健康保険協会管掌健康保険(法第3条第2項被保険者)の給付件数・日数・給付費・医療費，被保険者－被扶養者・給付の種類別

（単位：件，日，千円）　　　　　　　　　　　　　　　平成28年度 (FY 2016)

	保険給付			医療費（千円）
	件数	日数（日）	給付費（千円）	
計	5,615	…	38,836	48,609
被保険者 計	4,028	…	27,064	34,817
入院時食事・生活療養費（差額支給分）	0	○ 0	0	0
療養費	3,868	…	23,848	33,613
移送費	0	…	0	0
特別療養費	117	…	854	1,204
高額療養費 計	43	…	2,361	…
一般分 入院	36	…	2,202	…
一般分 その他	5	…	130	…
多数該当分 入院	0	…	0	…
多数該当分 その他	2	…	28	…
前期高齢者（再掲）一般分 入院	13	…	692	…
一般分 その他	1	…	54	…
多数該当分 入院	0	…	0	…
多数該当分 その他	0	…	0	…
70歳以上一般（再掲）一般分 入院	0	…	0	…
一般分 その他	0	…	0	…
多数該当分 入院	0	…	0	…
被扶養者 計	1,587	…	11,772	13,792
入院時食事・生活療養費（差額支給分）	2	○ 12	8	13,379
療養費	1,523	…	9,561	13,379
家族移送費	0	…	0	0
特別療養費	44	…	295	412
高額療養費 計	18	…	1,908	…
一般分 入院	16	…	1,891	…
一般分 その他	0	…	0	…
多数該当分 入院	1	…	7	…
多数該当分 その他	1	…	10	…
前期高齢者（再掲）一般分 入院	3	…	507	…
一般分 その他	0	…	0	…
多数該当分 入院	1	…	7	…
多数該当分 その他	0	…	0	…
70歳以上一般（再掲）一般分 入院	0	…	0	…
一般分 その他	0	…	0	…
多数該当分 入院	0	…	0	…
未就学児（再掲）一般分 入院	1	…	29	…
一般分 その他	0	…	0	…
多数該当分 入院	0	…	0	…
多数該当分 その他	0	…	0	…
その他の現金給付 計	663	…	146,293	…
被保険者 計	587	…	117,767	…
傷病手当金	581	15,892	117,097	…
埋葬料	5	…	250	…
出産育児一時金	1	…	420	…
出産手当金	0	0	0	…
被扶養者 計	76	…	28,526	…
家族埋葬料	9	…	450	…
家族出産育児一時金	67	…	28,076	…
世帯合算高額療養費 一般分	35	…	1,463	…
多数該当分	40	…	1,393	…
高額介護合算療養費	0	…	0	…

医療保険　261

第5－7表　組合管掌健康保険の保険者数・適用事業所数・被保険者数・被扶養者数・平均標準報酬月額，年度別

各年度末現在

年　度	保険者数	適用事業所数	被保険者数			被扶養者数
			総　数	男	女	
	組合		千人	千人	千人	千人
平成21年度 (FY2009)	1 473	114 009	15 722	10 961	4 762	14 228
22　(FY2010)	1 458	112 804	15 574	10 840	4 733	14 035
23　(FY2011)	1 443	111 742	15 553	10 791	4 762	13 951
24　(FY2012)	1 431	110 638	15 537	10 740	4 797	13 816
25　(FY2013)	1 419	108 650	15 598	10 731	4 866	13 676
26　(FY2014)	1 409	106 119	15 644	10 690	4 954	13 487
27　(FY2015)	1 405	105 806	15 811	10 718	5 093	13 324
28　(FY2016)	1 399	104 869	16 284	10 828	5 456	13 179

年　度	標 準 報 酬 月 額			1保険者当たり被 保 険 者 数	被保険者1人当たり被扶養者数
	平　均	男	女		
	円	円	円	人	人
平成21年度 (FY2009)	359 340	405 055	254 103	10 674	0.90
22　(FY2010)	363 306	410 142	256 046	10 682	0.90
23　(FY2011)	363 149	410 062	256 843	10 778	0.90
24　(FY2012)	365 867	413 268	259 745	10 858	0.89
25　(FY2013)	366 541	414 049	261 776	10 992	0.88
26　(FY2014)	370 072	418 771	264 980	11 103	0.86
27　(FY2015)	370 300	419 556	266 642	11 254	0.84
28　(FY2016)	369 817	422 273	265 713	11 640	0.81

資料：保険局「健康保険・船員保険事業年報」

第5－8表　船員保険の船舶所有者数・被保険者数・被扶養者数・平均標準報酬月額，年度別

各年度末現在

年　度	船舶所有者数	被保険者数		被扶養者数	1船舶所有者当たり被保険者数	被保険者1人当たり被扶養者数	平均標準報酬月額	
		強制適用	任意継続適　用				強制適用	任意継続適　用
		人	人	人			円	円
平成21年度 (FY2009)	6 066	56 698	4 150	79 663	10.03	1.31	395 175	328 382
22　(FY2010)	6 001	56 225	3 756	76 344	10.00	1.27	392 609	323 595
23　(FY2011)	5 924	55 214	3 508	73 468	9.91	1.25	392 249	306 302
24　(FY2012)	5 819	54 674	3 557	71 237	10.01	1.22	394 253	308 071
25　(FY2013)	5 782	54 461	3 398	69 288	10.01	1.20	398 720	326 115
26　(FY2014)	5 729	54 529	3 221	67 347	10.08	1.17	401 769	326 420
27　(FY2015)	5 670	54 812	3 107	65 842	10.21	1.14	411 385	330 109
28　(FY2016)	5 619	54 974	3 057	64 161	10.33	1.11	417 083	332 161

資料：保険局「健康保険・船員保険事業年報」
　　　全国健康保険協会「船員保険事業年報（平成28年度）」

第５－９表　組合管掌健康保険の給付件数・日数・給付費・医療費，被保険者－被扶養者・給付の種類別

（単位：件，日，千円）　　　　　　　　　　　　　　　　平成28年度（FY 2016）

法定給付／医療給付／療養の給付又は家族療養費（現物給付）

区分	保険給付 件数	日数（日）	給付費（千円）	医療費（千円）
総計	350,415,315	…	3,898,157,489	4,516,876,753
計	337,059,368	…	3,387,296,744	4,455,455,111
被保険者（70歳未満）計	164,678,030	…	1,747,663,685	2,322,536,811
診療費　計	112,983,528	172,492,616	1,397,669,573	1,830,159,495
入院	1,133,819	9,402,650	471,660,007	553,542,107
入院外	86,913,335	118,372,855	711,031,234	970,367,585
歯科	24,936,374	44,717,111	214,978,333	306,249,803
薬剤支給	51,675,303 ◎	60,415,120	342,539,319	477,106,350
入院時食事・生活療養費（差額支給分除く）	1,025,780 ○	20,923,727	6,460,005	13,867,888
訪問看護療養費	19,199	123,856	994,788	1,403,078
被扶養者（70歳未満）計	165,642,305	…	1,517,174,512	1,988,498,140
診療費　計	110,483,454	173,510,300	1,216,962,891	1,573,940,919
入院	1,170,626	10,387,492	432,086,129	509,188,493
入院外	87,999,702	129,324,471	624,940,565	840,922,116
歯科	21,313,126	33,798,337	159,936,198	223,830,310
未就学児（再掲）計	28,045,705	45,380,653	329,132,666	395,232,470
入院	362,639	2,372,146	135,379,346	153,355,194
入院外	24,377,330	38,816,164	170,607,698	212,977,813
歯科	3,305,736	4,192,343	23,145,622	28,897,463
薬剤支給	55,039,143 ◎	70,969,672	287,467,662	391,844,786
薬剤支給　未就学児（再掲）	16,976,392 ◎	24,597,075	67,573,572	84,391,695
入院時食事・生活療養費（差額支給分除く）	991,608 ○	22,787,501	6,950,818	14,805,717
未就学児（再掲）	274,011 ○	4,190,496	1,241,549	2,693,345
家族訪問看護療養費	119,708	682,404	5,793,140	7,906,718
未就学児（再掲）	31,445	183,156	1,828,403	2,284,596
70歳以上　計	6,739,033	…	122,458,547	144,420,160
現役並み所得者　計	1,605,630	…	26,710,798	33,871,750
診療費　計	1,071,219	1,860,363	21,707,188	26,847,633
入院	19,435	199,384	10,324,652	11,575,049
入院外	851,374	1,295,753	9,715,150	12,909,063
歯科	200,410	365,226	1,667,386	2,363,521
薬剤支給	533,451 ◎	629,505	4,792,610	6,626,230
入院時食事・生活療養費（差額支給分除く）	18,535 ○	467,226	149,737	315,768
（家族）訪問看護療養費	960	7,101	61,262	82,119
一般　計	5,133,403	…	95,747,750	110,548,409
診療費　計	3,349,525	6,360,854	76,542,630	86,619,500
入院	65,317	830,596	36,008,342	38,475,903
入院外	2,733,124	4,477,884	34,734,970	40,971,965
歯科	551,084	1,052,374	5,799,318	7,171,632
薬剤支給	1,780,223 ◎	2,159,693	18,282,709	22,248,352
入院時食事・生活療養費（差額支給分除く）	62,417 ○	2,068,448	675,593	1,398,855
（家族）訪問看護療養費	3,655	25,268	246,818	281,703
前期高齢者被保険者・被扶養者計（再掲）計	20,602,900	…	325,800,469	407,929,768
診療費　計	13,661,083	23,987,348	262,097,492	321,095,305
入院	223,670	2,552,471	118,547,324	132,901,873
入院外	10,910,127	16,719,117	120,797,133	156,889,034
歯科	2,528,089	4,715,760	22,753,036	31,304,399
薬剤支給	6,930,086 ◎	8,221,734	61,002,594	81,752,398
入院時食事・生活療養費（差額支給分除く）	213,261 ○	6,210,867	2,014,993	4,189,355
（家族）訪問看護療養費	10,928	79,446	685,390	892,711

資料：保険局「平成28年度健康保険・船員保険事業年報」
注：1）療養の給付又は家族療養費（現物給付）については当該年度診療分を，その他は当該年度決定分を表す。
　　2）◎印は処方箋枚数，○は食事回数である。
　　3）入院時食事・生活療養費（差額支給分除く）の件数は診療費の再掲であり，件数の合計には含まれていない。

第 5 － 9 表（続） 組合管掌健康保険の給付件数・日数・給付費・医療費，被保険者－被扶養者・給付の種類別

（単位：件，日，千円）　　　　　　　　　　　　　　　　　　　　　　　平成28年度（FY 2016）

区分	保険給付 件数	日数（日）	給付費（千円）	医療費（千円）
計	9,806,047	…	69,296,463	61,421,642
法定給付　医療給付　現物給付				
被保険者 計	5,724,839	…	39,539,178	33,327,910
入院時食事・生活療養費（差額支給分）	214	○ 6,702	550	
療養費	5,458,457	…	23,341,541	33,314,162
移送費	141	…	13,747	13,747
高額療養費　計	266,027	…	16,183,340	…
一般分　入院	121,779	…	10,541,121	
一般分　その他	43,573	…	950,178	
多数該当分　入院	26,682	…	1,611,672	
多数該当分　その他	73,993	…	3,080,368	
前期高齢者（再掲）一般分　入院	9,447	…	997,266	
一般分　その他	7,927	…	116,866	
多数該当分　入院	4,404	…	248,542	
多数該当分　その他	8,578	…	309,856	
70歳以上現役並み所得者（再掲）一般分　入院	46	…	895	
一般分　その他	877	…	8,121	
多数該当分　入院	287	…	11,464	
70歳以上一般（再掲）一般分　入院	55	…	639	
一般分　その他	2,888	…	10,622	
多数該当分　入院	0	…	0	
被扶養者 計	4,081,208	…	29,757,285	28,093,732
入院時食事・生活療養費（差額支給分）	150	○ 5,094	678	
療養費	3,916,956	…	20,118,581	28,084,186
家族移送費	158	…	9,546	9,546
高額療養費　計	163,944	…	9,628,480	…
一般分　入院	74,659	…	5,898,424	
一般分　その他	25,037	…	491,688	
多数該当分　入院	22,925	…	1,596,658	
多数該当分　その他	41,323	…	1,641,710	
前期高齢者（再掲）一般分　入院	3,728	…	355,907	
一般分　その他	7,313	…	62,189	
多数該当分　入院	3,062	…	186,108	
多数該当分　その他	4,917	…	152,256	
70歳以上現役並み所得者（再掲）一般分　入院	7	…	146	
一般分　その他	119	…	666	
多数該当分　入院	21	…	782	
70歳以上一般（再掲）一般分　入院	116	…	2,594	
一般分　その他	4,466	…	16,411	
多数該当分　入院	0	…	0	
未就学児（再掲）一般分　入院	12,435	…	912,001	
一般分　その他	314	…	9,980	
多数該当分　入院	929	…	117,970	
多数該当分　その他	706	…	12,449	
その他の現金給付 計	1,152,223	…	346,178,748	
被保険者　計	949,214	…	261,381,637	
傷病手当金	661,469	20,599,810	140,889,734	
埋葬料	15,212	…	758,777	
出産育児一時金	146,314	…	61,652,060	
出産手当金	126,219	10,069,328	58,081,067	
被扶養者　計	203,009	…	84,797,111	
家族埋葬料	8,610	…	430,500	
家族出産育児一時金	194,399	…	84,366,611	
世帯合算高額療養費　一般分	210,154	…	6,280,973	
多数該当分	62,867	…	3,764,979	
高額介護合算療養費	24	…	511	
付加給付 計　被保険者	1,348,864	…	55,317,208	
被扶養者	667,909	…	25,765,336	
合算高額療養費付加金	107,859	…	4,256,529	

第5－10表　船員保険疾病部門の給付件数・日数・給付費・医療費，被保険者－被扶養者・給付の種類別

（単位：件，日，千円）　　　　　　　　　　　　　　　　　　　　　　　　　　　平成28年度 (FY 2016)

	保険給付 件数	保険給付 日数（日）	保険給付 給付費（千円）	医療費（千円）
総計	1,424,073	…	21,789,894	24,231,114
計	1,373,721	…	18,847,022	23,964,435
被保険者（70歳未満）計	465,963	…	6,428,348	8,514,501
診療費 計	313,386	529,566	4,934,649	6,434,118
入院	5,335	57,504	2,044,056	2,382,455
入院外	241,641	332,632	2,130,604	2,966,967
歯科	66,410	139,430	759,989	1,084,696
薬剤支給	147,885	169,636	1,441,375	1,994,809
入院時食事・生活療養費（差額支給分除く）	4,663	○124,561	51,254	84,046
訪問看護療養費	29	130	1,070	1,528
被扶養者（70歳未満）計	812,138	…	9,337,813	12,115,346
診療費 計	537,054	921,298	7,461,189	9,524,225
入院	8,315	92,525	3,056,598	3,588,320
入院外	433,310	652,813	3,594,583	4,797,139
歯科	95,429	175,960	810,007	1,138,766
未就学児（再掲）計	102,287	172,209	1,246,274	1,498,665
入院	1,640	11,252	544,465	621,581
入院外	88,921	143,307	616,823	770,798
歯科	11,726	17,650	84,987	106,225
薬剤支給	267,306	◎342,882	1,768,376	2,417,458
未就学児（再掲）	61,590	◎91,643	258,411	322,831
入院時食事・生活療養費（差額支給分除く）計	7,283	○220,971	88,932	146,424
未就学児（再掲）	1,206	○18,976	7,306	12,240
家族訪問看護療養費	495	2,546	19,317	27,239
未就学児（再掲）	33	212	1,799	2,249
70歳以上 計	68,364	…	1,452,976	1,705,618
現役並み所得者 計	11,550	…	246,121	308,136
診療費 計	7,421	14,748	204,135	248,220
入院	238	2,868	120,893	135,225
入院外	6,107	9,380	70,243	94,616
歯科	1,076	2,500	12,999	18,379
薬剤支給	3,905	◎4,800	39,122	55,338
入院時食事・生活療養費（差額支給分除く）	222	○6,306	2,701	4,345
（家族）訪問看護療養費	2	16	163	233
一般 計	56,814	…	1,206,855	1,397,482
診療費 計	36,214	75,943	942,132	1,069,564
入院	952	13,448	468,151	504,669
入院外	31,078	53,137	417,858	495,832
歯科	4,184	9,358	56,122	69,063
薬剤支給	19,655	◎24,393	249,228	302,134
入院時食事・生活療養費（差額支給分除く）	920	○35,449	14,252	24,320
（家族）訪問看護療養費	25	123	1,243	1,464
前期高齢者（再掲）被保険者被扶養者計 計	215,473	…	3,885,383	4,845,308
診療費 計	138,977	268,039	3,039,382	3,700,722
入院（再掲）	3,149	41,012	1,494,018	1,669,949
入院外	116,735	185,188	1,316,601	1,716,549
歯科	19,093	41,839	228,762	314,223
薬剤支給	73,473	◎88,707	801,121	1,071,384
入院時食事・生活療養費（差額支給分除く）	2,960	○101,304	41,879	69,226
（家族）訪問看護療養費	63	341	3,002	3,976
船後の療養補償等	27,256	116,650	1,627,884	1,628,970

（左側区分：法定給付／医療給付／療養の給付又は家族療養費（現物給付））

資料：保険局「平成28年度健康保険・船員保険事業年報」
注：1) 療養の給付又は家族療養費（現物給付）については当該年度診療分を，その他は当該年度決定分を表す。
　　2) ◎印は処方箋枚数，○は食事回数である。
　　3) 入院時食事・生活療養費（差額支給分除く）の件数は診療費の再掲であり，件数の合計には含まれていない。

医療保険　265

第5－10表（続）　船員保険疾病部門の給付件数・日数・給付費・医療費，被保険者－被扶養者・給付の種類別

（単位：件，日，千円）　　　　　　　　　　　　　　　　　　　　　　平成28年度（FY 2016）

区分	件数	日数（日）	給付費（千円）	医療費（千円）
計	39,901	…	263,557	266,679
被保険者　計	16,861	…	113,286	108,893
入院時食事・生活療養費（差額支給分）	0	○　0	0	…
療養費	16,257	…	72,153	102,849
移送費	9	…	6,044	6,044
高額療養費　計	595	…	35,089	…
一般分　入院	0	…	0	…
一般分　その他	377	…	21,990	…
多数該当分　入院	0	…	0	…
多数該当分　その他	218	…	13,099	…
前期高齢者（再掲）　一般分　入院	0	…	0	…
一般分　その他	74	…	3,666	…
多数該当分　入院	0	…	0	…
多数該当分　その他	46	…	1,256	…
70歳以上現役並み所得者（再掲）　一般分　入院	0	…	0	…
一般分　その他	0	…	0	…
多数該当分　入院	0	…	0	…
多数該当分　その他	0	…	0	…
70歳以上一般（再掲）　一般分　入院	0	…	0	…
多数該当分　入院	0	…	0	…
被扶養者　計	23,040	…	150,271	157,786
入院時食事・生活療養費（差額支給分）	0	○　0	0	…
療養費	22,230	…	112,676	157,763
家族移送費	3	…	23	23
高額療養費　計	807	…	37,572	…
一般分　入院	0	…	0	…
一般分　その他	461	…	21,470	…
多数該当分　入院	0	…	0	…
多数該当分　その他	346	…	16,102	…
前期高齢者（再掲）　一般分　入院	0	…	0	…
一般分　その他	104	…	3,841	…
多数該当分　入院	0	…	0	…
多数該当分　その他	67	…	3,020	…
70歳以上現役並み所得者（再掲）　一般分　入院	0	…	0	…
一般分　その他	0	…	0	…
多数該当分　入院	0	…	0	…
多数該当分　その他	0	…	0	…
70歳以上一般（再掲）　一般分　入院	0	…	0	…
多数該当分　入院	0	…	0	…
未就学児（再掲）　一般分　入院	0	…	0	…
一般分　その他	1	…	29	…
多数該当分　入院	0	…	0	…
多数該当分　その他	0	…	0	…
その他の現金給付　計	7,401	…	2,205,562	
職務外　被保険者　計	6,213	…	1,737,970	
傷病手当金	6,075	…	1,721,450	
埋葬料	122	…	6,100	
出産育児一時金	10	…	4,184	
出産手当金	6	825	6,236	
職務外　被扶養者　計	1,188	…	467,592	
家族埋葬料	84	…	4,200	
家族出産育児一時金	1,104	…	463,392	
職務上の給付	1,457	…	295,147	
世帯合算高額療養費　一般分	1,009	…	36,358	
多数該当分	378	…	24,817	
高額介護合算療養費	0	…	0	
付加給付　計　被保険者	122	…	74,670	
被扶養者	84	…	42,762	

266 医療保険

第5-11表 国家公務員等共済組合(各省各庁組合)

(単位：件，日，千円)

給付の種類	件数	日数	金額
短期給付等総計	24 318 558	29 495 082	269 012 547
短期給付の計	24 175 214	29 495 082	262 603 544
本人の療養の給付	6 091 135	9 338 230	70 544 758
入院	67 535	577 421	22 031 445
外来	4 710 395	6 434 014	37 434 473
歯科	1 313 205	2 326 795	11 078 841
訪問看護療養の給付	1 410	9 103	73 317
本人の入院時食事・生活療養の給付	(60 432)	(1 313 977)	421 371
本人の療養費	325 427	1 391 498	1 363 238
本人の入院時食事・生活療養費	(17)	(317)	82
家族療養の給付	9 526 911	15 190 604	100 590 834
入院	110 211	994 069	33 995 747
外来	7 623 511	11 293 556	53 085 117
歯科	1 793 189	2 902 979	13 509 971
家族訪問看護療養の給付	10 436	60 829	524 762
家族の入院時食事・生活療養の給付	(92 739)	(2 228 374)	687 707
家族療養費	325 440	1 565 347	1 607 372
家族の入院時食事・生活療養費	(33)	(618)	248
高額療養の給付	(91 645)		12 616 981
高額療養費	(40 907)		2 323 087
高額介護合算療養費	( )		
直営本人の療養の給付	235 618	357 145	1 453 394
入院	–	–	–
外来	216 015	326 298	1 370 786
歯科	19 603	30 847	82 608
直営訪問看護療養の給付			–
直営本人の入院時食事・生活療養の給付	( )	( )	–
直営家族療養の給付	11 088	15 748	104 210
入院	–	–	–
外来	10 695	15 123	102 541
歯科	393	625	1 668
直営家族訪問看護療養の給付	–	–	–
直営家族の入院時食事・生活療養の給付	( )	( )	–
直営高額療養の給付	( )	・	
直営高額療養費	(96)	・	5 556
直営高額介護合算療養費	( )	・	

資料：財務省主計局編「平成28年度国家公務員共済組合事業統計年報」
注：1) 括弧内の件数は再掲である。
　　2) 入院時食事・生活療養費については日数は回数を意味する。

医療保険　267

短期部門の件数・日数・金額，給付の種類別

平成28年度（FY2016）

給 付 の 種 類	件　　数	日　　数	金　　額
本人の薬剤支給	2 779 986	・	19 733 159
家族の薬剤支給	4 754 861	・	25 188 437
移送費	6	・	343
家族移送費	14	・	463
(医療費計)	24 062 332	27 928 504	237 239 320
出産費	12 288	・	5 067 195
家族出産費	17 746	・	7 297 213
埋葬料	845	・	46 994
家族埋葬料	657	・	34 199
休業給付計	79 873	1 566 578	12 107 595
傷病手当金	23 641	474 071	2 775 966
出産手当金	657	10 772	76 406
休業手当金	97	476	2 763
育児休業手当金・休業中分	54 963	1 074 805	9 197 167
育児休業手当金・復職後分	－	－	－
介護休業手当金	515	6 454	55 293
災害給付計	1 473	・	811 030
弔慰金	13	・	7 330
家族弔慰金	3	・	1 092
災害見舞金	1 457	・	802 608
附加給付計	143 344	・	6 409 003
家族療養費	38 963	・	1 676 027
家族訪問看護療養費	9	・	78
出産費	11 364	・	454 600
家族出産費	15 834	・	633 560
埋葬料	560	・	23 975
家族埋葬料	485	・	21 085
直営家族療養費	30	・	745
災害給付（弔慰金，見舞金）	－	・	－
休業給付（傷病手当金等）	7 748	・	995 095
結婚手当金	－	・	－
入院附加金	425	・	5 001
一部負担金払戻金	67 926	・	2 598 837

268 医療保険

第5－12表　地方公務員等共済組合短期部門の

（単位：件，日，千円）

給 付 の 種 類	件　　数	日　　数	金　　額
短期法定給付の総計	70 765 763	90 833 054	1 665 416 643
保健給付の総計	70 765 763	90 833 054	823 847 184
保健給付の計	70 192 019	79 523 404	723 026 400
療養の給付	22 825 460	34 808 594	251 733 991
入院	241 133	2 016 853	75 458 772
外来	17 943 111	24 582 319	137 658 692
歯科	4 641 216	8 209 422	38 616 526
入院時食事療養の給付・	1	(回数) 4 491 459	1 436 634
入院時生活療養の給付			
訪問看護療養の給付	3 909	27 190	219 358
家族療養の給付	23 127 918	36 707 601	244 621 484
入院	264 284	2 420 444	82 764 207
外来	18 665 215	27 680 231	130 543 229
歯科	4 198 419	6 606 926	31 314 048
家族入院時食事療養の給付・	223 324	(回数) 5 348 409	1 711 802
家族入院時生活療養の給付			
家族訪問看護療養の給付	23 634	141 803	1 228 545
高額療養の給付	298 710	・	40 850 787
入院	175 197	・	29 090 189
外来	120 411	・	11 541 539
歯科	3 102	・	219 059
療養費	1 388 431	4 725 567	5 713 116
入院	1 641	571	63 992
外来	1 386 355	4 724 206	5 645 127
歯科	435	790	3 997
入院時食事療養費・	791	(回数) 3 742	3 375
入院時生活療養費			
家族療養費	822 076	2 967 387	4 047 831
入院	1 829	3 545	93 067
外来	819 551	2 962 750	3 949 431
歯科	696	1 092	5 333
家族入院時食事療養費・	108	(回数) 1 345	296
家族入院時生活療養費			
高額療養費	138 191	・	6 959 300
入院	80 315	・	5 318 470
外来	56 702	・	1 608 899
歯科	1 174	・	31 931
高額介護合算療養費	2	・	22
薬剤支給	21 801 963	・	128 285 745
本人	10 414 308	・	68 129 316
家族	11 387 655	・	60 156 430
移送費	32	・	1 201
家族移送費	41	・	1 002
出産費	48 932	・	20 167 602
家族出産費	35 563	・	14 661 238
埋葬料	2 282	・	113 982
家族埋葬料	1 736	・	86 900

資料：総務省自治行政局公務員部福利課「平成28年度地方公務員共済組合等事業年報」
注：1）この調べは，平成28年度の事業報告書による数値である。
　　2）「入院時食事療養の給付・入院時生活療養の給付」「家族入院時食事療養の給付・家族入院時生活療養の
　　　　給付」「入院時食事療養費・入院時生活療養費」及び「家族入院時食事療養費・家族入院時生活療養費」
　　　　の件数及び回数は「計」「合計」「総計」及び「総合計」には含まない。

医療保険 269

件数・日数・金額，給付の種類別

平成28年度 (FY2016)

給 付 の 種 類	件 数	日 数	金 額
直営保健給付計	110 042	145 262	1 182 190
療養の給付	104 196	135 282	966 646
入院	681	3 985	173 002
外来	97 218	120 751	740 892
歯科	6 297	10 546	52 752
入院時食事療養の給付・ 入院時生活療養の給付	645	(回数) 8 176	2 779
家族療養の給付	5 846	9 980	150 080
入院	245	2 173	90 072
外来	5 206	7 175	54 230
歯科	395	632	5 777
家族入院時食事療養の給付・ 家族入院時生活療養の給付	216	(回数) 4 866	1 623
高額療養の給付	381	・	61 063
入院	243	・	45 029
外来	131	・	15 060
歯科	7	・	973
休業給付計	571 063	11 309 650	99 364 503
傷病手当金	64 750	1 323 536	14 095 968
出産手当金	286	5 724	49 632
休業手当金	307	4 280	36 282
育児休業手当金	501 030	9 905 333	84 601 423
介護休業手当金	4 690	70 777	581 198
災害給付計	2 681	・	1 456 280
弔慰金	11	・	5 205
家族弔慰金	12	・	4 271
災害見舞金	2 658	・	1 446 804
老人保健拠出金	・	・	7 349
退職者給付拠出金	・	・	22 906 443
前期高齢者交付金等	・	・	–
前期高齢者納付金等	・	・	337 088 674
後期高齢者支援金等	・	・	341 229 337
病床転換支援金等	・	・	1 733
介護納付金	・	・	140 335 924
短期附加給付の計	534 349	・	51 802 141
保健給付	234 271	・	8 488 107
家族療養費	167 753	・	5 714 480
家族訪問看護療養費	341	・	2 682
出産費	36 910	・	1 510 020
家族出産費	26 026	・	1 137 617
埋葬料	1 620	・	62 364
家族埋葬料	1 405	・	54 730
直営保健給付家族療養費	216	・	6 215
休業給付	5 218	・	1 103 157
傷病手当金	5 218	・	1 103 157
出産手当金	–	・	–
休業手当金	–	・	–
災害給付	–	・	–
弔慰金	–	・	–
家族弔慰金	–	・	–
災害見舞金	–	・	–
入院附加金	–	・	–
一部負担金の額等の払戻し	294 860	・	42 210 878

270　医療保険

第5－13表　私立学校教職員共済組合短期部門の件数・日数・金額，給付の種類別

（単位：件，日，千円）　　　　　　　　　　　　　　　　　　　　　平成29年度（FY2017）

給 付 の 種 類	件　数	日　数	金　額
総　　　　　　　　　　　　　　計	...	...	259 096 319
給　付　額　合　計	12 267 028	14 380 535	143 160 823
法　定　給　付　計	12 070 679	14 380 535	137 130 466
保　健　給　付　計	12 044 764	13 592 478	129 334 804
療　養　の　給　付	7 034 486	7 313 320	75 141 633
入　　　　院	50 250	409 197	20 195 225
入　　　　外	3 770 313	5 140 888	31 544 302
歯　　　　科	1 017 265	1 763 235	8 366 293
調　　　　剤	2 196 658	·	15 035 812
入院時食事・生活療養費	(44 765)	(906 146)	276 520
訪　問　看　護　療　養　費	947	7 755	67 791
家　族　療　養　の　給　付	4 537 136	4 779 966	43 291 006
入　　　　院	34 018	313 930	12 822 496
入　　　　外	2 407 294	3 536 028	17 752 793
歯　　　　科	597 070	930 008	4 484 974
調　　　　剤	1 498 754	·	8 230 742
家族入院時食事療養費	(29 207)	(700 108)	215 258
家　族　訪　問　看　護　療　養　費	4 239	27 271	231 937
療　　　養　　　費	279 569	1 014 547	1 174 609
入　　　　院	35	155	8 584
入　　　　外	277 516	1 013 317	1 156 036
歯　　　　科	650	1 075	3 868
調　　　　剤	1 368	·	6 087
入院時食事・生活	·	·	316
家　族　療　養　費	116 572	449 619	608 785
入　　　　院	158	828	23 288
入　　　　外	114 905	448 094	578 420
歯　　　　科	420	697	2 571
調　　　　剤	1 089	·	4 191
家族入院時食事	·	·	316
（家族）高　額　療　養　費	57 091	·	1 548 612
高　額　介　護　合　算　療　養　費	2	·	57
移　　　送　　　費	4	·	2 283
家　族　移　送　費	9 696	·	4 112 741
出　　　産　　　費	4 281	·	1 817 206
家　族　出　産　費	469	·	23 440
埋　　　葬　　　料	272	·	13 600
支　払　基　金　審　査	·	·	809 333
災　害　見　舞　金	106	·	47 218
弔　　　慰　　　金	4	·	1 170
家　族　災　害　見　舞　金	1	·	266
家　族　弔　慰　金	101	·	45 782
休　　　業　　　給　　　付	25 809	788 057	7 748 444
傷　病　手　当　金	18 870	353 391	3 727 161
出　産　手　当　金	6 938	434 662	4 021 250
休　業　手　当　金	1	4	33
付　加　給　付　等　合　計	196 349	·	6 030 357
老　人　保　健　拠　出　金	·	·	600
事　務　費　拠　出　金	·	·	600
退　職　者　給　付　拠　出　金	·	·	3 778 125
療　養　給　付　費　拠　出　金	·	·	3 770 046
事　務　費　拠　出　金	·	·	8 079
前　期　高　齢　者　納　付　金	·	·	44 467 939
療　養　給　付　費　納　付　金	·	·	44 464 757
事　務　費　拠　出　金	·	·	3 182
後　期　高　齢　者　支　援　金	·	·	67 688 540
療　養　給　付　費　拠　出　金	·	·	67 685 535
事　務　費　拠　出　金	·	·	3 005
病　床　転　換　支　援　金	·	·	292
事　務　費　拠　出　金	·	·	292
（再掲）医　療　給　付	12 030 046	13 592 478	123 367 817
そ　の　他　の　法　定　給　付	40 633	788 057	13 762 649

資料：日本私立学校振興・共済事業団「平成29年度私学共済制度事業統計」
注：1）「家族療養の給付」のうち70歳以上者分は，「療養の給付」に含む。
　　2）「入院時食事・生活療養費」，「家族入院時食事療養費」の件数，日数は，「療養の給付」，「家族療養の給付」の内数である。
　　3）「入院時食事・生活療養費」，「家族入院時食事療養費」の日数欄は，食事件数である。（食事1回につき1件）
　　4）「入院時食事・生活療養費」は，「入院時食事療養費」と，65歳以上の療養病床に入院する「入院時生活療養費」の合計である。
　　5）「家族入院時食事療養費」は，家族に係る「入院時生活療養費」を含む。

医療保険　271

第5-14表　国民健康保険の保険者数・世帯数・被保険者数，年度×市町村-国民健康保険組合別

各年度末現在

区　　分	平成21年度 (FY 2009)	平成22年度 (FY 2010)	平成23年度 (FY 2011)	平成24年度 (FY 2012)	平成25年度 (FY 2013)	平成26年度 (FY 2014)	平成27年度 (FY 2015)	平成28年度 (FY 2016)
保　険　者　数	1 888	1 888	1 881	1 881	1 881	1 880	1 880	1 879
市　　町　　村	1 723	1 723	1 717	1 717	1 717	1 716	1 716	1 716
国　保　組　合	165	165	164	164	164	164	164	163
世帯数（千世帯）	21 935	21 914	21 838	21 696	21 524	21 231	20 824	20 146
市　　町　　村	20 330	20 372	20 360	20 253	20 101	19 813	19 411	18 736
国　保　組　合	1 605	1 542	1 477	1 443	1 423	1 418	1 413	1 410
被保険者数（千人）	39 098	38 769	38 313	37 678	36 927	35 937	34 687	32 940
市　　町　　村	35 665	35 493	35 197	34 658	33 973	33 025	31 822	30 126
国　保　組　合	3 433	3 277	3 116	3 020	2 954	2 911	2 864	2 814
一世帯当たり被保険者数(人)	1.78	1.77	1.75	1.74	1.72	1.69	1.67	1.64

資料：保険局「国民健康保険事業年報」
注：退職被保険者等については，遡及して資格を取得した者に係る遡及期間分が含まれていない場合があるため，
　　数値が小さくなっている可能性がある。

第5-15表　国民健康保険の給付件数・金額，年度×給付の種類別

給付の種類	件　　数（単位：千件）			金　　額（単位：100万円）		
	平成26年度 (FY 2014)	平成27年度 (FY 2015)	平成28年度 (FY 2016)	平成26年度 (FY 2014)	平成27年度 (FY 2015)	平成28年度 (FY 2016)
総　　　　　数	572 245	566 769	546 671	11 817 508	12 027 204	11 501 780
療　養　の　給　付	553 851	548 912	529 997	11 645 210	11 861 188	11 347 992
診　　療　　費	370 294	365 740	351 762	9 251 833	9 291 104	8 989 882
入　　　院	7 956	7 870	7 616	4 207 055	4 214 505	4 110 631
入　　院　　外	296 057	292 170	280 579	4 168 565	4 219 121	4 052 151
歯　科　診　療	66 281	65 699	63 567	876 213	857 478	827 100
療　　養　　費	18 334	17 800	16 620	172 257	165 967	153 747
その他の給付	60	58	54	42	48	41

診療費諸率	被保険者100人当たり受診件数			1件当たり医療費　（円）		
	平成26年度 (FY 2014)	平成27年度 (FY 2015)	平成28年度 (FY 2016)	平成26年度 (FY 2014)	平成27年度 (FY 2015)	平成28年度 (FY 2016)
診　療　費　計	1 012.097	1 031.613	1 036.160	24 985	25 404	25 557
入　　　　　院	21.745	22.198	22.433	528 810	535 515	539 768
入　　院　　外	809.190	824.101	826.483	14 080	14 441	14 442
歯　　　　　科	181.162	185.313	187.245	13 220	13 052	13 011

資料：保険局「国民健康保険事業年報」
注：費用額は，保険者負担に患者の一部負担金，公費負担金等を含めた額である。

272　医療保険

第5－16表　1件当たり点数・1日当たり点数，年次×医科（入院－入院外）－歯科・診療行為別

a）医科診療分　　　　　　　　　　　　　　　　　　　　　　　　　　　　　　　（各年6月審査分）

診療行為	1件当たり点数			1日当たり点数		
	平成27年(2015)	平成28年(2016)	平成29年(2017)	平成27年(2015)	平成28年(2016)	平成29年(2017)
	入　　　　院					
総　　数1)	50 237.8	50 965.6	51 989.7	3 190.6	3 276.8	3 398.6
初　・　再　診	49.9	58.5	58.9	3.2	3.8	3.9
医　学　管　理　等	352.8	382.3	398.2	22.4	24.6	26.0
在　宅　医　療	81.7	81.2	83.8	5.2	5.2	5.5
検　査　診　断	731.2	679.8	680.8	46.4	43.7	44.5
画　像　診　断	385.2	350.0	354.5	24.5	22.5	23.2
投　　　　薬	649.2	591.0	583.7	41.2	38.0	38.2
注　　　　射	1 060.3	890.7	888.2	67.3	57.3	58.1
リハビリテーション	2 585.1	2 715.7	2 833.5	164.2	174.6	185.2
精神科専門療法	237.5	250.7	257.1	15.1	16.1	16.8
処　　　　置	964.2	926.5	930.8	61.2	59.6	60.8
手　　　　術	7 848.1	8 327.0	8 949.8	498.4	535.4	585.1
麻　　　　酔	1 016.7	1 071.9	1 150.0	64.6	68.9	75.2
放　射　線　治　療	155.0	152.0	151.4	9.8	9.8	9.9
病　理　診　断	73.9	75.2	78.0	4.7	4.8	5.1
入　　院　　料	19 150.9	18 706.3	18 925.3	1 216.3	1 202.7	1 237.2
診断群分類による包括評価等	14 888.3	15 703.1	15 657.6	945.5	1 009.6	1 023.6
（1件当たり日数）	15.75	15.55	15.30			
入院時食事療養等（単位：円）	26 931	26 272	25 774	1 710	1 689	1 685
	入　　院　　外					
総　　数2)	1 309.6	1 319.8	1 341.6	827.4	844.6	853.7
初　・　再　診	207.0	203.5	204.4	130.8	130.2	130.1
医　学　管　理　等	115.3	115.9	115.4	72.8	74.2	73.4
在　宅　医　療	87.4	88.0	89.5	55.2	56.3	56.9
検　査　診　断	234.2	239.1	242.4	148.0	153.0	154.3
画　像　診　断	98.8	101.2	103.4	62.4	64.7	65.8
投　　　　薬	226.9	221.5	218.1	143.4	141.7	138.8
注　　　　射	111.2	119.9	130.7	70.3	76.7	83.2
リハビリテーション	17.5	18.2	19.4	11.0	11.7	12.3
精神科専門療法	25.1	25.1	25.7	15.8	16.1	16.4
処　　　　置	131.2	129.9	133.7	82.9	83.2	85.1
手　　　　術	34.0	35.8	37.0	21.5	22.9	23.6
麻　　　　酔	5.3	5.1	5.2	3.3	3.3	3.3
放　射　線　治　療	5.6	6.4	6.5	3.5	4.1	4.1
病　理　診　断	9.4	9.8	9.9	5.9	6.3	6.3
（1件当たり日数）	(1.58)	(1.56)	(1.57)			

注：1）入院の「総数」には「入院時食事療養等」を含まない。
　　2）入院外の「総数」には「入院料等（短期滞在手術等基本料1）」を含む。

b）歯科診療分　　　　　　　　　　　　　　　　　　　　　　　　　　　　　　　（各年6月審査分）

診療行為	1件当たり点数			1日当たり点数		
	平成27年(2015)	平成28年(2016)	平成29年(2017)	平成27年(2015)	平成28年(2016)	平成29年(2017)
総　　数	1 228.0	1 237.9	1 244.8	667.1	680.0	684.8
初　・　再　診	159.3	159.1	160.2	86.5	87.4	88.1
医　学　管　理　等	130.0	129.1	128.3	70.6	70.9	73.6
在　宅　医　療	32.1	34.0	35.8	17.4	18.7	19.7
検　査　診　断	80.8	82.1	83.3	43.9	45.1	45.8
画　像　診　断	50.0	51.0	52.4	27.2	28.0	28.8
投　　　　薬	17.1	16.3	16.1	9.3	8.9	8.8
注　　　　射	1.1	1.1	1.2	0.6	0.6	0.7
リハビリテーション	17.1	17.2	17.2	9.3	9.4	9.5
処　　　　置	228.5	236.8	245.2	124.1	130.1	134.9
手　　　　術	34.2	34.3	34.1	18.6	18.8	18.8
麻　　　　酔	3.5	3.6	3.9	1.9	2.0	2.2
放　射　線　治　療	0.2	0.2	0.2	0.1	0.1	0.1
歯冠修復及び欠損補綴	462.8	461.6	449.4	251.4	253.5	247.2
歯　科　矯　正	2.0	2.1	2.2	1.1	1.1	1.2
病　理　診　断	0.8	0.9	0.9	0.4	0.5	0.5
入　院　料　等	8.4	8.7	9.0	4.6	4.8	5.0
（1件当たり日数）	(1.84)	(1.82)	(1.82)			

資料：政策統括官（統計・情報政策、政策評価担当）「社会医療診療行為別統計」

医療保険　273

第5－17表　1件当たり点数・1日当たり点数・1件当たり日数，医科（入院－入院外）－歯科×一般医療－後期医療・年齢階級×診療行為別

a）医科診療分

（平成29年（2017）6月審査分）

診療行為	一般医療	後期医療	0～14歳	15～39歳	40～64歳	65～74歳	75歳以上
			入院				
1件当たり点数[1]	50 011.5	54 000.0	39 506.8	34 402.8	52 760.9	57 599.8	53 896.0
初・再診	64.4	53.4	179.1	68.9	50.9	42.7	54.5
医学管理等	422.4	373.7	217.8	349.2	458.0	463.8	375.3
在宅医療	87.9	79.6	143.9	58.2	85.0	94.7	77.3
検査	615.6	747.0	250.0	513.5	645.9	728.1	750.4
画像診断	265.3	445.2	61.1	161.9	290.6	343.2	450.4
投薬	626.7	539.9	184.4	445.6	783.2	696.0	525.6
注射	910.6	865.6	557.2	727.9	978.6	1 004.4	868.4
リハビリテーション	1 936.8	3 744.8	277.6	674.1	2 080.4	2 828.4	3 795.7
精神科専門療法	335.8	177.1	5.5	268.9	506.2	325.3	155.0
処置	710.3	1 155.0	425.1	509.1	806.1	1 082.9	1 046.8
手術	10 824.7	7 044.5	4 100.1	7 292.2	11 668.0	12 842.8	7 070.2
麻酔	1 578.2	714.9	1 263.2	1 423.2	1 704.5	1 507.0	721.5
放射線治療	203.8	98.1	36.2	48.9	231.8	274.9	99.3
病理診断	108.9	46.7	21.2	106.7	128.4	105.5	47.4
入院料等	14 382.4	23 542.0	6 997.6	10 744.9	16 580.7	17 156.5	23 334.4
診断群分類による包括評価等	16 934.1	14 360.1	24 783.5	11 005.4	15 760.1	18 099.2	14 511.4
1日当たり点数[1]	3 927.2	3 016.5	5 890.0	3 515.4	3 644.6	3 876.4	3 042.7
1件当たり日数	12.73	17.90	6.71	9.79	14.48	14.86	17.71
入院時食事療養等（単位：円）							
1件当たり金額	21 112	30 512	8 084	14 465	24 781	25 777	30 092
1日当たり金額	1 658	1 704	1 205	1 478	1 712	1 735	1 699
			入院外				
1件当たり点数[2]	1 210.6	1 705.5	799.7	918.6	1 356.5	1 600.7	1 631.4
初・再診	211.1	186.0	270.2	228.8	195.2	181.8	184.8
医学管理等	104.7	144.9	150.4	32.7	99.2	138.6	141.8
在宅医療	58.2	176.2	43.4	46.7	66.2	75.4	170.5
検査	228.1	282.1	125.0	205.7	247.5	288.6	281.0
画像診断	94.5	128.3	33.6	72.7	109.7	131.1	127.7
投薬	192.8	288.3	86.1	135.9	221.2	270.9	285.6
注射	117.1	168.6	9.5	65.8	147.0	189.1	165.5
リハビリテーション	17.2	25.3	16.6	11.2	17.4	22.6	24.8
精神科専門療法	28.4	18.4	6.2	46.0	39.6	16.6	17.1
処置	105.1	213.3	45.1	41.1	150.0	201.6	160.2
手術	32.6	49.3	12.6	18.4	35.4	54.3	48.0
麻酔	3.9	4.9	0.6	2.1	5.1	6.1	8.7
放射線治療	6.3	7.1	0.1	1.4	8.3	11.1	7.1
病理診断	10.5	8.3	0.2	10.0	14.5	12.1	8.3
1日当たり点数[2]	819.9	929.1	542.1	680.6	922.1	994.2	898.8
1件当たり日数	1.48	1.84	1.48	1.35	1.47	1.61	1.82

注：1）入院の「1件当たり点数」「1日当たり点数」には「入院時食事療養等」を含まない。
　　2）入院外の「1件当たり点数」「1日当たり点数」には「入院料等（短期滞在手術等基本料1）」を含む。

b）歯科診療分

（平成29年（2017）6月審査分）

診療行為	一般医療	後期医療	0～14歳	15～39歳	40～64歳	65～74歳	75歳以上
1件当たり点数	1 205.2	1 428.2	883.7	1 226.9	1 254.6	1 303.6	1 423.9
初・再診	164.2	141.8	191.2	171.8	157.5	152.1	141.5
医学管理等	136.5	121.0	147.0	132.6	134.5	137.0	121.0
在宅医療	6.7	170.3	0.6	3.2	6.8	19.2	167.1
検査	87.3	64.5	43.1	104.5	96.3	82.1	64.4
画像診断	56.1	35.2	30.8	84.7	57.2	42.5	35.2
投薬	16.0	16.6	6.0	19.2	17.1	17.0	16.6
注射	1.0	2.1	0.1	0.8	1.1	1.9	2.0
リハビリテーション	10.2	49.7	0.6	0.6	8.2	29.5	49.9
処置	254.2	203.7	198.3	267.6	272.5	242.6	203.3
手術	34.5	32.4	21.8	47.9	32.3	33.5	32.3
麻酔	4.4	1.9	3.9	8.3	3.6	2.4	1.9
放射線治療	0.1	0.4	－	0.1	0.2	0.0	0.4
歯冠修復及び欠損補綴	422.5	573.9	232.5	363.7	459.1	533.0	573.7
歯科矯正	2.6	0.0	3.6	8.9	0.5	0.0	0.0
病理診断	0.9	1.1	0.3	0.7	1.0	1.1	1.1
入院料等	8.0	13.5	3.8	12.2	6.8	9.2	13.4
1日当たり点数	676.4	719.4	647.2	690.5	676.3	679.6	717.8
1件当たり日数	1.78	1.98	1.37	1.78	1.86	1.92	1.98

資料：政策統括官（統計・情報政策、政策評価担当）「平成29年社会医療診療行為別統計」

274　医療保険

第5－18表　1日当たり点数，医科（入院－入院外）－歯科× 一般医療－後期医療×傷病分類別

a）医科診療分

（平成29年（2017）6月審査分）

傷　病　分　類[1]	入　　院		入　院　外	
	一般医療	後期医療	一般医療	後期医療
総　　　　　　　　　　数	3 927.2	3 016.5	819.9	929.1
Ⅰ　感 染 症 及 び 寄 生 虫 症	4 014.5	3 226.6	728.3	958.4
Ⅱ　新　　　　生　　　　物	6 328.9	4 586.0	2 479.4	2 376.3
Ⅲ　血液及び造血器の疾患並びに免疫機構の障害	4 402.8	3 742.0	1 792.0	1 615.5
Ⅳ　内 分 泌，栄 養 及 び 代 謝 疾 患	3 312.9	2 378.4	1 115.6	1 042.4
Ⅴ　精 神 及 び 行 動 の 障 害	1 431.0	1 392.1	705.8	803.1
Ⅵ　神　経　系　の　疾　患	2 711.7	1 901.3	920.6	883.5
Ⅶ　眼 及 び 付 属 器 の 疾 患	6 549.2	5 353.0	705.5	952.5
Ⅷ　耳 及 び 乳 様 突 起 の 疾 患	4 775.0	3 167.3	531.9	550.9
Ⅸ　循　環　器　系　の　疾　患	6 326.9	3 636.9	935.6	922.4
Ⅹ　呼　吸　器　系　の　疾　患	4 097.7	2 861.5	554.2	902.0
ⅩⅠ　消　化　器　系　の　疾　患	4 663.2	3 557.5	983.1	885.1
ⅩⅡ　皮 膚 及 び 皮 下 組 織 の 疾 患	3 006.6	2 292.2	500.7	636.3
ⅩⅢ　筋 骨 格 系 及 び 結 合 組 織 の 疾 患	5 222.9	3 378.0	566.1	514.2
ⅩⅣ　腎 尿 路 生 殖 器 系 の 疾 患	4 383.4	3 007.1	1 468.7	1 943.9
ⅩⅤ　妊 娠，分 娩 及 び 産 じ ょ く[2]	3 756.7	－	565.2	1 397.0
ⅩⅨ　損 傷，中 毒 及 び そ の 他 の 外 因 の 影 響	4 450.6	3 351.8	645.0	771.1
そ　の　他　の　傷　病[3]	3 945.8	2 187.3	807.8	843.7

b）歯科診療分

（平成29年（2017）6月審査分）

傷　病　分　類[1]	一　般　医　療	後　期　医　療
総　　　　　　　　　　　　　　数	676.4	719.4
う　　　　　　　　　　　　　　蝕	651.6	768.8
感染を伴わない歯牙慢性硬組織疾患	436.6	537.9
歯　　　　髄　　　　炎　　　　等	605.3	727.3
根 尖 性 歯 周 炎 （ 歯 根 膜 炎 ） 等	532.5	627.6
歯　　　　肉　　　　　　　炎	688.7	621.4
歯　　　周　　　炎　　　等	680.5	707.5
歯　　冠　　周　　囲　　炎	576.0	649.9
顎，口 腔 の 炎 症 及 び 膿 瘍	895.0	908.0
顎，口腔の先天奇形及び発育障害	927.4	810.8
顎　　機　　能　　異　　常	675.5	661.3
顎，口 腔 の 囊 胞	1 732.8	1 422.0
顎　　骨　　疾　　患　　等	933.9	810.1
口　　腔　　粘　　膜　　疾　　患	743.9	584.6
新　　　　生　　　　物	1 687.6	1 786.3
口 腔，顔 面 外 傷 及 び 癒 合 障 害 等	743.0	1 096.6
補　綴　関　係 （ 歯　の　補　綴 ）	886.7	847.5
そ　の　他　の　傷　病[4]	669.6	669.6

資料：政策統括官（統計・情報政策，政策評価担当）「平成29年社会医療診療行為別統計」
注：1）傷病分類は，「疾病，傷害及び死因の統計分類（ICD-10（2003年版））」を準用した。
　　2）「a）医科診療分」の「ⅩⅤ妊娠，分娩及び産じょく」には，「妊娠，分娩及び産じょくの合併症の続発・後遺症」や「合併する母体の感染症及び寄生虫症」などが含まれる。
　　3）「a）医科診療分」の「その他の傷病」は，「ⅩⅥ周産期に発生した病態」「ⅩⅦ先天奇形，変形及び染色体異常」「ⅩⅧ症状，徴候及び異常臨床所見・異常検査所見で他に分類されないもの」「ⅩⅩ傷病及び死亡の外因」「ⅩⅩⅠ健康状態に影響を及ぼす要因及び保健サービスの利用」「ⅩⅩⅡ特殊目的用コード」及び「不詳」である。
　　4）「b）歯科診療分」の「その他の傷病」には，「不詳」を含む。

第5－19表　医科・薬局調剤（医科分）の薬剤料の比率，年次×入院－入院外

(単位：%)　　　　　　　　　　　　　　　　　　　　　　　　　　　　　　　　　　　　　（各年6月審査分）

区　　　　　分	平成25年 (2013)	平成26年 (2014)	平成27年 (2015)	平成28年 (2016)	平成29年 (2017)
			総　　　　　数		
薬　　　剤　　　料	35.0	35.3	36.0	36.0	36.4
投　薬　・　注　射	33.5	33.7	34.4	34.5	34.9
投　　　　　薬	27.7	27.7	28.3	28.0	27.8
注　　　　　射	5.7	6.0	6.2	6.5	7.0
そ　　の　　他	1.6	1.5	1.5	1.5	1.5
			入　　　　　院		
薬　　　剤　　　料	9.6	9.3	9.6	9.1	9.2
投　薬　・　注　射	8.6	8.4	8.7	8.3	8.4
投　　　　　薬	2.9	3.0	3.0	2.9	2.9
注　　　　　射	5.8	5.4	5.7	5.4	5.5
そ　　の　　他	1.0	0.9	0.8	0.8	0.8
		入　　　院　　　外			
薬　　　剤　　　料	40.7	40.5	41.1	40.7	40.9
投　薬　・　注　射	39.0	38.8	39.4	39.1	39.3
投　　　　　薬	33.3	32.7	33.2	32.3	32.0
注　　　　　射	5.7	6.1	6.3	6.8	7.3
そ　　の　　他	1.7	1.7	1.7	1.6	1.6

資料：政策統括官（統計・情報政策、政策評価担当）「社会医療診療行為別調査」「社会医療診療行為別統計」
注：医科分（診療報酬明細書分）のうち「投薬」「注射」を包括した診療行為が出現する明細書及びDPC／PDPSに係る明細書は除外している。
　　「薬剤料の比率」とは，総点数（入院時食事療養等（円）÷10を含む。）に占める，「投薬」「注射」及び「その他」（「在宅医療」「検査」「画像診断」「リハビリテーション」「精神科専門療法」「処置」「手術」及び「麻酔」）の薬剤点数の割合である。
　　薬局調剤分（調剤報酬明細書分）は，内服薬及び外用薬を「投薬」に，注射薬を「注射」に合算している。

276　医療保険

第5−20表　医科（入院−入院外）・歯科・薬局調剤別の薬剤料の比率，一般医療−後期医療・病院−診療所

（単位：%）　　　　　　　　　　　　　　　　　　　　　　　　　　　　　（平成29年（2017）6月審査分）

区分		総　　数			一般医療			後期医療		
		総数³⁾	病院	診療所	総数³⁾	病院	診療所	総数³⁾	病院	診療所
医¹⁾科					総　　　数					
	薬　剤　料	24.6	23.6	26.4	25.6	26.9	23.7	23.0	18.8	32.1
	投薬・注射	22.0	20.5	24.7	22.4	22.8	21.8	21.4	17.1	30.9
	投　　薬	15.6	12.1	21.8	15.7	13.2	19.6	15.5	10.6	26.5
	注　　射	6.4	8.4	2.9	6.7	9.6	2.2	5.9	6.5	4.4
	そ　の　他	2.6	3.1	1.7	3.2	4.1	1.9	1.6	1.7	1.3
					入　　　院					
	薬　剤　料	9.2	9.3	7.7	10.3	10.7	6.6	8.1	8.0	9.0
	投薬・注射	8.4	8.6	6.1	9.4	9.8	4.8	7.4	7.4	7.4
	投　　薬	2.9	3.0	2.0	3.2	3.4	1.3	2.6	2.5	2.9
	注　　射	5.5	5.6	4.0	6.2	6.4	3.6	4.8	4.9	4.5
	そ　の　他	0.8	0.7	1.7	1.0	0.9	1.8	0.7	0.6	1.6
					入　院　外					
	薬　剤　料	33.7	40.0	28.2	32.1	40.2	24.9	37.4	39.6	35.5
	投薬・注射	30.1	34.2	26.5	27.9	33.5	23.0	35.0	35.8	34.3
	投　　薬	23.2	22.7	23.7	21.0	21.2	20.9	28.1	26.1	29.9
	注　　射	6.9	11.5	2.8	6.9	12.2	2.1	6.9	9.7	4.4
	そ　の　他	3.6	5.8	1.7	4.2	6.7	1.9	2.4	3.8	1.2
歯科¹⁾	薬　剤　料	0.7	4.0	0.6	0.7	4.1	0.6	0.7	3.8	0.5
薬局調剤²⁾	薬　剤　料	74.5	84.2	68.0	73.2	84.9	65.6	76.7	83.1	72.1

資料：政策統括官（統計・情報政策、政策評価担当）「平成29年社会医療診療行為別統計」

注：「薬剤料の比率」とは、総点数（入院時食事療養等（円）÷10を含む。）に占める，「投薬」「注射」及び「その他」（「在宅医療」「検査」「画像診断」「リハビリテーション」「精神科専門療法」「処置」「手術」及び「麻酔」）の薬剤点数の割合である。

　1）医科及び歯科分（診療報酬明細書分）のうち「処方せん料」を算定している明細書，「投薬」「注射」を包括した診療行為が出現する明細書及びＤＰＣ／ＰＤＰＳに係る明細書は除外している。

　2）薬局調剤分（調剤報酬明細書分）は，処方せん発行医療機関により病院，診療所を区分している。

　3）医科及び歯科分の総数には，データ上で病院，診療所別を取得できなかったものを含む。
　　薬局調剤分の総数には歯科，処方せん発行医療機関無記載のものも含む。

第5－21表　**1件当たり点数・受付1回当たり点数・1件当たり受付回数，年次・調剤行為別**

(各年6月審査分)

調 剤 行 為	平成25年 (2013)	平成26年 (2014)	平成27年 (2015)	平成28年 (2016)	平成29年 (2017)
	1 件 当 た り 点 数				
総　　　　　数	1 103.6	1 094.6	1 120.7	1 086.9	1 109.4
調 剤 技 術 料	229.2	226.2	227.9	215.9	225.5
薬 学 管 理 料	52.0	49.6	48.4	54.8	55.4
薬　　剤　　料	820.5	816.9	842.5	814.1	826.5
特定保険医療材料料	1.8	1.9	1.9	1.8	1.8
	受 付 1 回 当 た り 点 数				
総　　　　　数	852.1	855.4	894.8	876.7	887.9
調 剤 技 術 料	177.0	176.7	182.0	174.2	180.5
薬 学 管 理 料	40.1	38.8	38.6	44.2	44.3
薬　　剤　　料	633.6	638.3	672.6	656.7	661.5
特定保険医療材料料	1.4	1.4	1.5	1.5	1.5
	1 件 当 た り 受 付 回 数				
	1.30	1.28	1.25	1.24	1.25

資料：政策統括官（統計・情報政策、政策評価担当）「社会医療診療行為別調査」「社会医療診療行為別統計」

278　医療保険

第5-22表　薬剤点数の構成割合，入院－院内処方－院外処方・薬効分類別

（単位：％）　　　　　　　　　　　　　　　　　　　　　　　　　　　　　　　（平成29年（2017）6月審査分）

薬　効　分　類	総　数			後発医薬品（再掲）		
	入　院[1]	院内処方[1]（入院外）	院外処方[2]（薬局調剤）	入　院[1]	院内処方[1]（入院外）	院外処方[2]（薬局調剤）
総　　　　　数	100.0	100.0	100.0	100.0	100.0	100.0
中 枢 神 経 系 用 薬	13.2	8.2	14.2	14.8	8.1	10.3
末 梢 神 経 系 用 薬	0.9	0.8	0.2	0.4	0.5	0.3
感 覚 器 官 用 薬	1.4	4.7	4.0	3.1	5.3	3.2
循 環 器 官 用 薬	5.2	14.2	18.6	7.8	26.0	25.4
呼 吸 器 官 用 薬	0.8	2.0	3.3	1.2	1.8	2.7
消 化 器 官 用 薬	4.8	6.2	7.3	9.6	13.2	14.5
ホルモン剤(抗ホルモン剤を含む)	2.0	7.2	4.0	1.2	3.8	0.8
泌尿生殖器官及び肛門用薬	0.9	1.9	2.5	1.2	1.6	1.6
外 皮 用 薬	0.8	3.0	3.5	1.0	3.9	4.0
歯 科 口 腔 用 薬	0.0	0.0	0.0	0.0	–	0.0
その他の個々の器官系用医薬品	0.0	0.0	0.0	0.0	0.0	0.0
ビ タ ミ ン 剤	0.6	1.4	1.7	1.4	3.0	3.0
滋 養 強 壮 薬	5.2	0.4	0.9	2.7	0.5	0.4
血 液 ・ 体 液 用 薬	7.5	4.5	7.0	17.3	7.2	9.9
人 工 透 析 用 薬	0.2	0.3	0.1	0.3	0.1	0.0
その他の代謝性医薬品	7.6	13.4	13.0	4.4	7.1	8.2
細 胞 賦 活 用 薬	0.0	0.0	0.0	–	–	–
腫 瘍 用 薬	18.2	14.9	5.7	4.9	4.6	3.1
放 射 性 医 薬 品	0.6	0.8	–	0.2	0.3	–
ア レ ル ギ ー 用 薬	0.3	2.7	4.5	0.8	6.7	8.1
その他の組織細胞機能用医薬品	0.1	–	–	–	–	–
生 薬	0.0	0.0	0.0	–	–	–
漢 方 製 剤	0.5	1.2	2.0	–	–	–
その他の生薬及び漢方処方に基づく医薬品	0.0	0.0	0.1	–	–	–
抗 生 物 質 製 剤	11.3	1.0	1.3	22.5	1.8	2.5
化 学 療 法 剤	3.6	5.2	5.0	2.1	2.7	2.1
生 物 学 的 製 剤	11.3	3.5	0.7	–	–	–
寄 生 動 物 用 薬	0.0	0.0	0.0	–	–	–
調 剤 用 薬	0.1	0.0	0.0	0.0	0.0	0.0
診断用薬(体外診断用医薬品を除く)	1.2	1.8	0.0	1.7	1.7	0.0
公 衆 衛 生 用 薬	0.0	0.0	0.0	1.7	1.7	0.0
体 外 診 断 用 医 薬 品	–	–	0.0	–	–	–
その他の治療を主目的としない医薬品	0.4	0.3	0.1	0.0	0.1	0.0
アルカロイド系麻薬(天然麻薬)	0.4	0.1	0.2	0.2	0.1	0.1
非アルカロイド系麻薬	0.9	0.1	0.1	1.2	0.1	0.1

資料：政策統括官（統計・情報政策、政策評価担当）「平成29年社会医療診療行為別統計」

注：1）「入院」及び「院内処方（入院外）」は，診療報酬明細書（医科）のうち薬剤の出現する明細書（「処方せん料」を算定している明細書，「投薬」「注射」を包括した診療行為が出現する明細書及びＤＰＣ／ＰＤＰＳに係る明細書は除く。）を集計の対象としている。

　　2）「院外処方（薬局調剤）」は，調剤報酬明細書のうち薬剤の出現する明細書を集計の対象としている。

第5-23表　国民医療費・人口一人当たり国民医療費・
対国内総生産及び対国民所得比率，年次別

年　　次	国民医療費		人口一人当たり国民医療費	国民医療費の比率		国内総生産(GDP)	国民所得(NI)
	総　数	対前年度増減率		国内総生産に対する比率	国民所得に対する比率		
	億円	％	千円	％	％	億円	億円
昭和30年度 (FY1955)	2 388	11.0	2.7	2.78	3.42	85 979	69 733
35 (FY1960)	4 095	13.0	4.4	2.45	3.03	166 806	134 967
40 (FY1965)	11 224	19.5	11.4	3.32	4.18	337 653	268 270
45 (FY1970)	24 962	20.1	24.1	3.32	4.09	752 985	610 297
50 (FY1975)	64 779	20.4	57.9	4.25	5.22	1 523 616	1 239 907
55 (FY1980)	119 805	9.4	102.3	4.82	5.88	2 483 759	2 038 787
60 (FY1985)	160 159	6.1	132.3	4.85	6.15	3 303 968	2 605 599
平成2年度 (FY1990)	206 074	4.5	166.7	4.56	5.94	4 516 830	3 468 929
7 (FY1995)	269 577	4.5	214.7	5.22	7.12	5 164 065	3 784 796
10 (FY1998)	295 823	2.3	233.9	5.62	7.82	5 260 134	3 782 396
11 (FY1999)	307 019	3.8	242.3	5.88	8.14	5 219 883	3 770 032
12 (FY2000)	301 418	△ 1.8	237.5	5.70	7.81	5 285 127	3 859 685
13 (FY2001)	310 998	3.2	244.3	5.99	8.31	5 190 735	3 743 078
14 (FY2002)	309 507	△ 0.5	242.9	6.01	8.31	5 147 644	3 726 487
15 (FY2003)	315 375	1.9	247.1	6.09	8.34	5 179 306	3 779 521
16 (FY2004)	321 111	1.8	251.5	6.16	8.39	5 211 802	3 826 819
17 (FY2005)	331 289	3.2	259.3	6.30	8.55	5 256 922	3 873 557
18 (FY2006)	331 276	△ 0.0	259.3	6.26	8.44	5 290 766	3 923 513
19 (FY2007)	341 360	3.0	267.2	6.43	8.70	5 309 973	3 922 979
20 (FY2008)	348 084	2.0	272.6	6.83	9.56	5 094 658	3 639 913
21 (FY2009)	360 067	3.4	282.4	7.32	10.19	4 920 704	3 534 222
22 (FY2010)	374 202	3.9	292.2	7.49	10.34	4 992 810	3 619 241
23 (FY2011)	385 850	3.1	301.9	7.81	10.77	4 940 172	3 584 029
24 (FY2012)	392 117	1.6	307.5	7.93	10.90	4 944 780	3 598 267
25 (FY2013)	400 610	2.2	314.7	7.90	10.71	5 072 460	3 742 189
26 (FY2014)	408 071	1.9	321.1	7.87	10.76	5 184 685	3 791 868
27 (FY2015)	423 644	3.8	333.3	7.93	10.85	5 339 044	3 903 050
28 (FY2016)	421 381	△ 0.5	332.0	7.81	10.76	5 392 543	3 917 156

資料：政策統括官（統計・情報政策、政策評価担当）「平成28年度国民医療費」
注：1）平成12年4月から介護保険制度が開始されたことに伴い，従来国民医療費の対象となっていた費用のうち
　　介護保険の費用に移行したものがあるが，これらは平成12年度以降，国民医療費に含まれていない。
　2）国内総生産（GDP）及び国民所得（NI）は，内閣府「国民経済計算」による。
　3）人口一人当たり国民医療費は，総務省統計局「国勢調査」又は「人口推計」の総人口により算出した。

280　医療保険

第5-24表　国民医療費，年次×制度区分別

制　度　区　分	国 民 医 療 費 (億円)				
	平成24年度 (FY2012)	平成25年度 (FY2013)	平成26年度 (FY2014)	平成27年度 (FY2015)	平成28年度 (FY2016)
総　　　　　　　　　　　　数	392 117	400 610	408 071	423 644	421 381
公 費 負 担 医 療 給 付 分	28 925	29 792	30 390	31 498	31 433
生 活 保 護 法	16 721	17 036	17 273	17 774	17 496
精神保健及び精神障害者福祉に関する法律	68	68	68	69	74
障 害 者 総 合 支 援 法[1]	3 885	4 050	4 093	4 333	4 349
そ の 他[2]	8 251	8 639	8 956	9 321	9 513
感 染 症 法 (結核) (再掲)	46	44	42	41	38
医 療 保 険 等 給 付 分	185 826	188 109	191 253	198 284	195 663
医 療 保 険	182 811	185 125	188 176	195 244	192 614
被 用 者 保 険	87 480	88 815	91 242	96 039	97 210
被 保 険 者	43 918	44 973	46 492	49 761	51 144
被 扶 養 者	39 122	39 204	39 846	41 182	41 141
高 齢 者[3]	4 440	4 638	4 903	5 096	4 925
協 会 管 掌 健 康 保 険	43 724	44 926	46 677	49 991	51 177
組 合 管 掌 健 康 保 険	33 066	33 238	33 840	35 089	35 254
船 員 保 険	193	189	188	192	195
国 家 公 務 員 共 済 組 合	2 335	2 342	2 371	2 430	2 319
地 方 公 務 員 共 済 組 合	7 043	6 974	6 989	7 103	7 061
私 立 学 校 教 職 員 共 済	1 119	1 145	1 177	1 236	1 203
国 民 健 康 保 険	95 331	96 310	96 934	99 205	95 404
高 齢 者 以 外	66 883	66 311	65 447	67 032	65 323
高 齢 者[3]	28 448	29 999	31 487	32 173	30 081
退 職 者 医 療 制 度 (再掲)	6 410	5 867	4 921	3 939	2 486
そ の 他	3 016	2 984	3 077	3 040	3 049
労 働 者 災 害 補 償 保 険	2 381	2 357	2 451	2 423	2 440
そ の 他[4]	634	627	626	617	609
後 期 高 齢 者 医 療 給 付 分	126 209	130 821	133 900	140 255	141 731
患 者 等 負 担 分	49 255	49 918	50 659	52 042	51 435
全 額 負 担	4 806	5 035	5 334	5 486	5 425
公費負担医療給付分・医療保険等給付分又は 後期高齢者医療給付分の一部負担	44 449	44 883	45 326	46 556	46 010
軽 減 特 例 措 置[5]	1 901	1 970	1 869	1 565	1 119

資料：政策統括官（統計・情報政策，政策評価担当）「平成28年度国民医療費」
注：1）平成25年4月から，障害者自立支援法は障害者総合支援法（障害者の日常生活及び社会生活を総合的に支援するための法律）に法律の題名が変更された。
　　2）母子保健法，児童福祉法等による医療費及び地方公共団体単独実施に係る医療費である。
　　3）国家公務員及び国民健康保険適用の高齢者は70歳以上である。
　　4）国家公務員災害補償法，地方公務員災害補償法，独立行政法人日本スポーツ振興センター法，防衛省の職員の給与等に関する法律，公害健康被害の補償等に関する法律及び健康被害救済制度による救済給付等の医療費である。
　　5）平成20年4月からの70〜74歳の患者の窓口負担の軽減措置に関する国庫負担分である。

医療保険　281

第5−25表　国民医療費及び構成割合，財源×年次別

年　　　次	総数	公　　費			保　険　料			そ　の　他	
		総　数	国　庫	地　方	総　数	事業主	被保険者	総　数[2]	患者負担(再掲)[3]
				国　民　医　療　費	（億円）				
平成16年度(FY2004)	321 111	115 218	84 121	31 097	159 476	66 131	93 345	46 417	46 196
17　(FY2005)	331 289	121 162	83 544	37 618	162 341	67 164	95 177	47 786	47 572
18　(FY2006)	331 276	121 746	82 367	39 379	161 773	66 529	95 244	47 757	47 555
19　(FY2007)	341 360	125 744	84 794	40 949	167 426	68 990	98 436	48 190	47 996
20　(FY2008)	348 084	129 053	87 234	41 819	169 709	71 110	98 599	49 323	49 141
21　(FY2009)	360 067	134 955	91 287	43 668	175 032	73 211	101 821	50 080	49 905
22　(FY2010)	374 202	142 610	97 038	45 572	181 319	75 380	105 939	50 274	47 525
23　(FY2011)	385 850	148 120	100 303	47 817	187 518	77 964	109 555	50 212	47 375
24　(FY2012)	392 117	151 500	101 134	50 366	191 203	79 427	111 776	49 414	46 579
25　(FY2013)	400 610	155 319	103 636	51 683	195 218	81 232	113 986	50 072	47 076
26　(FY2014)	408 071	158 525	105 369	53 157	198 740	83 292	115 448	50 806	47 792
27　(FY2015)	423 644	164 715	108 699	56 016	206 746	87 299	119 447	52 183	49 161
28　(FY2016)	421 381	162 840	107 180	55 659	206 971	87 783	119 189	51 570	48 603
				構　成　割　合	（％）				
平成16年度(FY2004)	100.0	35.9	26.2	9.7	49.7	20.6	29.1	14.5	14.4
17　(FY2005)	100.0	36.6	25.2	11.4	49.0	20.3	28.7	14.4	14.4
18　(FY2006)	100.0	36.8	24.9	11.9	48.8	20.1	28.8	14.4	14.4
19　(FY2007)	100.0	36.8	24.8	12.0	49.0	20.2	28.8	14.1	14.1
20　(FY2008)	100.0	37.1	25.1	12.0	48.8	20.4	28.3	14.2	14.1
21　(FY2009)	100.0	37.5	25.4	12.1	48.6	20.3	28.3	13.9	13.9
22　(FY2010)	100.0	38.1	25.9	12.2	48.5	20.1	28.3	13.4	12.7
23　(FY2011)	100.0	38.4	26.0	12.4	48.6	20.2	28.4	13.0	12.3
24　(FY2012)	100.0	38.6	25.8	12.8	48.8	20.3	28.5	12.6	11.9
25　(FY2013)	100.0	38.8	25.9	12.9	48.7	20.3	28.5	12.5	11.8
26　(FY2014)	100.0	38.8	25.8	13.0	48.7	20.4	28.3	12.5	11.7
27　(FY2015)	100.0	38.9	25.7	13.2	48.8	20.6	28.2	12.3	11.6
28　(FY2016)	100.0	38.6	25.4	13.2	49.1	20.8	28.3	12.2	11.5

資料：政策統括官（統計・情報政策、政策評価担当）「平成28年度国民医療費」
注：1）推計額は，単年度ごとの制度区分別給付額等を各制度において財源負担すべき者に割り当てたものである。
　　2）その他の総数には原因者負担（公害健康被害の補償等に関する法律及び健康被害救済制度による救済給付等）を含む。
　　3）自動車交通事故による自動車損害賠償責任保険の支払いは，平成21年度までは患者負担に，平成22年度以降は原因者負担に含めており，原因者負担はその他の総数に含まれている。

282 医療保険

第5－26表 国民医療費及び構成割合，年次×診療種類別

診 療 種 類	平成26年度 （F Y 2014）	平成27年度 （F Y 2015）	平成28年度 （FY2016）
	国 民 医 療 費 （億円）		
総　　　　　　　　　数	408 071	423 644	421 381
医 科 診 療 医 療 費	292 506	300 461	301 853
病　　　　　　　院	205 438	211 860	214 666
一 般 診 療 所	87 067	88 601	87 187
入 院 医 療 費	152 641	155 752	157 933
病　　　　　　　院	148 483	151 772	154 077
一 般 診 療 所	4 158	3 980	3 856
入 院 外 医 療 費	139 865	144 709	143 920
病　　　　　　　院	56 956	60 088	60 589
一 般 診 療 所	82 909	84 622	83 332
歯 科 診 療 医 療 費	27 900	28 294	28 574
薬 局 調 剤 医 療 費	72 846	79 831	75 867
入 院 時 食 事 ・ 生 活 医 療 費	8 021	8 014	7 917
訪 問 看 護 医 療 費	1 256	1 485	1 742
療　　養　　費　　等	5 543	5 558	5 427
	構 成 割 合 （%）		
総　　　　　　　　　数	100.0	100.0	100.0
医 科 診 療 医 療 費	71.7	70.9	71.6
病　　　　　　　院	50.3	50.0	50.9
一 般 診 療 所	21.3	20.9	20.7
入 院 医 療 費	37.4	36.8	37.5
病　　　　　　　院	36.4	35.8	36.6
一 般 診 療 所	1.0	0.9	0.9
入 院 外 医 療 費	34.3	34.2	34.2
病　　　　　　　院	14.0	14.2	14.4
一 般 診 療 所	20.3	20.0	19.8
歯 科 診 療 医 療 費	6.8	6.7	6.8
薬 局 調 剤 医 療 費	17.9	18.8	18.0
入 院 時 食 事 ・ 生 活 医 療 費	2.0	1.9	1.9
訪 問 看 護 医 療 費	0.3	0.4	0.4
療　　養　　費　　等	1.4	1.3	1.3

資料：政策統括官（統計・情報政策、政策評価担当）「平成28年度国民医療費」

医療保険　283

第5-27表　国民医療費，年次×年齢階級別

年 齢 階 級	平成28年度 (FY2016)			平成27年度 (FY2015)		
	国民医療費 (億円)	構成割合 (%)	人口一人当たり 医 療 費(千円)	国民医療費 (億円)	構成割合 (%)	人口一人当たり 医 療 費(千円)
総　　　　数	総　　　　数					
総　　　　数	421 381	100.0	332.0	423 644	100.0	333.3
65 歳 未 満	169 797	40.3	183.9	172 368	40.7	184.9
0 ～ 14 歳	25 220	6.0	159.8	25 327	6.0	158.8
15 ～ 44 歳	52 560	12.5	120.4	53 231	12.6	120.1
45 ～ 64 歳	92 017	21.8	279.8	93 810	22.1	284.8
65 歳 以 上	251 584	59.7	727.3	251 276	59.3	741.9
70歳以上(再掲)	201 395	47.8	828.2	202 512	47.8	840.0
75歳以上(再掲)	153 796	36.5	909.6	151 629	35.8	929.0
医科診療医療費 (再掲)						
総　　　　数	301 853	100.0	237.8	300 461	100.0	236.4
65 歳 未 満	115 466	38.3	125.0	116 644	38.8	125.1
0 ～ 14 歳	17 566	5.8	111.3	17 618	5.9	110.5
15 ～ 44 歳	34 251	11.3	78.4	34 587	11.5	78.0
45 ～ 64 歳	63 649	21.1	193.5	64 438	21.4	195.6
65 歳 以 上	186 387	61.7	538.8	183 818	61.2	542.7
70歳以上(再掲)	150 079	49.7	617.2	149 016	49.6	618.1
75歳以上(再掲)	115 555	38.3	683.4	112 676	37.5	690.3
歯科診療医療費 (再掲)						
総　　　　数	28 574	100.0	22.5	28 294	100.0	22.3
65 歳 未 満	17 309	60.6	18.7	17 231	60.9	18.5
0 ～ 14 歳	2 348	8.2	14.9	2 263	8.0	14.2
15 ～ 44 歳	7 004	24.5	16.0	7 039	24.9	15.9
45 ～ 64 歳	7 956	27.8	24.2	7 929	28.0	24.1
65 歳 以 上	11 265	39.4	32.6	11 064	39.1	32.7
70歳以上(再掲)	8 121	28.4	33.4	8 044	28.4	33.4
75歳以上(再掲)	5 469	19.1	32.3	5 253	18.6	32.2
薬局調剤医療費 (再掲)						
総　　　　数	75 867	100.0	59.8	79 831	100.0	62.8
65 歳 未 満	31 711	41.8	34.3	33 090	41.5	35.5
0 ～ 14 歳	4 748	6.3	30.1	4 879	6.1	30.6
15 ～ 44 歳	9 705	12.8	22.2	9 981	12.5	22.5
45 ～ 64 歳	17 258	22.7	52.5	18 230	22.8	55.3
65 歳 以 上	44 156	58.2	127.7	46 741	58.5	138.0
70歳以上(再掲)	35 099	46.3	144.3	37 425	46.9	155.2
75歳以上(再掲)	26 204	34.5	155.0	27 306	34.2	167.3

資料：政策統括官 (統計・情報政策、政策評価担当) 「平成28年度国民医療費」

284　医療保険

第５－28表　国民医療費・人口一人当たり国民医療費，診療種類・都道府県別

平成28年度 (FY2016)

都道府県	国民医療費（億円）									人口一人当たり国民医療費（千円）
	総数	医科診療医療費		歯科診療医療費	薬局調剤医療費	入院時食事・生活療養費	訪問看護医療費	療養費等		
		入院	入院外							
全　国	421 381	301 853	157 933	143 920	28 574	75 867	7 917	1 742	5 427	332.0
北　海　道	20 940	15 224	9 055	6 169	1 236	3 772	481	61	166	391.3
青　　　森	4 413	3 080	1 611	1 468	243	962	85	16	28	341.3
岩　　　手	4 073	2 839	1 500	1 339	266	845	85	12	25	321.2
宮　　　城	7 202	5 053	2 553	2 501	471	1 468	120	24	64	309.1
秋　　　田	3 678	2 526	1 425	1 101	216	829	75	6	26	364.1
山　　　形	3 764	2 702	1 442	1 260	229	720	75	10	28	338.2
福　　　島	6 208	4 391	2 275	2 116	370	1 256	116	15	60	326.5
茨　　　城	8 831	6 182	3 138	3 044	589	1 815	146	22	78	304.0
栃　　　木	5 980	4 382	2 093	2 289	379	1 031	103	15	69	304.2
群　　　馬	6 228	4 621	2 334	2 287	385	1 010	119	23	70	316.6
埼　　　玉	21 247	14 787	7 278	7 509	1 555	4 182	323	70	329	291.5
千　　　葉	18 305	12 722	6 311	6 410	1 374	3 634	280	56	239	293.5
東　　　京	41 457	28 507	14 009	14 499	3 180	8 200	615	198	756	304.3
神　奈　川	27 172	18 459	9 006	9 453	2 147	5 685	375	100	405	297.1
新　　　潟	7 034	4 949	2 584	2 365	488	1 386	135	17	59	307.7
富　　　山	3 527	2 644	1 460	1 184	200	551	77	9	45	332.4
石　　　川	3 958	2 953	1 674	1 279	213	643	90	21	38	343.9
福　　　井	2 624	2 025	1 089	936	140	364	58	15	21	335.5
山　　　梨	2 730	1 920	1 008	912	168	547	53	10	32	328.9
長　　　野	6 710	4 808	2 578	2 230	409	1 274	118	23	77	321.4
岐　　　阜	6 581	4 725	2 287	2 439	472	1 155	108	31	89	325.5
静　　　岡	11 358	8 161	3 934	4 227	716	2 156	183	27	115	308.0
愛　　　知	22 466	16 104	7 519	8 585	1 788	3 803	330	137	305	299.3
三　　　重	5 756	4 215	2 093	2 123	378	982	105	26	50	318.4
滋　　　賀	4 227	3 043	1 644	1 399	268	779	76	18	43	299.2
京　　　都	8 939	6 602	3 503	3 099	565	1 403	167	39	162	343.1
大　　　阪	32 097	22 912	11 777	11 135	2 525	5 071	560	199	829	363.4
兵　　　庫	19 198	13 726	7 154	6 572	1 354	3 438	342	90	248	347.8
奈　　　良	4 619	3 479	1 741	1 738	305	669	81	25	61	340.7
和　歌　山	3 572	2 679	1 343	1 336	211	520	70	26	66	374.5
鳥　　　取	1 985	1 459	839	619	116	350	43	7	9	348.2
島　　　根	2 590	1 903	1 089	814	137	471	58	11	11	375.4
岡　　　山	6 875	5 201	2 725	2 476	461	1 014	136	23	41	359.0
広　　　島	10 218	7 344	3 839	3 505	703	1 827	207	46	91	360.2
山　　　口	5 523	4 045	2 355	1 690	310	969	144	19	37	396.2
徳　　　島	2 959	2 237	1 222	1 015	183	419	75	14	32	394.6
香　　　川	3 644	2 644	1 388	1 256	239	644	74	12	32	374.9
愛　　　媛	5 157	3 915	2 079	1 836	282	775	117	28	40	375.0
高　　　知	3 174	2 389	1 494	895	154	505	93	10	22	440.2
福　　　岡	19 214	14 025	8 074	5 951	1 279	3 126	467	95	221	376.4
佐　　　賀	3 248	2 353	1 365	988	182	587	83	13	29	392.3
長　　　崎	5 607	4 134	2 492	1 642	305	937	152	16	63	410.2
熊　　　本	6 865	5 187	2 985	2 203	366	1 042	195	23	51	387.0
大　　　分	4 556	3 399	1 997	1 402	222	766	117	18	34	392.8
宮　　　崎	3 946	2 882	1 606	1 277	220	690	101	19	33	360.0
鹿　児　島	6 622	5 021	3 011	2 010	319	988	202	27	65	404.5
沖　　　縄	4 306	3 296	1 957	1 339	251	605	105	18	32	299.2

資料：政策統括官（統計・情報政策，政策評価担当）「平成28年度国民医療費」
注：1）都道府県別国民医療費は，国民医療費を患者の住所地に基づいて推計したものである。
　　2）人口一人当たり国民医療費は，総務省統計局「人口推計」（10月１日現在）による。

286　医療保険

第 5 －29表　　医科診療医療費,

（単位：億円）

傷　病　分　類 （ I C D －10）	総　　　数						
	総　　数	0〜14歳	15〜44	45〜64	65歳 以上	70歳 以上 (再掲)	75歳 以上 (再掲)
総　　　　　　　　　　　　数	301 853	17 566	34 251	63 649	186 387	150 079	115 55?
I　感　染　症　及　び　寄　生　虫　症	6 967	911	1 194	1 469	3 394	2 671	2 02?
腸　　管　　感　　染　　症　　(再掲)	1 294	439	376	155	324	272	22?
結　　　　　　　核　　(再掲)	242	2	24	33	184	164	14?
ウ　イ　ル　ス　性　肝　炎　(再掲)	2 013	3	166	619	1 226	894	61?
II　新　　生　　物　　＜腫瘍＞	42 485	496	3 405	11 388	27 196	19 820	13 314
悪　性　新　生　物　＜腫瘍＞　(再掲)	37 067	347	2 041	9 898	25 013	18 255	12 267
胃　の　悪　性　新　生　物　＜腫瘍＞　(再掲)	3 360	0	82	641	2 637	2 028	1 432
結腸及び直腸の悪性新生物＜腫瘍＞　(再掲)	5 738	0	183	1 462	4 093	2 997	2 05?
肝及び肝内胆管の悪性新生物＜腫瘍＞　(再掲)	1 374	9	17	222	1 125	894	65?
気管,気管支及び肺の悪性新生物＜腫瘍＞　(再掲)	5 161	1	106	1 214	3 840	2 695	1 66?
乳　房　の　悪　性　新　生　物　＜腫瘍＞　(再掲)	3 425	0	440	1 611	1 373	850	50?
子　宮　の　悪　性　新　生　物　＜腫瘍＞　(再掲)	898	0	149	410	339	211	13?
III　血液及び造血器の疾患並びに免疫機構の障害	2 654	237	665	525	1 228	1 004	79?
IV　内　分　泌，栄　養　及　び　代　謝　疾　患	20 584	546	1 816	5 153	13 068	10 041	7 03?
糖　　　　尿　　　　病　　(再掲)	12 132	32	662	3 102	8 336	6 354	4 578
V　精　神　及　び　行　動　の　障　害	19 062	457	3 912	6 126	8 567	6 162	4 45?
血管性及び詳細不明の認知症　(再掲)	1 587	0	1	50	1 536	1 451	1 32?
統合失調症,統合失調症型障害及び妄想性障害　(再掲)	9 649	9	1 799	3 825	4 016	2 448	1 47?
気分（感情）障害（躁うつ病を含む）　(再掲)	3 454	11	884	1 100	1 459	1 099	79?
神経症性障害,ストレス関連障害及び身体表現性障害　(再掲)	1 553	58	600	409	486	378	28?
VI　神　　経　　系　　の　　疾　　患	13 857	545	1 868	2 664	8 780	7 543	6 26?
ア　ル　ツ　ハ　イ　マ　ー　病　(再掲)	3 067	0	1	59	3 007	2 892	2 68?
VII　眼　及　び　付　属　器　の　疾　患	10 851	595	1 083	2 050	7 122	5 674	4 06?
白　　　　内　　　　障　　(再掲)	2 442	2	21	278	2 141	1 769	1 28?
VIII　耳　及　び　乳　様　突　起　の　疾　患	1 866	514	284	345	723	555	39?
IX　循　　環　　器　　系　　の　　疾　　患	59 333	196	1 725	10 649	46 764	39 082	31 23?
高　　血　　圧　　性　　疾　　患　　(再掲)	17 981	2	339	3 498	14 142	11 663	9 20?
心疾患（高血圧性のものを除く）　(再掲)	19 378	130	723	3 410	15 114	12 622	10 043
虚　　血　　性　　心　　疾　　患　　(再掲)	7 399	3	161	1 562	5 673	4 491	3 30?
脳　　血　　管　　疾　　患　　(再掲)	17 739	36	492	2 925	14 285	12 235	10 07?
X　呼　　吸　　器　　系　　の　　疾　　患	22 591	5 580	3 652	2 693	10 667	9 378	7 97?
肺　　　　　　　　炎　　(再掲)	3 682	321	153	232	2 975	2 769	2 49?
慢　性　閉　塞　性　肺　疾　患　(再掲)	1 467	6	25	117	1 319	1 174	98?
喘　　　　　　　　息　　(再掲)	3 383	1 329	502	524	1 028	834	64?
X I　消　　化　　器　　系　　の　　疾　　患	17 351	441	2 644	4 183	10 082	8 078	6 20?
胃　及　び　十　二　指　腸　の　疾　患　(再掲)	4 142	27	581	1 102	2 432	1 911	1 430
肝　　　　疾　　　　患　　(再掲)	1 682	16	184	502	980	739	53?
X II　皮　膚　及　び　皮　下　組　織　の　疾　患	5 529	1 117	1 398	1 115	1 899	1 493	1 12?
X III　筋　骨　格　系　及　び　結　合　組　織　の　疾　患	23 326	536	1 882	5 001	15 907	13 043	9 88?
炎　症　性　多　発　性　関　節　障　害　(再掲)	2 830	34	274	847	1 676	1 247	85?
関　　　　節　　　　症　　(再掲)	5 503	3	91	1 063	4 346	3 585	2 68?
脊　椎　障　害　（脊　椎　症　を　含　む）　(再掲)	5 469	3	166	970	4 330	3 635	2 78?
骨　の　骨　密　度　及　び　構　造　の　障　害　(再掲)	1 570	14	44	127	1 384	1 244	1 041
X IV　腎　尿　路　生　殖　器　系　の　疾　患	21 619	277	2 402	5 473	13 448	10 354	7 627
糸球体疾患,腎尿細管間質性疾患及び腎不全　(再掲)	15 598	166	929	4 138	10 364	7 859	5 753
X V　妊　娠，分　娩　及　び　産　じ　ょ　く	2 345	3	2 328	13	1	1	?
X VI　周　産　期　に　発　生　し　た　病　態	2 115	2 042	63	9	1	0	?
X VII　先　天　奇　形，変　形　及　び　染　色　体　異　常	2 056	1 413	314	171	157	107	70?
X VIII　症状,徴候及び異常臨床所見・異常検査所見で他に分類されないもの	4 289	342	621	816	2 510	2 092	1 672
X IX　損　傷，中　毒　及　び　そ　の　他　の　外　因　の　影　響	22 974	1 317	2 997	3 807	14 854	12 981	11 131
骨　　折　（　部　位　不　明　を　除　く　）　(再掲)	13 128	382	1 014	1 743	9 989	9 030	8 008

資料：政策統括官（統計・情報政策、政策評価担当）「平成28年度国民医療費」
注：傷病分類はＩＣＤ－10（2013年版）に準拠した分類による。

入院－入院外・年齢階級×傷病分類別

平成28年度　(FY2016)

入院							入院外						
総数	0～14歳	15～44	45～64	65歳以上	70歳以上(再掲)	75歳以上(再掲)	総数	0～14歳	15～44	45～64	65歳以上	70歳以上(再掲)	75歳以上(再掲)
157 933	6 475	14 028	29 205	108 225	89 985	72 221	143 920	11 091	20 223	34 444	78 162	60 094	43 334
2 593	190	243	409	1 750	1 492	1 232	4 374	721	951	1 059	1 644	1 180	789
486	121	77	50	237	211	184	808	317	298	105	87	61	42
189	1	15	21	152	139	124	53	1	9	12	31	25	19
329	1	19	72	236	191	151	1 684	1	147	546	990	702	461
27 039	423	1 975	6 688	17 952	13 299	9 122	15 446	72	1 430	4 700	9 243	6 521	4 192
23 915	325	1 218	5 744	16 629	12 334	8 460	13 151	22	823	3 922	8 384	5 921	3 807
2 304	0	42	402	1 860	1 461	1 058	1 056	0	39	239	778	567	373
3 710	0	93	849	2 768	2 091	1 488	2 028	0	90	613	1 325	905	564
1 146	9	11	178	949	757	556	227	1	6	44	177	136	97
3 259	1	49	684	2 526	1 817	1 155	1 902	0	57	530	1 314	877	506
1 247	0	156	543	548	367	242	2 177	0	284	1 069	825	483	267
624	－	99	286	238	149	95	274	0	50	124	100	61	36
1 186	107	148	173	758	650	542	1 468	130	517	352	469	354	251
4 694	132	273	746	3 543	3 058	2 570	15 890	414	1 544	4 407	9 525	6 983	4 758
2 953	11	131	516	2 294	1 940	1 585	9 179	21	531	2 586	6 041	4 414	2 990
13 638	110	2 032	4 458	7 038	5 022	3 605	5 423	347	1 880	1 668	1 528	1 140	852
1 307	－	1	44	1 262	1 187	1 075	280	0	0	6	274	264	246
8 187	6	1 262	3 214	3 705	2 272	1 370	1 462	3	537	611	311	175	105
1 724	6	243	495	980	749	549	1 730	5	641	606	478	351	246
412	18	124	90	181	149	119	1 141	40	477	319	306	229	164
9 415	380	1 141	1 633	6 261	5 433	4 558	4 442	165	727	1 031	2 519	2 110	1 709
2 130	－	1	47	2 083	1 995	1 842	937	0	0	13	924	897	841
2 446	49	113	463	1 821	1 458	1 061	8 405	547	969	1 588	5 301	4 216	3 006
986	1	10	106	869	729	545	1 455	1	11	172	1 272	1 040	743
491	85	73	107	225	170	119	1 375	428	211	238	498	385	271
35 265	133	1 061	5 873	28 198	23 965	19 542	24 068	63	663	4 775	18 566	15 117	11 689
2 070	1	15	113	1 941	1 623	1 422	15 911	1	324	3 385	12 201	9 810	7 533
14 759	85	518	2 627	11 528	9 629	7 688	4 619	45	205	783	3 586	2 993	2 356
5 367	2	113	1 210	4 041	3 145	2 266	2 033	1	48	351	1 632	1 346	1 035
14 948	30	409	2 484	12 025	10 330	8 567	2 791	7	83	440	2 261	1 905	1 506
10 029	905	615	760	7 749	7 128	6 339	12 562	4 675	3 037	1 933	2 918	2 250	1 633
3 452	279	103	192	2 879	2 693	2 433	230	42	51	41	96	76	58
714	2	5	37	670	613	538	753	4	19	80	650	560	443
505	159	27	44	275	250	220	2 878	1 170	474	480	753	584	428
9 350	270	993	1 906	6 181	5 146	4 140	8 000	171	1 650	2 277	3 902	2 932	2 066
812	5	46	150	612	522	436	3 330	23	535	952	1 820	1 389	994
839	10	61	230	539	422	320	843	6	123	272	441	318	214
1 180	68	119	208	785	683	583	4 349	1 049	1 279	907	1 114	810	544
10 356	284	610	1 939	7 523	6 265	4 866	12 970	252	1 272	3 061	8 384	6 778	5 017
613	11	23	105	474	396	314	2 218	23	251	742	1 202	851	544
3 021	1	40	611	2 368	1 931	1 422	2 482	2	50	452	1 978	1 654	1 258
2 637	1	56	478	2 102	1 749	1 340	2 832	2	110	492	2 228	1 886	1 445
480	7	28	40	405	377	338	1 090	7	16	88	979	867	703
6 287	170	530	1 028	4 560	3 870	3 164	15 332	107	1 872	4 445	8 908	6 484	4 464
4 221	104	193	649	3 275	2 783	2 279	11 377	62	737	3 489	7 089	5 076	3 475
2 091	2	2 078	11	0	0	0	253	2	249	2	1	0	0
1 767	1 703	55	9	1	0	0	348	339	8	0	0	0	0
1 426	1 025	206	108	86	57	37	630	387	108	63	71	50	34
1 677	96	97	194	1 290	1 164	1 022	2 612	247	524	622	1 220	928	649
17 002	343	1 664	2 491	12 503	11 126	9 719	5 972	974	1 332	1 315	2 351	1 855	1 412
10 937	156	683	1 287	8 811	8 052	7 226	2 191	226	331	456	1 178	978	782

288　年金保険

第2章　年　金　保　険

第5－30表　公的年金適用者数, 年度×制度区分別

(単位：千人)　　　　　　　　　　　　　　　　　　　　　　　　各年度末現在

制　度　区　分	平成22年度 (FY2010)	平成23年度 (FY2011)	平成24年度 (FY2012)	平成25年度 (FY2013)	平成26年度 (FY2014)	平成27年度 (FY2015)	平成28年度 (FY2016)
総　　　　　　　　　数	68 258	67 747	67 356	67 175	67 134	67 119	67 309
厚 生 年 金 保 険（第 1 号）	34 411	34 515	34 717	35 273	35 985	36 864	38 218
船　員　保　　険¹⁾	(54)	(53)	(53)	(52)	(52)	(52)	(52)
厚 生 年 金 保 険（第 2 ～ 4 号）	4 418	4 410	4 399	4 394	4 409	4 425	4 447
国　　民　　年　　金	29 428	28 822	28 240	27 508	26 739	25 830	24 644
第 1 号 被 保 険 者	19 382	19 044	18 637	18 054	17 420	16 679	15 754
第 3 号 被 保 険 者	10 046	9 778	9 602	9 454	9 319	9 151	8 890

資料：年金局「厚生年金保険・国民年金事業年報（平成28年度）」
注：1）船員保険の（　）内は厚生年金保険の再掲である。
　　2）厚生年金保険（第1号）の被保険者は, 平成26年度以前は厚生年金保険の被保険者, 平成27年度以降は第
　　　　1号厚生年金被保険者を計上している。
　　3）厚生年金保険（第2～4号）の被保険者は, 平成26年度以前は共済組合の組合員数, 平成27年度以降は第
　　　　2～4号厚生年金被保険者を計上している。
　　4）厚生年金被保険者には, 国民年金第2号被保険者のほか, 65歳以上で老齢又は退職を支給事由とする年金
　　　　給付の受給権を有する被保険者が含まれている。

第5－31表　公的年金受給者数・年金額, 制度区分別

各年度末現在

制　度　区　分	平成22年度 (FY2010)	平成23年度 (FY2011)	平成24年度 (FY2012)	平成25年度 (FY2013)	平成26年度 (FY2014)	平成27年度 (FY2015)	平成28年度 (FY2016)
	受　　給　　者　　数（千人）						
総　　　　　　　　　数	61 882	63 841	66 216	68 004	69 877	71 580	72 623
厚 生 年 金 保 険（第 1 号）	29 433	30 479	31 535	32 164	32 932	33 703	34 094
厚 生 年 金 保 険（第 2 ～ 4 号） （ 共 済 年 金 を 含 む ）	4 101	4 237	4 373	4 442	4 535	4 646	4 672
国　　民　　年　　金	28 343	29 122	30 305	31 397	32 409	33 229	33 858
旧　法　拠　出　制	3 019	2 700	2 395	2 108	1 843	1 597	1 370
新　法　基　礎　年　金	25 324	26 421	27 911	29 289	30 566	31 632	32 487
福　　祉　　年　　金	5	3	2	1	1	0	0
	年　　　金　　　額（億円）						
総　　　　　　　　　数	511 332	522 229	532 397	528 436	534 031	545 504	548 355
厚 生 年 金 保 険（第 1 号）	258 761	263 023	263 902	256 672	255 993	258 123	257 008
厚 生 年 金 保 険（第 2 ～ 4 号） （ 共 済 年 金 を 含 む ）	67 199	68 026	68 575	65 214	64 994	65 628	64 190
国　　民　　年　　金	185 352	191 168	199 912	206 546	213 040	221 751	227 156
旧　法　拠　出　制	12 087	10 787	9 556	8 349	7 264	6 373	5 487
新　法　基　礎　年　金	173 264	180 381	190 356	198 198	205 776	215 378	221 669
福　　祉　　年　　金	21	13	8	5	3	2	1

資料：年金局「厚生年金保険・国民年金事業年報（平成28年度）」
注：1）厚生年金保険（第1号）の受給者は, 平成26年度以前は厚生年金の受給者を計上している。平成27年度以
　　　　降は, 厚生年金保険受給者全体から, 共済組合等の組合員等たる厚生年金保険の被保険者期間（平成27年
　　　　9月以前の共済組合等の期間を含む）のみの者を除き, さらに, 障害厚生年金受給者及び短期
　　　　要件分の遺族厚生年金受給者について, それぞれ初診日又は死亡日に共済組合員等であった者を
　　　　除いた者を計上している。
　　2）厚生年金保険（第2～4号）の受給者は, 平成26年度以前は共済年金の受給者を計上している。平成27年
　　　　度以降は, 国家公務員共済組合, 地方公務員共済組合及び日本私立学校振興・共済事業団から支給される
　　　　厚生年金または共済年金の受給者を計上している。
　　3）厚生年金保険（第1号）の受給者の年金総額は, 平成26年度以前は厚生年金の受給者の年金総額を計上して
　　　　いる。平成27年度以降は, 厚生年金保険（第1号）受給者の年金総額を計上しており, 老齢給付及び遺族
　　　　年金（長期要件）については, 平成27年9月以前の厚生年金保険被保険者期間及び平成27年10月以降の第
　　　　1号厚生年金被保険者期間に係る年金総額を, 平成27年10月以降に受給権が発生した障害厚生年金及び遺
　　　　族厚生年金（短期要件）については, 共済組合等の組合員等たる厚生年金保険の被保険者期間（平成27年
　　　　9月以前の共済組合等の期間を含む）を含めて算出した年金総額を計上している。
　　4）厚生年金保険（第2～4号）の受給者の年金総額は, 平成26年度以前は共済年金の受給者の年金総額を計
　　　　上している。平成27年度以降は, 国家公務員共済組合, 地方公務員共済組合及び日本私立学校振興・共済
　　　　事業団から支給される, 厚生年金または共済年金の年金総額を計上している。
　　5）厚生年金保険（第2～4号）の数値には, 共済年金の職域加算部分を含む。

年金保険　289

第 5 －32表　厚生年金保険の適用事業所数・被保険者数・
平均標準報酬月額，年度別

各年度末現在

年　　度	事業所数	被保険者数（単位：千人）		
		総　数	男　子	女　子
平成24年度(FY2012)	1 758 192	34 717	22 279	12 439
25　　(FY2013)	1 800 619	35 273	22 566	12 707
26　　(FY2014)	1 867 185	35 985	22 929	13 057
27　　(FY2015)	1 989 999	41 275	26 120	15 155
28　　(FY2016)	2 124 713	42 615	26 685	15 930

年　　度	平均標準報酬月額（単位：円）			1 事業所当たり 被保険者数
	平　均	男　子	女　子	
平成24年度(FY2012)	306 131	347 494	232 046	19.75
25　　(FY2013)	306 282	347 276	233 482	19.59
26　　(FY2014)	308 382	349 735	235 763	19.27
27　　(FY2015)	319 721	359 355	251 410	20.74
28　　(FY2016)	318 656	359 116	250 880	20.06

資料：年金局「厚生年金保険・国民年金事業年報（平成28年度）」

第 5 －33表　厚生年金保険の年金受給権者数・年金額，
年金の種類×年度別

各年度末現在

年　　度	総　数	老齢年金	通算老齢年金	障害年金	遺族年金	通算遺族年金
			受　給　権　者　数（単位：人）			
平成22年度(FY2010)	31 981 605	14 413 316	11 856 185	541 355	5 104 782	65 967
23　　(FY2011)	33 034 272	14 840 118	12 351 732	552 715	5 229 219	60 488
24　　(FY2012)	34 052 528	15 233 006	12 861 976	564 321	5 338 062	55 163
25　　(FY2013)	34 555 265	15 230 034	13 258 411	573 484	5 443 160	50 176
26　　(FY2014)	35 258 333	15 422 014	13 662 365	583 882	5 544 639	45 433
27　　(FY2015)	36 048 646	15 725 199	14 047 764	594 359	5 640 454	40 870
28　　(FY2016)	36 466 706	15 832 325	14 247 901	607 491	5 742 393	36 596
			年　金　額（単位：100万円）			
平成22年度(FY2010)	27 435 934	19 312 054	2 539 865	446 413	5 120 286	17 315
23　　(FY2011)	27 874 092	19 596 224	2 599 506	448 756	5 213 768	15 838
24　　(FY2012)	27 906 071	19 581 727	2 570 325	450 548	5 289 034	14 437
25　　(FY2013)	26 980 923	18 657 509	2 542 997	447 193	5 320 203	13 021
26　　(FY2014)	26 854 747	18 480 958	2 555 857	446 255	5 359 923	11 754
27　　(FY2015)	27 162 816	18 657 031	2 555 919	452 847	5 486 267	10 751
28　　(FY2016)	27 262 953	18 651 530	2 567 073	457 793	5 576 874	9 682

資料：年金局「厚生年金保険・国民年金事業年報（平成28年度）」
注：各項目とも，旧法厚生年金保険，旧法船員保険，新法厚生年金保険及び旧共済組合の総和である。

290　年金保険

第5-34表　国家公務員共済組合（各省各庁組合）の年金受給権者数・年金額，年度×年金の種類別

年金の種類	平成23年度 (FY2011)	平成24年度 (FY2012)	平成25年度 (FY2013)	平成26年度 (FY2014)	平成27年度 (FY2015)	平成28年度 (FY2016)
	受 給 権 者 数（単位：人）					
総　　　　　数	1 210 045	1 242 510	1 245 195	1 262 396	1 279 944	1 278 937
老 齢 厚 生 年 金	·	·	·	·	26 486	89 558
退 職 共 済 年 金	757 954	793 946	802 399	821 961	819 689	761 256
退 職 年 金	81 294	73 638	66 179	58 724	52 783	44 879
減 額 退 職 年 金	48 672	45 963	43 115	40 139	37 410	33 922
通 算 退 職 年 金	3 185	2 864	2 538	2 229	1 816	1 490
障 害 厚 生 年 金	·	·	·	·	12	747
障 害 共 済 年 金	13 757	14 411	15 031	15 480	16 138	15 998
障 害 年 金	3 093	2 920	2 744	2 563	2 439	2 233
遺 族 厚 生 年 金	·	·	·	·	1 294	23 304
遺 族 共 済 年 金	260 181	269 295	276 309	286 739	289 654	276 152
遺 族 年 金	41 431	39 027	36 473	34 188	31 784	29 018
通 算 遺 族 年 金	302	281	262	243	168	144
船 員 年 金	160	150	130	115	259	225
公 務 災 害 給 付	16	15	15	15	12	11
退職等年金給付						
退 職 年 金	·	·	·	·	–	2 627
公 務 障 害 年 金	·	·	·	·	–	–
公 務 遺 族 年 金	·	·	·	·	–	–
	年 金 額（単位：100万円）					
総　　　　　数	1 787 601	1 786 511	1 680 111	1 661 293	1 667 863	1 631 830
老 齢 厚 生 年 金	·	·	·	·	27 548	89 063
退 職 共 済 年 金	1 032 766	1 053 102	994 727	996 741	990 275	916 292
退 職 年 金	210 883	189 720	157 441	137 974	124 638	105 002
減 額 退 職 年 金	96 821	91 116	82 245	76 051	71 594	64 860
通 算 退 職 年 金	2 571	2 298	2 003	1 740	1 481	1 217
障 害 厚 生 年 金	·	·	·	·	11	681
障 害 共 済 年 金	13 730	14 322	14 666	14 927	15 687	15 449
障 害 年 金	5 844	5 434	4 888	4 483	4 292	3 885
遺 族 厚 生 年 金	·	·	·	·	1 679	29 450
遺 族 共 済 年 金	370 700	379 652	377 347	385 928	389 978	368 936
遺 族 年 金	53 772	50 392	46 378	43 079	40 289	36 668
通 算 遺 族 年 金	101	92	85	78	60	50
船 員 年 金	383	352	301	262	310	258
公 務 災 害 給 付	31	30	30	30	22	20
退職等年金給付						
退 職 年 金	·	·	·	·	–	7
公 務 障 害 年 金	·	·	·	·	–	–
公 務 遺 族 年 金	·	·	·	·	–	–

資料：財務省主計局編「平成28年度国家公務員共済組合事業統計年報」
注：1）被用者年金一元化（平成27年10月）以後に受給権が発生した年金については，すべて種別ごとに「老齢厚生年金」,「障害厚生年金」又は「遺族厚生年金」へ集計。
　　2）一元化法附則第41条による年金については，「老齢厚生年金」,「障害厚生年金」又は「遺族厚生年金」で集計。
　　3）被用者年金一元化（平成27年10月）以後に同一人に受給権発生する厚生年金と旧職域加算給付についての「人員」は，1名として集計。
　　4）「老齢厚生年金」,「障害厚生年金」及び「遺族厚生年金」における「年金額」については，厚生年金及び経過的職域加算給付の合算額を集計。

年金保険　291

第5－35表　地方公務員等共済組合の年金受給権者数・年金額, 年度×年金の種類別

各年度末現在

年金の種類	平成22年度 (FY2010)	平成23年度 (FY2011)	平成24年度 (FY2012)	平成25年度 (FY2013)	平成26年度 (FY2014)	平成27年度 (FY2015)	平成28年度 (FY2016)
受給権者数（単位：人）							
総　　数	2 742 075	2 829 811	2 914 572	2 918 570	2 981 103	3 151 676	3 375 728
老齢厚生年金	·	·	·	·	·	90 303	275 051
旧職域加算退職給付	·	·	·	·	·	89 236	257 029
退職共済年金	1 764 143	1 865 955	1 966 925	1 986 533	2 063 558	2 060 703	1 902 499
退職年金	291 247	266 335	241 277	218 548	196 697	177 392	156 076
減額退職年金	17 030	16 384	15 702	14 990	14 264	13 556	12 796
通算退職年金	17 252	15 505	13 798	12 122	10 580	9 227	7 884
障害厚生年金	·	·	·	·	·	72	1 848
旧職域加算障害給付	·	·	·	·	·	72	1 758
障害共済年金	37 422	39 351	40 972	42 771	44 503	45 964	45 637
障害年金	8 647	8 061	7 569	7 059	6 587	6 172	5 683
遺族厚生年金	·	·	·	·	·	7 132	45 317
旧職域加算遺族給付	·	·	·	·	·	7 163	45 641
遺族共済年金	518 112	535 442	551 034	564 508	577 912	582 051	554 761
遺族年金	86 940	81 588	76 200	71 048	66 097	61 727	56 833
通算遺族年金	1 282	1 190	1 095	991	905	817	734
退職等年金給付	·	·	·	·	·	89	6 181
退職年金	·	·	·	·	·	89	6 181
公務障害年金	·	·	·	·	·		
公務遺族年金	·	·	·	·	·		
年金額（単位：100万円）							
総　　数	4 872 678	4 947 787	4 995 000	4 685 586	4 685 710	4 777 598	4 711 262
老齢厚生年金	·	·	·	·	·	108 276	311 431
旧職域加算退職給付	·	·	·	·	·	19 767	56 550
退職共済年金	3 013 315	3 148 123	3 257 694	3 088 689	3 145 709	3 137 694	2 882 768
退職年金	821 086	747 365	674 162	556 455	496 635	451 501	395 969
減額退職年金	33 033	31 640	30 193	27 340	25 809	24 740	23 290
通算退職年金	14 058	12 590	11 149	9 678	8 358	7 311	6 207
障害厚生年金	·	·	·	·	·	74	1 781
旧職域加算障害給付	·	·	·	·	·	13	328
障害共済年金	44 350	46 379	47 907	49 208	50 616	52 525	51 835
障害年金	17 770	16 309	15 114	13 374	12 287	11 500	10 452
遺族厚生年金	·	·	·	·	·	9 786	62 475
旧職域加算遺族給付	·	·	·	·	·	851	5 505
遺族共済年金	814 483	838 473	859 506	849 997	862 627	874 923	830 550
遺族年金	114 160	106 521	98 925	90 531	83 389	78 385	71 892
通算遺族年金	423	387	351	314	280	252	222
退職等年金給付	·	·	·	·	·	0	9
退職年金	·	·	·	·	·	0	9
公務障害年金	·	·	·	·	·	－	－
公務遺族年金	·	·	·	·	·	－	－

資料：総務省自治行政局公務員部福利課「平成28年度地方公務員共済組合等事業年報」

292　年金保険

第5－36表　私立学校教職員共済組合の年金受給権者数・年金額，年度×年金の種類別

各年度末現在

年金の種類	平成23年度 (FY2011)	平成24年度 (FY2012)	平成25年度 (FY2013)	平成26年度 (FY2014)	平成27年度 (FY2015)	平成28年度 (FY2016)	平成29年度 (FY2017)
受 給 権 者 数（単位：人）							
総　　　　　　数	389 127	409 276	420 842	440 155	465 958	478 772	501 516
退 職 共 済 年 金	313 075	332 334	342 674	360 432	369 092	347 309	321 915
障 害 共 済 年 金	2 338	2 396	2 458	2 561	3 633	3 610	3 566
遺 族 共 済 年 金	57 888	60 485	63 134	65 811	67 920	65 483	63 062
退 職 年 金	5 583	5 076	4 689	4 311	3 917	3 601	3 300
減 額 退 職 年 金	313	306	295	283	273	260	248
通 算 退 職 年 金	5 399	4 574	3 838	3 273	2 782	2 332	1 971
障 害 年 金	297	276	262	243	318	299	283
遺 族 年 金	2 973	2 756	2 553	2 400	2 511	2 367	2 204
通 算 遺 族 年 金	1 239	1 059	927	831	750	653	580
恩 給 財 団 年 金	22	14	12	10	10	9	8
老 齢 厚 生 年 金	・	・	・	・	14 122	52 998	103 558
障 害 厚 生 年 金	・	・	・	・	53	244	486
遺 族 厚 生 年 金	・	・	・	・	1 444	6 717	12 054
退 職 共 済 年 金 (経過的職域加算)	・	・	・	・	12 712	41 583	83 575
障 害 共 済 年 金 (経過的職域加算)	・	・	・	・	53	230	405
遺 族 共 済 年 金 (経過的職域加算)	・	・	・	・	1 487	6 862	12 281
年 金 額（単位：100万円）							
総　　　　　　数	329 190	337 249	330 862	336 498	350 855	353 954	360 341
退 職 共 済 年 金	264 877	273 065	267 002	272 461	276 211	262 053	245 990
障 害 共 済 年 金	2 330	2 386	2 417	2 486	3 692	3 640	3 563
遺 族 共 済 年 金	42 970	44 773	46 131	47 718	49 446	47 771	45 940
退 職 年 金	11 679	10 493	9 531	8 648	7 851	7 168	6 513
減 額 退 職 年 金	489	473	449	427	413	396	377
通 算 退 職 年 金	3 214	2 717	2 266	1 900	1 635	1 397	1 175
障 害 年 金	465	426	397	364	473	441	418
遺 族 年 金	2 789	2 594	2 391	2 245	2 384	2 259	2 108
通 算 遺 族 年 金	354	307	265	237	214	187	164
恩 給 財 団 年 金	25	16	14	11	11	10	9
老 齢 厚 生 年 金	・	・	・	・	6 342	20 356	39 126
障 害 厚 生 年 金	・	・	・	・	40	205	403
遺 族 厚 生 年 金	・	・	・	・	1 030	4 470	7 772
退 職 共 済 年 金 (経過的職域加算)	・	・	・	・	1 012	3 170	6 019
障 害 共 済 年 金 (経過的職域加算)	・	・	・	・	7	34	60
遺 族 共 済 年 金 (経過的職域加算)	・	・	・	・	94	398	703

資料：日本私立学校振興・共済事業団「平成29年度私学共済制度事業統計」
注：平成27年度以降の受給権者数の総数は，同一区分で複数の年金に該当するものを1人としている。

年金保険　293

第5－37表　国民年金（基礎年金）の受給権者数・年金額，年度×年金の種類別

各年度末現在

年 金 の 種 類	平成22年度 (FY2010)	平成23年度 (FY2011)	平成24年度 (FY2012)	平成25年度 (FY2013)	平成26年度 (FY2014)	平成27年度 (FY2015)	平成28年度 (FY2016)
	受 給 権 者 数 （単位：人）						
総　　　　　　　数	25 778 763	26 894 765	28 408 501	29 808 573	31 110 230	32 195 656	33 063 666
老 齢 基 礎 年 金	23 775 499	24 858 322	26 340 766	27 714 205	28 985 397	30 035 940	30 867 744
障 害 基 礎 年 金	1 749 219	1 786 844	1 825 210	1 859 519	1 893 299	1 930 503	1 969 330
法第30条，30条の2，3該当	749 283	775 160	800 488	821 320	840 527	862 498	885 166
法第30条の4，附則第25条該当 （旧障害福祉年金）	999 936	1 011 684	1 024 722	1 038 199	1 052 772	1 068 005	1 084 164
遺 族 基 礎 年 金	254 045	249 599	242 525	234 849	231 534	229 213	226 592
	年 金 額 （単位：100万円）						
総　　　　　　　数	17 623 196	18 345 259	19 357 322	20 150 975	20 920 242	21 894 882	22 531 207
老 齢 基 礎 年 金	15 879 095	16 575 017	17 566 425	18 356 945	19 114 100	20 043 325	20 650 215
障 害 基 礎 年 金	1 545 331	1 575 773	1 602 152	1 612 947	1 628 365	1 673 566	1 704 781
法第30条，30条の2，3該当	650 213	670 017	688 832	698 515	709 176	733 818	752 353
法第30条の4，附則第25条該当 （旧障害福祉年金）	895 118	905 755	913 320	914 432	919 189	939 748	952 427
遺 族 基 礎 年 金	198 770	194 469	188 744	181 083	177 777	177 991	176 211

資料：年金局「厚生年金保険・国民年金事業年報（平成28年度）」

第3章 その他の社会保険

第5-38表 雇用保険の適用事業所数・被保険者数, 産業分類別

各年度末現在

産 業 分 類	適用事業所数(所)		被保険者数(人)	
	平成29年度 (FY2017)	平成28年度 (FY2016)	平成29年度 (FY2017)	平成28年度 (FY2016)
全　　　　　産　　　　　業	2 233 345	2 186 167	42 889 785	41 949 292
農　　業　　,　　林　　業	23 907	22 708	154 585	145 721
漁　　　　　　　　　　　業	3 632	3 525	25 296	24 551
鉱 業, 採 石 業, 砂 利 採 取 業	2 364	2 408	31 379	31 400
建　　　　　設　　　　　業	396 244	368 279	2 682 237	2 524 724
製　　　　　造　　　　　業	278 682	281 433	8 730 610	8 658 854
電 気 ・ ガ ス ・ 熱 供 給 ・ 水 道 業	2 426	2 326	206 426	206 030
情　　報　　通　　信　　業	60 919	59 570	1 764 336	1 714 275
運　輸　業　,　郵　便　業	77 983	77 622	3 037 205	2 988 721
卸　売　業　,　小　売　業	382 897	383 351	7 336 646	7 284 001
金　融　業　,　保　険　業	25 441	25 529	1 420 377	1 420 471
不　動　産　業　,　物　品　賃　貸　業	59 649	57 908	798 747	772 695
学 術 研 究, 専 門 ・ 技 術 サ ー ビ ス 業	160 582	158 283	1 890 224	1 827 816
宿 泊 業, 飲 食 サ ー ビ ス 業	121 270	116 962	1 372 378	1 345 417
生 活 関 連 サ ー ビ ス 業, 娯 楽 業	100 178	97 572	1 041 211	1 029 602
教　育　,　学　習　支　援　業	36 522	35 922	1 034 080	1 009 490
医　　療　　,　　福　　祉	254 930	249 553	5 559 509	5 382 968
複　合　サ　ー　ビ　ス　事　業	33 989	33 993	613 622	614 209
サ　　ー　　ビ　　ス　　業	192 632	190 246	4 312 511	4 107 274
公　　　　　　　　　　　務	15 002	15 170	826 415	813 560
分　類　不　能　の　産　業	4 096	3 807	51 991	47 513

資料：職業安定局「雇用保険事業年報」

第5-39表 雇用保険の一般求職者給付の支給状況, 年度別

区　　分	初回受給者数(人)		受給者実人員(人)		支給総額(千円)	
	平成29年度 (FY2017)	平成28年度 (FY2016)	平成29年度 (FY2017)	平成28年度 (FY2016)	平成29年度 (FY2017)	平成28年度 (FY2016)
基　　本　　手　　当					576 183 630	612 766 865
基本分(所定給付日数)	1 066 849	1 126 920	7 370	400 746	541 551 074	571 101 053
個 別 延 長 給 付 (地域延長給付含む)	29 646	57 529	7 350	12 935	9 251 056	15 776 833
訓 練 延 長 給 付	67 932	69 824	16 628	17 207	25 291 647	25 800 843
広 域 延 長 給 付	145	278	60	55	57 553	52 511
特 例 訓 練 給 付	63	65	20	22	32 300	35 623
技 能 習 得 手 当					5 283 684	5 536 768
受　講　手　当	82 897	87 063	18 322	19 341	1 621 441	1 703 481
通　所　手　当	88 783	91 613	29 194	30 324	3 622 244	3 833 287
寄　宿　手　当	29	35	13	18	1 853	2 325
傷　病　手　当	6 871	7 370	1 248	1 320	2 450 856	2 562 547
合　　　　計	…	…	…	…	583 920 023	620 868 505

資料：職業安定局「平成29年度雇用保険事業年報」

その他の社会保険　295

第5-40表　労働者災害補償保険の適用事業場数・適用労働者数・新規受給者数・葬祭料受給者数・障害補償給付受給者数, 業種別

業　種	事業場数(場)		労働者数(人)		新規受給者数(人)		葬祭料受給者数(人)		障害補償給付受給者数(人)	
	平成28年度 (FY2016)	平成27年度 (FY2015)	平成28年度 (FY2016)	平成27年度 (FY2015)	平成28年度 (FY2016)	平成27年度 (FY2015)	平成28年度 (FY2016)	平成27年度 (FY2015)	平成28年度 (FY2016)	平成27年度 (FY2015)
全　業　種	2 787 965	2 746 576	57 484 440	56 292 319	626 526	618 149	2 993	3 046	20 925	21 779
林　　　業	14 258	14 261	64 596	64 334	2 940	3 122	43	47	293	300
漁　　　業	3 776	3 739	28 648	28 892	1 116	1 205	11	10	50	55
鉱　　　業	3 008	3 054	22 242	21 916	625	623	221	203	89	92
建 設 事 業	647 785	632 805	5 046 790	4 871 891	55 079	56 804	1 074	1 132	4 226	4 534
製 造 業	366 471	370 298	8 601 095	8 541 574	130 778	132 391	771	766	5 983	6 317
運 輸 業	74 142	73 587	2 903 115	2 945 026	42 044	41 446	228	249	2 428	2 449
電気,ガス,水道 又は熱供給の事業	2 375	2 345	152 969	144 848	844	812	13	9	28	26
その他の事業	1 671 485	1 641 753	40 609 243	39 618 371	390 785	379 360	603	600	7 696	7 879
船舶所有者の事業	4 665	4 734	55 742	55 467	2 315	2 386	29	30	132	127

資料：労働基準局「労働者災害補償保険事業年報」
注：1）事業場数及び労働者数は,年度末現在である。
　　2）障害補償給付受給者数は,障害補償年金新規受給者数及び障害補償一時金の支払を受けた者の数の合算である。

第5-41表　労働者災害補償保険の保険給付額, 年度×給付の種類別

(単位：100万円)

給付の種類	平成22年度 (FY2010)	平成23年度 (FY2011)	平成24年度 (FY2012)	平成25年度 (FY2013)	平成26年度 (FY2014)	平成27年度 (FY2015)	平成28年度(FY2016)	
							金額	構成比
総　　　数	744 457	750 826	756 809	745 216	751 300	739 968	735 690	% 100.0
療養補償給付	201 221	208 855	220 964	219 750	229 523	227 080	229 357	31.2
休業補償給付	103 729	103 093	103 056	100 234	100 596	98 679	96 615	13.1
障害補償一時金	32 972	31 925	32 748	32 558	32 281	31 755	30 817	4.2
遺族補償一時金	6 966	9 824	8 014	7 229	7 722	6 785	7 101	1.0
葬　祭　料	2 519	3 478	2 500	2 309	2 453	2 152	2 102	0.3
介護補償給付	6 981	6 903	6 825	6 771	6 766	6 629	6 575	0.9
年 金 等 給 付	389 302	385 936	381 845	375 467	370 966	365 788	362 020	49.2
二次健診等給付	767	813	857	899	993	1 100	1 103	0.1

資料：労働基準局「労働者災害補償保険事業年報」

第 6 編
社 会 保 障 等

社会保障等

社会保障等　299

第6－1表　社会保障給付費と対国民所得比，部門×年度別

年度	社会保障給付費（単位：億円）			福祉その他	介護対策	対国民所得比（単位：％）			福祉その他	介護対策	国民所得（単位:億円）
	総数	医療	年金			総数	医療	年金			
昭和50年度（FY1975）	117 693	57 321	38 047	22 325	—	9.49	4.62	3.07	1.80	—	1 239 907
55　（FY1980）	247 736	107 598	103 330	36 808	—	12.15	5.28	5.07	1.81	—	2 038 787
60　（FY1985）	356 798	143 595	167 193	46 009	—	13.69	5.51	6.42	1.77	—	2 605 599
平成2年度（FY1990）	474 153	186 254	237 772	50 128	—	13.67	5.37	6.85	1.45	—	3 468 929
7　（FY1995）	649 842	246 608	330 614	72 619	—	17.17	6.52	8.74	1.92	—	3 784 796
8　（FY1996）	678 253	257 816	344 994	75 443	—	17.33	6.59	8.82	1.93	—	3 913 605
9　（FY1997）	697 151	259 227	358 882	79 042	—	17.95	6.67	9.24	2.03	—	3 884 837
10　（FY1998）	724 226	260 269	378 092	85 865	—	19.15	6.88	10.00	2.27	—	3 782 396
11　（FY1999）	753 114	270 132	392 359	90 623	—	19.98	7.17	10.41	2.40	—	3 770 032
12　（FY2000）	783 985	266 049	405 367	112 570	32 806	20.31	6.89	10.50	2.92	0.85	3 859 685
13　（FY2001）	816 724	272 320	419 419	124 985	41 563	21.82	7.28	11.21	3.34	1.11	3 743 078
14　（FY2002）	838 402	268 767	433 107	136 528	47 053	22.50	7.21	11.62	3.66	1.26	3 726 487
15　（FY2003）	845 306	272 020	441 989	131 297	51 559	22.37	7.20	11.69	3.47	1.36	3 779 521
16　（FY2004）	860 818	277 173	450 514	133 131	56 167	22.49	7.24	11.77	3.48	1.47	3 826 819
17　（FY2005）	888 529	287 444	461 194	139 890	58 701	22.94	7.42	11.91	3.61	1.52	3 873 557
18　（FY2006）	906 730	293 173	471 517	142 040	60 492	23.11	7.47	12.02	3.62	1.54	3 923 513
19　（FY2007）	930 794	302 290	481 153	147 350	63 584	23.73	7.71	12.26	3.76	1.62	3 922 979
20　（FY2008）	958 441	308 654	493 777	156 009	66 513	26.33	8.48	13.57	4.29	1.83	3 639 913
21　（FY2009）	1 016 714	321 038	515 524	180 153	71 192	28.77	9.08	14.59	5.10	2.01	3 534 222
22　（FY2010）	1 053 646	336 439	522 286	194 921	75 082	29.11	9.30	14.43	5.39	2.07	3 619 241
23　（FY2011）	1 082 706	347 808	523 227	211 671	78 881	30.21	9.70	14.60	5.91	2.20	3 584 029
24　（FY2012）	1 090 741	353 384	532 303	205 054	83 965	30.31	9.82	14.79	5.70	2.33	3 598 267
25　（FY2013）	1 107 755	360 706	538 772	208 277	87 879	29.60	9.64	14.40	5.57	2.35	3 742 189
26　（FY2014）	1 121 688	367 759	535 076	218 854	91 896	29.58	9.70	14.11	5.77	2.42	3 791 868
27　（FY2015）	1 154 007	381 592	540 900	231 515	94 049	29.57	9.78	13.86	5.93	2.41	3 903 050
28　（FY2016）	1 169 027	383 965	543 770	241 291	96 045	29.84	9.80	13.88	6.16	2.45	3 917 156

資料：国立社会保障・人口問題研究所「平成28年度社会保障費用統計」
注：1）2011年度集計時に新たに追加した費用について，2005年度まで遡及したことから，2004年度との間で段差が生じている。
　　2）2015年度から，保育に要する費用に加え，小学校就学前の子どもの教育に要する費用も計上している。

300　社会保障等

第6－2表　社会保障給付費・国内総生産・国民所得の対前年度伸び率，部門×年度別

(単位：%)

年　　度	社　会　保　障　給　付　費					国内総生産	国民所得
	計	医　療	年　金	福祉その他			
					介護対策		
昭和50年度 (FY1975)	30.4	21.0	45.6	33.2	－	10.0	10.2
55　 (FY1980)	12.7	9.8	16.5	11.2	－	10.3	11.9
60　 (FY1985)	6.1	5.3	9.4	△ 2.4	－	7.2	7.2
平成2年度 (FY1990)	5.2	4.9	6.5	0.6	－	8.6	8.1
7　 (FY1995)	7.0	5.8	7.9	7.0	－	2.7	2.7
8　 (FY1996)	4.4	4.5	4.3	3.9	－	2.4	3.4
9　 (FY1997)	2.8	0.5	4.0	4.8	－	0.9	△ 0.7
10　 (FY1998)	3.9	0.4	5.4	8.6	－	△ 1.4	△ 2.6
11　 (FY1999)	4.0	3.8	3.8	5.5	－	△ 0.8	△ 0.3
12　 (FY2000)	4.1	△ 1.5	3.3	24.2	－	1.2	2.4
13　 (FY2001)	4.2	2.4	3.5	11.0	26.7	△ 1.8	△ 3.0
14　 (FY2002)	2.7	△ 1.3	3.3	9.2	13.2	△ 0.8	△ 0.4
15　 (FY2003)	0.8	1.2	2.1	△ 3.8	9.6	0.6	1.4
16　 (FY2004)	1.8	1.9	1.9	1.4	8.9	0.6	1.3
17　 (FY2005)	3.2	3.7	2.4	5.1	4.5	0.9	1.2
18　 (FY2006)	2.0	2.0	2.2	1.5	3.1	0.6	1.3
19　 (FY2007)	2.7	3.1	2.0	3.7	5.1	0.4	△ 0.0
20　 (FY2008)	3.0	2.1	2.6	5.9	4.6	△ 4.1	△ 7.2
21　 (FY2009)	6.1	4.0	4.4	15.5	7.0	△ 3.4	△ 2.9
22　 (FY2010)	3.6	4.8	1.3	8.2	5.5	1.5	2.4
23　 (FY2011)	2.8	3.4	0.2	8.6	5.1	△ 1.1	△ 1.0
24　 (FY2012)	0.7	1.6	1.7	△ 3.1	6.4	0.1	0.4
25　 (FY2013)	1.6	2.1	1.2	1.6	4.7	2.6	4.0
26　 (FY2014)	1.3	2.0	△ 0.7	5.1	4.6	2.2	1.3
27　 (FY2015)	2.9	3.8	1.1	5.8	2.3	3.0	2.9
28　 (FY2016)	1.3	0.6	0.5	4.2	2.1	1.0	0.4

資料：国立社会保障・人口問題研究所「平成28年度社会保障費用統計」

社会保障等　301

第6-3表　社会保障給付費・構成割合，年度×制度の種類別

区　分	平成22年度 (FY2010)	平成23年度 (FY2011)	平成24年度 (FY2012)	平成25年度 (FY2013)	平成26年度 (FY2014)	平成27年度 (FY2015)	平成28年度 (FY2016)
	給　付　額（単位：百万円）						
総　　　　額	105 364 648	108 270 570	109 074 109	110 775 479	112 168 838	115 400 673	116 902 662
医 療 保 険	19 059 698	19 540 760	19 782 317	20 004 809	20 344 274	21 078 964	21 021 827
高齢者医療	11 718 414	12 283 301	12 679 785	13 135 338	13 429 367	14 047 170	14 260 557
介 護 保 険	7 434 299	7 809 448	8 312 870	8 701 676	9 098 317	9 311 037	9 507 521
年 金 保 険	51 674 013	51 836 728	52 816 376	53 514 387	53 315 362	53 938 962	54 130 364
雇用保険等	2 460 633	2 487 517	2 076 119	1 886 201	1 804 708	1 842 968	1 857 648
業務災害補償	951 846	982 096	952 642	938 439	936 305	919 075	910 635
家 族 手 当	3 041 884	3 204 732	2 928 328	2 898 284	2 961 218	2 844 246	2 803 003
生 活 保 護	3 329 629	3 501 590	3 602 845	3 628 503	3 681 004	3 712 669	3 715 290
社 会 福 祉	3 487 311	4 496 320	3 978 957	4 154 724	4 734 785	5 888 505	6 950 251
公 衆 衛 生	1 388 446	1 383 813	1 270 997	1 309 230	1 344 918	1 357 741	1 355 705
恩　　　　給	702 091	631 787	563 551	498 351	437 940	380 894	329 561
戦争犠牲者援護	116 384	112 479	109 321	105 537	80 641	78 443	60 302
	構　成　割　合（単位：%）						
総　　　　額	100.0	100.0	100.0	100.0	100.0	100.0	100.0
医 療 保 険	18.1	18.0	18.1	18.1	18.1	18.3	18.0
高齢者医療	11.1	11.3	11.6	11.9	12.0	12.2	12.2
介 護 保 険	7.1	7.2	7.6	7.9	8.1	8.1	8.1
年 金 保 険	49.0	47.9	48.4	48.3	47.5	46.7	46.3
雇用保険等	2.3	2.3	1.9	1.7	1.6	1.6	1.6
業務災害補償	0.9	0.9	0.9	0.8	0.8	0.8	0.8
家 族 手 当	2.9	3.0	2.7	2.6	2.6	2.5	2.4
生 活 保 護	3.2	3.2	3.3	3.3	3.3	3.2	3.2
社 会 福 祉	3.3	4.2	3.6	3.8	4.2	5.1	5.9
公 衆 衛 生	1.3	1.3	1.2	1.2	1.2	1.2	1.2
恩　　　　給	0.7	0.6	0.5	0.4	0.4	0.3	0.3
戦争犠牲者援護	0.1	0.1	0.1	0.1	0.1	0.1	0.1

資料：国立社会保障・人口問題研究所「平成28年度社会保障費用統計」
注：1）高齢者医療には，2007年度までは医療を含む老人保健事業全てが計上され，2008年度は後期高齢者医療制
　　　度からの医療給付額及び老人保健制度からの2008年3月分の医療給付額等が含まれている。
　　2）家族手当は，児童手当（2010-2011年度は子ども手当を含む）のほか，社会福祉中の児童扶養手当及び特
　　　別児童扶養手当等を含む。
　　3）雇用保険等は雇用保険の総額と船員保険の失業・雇用対策等の給付（2009年12月分まで。2010年1月より
　　　雇用保険に移行）を含む。

302　社会保障等

第6－4表　社会保障給付費・構成割合，年度×機能別

（単位：億円）

社会保障給付費	平成24年度 (FY2012)	平成25年度 (FY2013)	平成26年度 (FY2014)	平成27年度 (FY2015)	平成28年度 (FY2016)	対前年度 増加額
総　　　　額	1 090 741	1 107 755	1 121 688	1 154 007	1 169 027	15 020
	(100.0)	(100.0)	(100.0)	(100.0)	(100.0)	
高　　　　齢	532 092	542 586	544 473	552 351	555 820	3 468
	(48.8)	(49.0)	(48.5)	(47.9)	(47.5)	
遺　　　　族	67 822	67 433	66 682	66 699	65 700	△ 999
	(6.2)	(6.1)	(5.9)	(5.8)	(5.6)	
障　　　　害	37 650	39 251	40 118	42 159	43 437	1 278
	(3.5)	(3.5)	(3.6)	(3.7)	(3.7)	
労　働　災　害	9 488	9 303	9 327	9 108	9 023	△ 84
	(0.9)	(0.8)	(0.8)	(0.8)	(0.8)	
保　健　医　療	337 714	344 724	351 281	364 895	367 094	2 199
	(31.0)	(31.1)	(31.3)	(31.6)	(31.4)	
家　　　　族	50 451	50 603	54 479	64 416	68 457	4 041
	(4.6)	(4.6)	(4.9)	(5.6)	(5.9)	
失　　　　業	18 307	16 207	14 712	14 410	14 167	△ 244
	(1.7)	(1.5)	(1.3)	(1.2)	(1.2)	
住　　　　宅	5 735	5 876	5 929	6 172	6 037	△ 135
	(0.5)	(0.5)	(0.5)	(0.5)	(0.5)	
生活保護その他	31 480	31 771	34 689	33 796	39 291	5 495
	(2.9)	(2.9)	(3.1)	(2.9)	(3.4)	

資料：国立社会保障・人口問題研究所「平成28年度社会保障費用統計」
注：1）（　）内は構成割合である。
　　2）2015年度から，保育に要する費用に加え，小学校就学前の子どもの教育に要する費用も計上している。

社会保障等　303

第6−5表　1人当たり社会保障給付費と1人当たり国内総生産及び1人当たり国民所得，年度別

(単位：千円)

年　　度	1人当たり社会保障給付費		1人当たり国内総生産		1人当たり国民所得	
	実　　額	指数(昭48=100)	実　　額	指数(昭48=100)	実　　額	指数(昭48=100)
昭和48年度(FY1973)	57.4	100.0	1 069.8	100.0	878.4	100.0
50　(FY1975)	105.1	183.3	1 361.1	127.2	1 107.7	126.1
51　(FY1976)	128.4	223.8	1 514.6	141.6	1 241.4	141.3
52　(FY1977)	147.9	257.9	1 665.1	155.7	1 363.8	155.3
53　(FY1978)	171.7	299.3	1 810.9	169.3	1 491.3	169.8
54　(FY1979)	189.3	329.9	1 939.1	181.3	1 568.7	178.6
55　(FY1980)	211.6	368.9	2 121.8	198.3	1 741.7	198.3
56　(FY1981)	233.8	407.5	2 244.6	209.8	1 794.8	204.3
57　(FY1982)	253.5	441.9	2 326.0	217.4	1 854.1	211.1
58　(FY1983)	267.5	466.3	2 415.8	225.8	1 934.9	220.3
59　(FY1984)	279.6	487.4	2 562.1	239.5	2 020.8	230.1
60　(FY1985)	294.8	513.8	2 729.4	255.1	2 152.5	245.0
61　(FY1986)	317.2	553.0	2 813.3	263.0	2 202.4	250.7
62　(FY1987)	333.2	580.9	2 963.8	277.1	2 299.6	261.8
63　(FY1988)	345.9	603.0	3 158.5	295.2	2 466.2	280.7
平成元年度(FY1989)	365.7	637.5	3 375.6	315.5	2 603.8	296.4
2　(FY1990)	383.6	668.7	3 654.1	341.6	2 806.3	319.5
3　(FY1991)	405.9	707.5	3 816.3	356.7	2 972.9	338.4
4　(FY1992)	434.1	756.7	3 879.5	362.7	2 938.2	334.5
5　(FY1993)	456.7	796.1	3 862.8	361.1	2 924.5	332.9
6　(FY1994)	484.8	845.1	4 012.6	375.1	2 940.6	334.8
7　(FY1995)	517.5	902.1	4 112.5	384.4	3 014.1	343.1
8　(FY1996)	538.9	939.4	4 201.3	392.7	3 109.5	354.0
9　(FY1997)	552.6	963.3	4 227.6	395.2	3 079.4	350.6
10　(FY1998)	572.6	998.2	4 159.1	388.8	2 990.7	340.5
11　(FY1999)	594.6	1 036.5	4 120.9	385.2	2 976.3	338.8
12　(FY2000)	617.7	1 076.7	4 163.9	389.2	3 040.9	346.2
13　(FY2001)	641.5	1 118.3	4 077.0	381.1	2 940.0	334.7
14　(FY2002)	657.6	1 146.4	4 037.8	377.5	2 923.1	332.8
15　(FY2003)	662.0	1 154.0	4 056.0	379.2	2 959.8	336.9
16　(FY2004)	673.6	1 174.3	4 078.5	381.3	2 994.7	340.9
17　(FY2005)	695.4	1 212.3	4 114.4	384.6	3 031.7	345.1
18　(FY2006)	708.9	1 235.8	4 136.6	386.7	3 067.6	349.2
19　(FY2007)	727.0	1 267.3	4 147.3	387.7	3 064.0	348.8
20　(FY2008)	748.3	1 304.4	3 977.6	371.8	2 841.8	323.5
21　(FY2009)	794.1	1 384.3	3 843.3	359.3	2 760.4	314.2
22　(FY2010)	822.8	1 434.3	3 898.9	364.5	2 826.3	321.7
23　(FY2011)	847.0	1 476.4	3 864.5	361.3	2 803.7	319.2
24　(FY2012)	854.9	1 490.2	3 875.4	362.3	2 820.1	321.0
25　(FY2013)	869.4	1 515.6	3 981.1	372.1	2 937.0	334.4
26　(FY2014)	881.6	1 536.8	4 074.8	380.9	2 980.2	339.3
27　(FY2015)	908.0	1 582.8	4 200.8	392.7	3 071.0	349.6
28　(FY2016)	921.0	1 605.5	4 248.3	397.1	3 086.0	351.3

資料：国立社会保障・人口問題研究所「平成28年度社会保障費用統計」
注：1）2011年度集計時に新たに追加した費用について，2005年度まで遡及したことから，2004年度との間で段差が生じている。
　　2）2015年度から，保育に要する費用に加え，小学校就学前の子どもの教育に要する費用も計上している。

304　社会保障等

第6－6表　高齢者関係給付費，年度別

（単位：億円，割合％）

年　　　度	年金保険給付費	高齢者医療給付費	老人福祉サービス給付費	高年齢雇用継続給付費	計	対前年度伸び率	給付費に占める割合	社会保障給付費	対前年度伸び率
昭和50年度 (FY1975)	28 924	8 666	1 164	－	38 754	45.0	32.9	117 693	30.4
55 (FY1980)	83 675	21 269	2 570	－	107 514	17.2	43.4	247 736	12.7
60 (FY1985)	144 549	40 070	3 668	－	188 288	11.1	52.8	356 798	6.1
平成2年度 (FY1990)	216 182	57 331	5 749	－	279 262	7.4	58.9	474 153	5.2
7 (FY1995)	311 565	84 525	10 902	117	407 109	9.1	62.6	649 842	7.0
8 (FY1996)	326 713	92 166	11 537	369	430 784	5.8	63.5	678 253	4.4
9 (FY1997)	341 699	96 392	12 743	567	451 401	4.8	64.7	697 151	2.8
10 (FY1998)	362 379	101 092	13 797	773	478 041	5.9	66.0	724 226	3.9
11 (FY1999)	378 061	109 443	15 106	954	503 564	5.3	66.9	753 114	4.0
12 (FY2000)	391 729	103 469	35 692	1 086	531 975	5.6	67.9	783 985	4.1
13 (FY2001)	406 178	107 216	44 875	1 250	559 518	5.2	68.5	816 724	4.2
14 (FY2002)	425 025	107 125	50 736	1 437	584 323	4.4	69.7	838 402	2.7
15 (FY2003)	429 959	106 343	55 321	1 489	593 112	1.5	70.2	845 306	0.8
16 (FY2004)	438 143	105 879	58 640	1 389	604 051	1.8	70.2	860 818	1.8
17 (FY2005)	452 145	106 669	59 613	1 256	619 682	2.6	69.7	888 529	3.2
18 (FY2006)	463 360	102 874	60 572	1 105	627 911	1.3	69.3	906 730	2.0
19 (FY2007)	474 077	102 807	63 659	1 125	641 669	2.2	68.9	930 794	2.7
20 (FY2008)	487 921	104 170	66 514	1 248	659 853	2.8	68.8	958 441	3.0
21 (FY2009)	510 259	109 776	71 193	1 425	692 652	5.0	68.1	1016 714	6.1
22 (FY2010)	517 552	116 656	75 083	1 547	710 837	2.6	67.5	1053 646	3.6
23 (FY2011)	519 223	122 247	78 882	1 711	722 063	1.6	66.7	1082 706	2.8
24 (FY2012)	529 112	126 180	83 967	1 745	741 004	2.6	67.9	1090 741	0.7
25 (FY2013)	536 101	130 709	87 880	1 733	756 422	2.1	68.3	1107 755	1.6
26 (FY2014)	534 127	133 622	91 896	1 737	761 383	0.7	67.9	1121 688	1.3
27 (FY2015)	540 844	139 768	94 049	1 725	776 386	2.0	67.3	1154 007	2.9
28 (FY2016)	546 226	141 869	96 046	1 719	785 859	1.2	67.2	1169 027	1.3

資料：国立社会保障・人口問題研究所「平成28年度社会保障費用統計」
注：高齢者医療給付費は，平成19年度までは旧老人保健制度からの医療給付額，平成20年度は後期高齢者医療制度からの医療給付額及び旧老人保健制度からの平成20年3月分の医療給付額等が含まれている。

第6-7表 児童・家族関係給付費，年度別

(単位：億円，割合%)

年　度	児童手当	児童扶養手当等	児童福祉サービス	うち就学前教育・保育	育児休業給付	出産関係費	計	対前年度伸び率	給付費に占める割合	社会保障給付費	対前年度伸び率
昭和50年度 (FY1975)	1 444	385	3 549	－	－	1 407	6 785	－	5.8	117 693	－
55　(FY1980)	1 778	1 782	5 998	－	－	1 999	11 557	5.9	4.7	247 736	12.7
60　(FY1985)	1 589	3 027	6 836	－	－	3 058	14 511	6.6	4.1	356 798	6.1
平成2年度 (FY1990)	1 391	3 059	8 532	－	－	3 003	15 984	3.1	3.4	474 153	5.2
7　(FY1995)	1 612	3 500	11 177	－	327	4 489	21 105	6.0	3.2	649 842	7.0
8　(FY1996)	1 536	3 666	13 312	－	507	4 586	23 606	11.9	3.5	678 253	4.4
9　(FY1997)	1 497	3 807	12 809	－	559	4 578	23 250	△ 1.5	3.3	697 151	2.8
10　(FY1998)	1 486	3 885	13 336	－	603	4 678	23 988	3.2	3.3	724 226	3.9
11　(FY1999)	1 547	3 977	14 188	－	643	4 608	24 962	4.1	3.3	753 114	4.0
12　(FY2000)	2 917	4 199	14 963	－	721	4 608	27 409	9.8	3.5	783 985	4.1
13　(FY2001)	4 062	4 512	15 876	－	1 078	4 596	30 123	9.9	3.7	816 724	4.2
14　(FY2002)	4 315	4 649	16 764	－	1 241	4 533	31 502	4.6	3.8	838 402	2.7
15　(FY2003)	4 365	4 792	16 723	－	1 304	4 430	31 615	0.4	3.7	845 306	0.8
16　(FY2004)	5 909	5 327	17 178	－	1 370	4 434	34 218	8.2	4.0	860 818	1.8
17　(FY2005)	6 300	5 279	18 399	－	1 428	4 353	35 759	4.5	4.0	888 529	3.2
18　(FY2006)	8 084	5 428	15 807	－	1 487	4 707	35 514	△ 0.7	3.9	906 730	2.0
19　(FY2007)	9 757	5 468	13 810	－	1 804	4 902	35 742	0.6	3.8	930 794	2.7
20　(FY2008)	10 010	5 578	14 382	9 879	2 189	4 877	37 035	3.6	3.9	958 441	3.0
21　(FY2009)	9 969	6 133	14 759	10 143	2 387	5 236	38 483	3.9	3.8	1 016 714	6.1
22　(FY2010)	24 641	5 778	15 622	10 591	3 119	5 642	54 802	42.4	5.2	1 053 646	3.6
23　(FY2011)	25 960	6 087	16 069	10 907	3 478	5 626	57 221	4.4	5.3	1 082 706	2.8
24　(FY2012)	23 132	6 151	16 842	11 312	3 303	5 591	55 019	△ 3.8	5.0	1 090 741	0.7
25　(FY2013)	22 821	6 162	16 963	11 666	3 562	5 627	55 135	0.2	5.0	1 107 755	1.6
26　(FY2014)	22 171	7 442	19 326	13 488	4 349	5 647	58 933	6.9	5.3	1 121 688	1.3
27　(FY2015)	21 901	6 542	29 600	22 231	5 100	5 734	68 875	16.9	6.0	1 154 007	2.9
28　(FY2016)	21 617	6 413	33 641	24 397	5 439	5 662	72 772	5.7	6.2	1 169 027	1.3

資料：国立社会保障・人口問題研究所「平成28年度社会保障費用統計」
注：1）児童手当の2010-2012年度は子ども手当を含む。
　　2）2008年度から，就学前教育・保育を再掲している。なお2015年度から，保育に要する費用に加え，小学校就学前の子どもの教育に要する費用も計上している。

306 社会保障等

第6－8表 平成28年度

（3－1）（単位：100万円）

項　　　　目	収			
	拠　　　出		社会保障特別税	国庫負担
	被保険者	事業主		
社　　会　　保　　険				
1．健　　康　　保　　険				
（A）全国健康保険協会管掌健康保険	4 638 959	4 562 869	－	1 345 462
（B）組合管掌健康保険	4 013 737	4 706 564	－	42 160
2．国　民　健　康　保　険	3 403 121	－	－	3 689 851
退職者医療制度（再掲）	83 599	－	－	－
3．後期高齢者医療制度	1 129 954	－	－	4 919 104
4．老　　人　　保　　健	－	－	－	－
5．介　　護　　保　　険	2 198 966	－	－	2 290 836
6．厚　生　年　金　保　険	14 737 688	14 737 688	－	9 302 987
7．厚　生　年　金　基　金	63 789	242 300	－	－
8．石炭鉱業年金基金	－	1	－	－
9．国　　民　　年　　金	1 506 945	－	－	2 047 381
10．国　民　年　金　基　金	105 122	－	－	2 539
11．農　業　者　年　金　基　金	－	－	－	120 285
12．船　　員　　保　　険	16 665	20 141	－	3 000
13．農林漁業団体職員共済組合	－	28 075	－	273
14．日本私立学校振興・共済事業団	367 629	361 778	－	124 382
15．雇　　用　　保　　険	687 276	1 203 778	－	129 835
16．労働者災害補償保険	－	872 309	－	192
家　　族　　手　　当				
17．児　　童　　手　　当	－	535 290	－	1 252 115
公　　　　務　　　　員				
18．国　家　公　務　員　共　済　組　合	962 705	1 191 555	－	315 676
19．存　続　組　合　等	－	132 689	－	368
20．地方公務員等共済組合	2 643 300	3 169 921	－	1 036
21．旧　令　共　済　組　合　等	－	1	－	2 926
22．国　家　公　務　員　災　害　補　償	－	7 303	－	－
23．地方公務員等災害補償	0	29 297	－	－
24．旧公共企業体職員業務災害	－	5 225	－	－
25．国　家　公　務　員　恩　給	－	9 779	－	36
26．地　方　公　務　員　恩　給	－	11 663	－	－
公　衆　保　健　サ　ー　ビ　ス				
27．公　　衆　　衛　　生	－	－	－	597 646
公的扶助及び社会福祉				
28．生　　活　　保　　護	－	－	－	2 816 763
29．社　　会　　福　　祉	－	－	－	3 552 213
雇　　用　　対　　策				
30．雇　　用　　対　　策	－	－	－	39 274
戦　　争　　犠　　牲　　者				
31．戦　　争　　犠　　牲　　者	－	－	－	372 154
他　の　社　会　保　障　制　度	19 018	564 405	－	222 071
地方公共団体単独実施公費負担医療費給付分（再掲）				
総　　　　　　　　　　計	36 494 874	32 392 632	－	33 190 565

資料：国立社会保障・人口問題研究所「平成28年度社会保障費用統計」
注：1）各制度の年報等による2015年度決算の数値を，ILO事務局「第18次社会保障費用調査」の分類に従って単純集計したものである。
　　2）後期高齢者医療の財源のうち，後期高齢者支援金は健康保険等の「他制度への移転」として記録され，その受入は後期高齢者医療の「他制度からの移転」に計上される。
　　3）4 老人保健は既に廃止された制度であり，現在は清算のみ行っている。給付がマイナスとなっているのは，過誤等による差し戻し請求等があることによる。
　　4）介護保険の第1号被保険者拠出は介護保険の拠出に含むが，第2号被保険者拠出は健康保険等の拠出に計上され，それが介護保険に移転する形で記録される（健康保険等の「他制度への移転」および介護保険の「他制度からの移転」）。
　　5）厚生年金保険および国民年金の「資産収入」は，『平成28年度　年金積立金の運用状況について』中，年金積立金の運用実績を参照して計上している。
　　6）7 厚生年金基金の年金額には代行部分を含む。
　　7）9 国民年金は，福祉年金及び基礎年金を含む。
　　8）国民年金の第2号被保険者拠出は被用者年金保険料と併せて徴収されるが，うち基礎年金部分については被用者保険から国民年金に移転する形で記録される（被用者保険の「他制度への移転」および国民年金の「他制度からの移転」）。

社会保障給付費収支表

他の公費負担	資産収入	その他	小　計	他制度からの移転	収入合計	
—	—	18 890	10 566 180	0	10 566 180	1．(A)
—	34 168	512 760	9 309 388	116	9 309 503	1．(B)
1 991 385	—	461 200	9 545 557	3 846 626	13 392 183	2．
—	—	—	83 599	318 994	402 593	
2 681 715	—	525 957	9 256 730	5 945 570	15 202 301	3．
—	—	—	—	140	140	4．
2 861 217	405	221 534	7 572 958	2 632 972	10 205 931	5．
—	7 407 589	4 575 361	50 761 314	5 482 205	56 243 520	6．
—	934 248	2 394	1 242 731	49 382	1 292 113	7．
—	649	8	658	—	658	8．
—	490 337	952 322	4 996 985	19 544 275	24 541 259	9．
—	225 824	8	333 492	—	333 492	10．
—	6	60 418	180 708	—	180 708	11．
—	281	1 850	41 938	5 798	47 736	12．
—	1 151	264	29 762	—	29 762	13．
7 033	86 534	1 376	948 733	300 744	1 249 476	14．
—	700	194 379	2 215 966	—	2 215 966	15．
—	130 492	218 476	1 221 470	—	1 221 470	16．
787 774	—	47 384	2 622 563	—	2 622 563	17．
—	173 897	53 139	2 696 973	1 157 553	3 854 526	18．
—	31 980	988	166 025	—	166 025	19．
707 234	802 366	6 037	7 329 895	3 575 140	10 905 035	20．
—	0	49	2 976	—	2 976	21．
—	—	—	7 303	—	7 303	22．
—	1 334	5 370	36 001	—	36 001	23．
—	—	—	5 225	—	5 225	24．
—	—	—	9 815	—	9 815	25．
—	—	—	11 663	—	11 663	26．
152 260	—	—	749 907	—	749 907	27．
938 271	—	—	3 755 034	—	3 755 034	28．
3 193 616	—	—	6 745 829	—	6 745 829	29．
70	—	—	39 344	—	39 344	30．
—	—	—	372 154	—	372 154	31．
1 236 888	472	99 580	2 142 434	—	2 142 434	
688 897	—	—	688 897	—	688 897	
14 557 464	10 322 433	7 959 744	134 917 712	42 540 523	177 458 235	

9) 農林漁業団体職員共済組合は，2002年4月1日に厚生年金に統合されたが，職域加算部分（3階部分）の給付については，農林漁業団体職員共済組合から支給されている。

10) 2015年10月に共済年金が厚生年金に統一されたことに伴って創設された退職等年金給付及びその保険料，経過的長期給付は各共済組合の収支表に計上されている。

11) 1997年4月より旧公共企業体職員共済組合は，短期給付については組合管掌健康保険に継承され，長期給付については厚生年金保険に統合されたが，一部年金給付については，存続組合等に引き継がれている。

12) 27 公衆衛生は，結核医療等の公費負担医療を含む。

13) 15 雇用保険は雇用保険特別会計は，30 雇用対策は一般財源の収支を集計の対象としている。

14) 他の社会保障制度には，医薬品副作用被害救済制度，生物由来製品感染被害救済制度，中小企業退職金共済制度，社会福祉施設職員等退職手当共済制度等，高齢・障害・求職者雇用支援機構実施事業，公害健康被害補償制度，石綿健康被害救済制度，日本スポーツ振興センター災害共済給付，就学援助・就学前教育，自動車事故後遺障害者支援，住宅対策諸費，犯罪被害給付制度，被災者生活再建支援事業，地方公共団体単独実施公費負担医療費給付分を含む。

15) 表頭の「家族手当」には，児童手当のほか，「29. 社会福祉」中の児童扶養手当および特別児童扶養手当を含む。

16) 「失業・雇用対策」には高年齢雇用継続給付等を含む。

17) 四捨五入の関係で計に一致しない場合がある。0は百万円単位で四捨五入するとゼロであることを示す。

308　社会保障等

第6−8表（続）　平成28年度

（3−2）　（単位：100万円）

| 項　　　目 | 支給 | | | |
| | 疾病・出産 | | 業　　務 | |
	医　療	現　金	医　療	医療以外の現物
社　　会　　保　　険				
1．健　　康　　保　　険				
(A) 全国健康保険協会管掌健康保険	5 387 116	249 926	—	—
(B) 組 合 管 掌 健 康 保 険	3 974 797	218 143	—	—
2．国　民　健　康　保　険	9 807 813	12 673	—	—
退職者医療制度（再掲）	259 777	—	—	—
3．後 期 高 齢 者 医 療 制 度	14 220 759	—	—	—
4．老　　人　　保　　健	—	—	—	—
5．介　　護　　保　　険	—	—	—	—
6．厚　生　年　金　保　険	—	—	—	—
7．厚　生　年　金　基　金	—	—	—	—
8．石 炭 鉱 業 年 金 基 金	—	—	—	—
9．国　　民　　年　　金	—	—	—	—
10．国　民　年　金　基　金	—	—	—	—
11．農　業　者　年　金　基　金	—	—	—	—
12．船　　員　　保　　険	18 845	1 969	1 786	—
13．農林漁業団体職員共済組合	—	—	—	—
14．日本私立学校振興・共済事業団	132 632	7 301	—	—
15．雇　　用　　保　　険	—	450 117	—	—
16．労 働 者 災 害 補 償 保 険	—	—	243 966	22 142
家　　族　　手　　当				
17．児　　童　　手　　当	—	—	—	—
公　　　務　　　員				
18．国 家 公 務 員 共 済 組 合	255 960	13 047	—	—
19．存　続　組　合　等	—	—	—	—
20．地 方 公 務 員 等 共 済 組 合	786 310	99 886	—	—
21．旧 令 共 済 組 合 等	12	625	—	—
22．国 家 公 務 員 災 害 補 償	—	—	1 248	18
23．地 方 公 務 員 等 災 害 補 償	—	—	8 013	388
24．旧公共企業体職員業務災害	—	—	111	—
25．国　家　公　務　員　恩　給	—	—	—	—
26．地　方　公　務　員　恩　給	—	—	—	—
公　衆　保　健　サ　ー　ビ　ス				
27．公　　衆　　衛　　生	487 517	81 748	—	—
公 的 扶 助 及 び 社 会 福 祉				
28．生　　活　　保　　護	1 816 467	386	—	—
29．社　　会　　福　　祉	534 127	—	—	—
雇　　用　　対　　策				
30．雇　　用　　対　　策	—	—	—	—
戦　　争　　犠　　牲　　者				
31．戦　　争　　犠　　牲　　者	110	—	—	—
他 の 社 会 保 障 制 度	718 918	5 855	—	—
地方公共団体単独実施公費負担医療費給付分（再掲）	688 897	—	—	—
総　　　　　　　　計	38 141 384	1 141 676	255 124	22 547

　資料：国立社会保障・人口問題研究所「平成28年度社会保障費用統計」
　備考　社会保障給付費収支表の項目説明
　1．収入項目
　　本公表資料における「社会保障財源」とは収入のうち「他制度からの移転」を除く「小計」を指す。
　　(1) 資産収入：利子，配当金，施設利用料，賃貸料，財産処分益，償還差益等。
　　(2) その他：積立金より受入等。
　　(3) 他制度からの移転：前期高齢者交付金，後期高齢者支援金，退職者医療に係る療養給付費交付金，日雇特例被保険者に係る拠出金，基礎年金交付金，厚生年金交付金、介護給付費交付金等。

社会保障給付費収支表

災害 現金 年金	災害 現金 年金以外の現金	年　　金	失業・雇用対策	家族手当	
—	—	—	—	—	1．(A)
—	—	—	—	—	1．(B)
—	—	—	—	—	2．
—	—	—	—	—	
—	—	—	—	—	3．
—	—	—	—	—	4．
—	—	—	—	—	5．
—	—	23 340 893	—	—	6．
—	—	1 279 865	—	—	7．
—	—	737	—	—	8．
—	—	22 322 933	—	—	9．
—	—	182 910	—	—	10.
—	—	100 320	—	—	11.
3 985	454	—	—	—	12.
—	—	9 011	—	—	13.
—	—	303 384	—	—	14.
—	—	—	1 317 308	—	15.
388 620	200 583	—	8 569	—	16.
—	—	—	—	2 161 686	17.
3 517	—	1 521 370	—	—	18.
2 097	—	67 053	—	—	19.
—	—	4 444 468	—	—	20.
—	—	823	—	—	21.
5 045	992	—	—	—	22.
16 296	3 835	—	—	—	23.
3 530	1 510	—	—	—	24.
—	—	9 779	—	—	25.
—	—	11 663	—	—	26.
—	—	2 024	—	—	27.
—	—	—	—	—	28.
—	—	—	—	641 316	29.
—	—	—	7 686	—	30.
—	—	320 163	—	—	31.
—	—	36 528	76 437	—	
—	—	—	—	—	
423 090	207 374	53 953 925	1 410 001	2 803 003	

2．支出項目

本公表資料における「社会保障給付費」とは支出のうち「管理費」「運用損失」「その他」「他制度への移転」を除く「給付－計」を指す。

  (1) 管理費：業務取扱費，総務費，事務所費，日本年金機構運営費等。

  (2) 運用損失：決算時点で生じた積立金等の評価損等。

  (3) その他：施設整備費等。

  (4) 他制度への移転：前期高齢者納付金，後期高齢者支援金，退職者医療に係る療養給付費拠出金，日雇特例被保険者に係る拠出金，基礎年金拠出金，厚生年金拠出金，介護納付金等。

3．収支差

「収入－収入合計」と「支出－支出合計」の差額が「収支差」である。

310 社会保障等

第6－8表（続）　平成28年度

（3－3）　（単位：100万円）

項　　　　目	支　給 介護対策 現物	現金	その他 医療以外の現物	現金	計
社　会　保　険					
1．健　康　保　険					
(A) 全国健康保険協会管掌健康保険	—	—	—	1 918	5 638 960
(B) 組 合 管 掌 健 康 保 険	—	—	—	1 714	4 194 654
2．国 民 健 康 保 険	—	—	—	8 498	9 828 984
退職者医療制度（再掲）	—	—	—	—	259 777
3．後 期 高 齢 者 医 療 制 度	—	—	—	39 798	14 260 557
4．老　人　保　健	—	—	—	—	—
5．介　護　保　険	9 507 521	—	—	—	9 507 521
6．厚 生 年 金 保 険	—	—	—	23 068	23 363 962
7．厚 生 年 金 基 金	—	—	—	43 707	1 323 572
8．石 炭 鉱 業 年 金 基 金	—	—	—	2	739
9．国　民　年　金	—	—	—	3 566	22 326 498
10．国 民 年 金 基 金	—	—	—	13 213	196 123
11．農 業 者 年 金 基 金	—	—	—	220	100 540
12．船　員　保　険	—	—	—	147	27 187
13．農林漁業団体職員共済組合	—	—	—	24 915	33 925
14．日本私立学校振興・共済事業団	—	—	—	761	444 078
15．雇　用　保　険	—	3 032	3 067	—	1 773 525
16．労 働 者 災 害 補 償 保 険	—	—	—	—	863 879
家　　族　　手　　当					
17．児　童　手　当	—	—	342 174	—	2 503 860
公　　　務　　　員					
18．国 家 公 務 員 共 済 組 合	—	55	—	1 366	1 795 316
19．存 続 組 合 等	—	—	—	1	69 151
20．地 方 公 務 員 等 共 済 組 合	—	581	—	3 397	5 334 643
21．旧 令 共 済 組 合 等	—	—	—	—	1 461
22．国 家 公 務 員 災 害 補 償	—	—	—	—	7 303
23．地 方 公 務 員 等 災 害 補 償	—	—	—	—	28 532
24．旧公共企業体職員業務災害	—	—	—	—	5 150
25．国 家 公 務 員 恩 給	—	—	—	—	9 779
26．地 方 公 務 員 恩 給	—	—	—	—	11 663
公 衆 保 健 サ ー ビ ス					
27．公　衆　衛　生	2 499	4	16 823	76 193	666 808
公 的 扶 助 及 び 社 会 福 祉					
28．生　活　保　護	87 699	—	—	1 810 739	3 715 290
29．社　会　福　祉	—	—	4 796 827	539 713	6 511 984
雇　　用　　対　　策					
30．雇　用　対　策	—	—	—	—	7 686
戦　争　犠　牲　者					
31．戦　争　犠　牲　者	—	—	146	48 001	368 420
他 の 社 会 保 障 制 度	3 122	—	570 996	569 055	1 980 912
地方公共団体単独実施公費負担医療費給付分（再掲）	—	—	—	—	688 897
総　　　　　　計	9 600 841	3 673	5 730 034	3 209 992	116 902 662

　資料：国立社会保障・人口問題研究所「平成28年度社会保障費用統計」

社会保障給付費収支表

	出						収支差	
管理費	運用損失	その他	小　　計	他制度へ の移転	支出合計			
108 314	—	8 054	5 755 329	4 318 117	10 073 446	492 734	1．(A)
138 216	—	242 866	4 575 735	4 017 501	8 593 237	716 267	1．(B)
239 779	—	255 051	10 323 813	2 624 222	12 948 035	444 148	2．
—	—	—	259 777	—	259 777	142 816	
71 996	—	369 043	14 701 596	—	14 701 596	500 705	3．
140	—	—	140	—	140	—	4．
239 859	—	211 301	9 958 681	—	9 958 681	247 250	5．
198 606	—	11 367	23 573 934	22 165 336	45 739 270	10 504 249	6．
45 650	—	4 224	1 373 446	2 323	1 375 768	△ 83 655	7．
61	—	69	869	—	869	△ 211	8．
148 101	—	53 743	22 528 343	929 788	23 458 131	1 083 128	9．
6 310	—	10 951	213 385	—	213 385	120 107	10．
1 456	—	80 382	182 379	—	182 379	△ 1 671	11．
2 726	—	127	30 040	13 029	43 069	4 667	12．
2 260	—	70	36 256	—	36 256	△ 6 494	13．
6 406	—	93	450 577	700 588	1 151 166	98 311	14．
91 294	—	91 001	1 955 820	—	1 955 820	260 146	15．
49 263	—	57 771	970 914	14 212	985 126	236 344	16．
1 995	—	24 905	2 530 761	—	2 530 761	91 802	17．
10 002	—	1 947	1 807 264	2 075 557	3 882 821	△ 28 296	18．
1 168	—	2	70 321	95 948	166 269	△ 244	19．
29 403	—	3 697	5 367 743	5 503 199	10 870 943	34 092	20．
121	—	1 394	2 976	—	2 976	△ 0	21．
—	—	—	7 303	—	7 303	—	22．
2 030	—	55	30 617	—	30 617	5 385	23．
—	—	75	5 225	—	5 225	—	24．
36	—	—	9 815	—	9 815	—	25．
—	—	—	11 663	—	11 663	—	26．
8 715	—	74 384	749 907	—	749 907	—	27．
39 744	—	—	3 755 034	—	3 755 034	—	28．
64 293	—	169 553	6 745 829	—	6 745 829	—	29．
153	—	31 505	39 344	—	39 344	—	30．
3 733	—	—	372 154	—	372 154	—	31．
47 040	—	—	2 027 951	—	2 027 951	114 483	
—	—	—	688 897	—	688 897	—	
1 558 871	0	1 703 631	120 165 164	42 459 821	162 624 986	14 833 250	

312　社会保障等

第6－9表　社会保障財源，項目別

社会保障財源	平成28年度 (FY2016)	平成27年度 (FY2015)	対　前　年　度　比	
			増　加　額	伸　び　率
計	億円 1 349 177 (100.0)	億円 1 238 084 (100.0)	億円 111 093	% 9.0
社　会　保　険　料	688 875 (51.1)	669 240 (54.1)	19 635	2.9
被　保　険　者　拠　出	364 949 (27.0)	353 727 (28.6)	11 222	3.2
事　業　主　拠　出	323 926 (24.0)	315 514 (25.5)	8 413	2.7
公　　費　　負　　担	477 480 (35.4)	467 142 (37.7)	10 339	2.2
国　　庫　　負　　担	331 906 (24.6)	325 139 (26.3)	6 767	2.1
他　の　公　費　負　担	145 575 (10.8)	142 002 (11.5)	3 572	2.5
他　　の　　収　　入	182 822 (13.6)	101 702 (8.2)	81 120	79.8
資　　産　　収　　入	103 224 (7.7)	20 571 (1.7)	82 654	401.8
そ　　の　　他	79 597 (5.9)	81 132 (6.6)	△1 534	△1.9

資料：国立社会保障・人口問題研究所「平成27年度社会保障費用統計」
注：1）（　）内は構成割合である。
　　2）公費負担とは「国庫負担」と「他の公費負担」の合計である。「他の公費負担」とは，国の制度に基づいて地方自治体が負担しているものである。ただし，一般財源化された義務的経費については，公立保育所運営費のみを含む。また，地方自治体が独自に行っている事業の費用については，公費負担医療給付分のみを含む。
　　3）「資産収入」については，公的年金制度等における運用実績により変動することに留意する必要がある。また，「その他」には積立金からの受入を含む。

第6－10表　社会支出の国際比較（2015年度）

社会支出	日本 (2016年度)	日本	アメリカ	イギリス	スウェーデン	ド　イ　ツ	フランス
対国内総生産比	22.19%	22.15%	19.12%	22.65%	26.75%	27.13%	32.12%
対国民所得比	30.54%	30.30%	23.83%	30.86%	41.43%	36.51%	45.48%

資料：国立社会保障・人口問題研究所「平成28年度社会保障費用統計」
注：諸外国の社会支出は，OECD Social Expenditure Databaseによる。
　　国内総生産・国民所得については，日本は内閣府「平成28年度国民経済計算年報」，諸外国はOECD National Accounts 2017 による。

社会保障等　313

第6－11表　一般政府から家計への移転（社会保障関係），年度×制度の種類別

（単位：10億円）

項　　　目	平成25年度 (FY2013)	平成26年度 (FY2014)	平成27年度 (FY2015)	平成28年度 (FY2016)	平成29年度 (FY2017)
1　社　会　保　障　給　付	97 170.9	98 030.1	100 581.3	101 336.0	103 220.4
(1)　特　　別　　会　　計	46 383.5	46 394.0	47 410.8	48 172.4	48 996.6
a　年金（除児童手当）	43 858.4	43 955.7	44 931.8	45 680.9	46 500.1
(a)　健　康　保　険	0.0	0.0	0.0	0.0	0.0
(b)　厚　生　年　金	23 647.3	23 142.6	23 266.4	23 358.1	23 537.9
(c)　国　民　年　金	20 211.1	20 813.2	21 665.3	22 322.8	22 962.2
b　労　　働　　保　　険	2 525.1	2 438.3	2 479.1	2 491.5	2 496.5
(a)　労　災　保　険	842.5	846.8	836.9	831.1	830.9
(b)　雇　用　保　険	1 682.6	1 591.5	1 642.2	1 660.4	1 665.7
c　船　　員　　保　　険	－	－	－	－	－
(a)　疾　病　給　付	－	－	－	－	－
(b)　年　金　給　付	－	－	－	－	－
(c)　失　業　給　付	－	－	－	－	－
(2)　国　民　健　康　保　険	9 770.8	9 832.7	10 060.9	9 668.5	9 434.0
(3)　後　期　高　齢　者　医　療	13 138.5	13 453.7	14 060.2	14 241.6	15 002.0
(4)　共　済　組　合（注）	7 866.3	7 702.2	7 814.5	7 621.6	7 515.5
a　国家公務員共済組合	1 878.5	1 807.1	1 810.8	1 789.8	1 755.1
(a)　短　期　経　理	260.1	264.4	271.3	267.1	266.6
(b)　長　期　経　理	1 618.4	1 542.7	1 539.5	1 522.7	1 488.4
b　地方公務員共済組合	5 377.0	5 184.2	5 253.1	5 235.6	5 175.4
(a)　短　期　経　理	823.6	835.4	851.4	837.7	840.9
(b)　長　期　経　理	4 553.4	4 348.9	4 401.7	4 397.9	4 334.5
c　そ　　の　　他	610.9	710.9	750.6	596.2	585.0
(a)　短　期　経　理	128.9	131.8	138.3	140.4	142.6
(b)　長　期　経　理	482.0	579.1	612.2	455.8	442.4
(5)　組　合　管　掌　健　康　保　険	3 885.9	3 965.1	4 102.3	4 134.3	4 247.8
(6)　全　国　健　康　保　険　協　会	4 996.1	5 193.1	5 489.5	5 714.0	5 933.5
(7)　児童手当及び子ども手当	2 273.6	2 207.6	2 179.4	2 121.2	2 032.2
(8)　基　　　　　　　　　金	163.1	158.4	154.4	147.2	141.3
(9)　介　　護　　保　　険	8 693.0	9 123.1	9 309.3	9 515.2	9 917.5
2　その他の社会保険非年金給付	2 860.4	2 644.6	2 614.4	2 525.5	2 386.6
うち　公務災害補償	12.9	13.5	13.1	13.5	13.0
3　社　会　扶　助　給　付	9 584.3	10 195.0	10 227.6	10 772.7	10 666.1
う　ち　恩　給	501.1	443.3	383.0	331.5	282.7
合　　　　　　　　　　計	109 615.5	110 869.7	113 423.2	114 634.3	116 273.0

資料：内閣府経済社会総合研究所「平成29年度国民経済計算年次推計」
注：共済組合のうち，a．国家公務員共済組合及びb．地方公務員共済組合の長期経理には，平成27年10月の被用者年金一元化以降は，厚生年金保険経理と経過的長期経理が含まれる。

314　社会保障等

第6－12表　社会保障に対する負担，年度×制度の種類別

（単位：10億円）

項　　　　目 　(注1)	平成26年度 (FY2014)	平成27年度 (FY2015)	平成28年度 (FY2016)	平成29年度(FY2017)		
				雇主の現実 社会負担	家計の現実 社会負担	合　計
1　特　　別　　会　　計	38 605.4	40 389.2	42 033.8	21 761.5	21 711.7	43 473.2
（1）　年金（除児童手当）	35 576.6	37 296.0	39 288.2	19 842.2	21 182.4	41 024.6
a　健　　康　　保　　険	7 682.0	7 997.7	8 369.5	4 380.6	4 375.8	8 756.4
b　厚　　生　　年　　金	26 316.0	27 831.0	29 465.3	15 461.6	15 461.6	30 923.2
c　国　　民　　年　　金	1 578.6	1 467.3	1 453.4	0.0	1 345.0	1 345.0
（2）　労　　働　　保　　険	3 028.9	3 093.1	2 745.6	1 919.2	529.3	2 448.6
a　労　　災　　保　　険	833.9	827.9	842.3	860.9	0.0	860.9
b　雇　　用　　保　　険	2 195.0	2 265.3	1 903.2	1 058.3	529.3	1 587.7
（3）　船　　員　　保　　険	－	－	－	－	－	－
a　疾　　　　　　　　病	－	－	－	－	－	－
b　年　　　　　　　　金	－	－	－	－	－	－
c　失　　　　　　　　業	－	－	－	－	－	－
d　そ　　　の　　　他	－	－	－	－	－	－
2　国　民　健　康　保　険	3 235.0	3 152.0	3 116.8	0.0	2 996.0	2 996.0
3　後　期　高　齢　者　医　療	1 065.7	1 069.1	1 134.2	0.0	1 192.8	1 192.8
4　共　済　組　合（注2）	7 270.0	7 369.8	7 480.2	3 820.7	3 743.9	7 564.7
（1）　国家公務員共済組合	1 714.0	1 760.5	1 788.7	908.2	904.6	1 812.8
a　短　　期　　経　　理	571.8	573.9	560.2	276.2	280.8	557.0
b　長　　期　　経　　理	1 126.3	1 169.0	1 210.5	620.0	617.1	1 237.1
c　業　　務　　経　　理	4.2	4.6	4.8	5.5	0.0	5.5
d　保　　健　　経　　理	11.8	13.1	13.2	6.6	6.7	13.3
（2）　地方公務員共済組合	4 821.8	4 855.4	4 940.3	2 497.7	2 481.3	4 979.1
a　短　　期　　経　　理	1 646.5	1 639.1	1 652.8	805.8	815.4	1 621.3
b　長　　期　　経　　理	3 096.1	3 134.7	3 203.8	1 636.4	1 637.8	3 274.1
c　業　　務　　経　　理	22.7	24.9	26.2	26.2	0.0	26.2
d　保　　健　　経　　理	56.7	56.8	57.5	29.4	28.2	57.5
（3）　そ　　　の　　　他	734.1	753.9	751.2	414.8	358.0	772.8
a　短　　期　　経　　理	230.4	233.5	260.9	133.6	133.6	267.2
b　長　　期　　経　　理	503.2	519.9	489.9	280.7	224.3	505.1
c　業　　務　　経　　理	0.5	0.5	0.5	0.5	0.0	0.5
5　組合管掌健康保険	7 596.7	7 781.3	7 962.9	4 462.8	3 739.9	8 202.7
6　全　国　健　康　保　険　協　会	82.2	79.4	76.5	0.0	72.9	72.9
7　児童手当及び子ども手当	431.7	436.6	520.6	588.0	0.0	588.0
8　基　　　　　　　　　金	46.0	46.5	47.1	47.8	0.0	47.8
9　介　　護　　保　　険	3 919.1	4 141.3	4 249.5	955.7	3 468.0	4 423.7
合　　　　　　　　　　計	62 251.9	64 465.2	66 621.6	31 636.6	36 925.1	68 561.7

資料：内閣府経済社会総合研究所「平成29年度国民経済計算年次推計」
注：1）本表の分類は第6－11表の分類（「1 社会保障給付」の部分）と対応している。
　　2）共済組合のうち，（1）国家公務員共済組合及び（2）地方公務員共済組合の長期経理には，平成27年10月の被用者年金一元化以降は，厚生年金保険経理と経過的長期経理が含まれる。

第6-13表　ＯＥＣＤ諸国の１人当たり国内総生産（名目ＧＤＰ），年次別

(単位：千ドル)

順位	国　名	平成26年 (2014)	平成27年 (2015)	平成28年 (2016)	平成29年 (2017)
1	ルクセンブルグ	118.4	100.5	100.9	104.4
2	ス　イ　ス	86.6	82.1	80.0	80.4
3	ノ　ル　ウェー	97.2	74.5	70.9	75.7
4	ア　イ　ス　ラ　ンド	54.2	52.4	61.8	71.3
5	ア　イ　ル　ラ　ンド	55.7	62.0	63.6	69.0
6	ア　メ　リ　カ	54.9	56.7	57.8	59.8
7	オーストラリア	62.3	52.4	53.9	57.3
8	デ　ン　マ　ー　ク	62.6	53.3	54.5	57.2
9	スウェーデン	59.2	50.8	51.6	53.3
10	オ　ラ　ン　ダ	52.8	45.2	46.0	48.5
11	オ　ー　ス　ト　リア	51.7	44.2	45.1	47.4
12	フ　ィ　ン　ラ　ンド	49.9	42.4	43.5	45.8
13	カ　ナ　ダ	50.6	43.3	42.1	44.9
14	ド　イ　ツ	48.1	41.4	42.4	44.7
15	ベ　ル　ギ　ー	47.5	40.6	41.6	43.6
16	ニュージーランド	44.3	38.4	40.1	42.4
17	イ　ス　ラ　エ　ル	37.8	35.9	37.4	40.6
18	イ　ギ　リ　ス	47.0	44.5	40.5	39.8
19	フ　ラ　ン　ス	43.0	36.6	36.9	38.5
20	日　本	38.1	34.5	38.8	38.3
21	イ　タ　リ　ア	35.4	30.2	30.8	32.1
22	韓　国	27.8	27.1	27.6	29.8
23	ス　ペ　イ　ン	29.6	25.8	26.6	28.2
24	ス　ロ　ベ　ニ　ア	24.2	20.9	21.7	23.6
25	ポ　ル　ト　ガ　ル	22.1	19.3	20.0	21.3
26	チ　ェ　コ	19.7	17.7	18.5	20.4
27	エ　ス　ト　ニ　ア	20.2	17.4	18.2	20.2
28	ギ　リ　シ　ャ	21.8	18.2	18.1	18.9
29	ス　ロ　バ　キ　ア	18.6	16.2	16.5	17.6
30	リ　ト　ア　ニ　ア	16.6	14.3	15.0	16.8
31	ラ　ト　ビ　ア	15.7	13.6	14.1	15.7
32	チ　リ	14.6	13.5	13.7	15.0
33	ハ　ン　ガ　リ　ー	14.2	12.5	12.8	14.3
34	ポ　ー　ラ　ン　ド	14.2	12.4	12.3	13.7
35	ト　ル　コ	12.2	11.1	11.0	10.8
36	メ　キ　シ　コ	11.0	9.7	8.8	9.4

資料：内閣府経済社会総合研究所「平成29年度国民経済計算年次推計」
注：日本以外の国はOECD Annual National Accounts Databese（平成30年12月現在）
　　日本は，経済社会総合研究所推計値
　　（円の対ドルレートは，東京市場インターバンク直物中心相場の各月中平均値の12か月単純平均を利用）
　　＊オーストラリア，ニュージーランドは，年度の計数
　　＊順位は平成29年（2017年）の順位

316　社会保障等

第6－14表　社会保障関係予算，年度別

（単位：100万円，％）

内　　訳	平成27年度 (FY2015)	平成28年度 (FY2016)	平成29年度 (FY2017)	平成30年度 (FY2018)
社 会 保 障 関 係 費	32 182 058	32 466 075	32 536 331	32 973 221
年金医療介護保険給付費	23 106 360	—	—	
年 金 給 付 費	—	11 312 978	11 483 088	11 685 257
医 療 給 付 費	—	11 274 177	11 492 658	11 607 864
介 護 給 付 費	—	2 929 061	3 008 191	3 095 320
生 活 保 護 費	2 875 099	—	—	—
社 会 福 祉 費	5 510 012	—	—	—
少 子 化 対 策 費	—	2 022 268	2 122 628	2 143 700
生活扶助等社会福祉費	—	4 454 503	4 061 888	4 052 385
保 健 衛 生 対 策 費	522 526	337 103	331 107	351 416
雇 用 労 災 対 策 費	168 061	135 986	36 771	37 279
	構 成 割 合 (%)			
社 会 保 障 関 係 費	100.0	100.0	100.0	100.0
年金医療介護保険給付費	71.8	—	—	
年 金 給 付 費	—	34.8	35.3	35.4
医 療 給 付 費	—	34.7	35.3	35.2
介 護 給 付 費	—	9.0	9.2	9.4
生 活 保 護 費	8.9	—	—	—
社 会 福 祉 費	17.1	—	—	—
少 子 化 対 策 費	—	6.2	6.5	6.5
生活扶助等社会福祉費	—	13.7	12.5	12.3
保 健 衛 生 対 策 費	1.6	1.0	1.0	1.1
雇 用 労 災 対 策 費	0.5	0.4	0.1	0.1

資料：財務省財務総合政策研究所「財政金融統計月報」
注：30年度を除き，各年度とも補正後予算である。

社会保障等　317

第6-15表　人口指標の国際比較

(5-1)

地域、国別	推計人口 (2016・単位千人) 女	推計人口 (2016・単位千人) 男	性比 (2016) (女/男×100)	年平均人口増加率 (2010-2016)	15歳未満人口割合 (2016)	60歳以上人口割合 (2016) 男	60歳以上人口割合 (2016) 女	合計特殊出生率 (2016)	乳児死亡率出生千対 (2016)	健康寿命 (2015) 男	健康寿命 (2015) 女
西 太 平 洋 地 域											
日　　　　本	65 213	61 781	106	△ 0.1	12	31	36	1.45g)	2g)	73	77
オーストラリア1)	12 138	11 991	101	1.5	19	20	22	1.81g)	3g)	71	73
ブルネイ・ダルサラーム	201g)	217g)	93g)	…	24g)	7g)	8g)	1.90g)	9g)	69	71
カ ン ボ ジ ア	7 853g)	7 552g)	104g)	…	29g)	6g)	8g)	…	…	56	60
中 華 人 民 共 和 国2)	668 755g)	702 465g)	95g)	…	19d)	12d)	14d)	…	…	68	70
ク ッ ク 諸 島	8.9	8.6	103	…	27d)	12d)	13d)	…	…	63d)	66d)
フ ィ ジ ー	429d)	447d)	96d)	…	29d)	8d)	9d)	…	…	61	65
キ リ バ ス	52c)	51c)	102c)	…	34c)	5d)	7d)	…	…	57	61
ラ オ ス	3 459	3 447	100	1.7	32c)	6c)	7c)	3.20g)	…	57	59
マ レ ー シ ア3)	15 298	16 363	93	1.7	25	9	10	2.00g)	7g)	65	68
マ ー シ ャ ル 諸 島	26.8c)	28.2c)	95c)	…	41d)	4d)	5d)	…	…	57d)	61d)
ミ ク ロ ネ シ ア	52.9g)	52.9g)	100g)	…	34g)	9g)	9g)	…	…	62	63
モ ン ゴ ル	1 570	1 519	103	2.0	30	5	7	3.00	16	59	66
ナ ウ ル	5.6g)	5.7g)	98g)	…	35g)	3d)	3d)	…	…	64d)	69d)
ニュージーランド	2 384	2 309	103	1.3	20	19	21	1.88	4	71	72
パ ラ オ	8.2g)	9.4g)	87g)	…	21d)	10d)	14d)	…	…	61d)	64d)
パプアニューギニア	3 946	4 205	94	…	36	4d)	5d)	…	…	55	58
フ ィ リ ピ ン	51 162	52 081	98	1.7	31	7	9	…	12g)	59	64
大 韓 民 国	25 552	25 694	99	0.6	13	17	21	1.24g)	3g)	71	75
サ モ ア	93	99	94	1.0	37d)	7d)	9d)	…	…	64	69
シ ン ガ ポ ー ル	2 004	1 930	104	1.7	15	18	20	1.20	2	72	76
ソ ロ モ ン 諸 島	312	327	95	2.3	38	6	6	…	…	62	63
ト ン ガ	50	50	100	…	37d)	7d)	9d)	…	…	64	68
ツ バ ル	5.0	5.1	98	…	32	7d)	10d)	…	…	57d)	60d)
バ ヌ ア ツ	134	138	97	…	39	6	6	…	…	63	66
ベ ト ナ ム	46 990	45 706	103	1.1	24	10	14	2.09	…	63	70
南 東 ア ジ ア 地 域											
バ ン グ ラ デ シ ュ	80 300	80 500	100	1.3	31	8	7	2.11e)	…	62	63
ブ ー タ ン	370	399	93	1.7	30	7	7	…	…	61	61
北 朝 鮮	12 501d)	12 052d)	104d)	…	22d)	11d)	16d)	…	…	61	67
イ ン ド	608 877d)	649 474d)	94d)	…	30d)	7d)	9d)	2.30d)	37g)	59	60
イ ン ド ネ シ ア	128 716	129 989	99	1.4	28g)	8g)	9g)	2.60d)	…	61	64
モ ル ジ ブ	172	178	97	1.5	28	7	7	…g)	8f)	69	71
ミ ャ ン マ ー	27 466	25 450	108	△ 2.0	28	8	10	2.20f)	…	58	61
ネ パ ー ル	14 647	13 784	106	0.2	31	8	8	…	…	60	62
ス リ ラ ン カ	10 938	10 265	107	…	25	11	13	…d)	…	64	70
タ イ	33 574	32 358	104	0.5	17	14	17	…	…	65	69

注：1）クリスマス島，ココス諸島及びノーフォーク島を含む。
　　2）香港及びマカオは含まない。
　　3）サバ州とサラワク州を含む。
　　a) 2000年
　　b) 2008年
　　c) 2011年
　　d) 2012年
　　e) 2013年
　　f) 2014年
　　g) 2015年

318　社会保障等

第6－15表（続）　人口指標の国際比較

(5－2)

地域、国別	推計人口 (2016・単位千人)		性比 (2016) (女/男×100)	年平均人口増加率 (2010-2016)	15歳未満人口割合 (2016)	60歳以上人口割合 (2016)		合計特殊出生率 (2016)	乳児死亡率出生千対 (2016)	健康寿命 (2015)	
	女	男				男	女			男	女
アメリカ地域											
アンティグア・バーブーダ	44.6 c)	41.0 c)	109 c)	…	24 c)	11 c)	12 c)	…	…	66	68
アルゼンチン	22 226	21 364	104	1.1	25	13	17	2.28 e)	10 e)	65	70
バ　ハ　マ	193	180	107	1.8	24	9	11	1.48 f)	12 e)	65	68
バルバドス	143 g)	131 g)	109 g)	…	17 d)	15 d)	19 d)	…	…	66	68
ベリーズ	189	189	100	2.6	36	6	6	2.20	…	61	64
ボリビア	5 449	5 536	98	1.5	33	8	9	…	…	61	64
ブラジル	104 355	101 726	103	0.9	23	11	13	1.69	11 g)	63	68
カ　ナ　ダ	18 291	17 996	102	1.1	16	21	24	1.59 e)	5 e)	71	73
チ　　リ	9 189	9 003	102	1.0	20	14	17	1.85 f)	7 f)	69	72
コロンビア	24 679	24 069	103	1.1	26	10	12	2.35 d)	…	63	68
コスタリカ	2 516	2 374	106	1.2	22	13	15	1.70	8	68	71
キューバ	5 640	5 599	101	0.1	16	18	21	1.72 e)	4	68	70
ドミニカ	35.3 f)	36.3 f)	97 f)	…	25 c)	14 c)	16 c)	…	…	61 d)	65 d)
ドミニカ共和国	5 038	5 037	100	1.0	29	10	10	2.34 g)	…	63	67
エクアドル	8 344	8 185	102	1.6	30	10	11	2.50	…	66	69
エルサルバドル	3 451	3 070	112	0.9	27	10	12	2.20 e)	8 f)	61	67
グレナダ	53.7 e)	54.9 e)	98 e)	…	27 d)	8 d)	11 d)	…	…	64	67
グアテマラ	7 904 g)	8 272 g)	96 g)	…	40 g)	6 g)	7 g)	…	19 e)	59	65
ガイアナ	372 c)	375 c)	99 c)	…	31 d)	6 d)	8 d)	…	…	58	60
ハイチ	5 503 g)	5 408 g)	102 g)	…	34 g)	6 g)	7 g)	…	…	54	57
ホンジュラス	4 395 g)	4 182 g)	105 g)	…	36 e)	7 e)	7 e)	…	…	64	66
ジャマイカ	1 377	1 352	102	0.2	22	12	13	…	…	66	68
メキシコ	62 629	59 644	105	1.1	27	10	11	…	11 g)	66	70
ニカラグア	3 010 d)	2 945 d)	102 d)	…	33 d)	6 d)	7 d)	…	…	60	67
パナマ	2 011	2 026	99	1.6	27	11	12	2.40 e)	…	66	70
パラグアイ	3 397	3 457	98	1.5	30	9	9	…	…	64	66
ペルー	15 716	15 772	100	1.1	28	9	11	2.26	…	65	68
セントクリストファー・ネーヴィス	23.6 c)	22.8 c)	104 c)	…	31 a)	10 a)	12 a)	…	…	61 d)	66 d)
セントルシア	87 f)	86 f)	101 f)	…	25 d)	9 d)	11 d)	…	…	65	68
セントビンセント・グレナディーン	54 g)	57 g)	95 g)	…	25 d)	12 e)	13 e)	2.21 f)	18 e)	64	64
スリナム	284 g)	283 g)	100 e)	…	27 g)	10 e)	12 e)	2.33 g)	15 e)	61	65
トリニダード・トバゴ	675	679	99	0.5	21	13	14	1.70 d)	13 d)	61	66
アメリカ合衆国	164 049	159 079	103	0.7	19	20	23	1.84 e)	6 g)	68	70
ウルグアイ	1 796	1 684	107	0.4	21	16	21	1.94 e)	8 g)	65	70
ベネズエラ	15 474	15 555	99	1.4	27	9	11	2.41 f)	15 g)	62	68

a) 2000年　　f) 2014年
b) 2008年　　g) 2015年
c) 2011年
d) 2012年
e) 2013年

社会保障等　319

第6−15表（続）　人口指標の国際比較

(5−3)

地域、国別	推計人口 (2016・単位千人)		性比 (2016) (女/男×100)	年平均人口増加率 (2010-2016)	15歳未満人口割合 (2016)	60歳以上人口割合 (2016)		合計特殊出生率 (2016)	乳児死亡率出生千対 (2016)	健康寿命 (2015)	
	女	男				男	女			男	女
欧　州　地　域											
ア ル バ ニ ア	1 428g)	1 461g)	98g)	△ 0.2	18g)	17g)	19g)	…	8e)	67	71
ア ン ド ラ	35.8	36.6	98	0.5	15	17	19	1.15d)	…	70d)	74d)
ア ル メ ニ ア	1 570g)	1 434g)	109g)	△ 1.4	19g)	14g)	18g)	1.60g)	9g)	65	69
オ ー ス ト リ ア	4 425	4 265	104	0.6	14	22	26	1.53	3g)	70	74
アゼルバイジャン1)	4 897	4 859	101	1.2	22g)	8g)	11g)	2.00	12g)	63	67
ベ ラ ル ー シ	5 078	4 421	115	0.0	16	16	25	1.70f)	3g)	61	70
ベ ル ギ ー	5 742	5 569	103	0.6	17	22	26	…	3g)	69	73
ボスニア・ヘルツェゴビナ	1 962e)	1 874e)	105e)	△ 1.5	14d)	18d)	22d)	…	5f)	67	71
ブ ル ガ リ ア	3 677	3 477	106	△ 0.9	14	24	31	1.54	7g)	64	69
ク ロ ア チ ア	2 168	2 023	107	△ 0.4	15	23	29	1.52d)	4g)	67	72
キ プ ロ ス2)	436	413	106	0.4	16	20	21	1.32g)	4d)	70	73
チ ェ コ 共 和 国	5 368	5 186	104	0.1	15	23	28	1.63	2g)	67	72
デ ン マ ー ク	2 876	2 848	101	0.5	17	23	26	1.79	4g)	70	72
エ ス ト ニ ア	699	617	113	△ 0.2	16	20	30	1.60	3g)	66	72
フ ィ ン ラ ン ド3)	2 786	2 701	103	0.5	16	25	30	1.57	2g)	69	73
フ ラ ン ス	33 357	31 376	106	0.5	18	23	27	1.89	3g)	71	74
ジ ョ ー ジ ア4)	1 939	1 781	109	…	19	17	24	2.20	9	63	69
ド イ ツ	41 662	40 514	103	0.1	13	25	30	1.50g)	3g)	70	73
ギ リ シ ャ	5 560	5 224	106	△ 0.5	14	25	29	1.34g)	4	70	74
ハ ン ガ リ ー	5 142	4 689	110	△ 0.3	14	21	30	1.44f)	4	65	70
ア イ ス ラ ン ド	165	167	99	0.7	20	18	20	1.75	…	72	74
ア イ ル ラ ン ド	2 407	2 354	102	0.6	21	17g)	19g)	1.94g)	3g)	70	73
イ ス ラ エ ル	4 227g)	4 153g)	102g)	…	28g)	14g)	17g)	3.09g)	3	72	74
イ タ リ ア	31 209	29 456	106	0.4	14	26	30	1.35g)	3g)	72	74
カ ザ フ ス タ ン	8 876f)	8 285f)	107f)	…	26f)	8f)	12f)	2.64e)	11e)	60	67
キ ル ギ ス タ ン	3 068	3 012	102	1.8	32	6	8	3.19g)	17	61	67
ラ ト ビ ア	1 065	904	118	△ 1.1	15	20	31	1.74	4	63	71
リ ト ア ニ ア	1 559	1 330	117	△ 1.2	15	19	30	1.60g)	4g)	62	70
ル ク セ ン ブ ル ク	287	289	99	2.1	16	18	21	1.57d)	…	70	73
マ ル タ	217	218	100	0.8	14	24	28	1.42f)	7	71	73
モ ナ コ	19.1	18.2	105	1.1	13b)	29b)	33b)	1.71d)	5f)	70d)	75d)
モ ン テ ネ グ ロ	314	308	102	0.1	18	18	22	1.71d)	5f)	67	69
オ ラ ン ダ	8 562	8 417	102	0.4	16	23	26	1.72d)	3g)	71	73
ノ ル ウ ェ ー5)	2 587	2 624	99	1.1	18	20	24	1.71	2g)	71	73
ポ ー ラ ン ド	19 590	18 377	107	0.0	15	20	26	1.36	4g)	66	72
ポ ル ト ガ ル	5 440	4 902	111	△ 0.4	14	24	29	1.36	3g)	70	73
モルドバ共和国6)	1 845g)	1 710g)	108g)	0.0	16g)	13g)	19g)	1.28	10f)	62	68
ル ー マ ニ ア	10 111	9 650	105	△ 0.4	16	21	27	1.40f)	8g)	64	70
ロ シ ア 連 邦	76 712d)	65 992d)	116d)	…	16d)	14d)	23d)	…	9d)	69	68
サ ン マ リ ノ	17.4	16.6	105	0.4	15	23	26	…	…	72d)	73d)
セ ル ビ ア7)	3 621	3 438	105	△ 0.5	14g)	24g)	29g)	1.46	5g)	66	70
ス ロ バ キ ア	2 780	2 646	105	0.1	15	18	24	1.40g)	5g)	65	71
ス ロ ベ ニ ア	1 041	1 023	102	0.1	15	22	28	1.57g)	2g)	69	73

注：1）ナゴルノ・カラバフを含む。
　　2）北キプロスを含む。
　　3）オーランド諸島を含む。
　　4）アブハジアと南オセチアを含む。
　　5）スヴァールバル諸島及びヤン・マイエン島を含む。
　　6）トランスニストリアを含む。
　　7）コソボを含む。

a）2000年　f）2014年
b）2008年　g）2015年
c）2011年
d）2012年
e）2013年

320　社会保障等

第6－15表（続）　人口指標の国際比較

（5－4）

地域、国別	推計人口 (2016・単位千人) 女	男	性比 (2016) (女/男×100)	年平均人口増加率 (2010-2016)	15歳未満人口割合 (2016)	60歳以上人口割合 (2016) 男	女	合計特殊出生率 (2016)	乳児死亡率出生千対 (2016)	健康寿命 (2015) 男	女
ス ペ イ ン1)	23 636	22 809	104	0.0	15	22	27	1.33	3e)	71	74
ス ウ エ ー デ ン	4 920	4 931	100	0.8	17	24	27	1.85	2e)	71	73
ス イ ス	4 206	4 121	102	1.0	15	22	26	1.55	4e)	72	74
タ ジ キ ス タ ン	4 082f)	4 174f)	98f)	2.3	35f)	5f)	5f)	2.98f)	…	60	65
マ ケ ド ニ ア2)	1 034	1 038	100	0.1	17	17	21	1.50	9e)	66	69
ト ル コ	39 230d)	39 511d)	99d)	…	24d)	11a)	13a)	2.11	11a)	65	68
ト ル ク メ ニ ス タ ン	2 626d)	2 544d)	103d)	…	29d)	5d)	7d)	…	…	57	63
ウ ク ラ イ ナ	22 873	19 718	116	△ 1.2	15	17	27	1.51e)	8f)	60	68
英 国	33 158	32 225	103	0.7	18	22	25	1.82f)	4e)	70	73
ウ ズ ベ キ ス タ ン	15 603a)	15 696a)	99a)	…	28a)	6a)	7a)	2.49a)	11a)	60	65
東 地 中 海 地 域											
ア フ ガ ニ ス タ ン	13 507	14 150	95	2.0	46	6	5	…	…	51	53
バ ー レ ー ン	535	888	60	2.5	20	4	5	2.17f)	10f)	67	67
ジ ブ チ	461d)	462d)	100d)	…	35d)	5d)	6d)	…	…	55	57
エ ジ プ ト	44 609	46 414	96	2.4	31	7	8	3.50	15f)	61	63
イ ラ ン	39 567	40 119	99	1.2	24	8	9	…	5f)	66	67
イ ラ ク	18 138d)	18 521d)	98d)	…	40d)	5d)	5d)	…	…	58	62
ヨ ル ダ ン	4 610	5 188	89	6.3	34	5	6	3.50d)	…	64	66
ク ウ エ ー ト	1 605	2 320	69	4.9	22	5	5	1.90f)	8e)	65	67
レ バ ノ ン	2 197d)	2 095d)	105d)	…	24d)	10d)	11d)	…	…	65	67
リ ビ ア	3 033d)	3 129d)	97d)	…	28d)	6d)	7g)	…	…	62	65
モ ロ ッ コ	17 306	17 181	101	1.3	27	10	10	…	…	65	66
オ マ ー ン	1 528	2 886	53	…	22	3	5	2.90	…	66	68
パ キ ス タ ン	88 530d)	91 421d)	97d)	…	34d)	7d)	6d)	…	…	58	58
カ タ ー ル	642	1 976	32	7.0	14	2	3	2.00e)	7g)	68	68
南 ス ー ダ ン	5 746f)	5 325f)	108f)	…	44b)	4b)	4b)	…	…	49	51
サ ウ ジ ア ラ ビ ア	13 508	18 234	74	2.4	25	5	6	2.40	…	64	65
ソ マ リ ア	4 937g)	4 860g)	102g)	…	45d)	4d)	5d)	…	…	47	49
ス ー ダ ン	19 542	20 106	97	3.1	43	5	5	…	…	55	57
シ リ ア ア ラ ブ 共 和 国	10 436d)	10 682d)	98d)	…	35d)	6d)	7d)	…	…	53	60
チ ュ ニ ジ ア	5 510f)	5 472f)	101f)	1.1	24f)	12f)	12f)	…	…	65	68
ア ラ ブ 首 長 国 連 邦	2 823	6 298	45	1.6	17d)	2d)	1d)	…	…	68	69
イ エ メ ン	12 391e)	12 844e)	96e)	…	41e)	4e)	4e)	…	…	57	58
ア フ リ カ 地 域											
ア ル ジ ェ リ ア	20 155	20 680	97	2.1	29	9	9	3.10	…	65	67
ア ン ゴ ラ	13 290f)	12 499f)	106f)	…	47f)	3f)	4f)	…	…	45	47
ベ ナ ン	5 548	5 335	104	3.6	45	4	4	…	…	52	53
ボ ツ ワ ナ	1 143	1 088	105	3.4	32	6	8	…	…	55	59
ブ ル キ ナ フ ァ ソ	9 546g)	8 904g)	107g)	…	48g)	4g)	5g)	…	…	52	53
ブ ル ン ジ	5 675	5 540	102	2.8	43	4	5	5.50	…	51	54
カ ー ボ ベ ル デ	265	266	100	1.2	29	6	9	…	…	63	65

注：1）カナリア諸島、セウタ、メリリャを含む。
　　2）マケドニア旧ユーゴスラビア共和国
　　　　a）2000年　f）2014年
　　　　b）2008年　g）2015年
　　　　c）2011年
　　　　d）2012年
　　　　e）2013年

第6－15表（続）　人口指標の国際比較

(5-5)

地域、国別	推計人口 (2016・単位千人)		性比 (2016) (女/男×100)	年平均 人口 増加率 (2010-2016)	15歳未 満人口 割合 (2016)	60歳以上 人口割合 (2016)		合計 特殊 出生率 (2016)	乳児死 亡率出 生千対 (2016)	健康寿命 (2015)	
	女	男				男	女			男	女
カ メ ル ー ン	11 493	11 217	102	2.4	40d)	5d)	6d)	…	…	50	51
中 央 ア フ リ カ	2 321d)	2 255d)	103d)	…	40d)	5d)	7d)	…	…	45	47
チ ャ ド	5 946d)	5 884d)	101d)	…	45d)	4d)	5d)	…	…	45	47
コ モ ロ	384d)	390d)	98d)	…	43d)	4d)	5d)	…	…	55	57
コ ン ゴ	2 114d)	2 119d)	100d)	…	41d)	5d)	6d)	…	…	56	58
コートジボワール	11 610	12 341	94	2.3	42	4	4	4.79f)	53f)	47	48
コンゴ共和国	34 970d)	34 606d)	101d)	…	46d)	4d)	5d)	…	…	51	53
赤 道 ギ ニ ア	571g)	652g)	88g)	…	39d)	5d)	4d)	…	…	50	53
エ リ ト ニ ア	2 829d)	2 752d)	103d)	…	42d)	3d)	5d)	…	…	54	57
エ チ オ ピ ア	45 902	46 303	99	2.4	40d)	5d)	6d)	…	…	55	58
ガ ボ ン	877e)	934e)	94e)	…	35d)	6d)	7d)	…	…	57	58
ガ ン ビ ア	952e)	931e)	102e)	…	43d)	4d)	3d)	…	…	53	55
ガ ー ナ	14 422	13 887	104	…	38g)	6g)	7g)	…	…	55	56
ギ ニ ア	5 857	5 463	107	…	45f)	6f)	5f)	4.80	66f)	52	52
ギ ニ ア ビ サ ウ	788	760	104	1.0	43	3	4	…	…	50	53
ケ ニ ア	22 880	22 509	102	2.8	41g)	4g)	5g)	…	…	54	57
レ ソ ト	1 008	925	109	0.4	37	6	8	…	…	45	48
リ ベ リ ア	1 977f)	1 970f)	100f)	…	43d)	4d)	5d)	4.60f)	…	52	54
マ ダ ガ ス カ ル	10 996d)	10 933d)	101d)	…	42d)	5d)	5d)	…	…	56	58
マ ラ ウ イ	8 561	8 272	103	3.1	46	4	5	…	…	50	52
マ リ	8 648f)	8 671f)	100f)	…	47f)	3f)	4f)	…	…	52	51
モ ー リ タ ニ ア	1 918	1 865	103	2.1	43	6e)	5e)	…	…	54	56
モ ー リ シ ャ ス1)	638	625	102	△ 0.2	19	14	17	1.40	12	64	69
モ ザ ン ビ ー ク	13 663	12 760	107	2.7	45	4	5	5.40e)	…	48	51
ナ ミ ビ ア	1 195	1 130	106	1.4	36	5	7	…	…	56	59
ニ ジ ェ ー ル	9 966	9 899	101	4.5	52	4	4	…	…	54	55
ナ イ ジ ェ リ ア	94 762	98 630	96	3.2	42	5d)	6d)	…	…	47	49
ル ワ ン ダ	5 051	5 583	90	1.7	40	4	6	5.30d)	…	52	61
サントメ・プリンシペ	87d)	85d)	102d)	…	39d)	5d)	6d)	…	…	58	60
セ ネ ガ ル	7 427	7 372	101	2.8	42	5	6	…	…	57	59
セ ー シ ェ ル	47.1g)	46.3g)	102g)	…	22g)	11g)	14g)	2.34f)	…	62	69
シ エ ラ レ オ ネ	3 601g)	3 491g)	103g)	…	43d)	4d)	4d)	5.82d)	…	44	45
南 ア フ リ カ	28 529	27 380	104	1.5	30	7	9	2.43	…	52	57
ス ワ ジ ラ ン ド	594	538	110	1.2	37g)	4g)	5g)	3.50g)	…	49	53
ト ー ゴ	3 171d)	3 112d)	102d)	2.4	39d)	5d)	6d)	…	…	52	53
ウ ガ ン ダ	18 678	17 882	104	2.3	47	4f)	5f)	…	…	53	55
タ ン ザ ニ ア2)	25 731	24 412	105	2.5	44e)	4e)	5e)	3.69d)	…	53	56
ザ ン ビ ア	6 922d)	6 961d)	99d)	…	47d)	4d)	5d)	…	…	52	56
ジ ン バ ブ エ	7 394	6 846	108	…	38d)	5d)	7d)	…	…	51	53

注：1）アガレガ諸島，ロドリゲス島及び
　　　　セイント・ブランドン島を含む。
　　2）ザンジバルを含む。
資料：UN「Statistics Division (Database)」
　　　WHO「Global Health Observatory (GHO)」

a）2000年　　f）2014年
b）2008年　　g）2015年
c）2011年
d）2012年
e）2013年

付　　　　　録

付

録

I 厚生労働省の組織

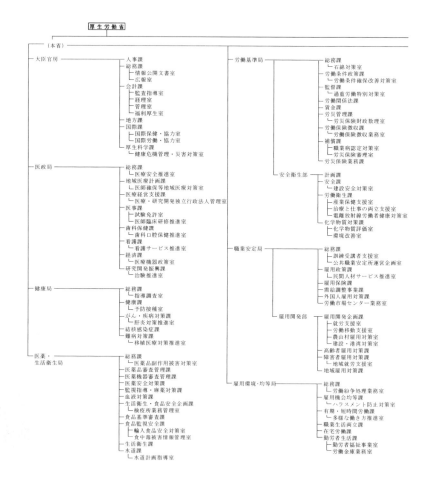

付 録 325

平成30年7月1日現在

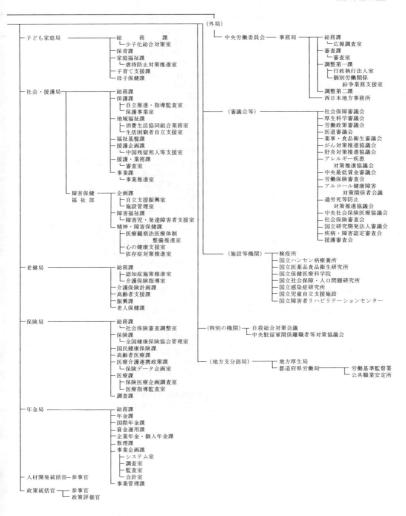

326　付　録

Ⅱ　主な厚生統計調査一覧

主管部局名	主 管 課 室 名	統 計 調 査 の 名 称
政 策 統 括 官	政 策 評 価 官 室	所得再分配調査
	審 査 解 析 室	産業連関構造調査
	人 口 動 態 ・ 保 健 社 会 統 計 室	人口動態調査
	行 政 報 告 統 計 室	衛生行政報告例
		地域保健・健康増進事業報告
		福祉行政報告例
	保 健 統 計 室	患者調査
		医療施設調査
		受療行動調査
		病院報告
	社 会 統 計 室	社会福祉施設等調査
		介護サービス施設・事業所調査
	世 帯 統 計 室	国民生活基礎調査
		21世紀出生児縦断調査（平成22年出生児）
		21世紀成年者縦断調査
		中高年者縦断調査
医 政 局	地 域 医 療 計 画 課	無医地区等調査
	歯 科 保 健 課	歯科疾患実態調査
		無歯科医地区等調査
	看 護 課	看護師等学校養成所入学状況及び卒業生就業状況調査
	経 済 課	薬事工業生産動態統計調査
		医薬品・医療機器産業実態調査
		医薬品価格調査
		特定保険医療材料価格調査
健 康 局	総 務 課	原子爆弾被爆者実態調査
	健 康 課	国民健康・栄養調査
	健 康 課 保 健 指 導 室	保健師活動領域調査
	結 核 感 染 症 課	院内感染対策サーベイランス
医薬・生活衛生局	食 品 監 視 安 全 課	食肉検査等情報還元調査
子 ど も 家 庭 局	総 務 課	児童養護施設入所児童等調査
	少 子 化 総 合 対 策 室	全国ひとり親世帯等調査
		全国家庭児童調査
		乳幼児栄養調査
		乳幼児身体発育調査
		地域児童福祉事業等調査

主管部局名	主 管 課 名	統 計 調 査 の 名 称
社会・援護局	保　　　　　護　　　　　課	社会保障生計調査
		被保護者調査
		医療扶助実態調査
	地　域　福　祉　課	消費生活協同組合（連合会）実態調査
		ホームレスの実態に関する全国調査
	援護企画課中国残留邦人等支援室	中国残留邦人等実態調査
	障害保健福祉部障害福祉課	障害福祉サービス等経営実態調査
		障害福祉サービス等従事者処遇状況等調査
老　健　局	老　人　保　健　課	介護事業実態調査
保　険　局	医　療　課　、　調　査　課	医療経済実態調査
	医　　　療　　　課	歯科技工料調査
		保険医療材料等使用状況調査
		訪問看護療養費実態調査
	調　　　査　　　課	健康保険・船員保険被保険者実態調査
		「医療費の動向」調査
		医療給付実態調査
年　金　局	数　　　理　　　課	年金制度基礎調査
	事　業　管　理　課	公的年金加入状況等調査
	調　　　査　　　室	国民年金被保険者実態調査
		公務員及び私学教職員に関する厚生年金保険適用給付状況調査
国立社会保障・人口問題研究所		社会保障・人口問題基本調査

328　付　録

Ⅲ　厚生統計に用いる主な比率及び用語の解説

（人口構造）

(1) 年少人口指数 $= \dfrac{年少人口}{生産年齢人口} \times 100$

(2) 老年人口指数 $= \dfrac{老年人口}{生産年齢人口} \times 100$

(3) 従属人口指数 $= \dfrac{年少人口 + 老年人口}{生産年齢人口} \times 100$

(4) 老年化指数 $= \dfrac{老年人口}{年少人口} \times 100$

注：年少人口　　　 0 ～14歳
　　生産年齢人口　15～64歳
　　老年人口　　　65歳以上

（人口動態）

＜総　覧＞

(1) 出　生　率 $= \dfrac{年間出生数}{10月1日現在日本人人口} \times 1,000$

(2) 死　亡　率 $= \dfrac{年間死亡数}{10月1日現在日本人人口} \times 1,000$

(3) 乳児死亡率 $= \dfrac{年間乳児死亡数}{年間出生数} \times 1,000$

(4) 新生児死亡率 $= \dfrac{年間新生児死亡数}{年間出生数} \times 1,000$

(5) 自然増減率 $= \dfrac{年間自然増減数（年間出生数 - 年間死亡数）}{10月1日現在日本人人口} \times 1,000$

(6) 死産率 $= \dfrac{年間死産数}{年間出産数（年間出生数 + 年間死産数）} \times 1,000$

(7) 自然死産率 $= \dfrac{年間自然死産数}{年間出産数（年間出生数 + 年間死産数）} \times 1,000$

(8) 人工死産率 $= \dfrac{年間人工死産数}{年間出産数（年間出生数 + 年間死産数）} \times 1,000$

(9) 周産期死亡率 $= \dfrac{年間周産期死亡数}{年間出生数 + 年間の妊娠満22週以後の死産数} \times 1,000$

(10) 妊娠満22週以後の死産率（総数・自然・人工）

$= \dfrac{年間の妊娠満22週以後の死産数（総数・自然・人工）}{年間出生数 + 年間の妊娠満22週以後の死産数} \times 1,000$

(11) 早期新生児死亡率 $= \dfrac{年間早期新生児死亡数}{年間出生数} \times 1,000$

(12) 婚　姻　率 $= \dfrac{年間婚姻届出件数}{10月1日現在日本人人口} \times 1,000$

(13) 離　婚　率 $= \dfrac{年間離婚届出件数}{10月1日現在日本人人口} \times 1,000$

付　録　329

注：1）乳児死亡とは、生後1年未満の死亡、新生児死亡とは、生後4週（28日）未満の死亡、早期新生児死亡とは、生後1週（7日）未満の死亡をいう。

2）死産とは、妊娠満12週（妊娠第4月）以後の死児の出産をいう。

3）周産期死亡とは、妊娠満22週以後の死産と早期新生児死亡をあわせたものをいう。

WHOより定められた「疾病及び関連保健問題の国際統計分類第10回改訂」（ICD-10）では、周産期を「妊娠満22週（154日）に始まり、出生後満7日未満で終わる。」と定義している。我が国では平成7年からICD-10を適用したことに伴い周産期死亡数を「妊娠満22週以後の死産数に早期新生児死亡を加えたもの」と改正し、併せて周産期死亡率の算出方法も改正した。

なお、平成6年以前の周産期死亡は、妊娠満28週以後の死産と早期新生児死亡をあわせたものであり、周産期死亡率の算出方法は下記のとおりである。

$$周産期死亡率 = \frac{年間周産期死亡数}{年間出生数} \times 1,000$$

妊娠満28週以後の死産比（総数・自然・人工）

$$= \frac{年間の妊娠満28週以後の死産数（総数・自然・人工）}{年間出生数} \times 1,000$$

＜出　生＞

(1) 出生性比 $= \dfrac{年間の男子出生数}{年間の女子出生数} \times 100$

(2) 母の年齢（年齢階級）別出生率

$$= \frac{ある年齢（年齢階級）の母が1年間に生んだ子の数}{10月1日現在における日本人女性のある年齢（年齢階級）の人口} \times 1,000$$

(3) 月間出生率（年換算率）$= \dfrac{月間出生数}{月初人口 \times 年換算係数} \times 1,000$

注：年換算係数 $= \dfrac{月間日数（30, 31, 28又は29）}{年間日数（365又は366）}$

すなわち、1年の長さを1とした場合の各月の長さをいう。（以下同じ。）

(4) 合計特殊出生率 $= \left[\dfrac{年間の母の年齢別出生数}{10月1日現在年齢別女性人口} \right]$ 15歳から49歳までの合計

合計特殊出生率は「15歳から49歳までの女性の年齢別出生率を合計したもの」で、1人の女性がその年齢別出生率で一生の間に生むとしたときの子ども数に相当する。

＜死　亡＞

(1) 死亡性比 $= \dfrac{年間の男子死亡数}{年間の女子死亡数} \times 100$

(2) 年齢（年齢階級）別死亡率（総数・男・女）

$$= \frac{年間のある年齢（年齢階級）の死亡数（総数・男・女）}{10月1日現在における日本人（総数・男・女）のある年齢（年齢階級）の人口} \times 1,000$$

330　付　録

(3) 月間死亡率（年換算率）＝ $\dfrac{\text{月間死亡数}}{\text{月初人口×年換算係数}} \times 1,000$

(4) 死因別死亡率（年間）＝ $\dfrac{\text{年間の死因別死亡数}}{\text{10月1日現在日本人人口}} \times 100,000$

(5) 年齢調整死亡率＝$\dfrac{\left\{\left[\begin{array}{c}\text{観 察 集 団 の 各 年 齢}\\\text{（年齢階級）の死亡率}\end{array}\right] \times \left[\begin{array}{c}\text{基準人口集団のその年齢}\\\text{（年齢階級）の人口}\end{array}\right]\right\}\begin{array}{c}\text{の各年齢（年齢}\\\text{階 級）の 総 和}\end{array}}{\text{基 準 人 口 集 団 の 総 数}}$

（参　考）

　　死亡率は年齢によって異なるので、国際比較や年次推移の観察には、人口の年齢構成の差異を取り除いて観察するために、年齢調整死亡率を使用することが有用である。

　　年齢調整死亡率の基準人口については、平成元年までは昭和10年の性別総人口（都道府県は昭和35年総人口）を使用してきたが、現実の人口構成からかけ離れた数値となってきたため、平成2年からは昭和60年モデル人口（昭和60年国勢調査日本人人口をもとに、ベビーブーム等の極端な増減を補正し1,000人単位で作成したもの）を使用している。

　　なお、計算式中の「観察集団の各年齢（年齢階級）の死亡率」は、1,000倍（死因別の場合は100,000倍）されたものである。

＜乳児死亡＞

(1) 乳児死亡性比＝ $\dfrac{\text{年間の男子乳児死亡数}}{\text{年間の女子乳児死亡数}} \times 100$

(2) 死因別乳児死亡率＝ $\dfrac{\text{年間の死因別乳児死亡数}}{\text{年間出生数}} \times 100,000$

(3) 死因別新生児死亡率＝ $\dfrac{\text{年間の死因別新生児死亡数}}{\text{年間出生数}} \times 100,000$

(4) 月間乳児死亡率（年換算率）＝ $\dfrac{\text{月間乳児死亡数}}{\text{年間出生数×年換算係数}} \times 1,000$

＜死　産＞

(1) 死産性比＝ $\dfrac{\text{年間の男子死産数}}{\text{年間の女子死産数}} \times 100$

(2) 月間死産率（総数・自然・人工）＝ $\dfrac{\text{月間死産数（総数・自然・人工）}}{\text{月間出産数（月間出生数＋月間死産数）}} \times 1,000$

(3) 月間の妊娠満22週以後の死産率（総数・自然・人工）

　　＝ $\dfrac{\text{月間の妊娠満22週以後の死産数（総数・自然・人工）}}{\text{月間出生数＋月間の妊娠満22週以後の死産数}} \times 1,000$

＜周産期死亡＞

　　月間周産期死亡率＝ $\dfrac{\text{月間周産期死亡数}}{\text{月間出生数＋月間の妊娠満22週以後の死産数}} \times 1,000$

＜妊産婦死亡＞

　　妊産婦死亡率＝ $\dfrac{\text{年間の妊産婦死亡数}}{\text{年間出産数（年間出生数＋年間死産数）（又は年間出生数）}} \times 100,000$

付　録　331

　妊産婦死亡とは、妊娠中又は妊娠終了後満42日未満（昭和53年までは「産後90日以内」とし、昭和54年から平成6年までは「分娩後42日以内」としている。）の女性の死亡で、妊娠期間及び部位には関係しないが、妊娠もしくはその管理に関連した又はそれらによって悪化したすべての原因によるものをいう。ただし、不慮又は偶発の原因によるものを除く。

　その範囲は、直接産科的死亡、間接産科的死亡及び原因不明の産科的死亡（平成7年以降は死因基本分類コード（以下省略）O95）が該当する。

直接産科的死亡：　妊娠時（妊娠、分娩及び産じょく＜褥＞）における産科的合併症が原因で死亡したものをいう。
　　　　　　　　　　昭和53年以前は基本分類表「XI　妊娠、分娩および産褥の合併症」（内容的に直接産科的死亡に該当）、昭和54年から平成6年までは630～646及び650～676、平成7年以降はO00～O92が該当する。

間接産科的死亡：　妊娠前から存在した疾患又は妊娠中に発症した疾患により死亡したものであって、直接産科的原因によるものではないが、妊娠の生理的作用によって悪化したものである。
　　　　　　　　　　昭和54年から平成6年までは647～648、平成7年以降はO98～O99及び第XV章（Oコード）以外の間接産科的死亡が該当する。
　　　　　　　　　　第XV章（Oコード）以外では、平成7年から28年までは、産科的破傷風（A34）及び妊娠，分娩及び産じょく＜褥＞に合併するヒト免疫不全ウイルス［HIV］病（B20～B24）が該当する。平成29年から「ICD-10（2013年版）準拠」により、妊娠，分娩及び産じょく＜褥＞に合併するヒト免疫不全ウイルス［HIV］病（B20～B24）がO98.7へ符号変更され、下垂体の分娩後え＜壊＞死（E23.0）、産じょく＜褥＞に関連する精神及び行動の障害（F53）、産じょく＜褥＞期骨軟化症（M83.0）、傷病及び死亡の外因（V01～Y89）が追加された。

（保健統計）

(1)　人口10万対の医師数＝$\dfrac{医師数}{10月1日現在総人口}$×100,000

(2)　人口10万対の病床数＝$\dfrac{病床数}{10月1日現在総人口}$×100,000

(3)　有訴者率

　　有訴者とは、世帯員（入院者を除く。）のうち，病気やけが等で自覚症状のある者をいい、人口千人に対する有訴者数の割合を「有訴者率」という。

　　有訴者率＝$\dfrac{有訴者数}{世帯人員}$×1,000

(4)　通院者率

　　通院者とは、世帯員（入院者を除く。）のうち、病気やけがで病院・診療所、あんま・はり・きゅう・柔道整復師に通っている者をいい、人口千人に対する通院者数の割合を「通院者率」という。

　　通院者率＝$\dfrac{通院者数}{世帯人員}$×1,000

(5)　日常生活に影響のある者率

　　日常生活に影響のある者とは、世帯員（入院者・6歳未満の者を除く。）のうち、健康上の問題で日常生活（日常生活動作・外出・仕事・家事・運動など）に影響のある者をいい、人口（6歳以上）千人に対する日常生活に影響のある者数の割合を「日常生活に影響のある者率」という。

　　日常生活に影響のある者率＝$\dfrac{日常生活に影響のある者数}{6歳以上の世帯人員}$×1,000

332　付　録

(6) り患率

年間に発生した感染症又は食中毒の患者数と人口との比率を「り患率」という。

通常感染症又は食中毒のり患率は人口10万人に対する比率で算出する。

$$り患率＝\frac{感染症又は食中毒の届出患者数}{10月1日現在総人口}×100,000$$

(7) 受療率

推計患者数を人口で除して人口10万対であらわした数。

性、年齢、都道府県別の受療率については、それぞれ当該性、年齢、都道府県別人口を用いて算出している。

$$受療率（人口10万対）＝\frac{推計患者数}{推計人口}×100,000$$

(8) 病床利用率

$$病床利用率＝\frac{月間在院患者延数の1月〜12月の合計}{（月間日数×月末病床数）の1月〜12月の合計}×100\qquad（平成12年以降）$$

$$病床利用率＝\frac{1日平均在院患者数}{6月末病床数}×100\qquad（平成11年以前）$$

(9) 平均在院日数

$$平均在院日数＝\frac{年（月）間在院患者延数}{1/2×（年（月）間新入院患者数＋年（月）間退院患者数）}$$

(国民生活基礎調査)

1　**世帯**とは、住居及び生計を共にする者の集まり又は独立して住居を維持し、若しくは独立して生計を営む単身者をいう。

2　**世帯員**とは、世帯を構成する各人をいう。ただし、社会福祉施設に入所している者、単身赴任者（出稼ぎ者及び長期海外出張者を含む。）、遊学中の者、別居中の者、預けた里子、収監中の者を除く。

3　**世帯種**は、次の分類による。

(1) 国保加入世帯

国民健康保険の被保険者が一人でもおり、かつ、他の医療保険の被保険者又は被扶養者がいない世帯をいう。

(2) 被用者保険加入世帯

全国健康保険協会管掌健康保険（協会けんぽ）、組合管掌健康保険、船員保険の被保険者若しくは共済組合の組合員又はその被扶養者が一人でもおり、かつ、他の医療保険の被保険者がいない世帯をいう。

(3) 国保・被用者保険加入世帯

上記の国民健康保険の被保険者及び被用者保険の被保険者又はその被扶養者がそれぞれ一人でもおり、かつ、後期高齢者医療制度の被保険者がいない世帯をいう。

(4) 後期高齢者医療制度加入世帯

後期高齢者医療制度の被保険者が一人でもおり、かつ、他の医療保険の被保険者又は被扶養者がいない世帯をいう。

(5) 国保・後期高齢者医療制度加入世帯

上記の国民健康保険の被保険者及び後期高齢者医療制度の被保険者がそれぞれ一人でもおり、かつ、他の医療保険の被保険者又は被扶養者がいない世帯をいう。

(6) 被用者保険・後期高齢者医療制度加入世帯

　　上記の被用者保険の被保険者又はその被扶養者及び後期高齢者医療制度の被保険者がそれぞれ一人でもおり、かつ、国民健康保険の被保険者がいない世帯をいう。

(7) 国保・被用者保険・後期高齢者医療制度加入世帯

　　上記の国民健康保険の被保険者、被用者保険の被保険者又はその被扶養者及び後期高齢者医療制度の被保険者がそれぞれ一人でもいる世帯をいう。

(8) その他の世帯

　　上記(1)～(7)以外で加入保険不詳の者がいない世帯をいう。

4　世帯構造は、次の分類による。

(1) 単独世帯

　① 住み込み又は寄宿舎等に居住する単独世帯

　　住み込みの店員、あるいは学校の寄宿舎・寮・会社などの独身寮に単身で入居している者をいう。

　② その他の単独世帯

　　世帯員が一人だけの世帯であって、その世帯員の居住場所が①以外の者をいう。

(2) 核家族世帯

　① 夫婦のみの世帯

　　世帯主とその配偶者のみで構成する世帯をいう。

　② 夫婦と未婚の子のみの世帯

　　夫婦と未婚の子のみで構成する世帯をいう。

　③ ひとり親と未婚の子のみの世帯

　　父親又は母親と未婚の子のみで構成する世帯をいう。

(3) 三世代世帯

　　世帯主を中心とした直系三世代以上の世帯をいう。

(4) その他の世帯

　　上記(1)～(3)以外の世帯をいう。

5　世帯類型は、次の分類による。

(1) 高齢者世帯

　　65歳以上の者のみで構成するか、又はこれに18歳未満の未婚の者が加わった世帯をいう。

(2) 母子世帯

　　死別・離別・その他の理由（未婚の場合を含む。）で、現に配偶者のいない65歳未満の女（配偶者が長期間生死不明の場合を含む。）と20歳未満のその子（養子を含む。）のみで構成している世帯をいう。

(3) 父子世帯

　　死別・離別・その他の理由（未婚の場合を含む。）で、現に配偶者のいない65歳未満の男（配偶者が長期間生死不明の場合を含む。）と20歳未満のその子（養子を含む。）のみで構成している世帯をいう。

(4) その他の世帯

　　上記(1)～(3)以外の世帯をいう。

334 付　録

6　**世帯業態**は、次の分類による。

(1) 雇用者世帯

① 常雇者世帯

最多所得者が1年以上の契約又は雇用期間について別段の定めなく雇われている者の世帯をいう。

(ｱ) 会社・団体等の役員の世帯

最多所得者が会社又は団体等を経営、代表する役職についている者の世帯をいう。

(ｲ) 一般常雇者世帯

最多所得者が個人業主、会社、団体、官公庁に雇われている者の世帯をいう。

・契約期間の定めのない雇用者世帯

最多所得者が雇用期間について別段の定めなく個人業主、会社、団体、官公庁に雇われている者の世帯をいう。

・契約期間が1年以上の雇用者世帯

最多所得者が雇用期間について1年以上契約して個人業主、会社、団体、官公庁に雇われている者の世帯をいう。

② 1月以上1年未満の契約の雇用者世帯

最多所得者が形式のいかんを問わず1月以上1年未満の契約によって雇われている者の世帯をいう。

③ 日々又は1月未満の契約の雇用者世帯

最多所得者が形式のいかんを問わず日々又は1月未満の契約によって雇われている者の世帯をいう。

(2) 自営業者世帯

最多所得者が事務所、工場、商店、飲食店等の事業を行っている者の世帯をいう。

(3) その他の世帯

最多所得者が上記に該当しない世帯をいう。したがって、最多所得者が全く働いていない世帯（利子、家賃、配当金、年金、恩給等で所得を得ている世帯）が含まれる。

(4) 不詳

最多所得者の就業状況が不詳の世帯、及び最多所得者に仕事がなく世帯を構成する者に仕事ありの者がなく、これに仕事の有無が不詳の者がいる世帯をいう。

7　**所得五分位階級**は、全世帯を所得の低いものから高いものへと順に並べて5等分し、所得の低い世帯群から第Ⅰ・第Ⅱ・第Ⅲ・第Ⅳ及び第Ⅴ五分位階級とし、その境界値をそれぞれ第Ⅰ・第Ⅱ・第Ⅲ及び第Ⅳ五分位値（五分位境界値）という。

平成31年4月10日　発行	定価（本体　3,200円＋税） （送料　実　費）

平成 30 年度

厚 生 統 計 要 覧

編　　　集	厚生労働省政策統括官(統計・情報政策、政策評価担当)
発　　　行	一般財団法人 厚生労働統計協会 郵便番号　103-0001 東京都中央区日本橋小伝馬町４－９ 小伝馬町新日本橋ビルディング３Ｆ 電　話　03－5623－4123（代表）
印　　　刷	統 計 プ リ ン ト 株 式 会 社

ISBN978-4-87511-792-6 C0033 ¥3200E